HARDPRESS.NET
HOME OF HARD-TO-FIND BOOKS

Philosophische Vorlesungen Aus Den Jahren 1804-1806. Nebst Fragmenten Vorzüglich Philosophisch Theologischen Inhalts ... Hrsg. Von C. J. H. Windischmann. - Bonn, Weber 1836-37
by Friedrich "Von" Schlegel

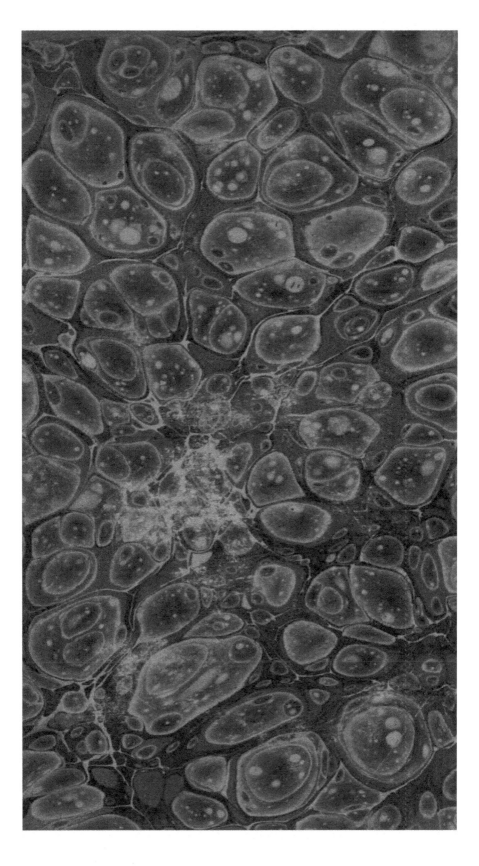

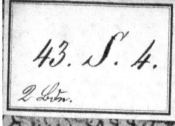

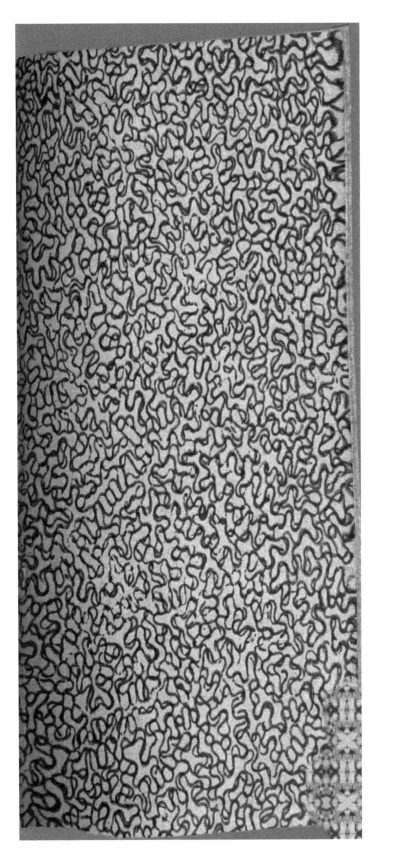

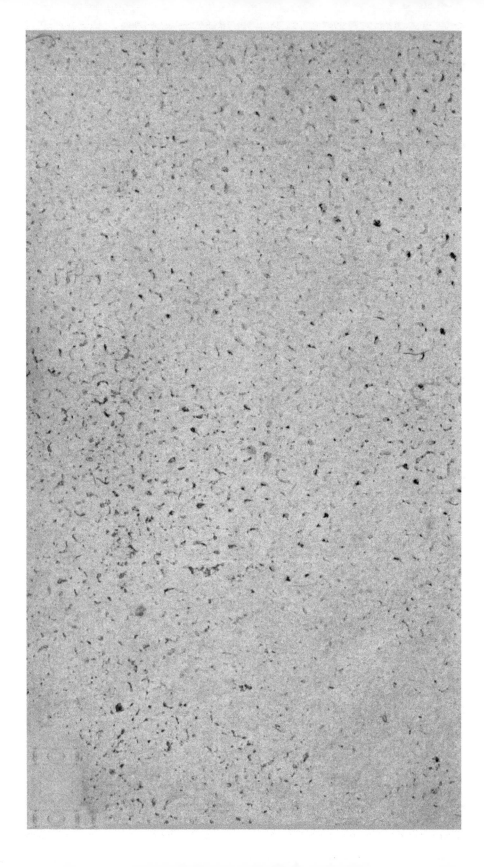

Friedrich Schlegel's
Philosophische Vorlesungen

aus den Jahren 1804 bis 1806.

Nebst Fragmenten
vorzüglich philosophisch-theologischen Inhalts.

Aus dem Nachlaß des Verewigten

herausgegeben

von

C. J. H. Windischmann.

❖

Erster Band.

Bonn,
bei Eduard Weber.
1836.

Vorerinnerung.

Die Ankündigung der in diesem ersten und dem folgenden Band enthaltenen Vorlesungen und Fragmente hat das geehrte Publikum mit den Gegenständen derselben schon bekannt gemacht, und wir haben nur noch Folgendes in Betreff des Inhaltes dieser vorliegenden Abtheilung des Ganzen hinzuzufügen.

Die Vorlesungen über Propädeutik und Logik, sowie über die Kritik der philosophischen Systeme wurden etwa um ein Jahr später als die übrigen gehalten; jene öffentlich, diese, wie schon angezeigt worden, vor drei vertrauten Zuhörern. Jene waren auf erste Belehrung und Vorbereitung zum tiefern Studium der Philosophie angelegt, diese sollten in das philosophische Denken tiefer einführen. Bei den öffentlichen Vorträgen wurde Manches aus dem früher gehaltenen Privatissimum benutzt; jedoch in ganz anderer Absicht und Gestalt. Es findet sich daher in der Einleitung zur eigentlichen Philosophie Manches wiederkehrend, was schon in der Kritik der philosophischen Systeme vorkommt; aber bei genauerer Vergleichung wird man sich leicht überzeugen, daß an diesem Ort die kritische Betrachtung der verschiedenen philosophischen Richtungen und Systeme in jenem schon angegebenen Sinn einer ersten Belehrung, dort aber in der Weise eigentlich philosophischer Kritik vorkommt;

mithin nicht sowohl als Wiederholung anzusehen, sondern eine Betrachtung von ganz verschiedenen Gesichtspunkten aus ist.

In der historischen Charakteristik der Philosophie nach ihrer successiven Entwicklung wird man die Darstellung mehrerer philosophischen Lehrgebäude zu kurz, manche andere, minder bedeutende, ganz übergangen finden; was daher zu erklären ist, daß der Lehrer das Interesse hatte, seine Zuhörer mit einem oder dem anderen Hauptsystem, weil es in gedruckten Lehr= und Handbüchern nicht genügend behandelt war, vorzüglich bekannt zu machen, andere aber mehr nur beiläufig zu behandeln.

Was die Stellung der gesammten Vorlesungen zu der letzten Gestalt betrifft, in welcher Fr. Schlegel die Philosophie faßte und darstellte, darüber werden wir uns in einem Anhang zum Ganzen ausführlich erklären. Er selbst sah sein philosophisches Bestreben wie eine Folge von Lehrjahren an, deren Charakteristik wir an jenem Ort besonders beabsichtigen.

Der Herausgeber.

Propädeutik

und

Logik.

I

I.

Stellung der Logik und der Philosophie überhaupt zu den übrigen Wissenschaften.

§. 1. Die Logik ist die Wissenschaft von den Regeln des Denkens. a) *)

Anmerk. 1. Diese Definition der Logik macht uns freilich noch sehr wenig mit ihr bekannt. Sie kann dadurch nicht genugsam erklärt werden, denn dazu müssen wir wissen, was Denken und Regeln des Denkens seyen. Was soll eine Definition seyn? — die vollständige Erklärung eines Gegenstandes. Um aber einen Gegenstand recht erklären zu können, muß man ihn schon ganz vollkommen kennen.

Es folgt hieraus, daß, wenn von einer Wissenschaft die Rede ist, wir ihre Beschaffenheit nicht gleich zu Anfang vollständig erklären können, sondern uns erst eine genaue Kenntniß von ihr verschaffen müssen, daher auch die vollständige Definition einer Wissenschaft sich nur am Ende geben läßt.

Anmerk. 2. Die oben gegebene Definition der Logik ist zwar noch nicht genau und vollständig bestimmt, aber dagegen doch allgemein und schlechthin richtig. Die verschiedenen Lehrer der Logik sind in vielen Stücken uneinig, aber in dieser Definition stimmen sie alle überein.

Anmerk. 3. Wenn es zu Anfange einer Wissenschaft nicht möglich ist, eine genügende Definition von ihr zu geben, so läßt sich doch ihr praktischer Werth hinlänglich ermessen.

---

*) Diese und die folgenden mit Buchstaben bezeichneten Noten und Erläuterungen finden sich am Schluß dieser Vorlesungen.

Anmerk. 4. Die Logik ist eine Wissenschaft des Denkens: nun gibt es aber kein Geschäft des menschlichen Lebens, wo nicht beinahe alles Gelingen von der Richtigkeit des Denkens abhängt. Man kann freilich, durch einen glücklichen Instinkt geleitet, richtig denken, ohne eben die Regeln des Denkens genau zu kennen, und die Gedanken nach den künstlichen Berechnungen der Wissenschaften abzumessen; wenn aber von einer Wissenschaft die Rede ist, so kann die Zulänglichkeit eines blos natürlichen Denkens durchaus nicht angenommen werden, denn hier ist ja eben ein regel- und gesetzmäßiges Denken und Verfahren das unterscheidende, hier reicht also der natürliche Verstand nicht hin, sondern ein gesetzmäßiges Denken nach den Regeln der Logik ist zu jeder Wissenschaft durchaus erforderlich.

§. 2. Der Nutzen der Logik nach der angegebenen Definition besteht also darin, daß sie schlechthin auf alle Wissenschaften anwendbar ist, weil man in allen Wissenschaften nach Regeln verfahren muß, und weil das Denken allgemein ist und zu allen Wissenschaften erfordert wird.

Anmerk. Die Logik ist in der Geschichte, der Poesie, der Rhetorik ꝛc. immer anwendbar. — So allgemein die Mathematik auch ist, so ist die Logik doch noch allgemeiner. Wir wollen die Logik zuerst blos von der Seite ihres praktischen Nutzens betrachten, als Einleitung aber eine Uebersicht aller Wissenschaften und Künste vorausschicken. Die Lehre von den verschiedenen Wissenschaften und Künsten, ihrem Inhalte, ihrem Wesen und Charakter und ihrem Zusammenhange, nennt man die Encyclopädie oder Wissenschaftskunde.

§. 3. Die Wissenschaften sind theils theoretische, theils praktische. — Bei dieser Eintheilung ist keineswegs von einer gänzlichen Trennung des Theoretischen und Praktischen die Rede, sondern nur von dem Uebergewichte des einen oder des andern in einer Wissenschaft, denn in einem gewissen Sinne muß jede Wissenschaft theoretisch und praktisch zugleich seyn. Die bloße Praxis ohne Theorie wäre keine Wissenschaft, und eine Wissenschaft, die nicht praktisch wäre, würde ohne allen Nutzen seyn. — Nimmt man aber die Eintheilung in dem obigen Sinne an, so sind:

„praktische Wissenschaften solche, deren Einheit und Zweck in einem Geschäfte liegen, das ausgeführt, in einem Gute, das erworben werden soll;"

„theoretische, deren Einheit in dem Gegenstande selbst liegt."

So ist z. B. die Medicin eine praktische Wissenschaft, die den Zweck hat, dem Menschen die Gesundheit zu verschaffen.

Anmerk. Die praktischen Wissenschaften sind nicht sowohl jede eine Einzelne, als ein Inbegriff von Wissenschaften, die zu einem gemeinschaftlichen Zwecke dienen, wie Medicin und Jurisprudenz, zwei der wichtigsten praktischen Wissenschaften. Die Theologie ist eine praktische Wissenschaft, in sofern sich jemand ihr widmet, nicht um seine natürliche Wißbegierde zu befriedigen, sondern als geistlicher und Volkslehrer religiöse Ideen und Gesinnungen zu verbreiten, seine Mitmenschen über den Werth ihrer erhabenen Bestimmung und die Mittel, diese zu erreichen, zu belehren.

Jede der drei genannten Wissenschaften ist ein Inbegriff von mehreren andern, die alle zu dem nämlichen Zwecke hinführen.

Daraus, daß die praktischen Wissenschaften auch theoretisch seyn müssen, erhellt, daß sie nicht als isolirt, sondern als verbunden betrachtet werden können.

Die Theologie ist zwar in dem oben gegebenen Sinne eine praktische Wissenschaft; an und für sich selbst betrachtet hat sie aber einen theoretischen Werth. Ihre Einheit liegt in dem Gegenstande, der erkannt werden soll, dem Wesen der Gottheit; welche Erkenntniß für das ganze Menschengeschlecht von dem unbedingtesten Werthe ist. Medicin und Jurisprudenz haben blos praktischen Werth. Zu den praktischen Wissenschaften kann man auch die Technologie rechnen. — Es wäre nicht unzweckmäßig, wenn auch sie eine vierte Fakultät bildete, und Baumeister, Fabrikanten, Landbauer und Kaufleute auf höhern Lehranstalten sich wissenschaftliche Kenntnisse in ihrem Fache erwürben. Allein bis jetzt haben die Regierungen sie nicht dazu ver=

pflichtet, da hingegen der Mediciner und der Jurist zu wissenschaftlichen Studien angehalten werden.

Die große, höhere Bedeutung des Zwecks selber macht hier
neue, größere Sorgfalt und Aufmerksamkeit nothwendig. Die
Gesundheit, die der Arzt zu besorgen hat, ist zwar ein äuße-
res Gut, aber als solches sind alle Reichthümer nicht damit
in Vergleich zu setzen.

Auch der Jurist hat ein wichtiges Geschäft, von dem das
Wohl und Wehe einzelner Bürger und oft ganzer Staaten ab-
hängt: Recht und Gerechtigkeit aufrecht zu halten, und das
Unrecht zu vertilgen.

Praktische Wissenschaften sind also:

Medicin, Jurisprudenz, Theologie und Technologie.

Man kann, da die praktischen Wissenschaften ein Inbegriff
von mehrern, in keiner derselben etwas Gründliches leisten,
wenn man nicht eine Uebersicht hat von dem sämmtlichen Gebiete der Wissenschaften und ihrem Zusammenhange.

§. 4. Der Hauptunterschied der theoretischen und praktischen Wissenschaften besteht darin, daß die Einheit der letztern
in einem Zwecke, der erreicht, einem Gute, das erlangt werden soll, liegt; die Einheit der erstern aber in dem Gegenstande der Wissenschaft selbst, nicht in ihrer Anwendung, in
dem äußern Gebrauche.

Unter den theoretischen Wissenschaften nimmt die Theologie, oder die Wissenschaft von dem höchsten Wesen, die bedeutendste Stelle ein.

Hier liegt die Einheit der Wissenschaft in der Einheit des
Gegenstandes. Alles was dazu dienen kann, uns mit diesem
näher bekannt zu machen, seyen es Schlüsse und Speculationen
der Vernunft, oder positive Offenbarungen, die vielleicht unsere
Vernunft übersteigen, zu denen aber historische Nachrichten und
Denkmale uns leiten, gehört in das Gebiet der Theologie, insofern es sich alles auf einen und denselben Gegenstand: die
Erkenntniß der Gottheit, bezieht. Es scheint diese Wissenschaft am
weitesten entfernt zu seyn von der menschlichen Schwäche und
am meisten über diese erhaben.

Fragt man, welche andere theoretische Wissenschaft uns wohl die nächste und unserer Schwäche die angemessenste sey, so antworten wir: die Geschichte, die Kenntniß des menschlichen Geschlechts, der Veränderungen desselben. Sie ist gleichfalls eine theoretische Wissenschaft; denn obwohl die Geschichte in ihrer größten Ausdehnung beinahe auf alle praktischen Wissenschaften anwendbar ist, so ist sie doch nicht selbst eine praktische Wissenschaft. Geschichte im engern Sinne hat nur die Veränderung des menschlichen Geschlechts zum Gegenstande.

Diese beiden Wissenschaften, Theologie und Historie, haben einen geistigen Gegenstand. Von der Theologie ist dies ganz klar, aber auch der Mensch in seiner Thätigkeit und Entwicklung ist ein geistiges Wesen.

Dies führt uns auf die Nachfrage nach einer Wissenschaft, die nicht so einen geistigen Gegenstand zum Ziele ihrer Untersuchung habe, sondern das dem Geiste entgegenstehende Princip, den Körper. Eine solche Wissenschaft ist die Physik mit allen ihren Abtheilungen.

So wie bei der Theologie die Einheit ganz deutlich in dem Gegenstande liegt, der Erkenntniß des göttlichen Wesens; so ist dies auch der Fall bei der Physik, deren Einheit auch blos in dem Gegenstande liegt: der Erkenntniß der Körperwelt; alles, was uns näher zu dieser führt, uns mit den Gesetzen und Eigenschaften der Natur genauer bekannt macht, ist ein Theil der Physik.

Es findet bei dieser Wissenschaft eine wichtige Eintheilung statt, indem an dem Körper vorzüglich zweierlei erkennbar ist. Die innere Qualität und die Quantität. Diese Eintheilung ist auf alle Körper anwendbar, ist also allgemein und begründet. — Die Mathematik ist die Wissenschaft von der Quantität, die Physik die Wissenschaft von der Qualität der Körper.

Diese vier theoretischen Wissenschaften: Theologie, Geschichte, Physik und Mathematik, von denen jede wieder viele Unterabtheilungen hat, sind die wichtigsten.

Die Theologie verhält sich zur Geschichte gerade wie die

Mathematik zur Physik und umgekehrt. Theologie und Mathematik sind mehr speculative, Geschichte und Physik mehr empirische Wissenschaften.

Nun sind noch zwei Erkenntnisse übrig, die zu den theoretischen Wissenschaften gehören, Philosophie und Philologie.

§. 5. Philologie ist Wissenschaft und Kenntniß der Sprache, und alles dessen, was dazu gehört, also mit einem Worte Gelehrsamkeit. Um eine Sprache recht und gründlich zu verstehen, wird ein nicht geringer Aufwand von Fleiß und Aufmerksamkeit erfordert; man bedarf dazu vielerlei Kenntnisse, die sich nur durch fortgesetztes Studium erwerben lassen. Besonders gilt dies von der römischen und griechischen Sprache.

Man darf aber den noch nicht für einen Gelehrten halten, dessen Studium nur diese beiden Sprachen umfaßt, sondern es werden dazu noch viel ausgebreitetere Sprachkenntnisse erfordert.

Die Kenntniß der orientalischen Sprachen wird gewöhnlich als eine Wissenschaft für sich getrennt von der Philologie im engsten Sinne des Worts, worunter man dann blos die Kenntniß des Griechischen und Lateinischen versteht.

Man darf den Begriff der Philologie gar nicht so enge fassen, die orientalischen Sprachen gehören wesentlich dazu. Auch das Nahe, wenn es unsere Einsicht vermehret, und die Wissenschaft befördert, muß nicht übergangen werden. Das Verstehen der neueren Sprachen ist daher zur Gelehrsamkeit eben so nothwendig, wie das der alten, ja sogar die eigene Muttersprache kann Gegenstand eines gelehrten Studiums werden.

Zu dem nothdürftigen Gebrauche des gemeinen Lebens lernen die meisten Menschen durch Tradition und Uebung leicht soviel von der eigenen Sprache, um in bürgerlichen und häuslichen Verhältnissen und Verrichtungen sich fortzuhelfen. Allein für den Gelehrten kann eine solche blos natürliche Kenntniß der Sprache nicht hinreichen, sondern er muß diese nach Regeln, mit wissenschaftlicher Gründlichkeit durchstudiren. Zwischen der Sprache, wie Er sie weiß, und der empirischen Sprachkenntniß des Bürgers ist ein gewaltiger Unterschied.

Die Philologie umfaßt alle Sprachgelehrsamkeit überhaupt.

Sie ist als Sprachwissenschaft zugleich ein Inbegriff von mancherlei Kenntnissen, so wie dieses bei den praktischen Wissenschaften statt findet. Um nur einen Hauptgrund anzugeben, kann man gleich sagen, daß man die Worte nicht verstehen kann, wenn man die Dinge, die sie bezeichnen, nicht kennt.

Die Philologie ist eine Wissenschaft, die nicht blos um ihrer selbst, sondern als Hülfswissenschaft zu höheren Zwecken erlernt und getrieben wird. Denn wozu nützte wohl alle Sprachkenntniß, wenn nicht Sachkenntniß dadurch herbeigeführt und erleichtert würde. Auch für die praktischen Wissenschaften, ja selbst für das praktische Leben ist einige Sprachgelehrsamkeit ein unentbehrliches Erforderniß. Die Sprache ist das allgemeine Werkzeug der menschlichen Thätigkeit; in keinem Geschäfte ist sie zu entbehren; der Jurist, der Theologe bedürfen ihrer gleichmäßig bei der Ausarbeitung ihrer Berufsgeschäfte.

Es leuchtet aus allem diesem hervor, daß die Philologie einen außerordentlichen, und fast unermeßlichen Umfang hat. Man sehe nur auf den Umstand, daß alle Sprachen, worin bedeutende Geisteswerke und Denkmale enthalten sind, zur Sprachgelehrsamkeit gehören; daß auch die ausgedehntesten Sprachkenntnisse dennoch keinen vollkommenen Gelehrten und Philologen bilden, wenn er nicht die nöthigen Sachkenntnisse damit verbindet.

Da die Philologie, die doch eigentlich nur eine Hülfswissenschaft ist, einen so ungeheuren Umfang hat, so kann man für jeden Studirenden wohl die Regel festsetzen, daß er sich zunächst nur auf das einschränke, was ihm zu seinem Zwecke nothwendig ist. Eine gar zu weit sich verbreitende Neigung ist dem Gelehrten, der nicht Philologe von Profession ist, oft eben so nachtheilig, als gänzliche Vernachläßigung des philologischen Studiums.

In Rücksicht des großen Umfangs hat die Philologie mit der Historie und Physik eine nicht geringe Aehnlichkeit. Diese beiden Wissenschaften gehen so sehr ins Einzelne, daß es auch dem tüchtigsten Kopfe unmöglich wird, sich ganz in dieses einzulaſſen, und es vollkommen zu umfaſſen; ſondern jeder, der etwas Vorzügliches hierin leiſten will, muß ſich einem beſondern Fache widmen, und hier ſeine Aufmerkſamkeit oft auf ein ſehr kleines Gebiet einſchränken.

So wie nun aber der Hiſtoriker und Phyſiker, wenn er ſich gleich nur auf eine kleine Sphäre ſeiner Wiſſenſchaft beſchränkt, doch einen allgemeinen Begriff von derſelben haben muß; ſo iſt dies auch der Fall mit dem Philologen, dem gleichfalls eine allgemeine Ueberſicht des geſammten Gebietes der Sprachgelehrſamkeit nothwendig iſt, wenn gleich ſein Studium nur auf einen kleinen Theil derſelben ſich erſtreckt.

Einen Begriff der Sprachgelehrſamkeit überhaupt wird aber vorzüglich derjenige Theil darbieten, der ſchon am meiſten nach Regeln iſt behandelt worden. Solche gelehrte Sprachen, wo ſowohl die Grammatik als auch die claſſiſchen Meiſterwerke am gründlichſten ſind erklärt und beurtheilt worden, müſſen auch der erklärenden Philologie den reichſten Stoff hergeben. — In dieſer Hinſicht iſt das Studium des Lateiniſchen und noch mehr des Griechiſchen die Grundlage der Sprachgelehrſamkeit.

Die Philologie hat verſchiedene Theile und auch verſchiebene Namen, wodurch dieſe bezeichnet werden. — Man nennt die Philologie auch oft Kritik, inſofern bei der Sprachgelehrſamkeit auf richtiges Verſtändniß im Erklären und Deuten des Wortſinnes, auf regelmäßige Beurtheilung alles ankommt. Zur Philologie gehört ferner die Grammatik. — Grammatik iſt die Wiſſenſchaft von der Form der Sprache überhaupt, und da man die Form der Sprache wohl betrachten kann, ohne ſich auf beſondere Sprachen einzulaſſen, ſo erklärt es ſich, daß es auch eine allgemeine Grammatik gebe, die mit unſerer Wiſſenſchaft, der Logik, wohl in ſehr naher Verwandtſchaft ſtehen möchte.—

Die Philologie ſteht in naher Beziehung auf die Ausbilbung des Menſchen als Menſchen, da der Gegenſtand der Philologie die Sprache iſt, das Hauptwerkzeug für den Ausbruck der geiſtigen Thätigkeit, und die Litteratur, oder der Inbegriff der vorzüglichſten Geiſteswerke.

Sprache aber iſt allen Menſchen nothwendig, und die

Kenntniß der Litteratur, als des Inbegriffs des Edelsten, was der menschliche Geist je hervorgebracht hat, ist ein unerläßliches Erforderniß für jeden, der eine höhere Bildung sich zum Ziele seines Strebens gesetzt hat. Es erhellet hieraus der Zusammenhang der Begriffe: Humaniora, — Litteratur, — Kritik, — Philologie.

Zu den besondern Theilen, welche die Philologie umfaßt, gehört außer der Kritik auch noch die Grammatik. — Unter Grammatik verstehen wir die wissenschaftliche Ansicht von jeder Sprache, es sei nun eine fremde oder die eigene Muttersprache, denn auch von dieser ist eine wissenschaftliche Kenntniß etwas sehr Seltenes.

In dieser letzten Beziehung nennt man Grammatik überhaupt auch allgemeine oder philosophische Grammatik, um sie zu unterscheiden von der Grammatik jeder einzelnen Sprache.

Gewiß kann nur der eine Sprache gelehrt behandeln, der über die Natur und die Form der Sprache überhaupt schon richtige und feste Grundsätze hat.

Mit dem Namen der Kritik wird die Sprachgelehrsamkeit bezeichnet, wenn man sie als Kunst betrachtet; Grammatik heißt der wissenschaftliche Theil der Philologie.

Grammatik ist Wissenschaft der Sprache blos in der Absicht, die Sprache zu kennen und zu verstehen, es sei nun eine besondere Sprache oder die Sprache überhaupt. Grammatik ist also die theoretische Erkenntniß der Sprache. Verbunden mit der Lehre von der Anwendung heißt die Sprachlehre Rhetorik. Diese ist die praktische Erkenntniß der Sprache.

In der Rhetorik ist nicht nur von der Richtigkeit, sondern auch von der Schönheit und Künstlichkeit des Ausdrucks die Rede. Man kann die Meisterwerke großer Schriftsteller nicht gründlich verstehen und erklären, wenn man die Kunst in ihrer Sprache nicht gehörig zu unterscheiden und zu würdigen weiß, und oft ist es für praktische Zwecke nicht hinreichend, sich blos verständlich und richtig auszudrücken, sondern man muß der Rede durch die Schönheit und Kunst des Ausdrucks eine höhere Bedeutung und Würde geben.

Die Rhetorik als Wissenschaft des Künstlichen und Schönen in der Sprache ist nahe verwandt mit der Aesthetik, oder der Wissenschaft von der schönen Kunst. Ja streng genommen ist die Wissenschaft von der schönen Redekunst nur ein Theil der Aesthetik überhaupt. Die Aesthetik gehört zur Philologie und ist innig mit ihr verwandt. Es ist unmöglich die alten Denkmale und Meisterwerke der Kunst richtig aufzufassen und zu erklären, ohne Sprachgelehrsamkeit und Antiquitätenkenntniß überhaupt. Außerdem setzt die Aesthetik ein richtiges Urtheil voraus, und dieses beruht wieder auf einem natürlichen Schönheitsgefühl und einem gebildeten Verstande; sie ist von dieser Seite sehr nahe verwandt mit der Kritik, oder der Urtheilskunst überhaupt, daher sie auch oft mit dieser verwechselt wird.

Kritik ist insofern der allgemeine Name für das ganze Studium. Sie umfaßt sowohl Sprachgelehrsamkeit, als auch Aesthetik oder Beurtheilungskunst des Schönen, wozu denn auch Rhetorik gehört. Ja sogar die Grammatik und alle Theile der Philologie können mit diesem Namen benannt werden. Kritik ist im weitern Sinne das Studium der Sprache und Kunst überhaupt.

Die andern theoretischen Wissenschaften hatten zum Gegenstande die Natur, den Menschen, die Gottheit. Es bleibt hier nur noch Eins übrig, die Kunst, und diese ist nun Gegenstand der Kritik. Daß Kunst und Sprache hier zusammengestellt werden, darf uns nicht befremden, da die Sprache ja daß größte Kunstwerk ist, das den menschlichen Geist in der ganzen Fülle seines Wesens offenbaret.

Sieht man auf die Kenntnisse, die nothwendig sind zur Philologie, so zerfallen sie in folgende Gattungen: Antiquitäten (Archäologie), Mythologie und Etymologie, oder Kenntniß der ursprünglichen Bedeutung der Worte; diese ist eben sowohl Kenntniß der Sprache wie die Grammatik.

§. 6. **Gott, Mensch und Natur** sind Gegenstände der **Theologie, der Historie** und **Physik.** — Die Kunst nebst der Sprache, die mit dieser genau verwandt ist, sind

Gegenstände der **Philologie** oder **Aesthetik**, welche beide, Sprachgelehrsamkeit und Theorie der schönen Künste, man zusammenfaßt unter dem Namen Kritik.

Welch ein Gegenstand bleibt dann übrig für die Philosophie? Die Antwort ist, daß die Philosophie gar keinen besondern Gegenstand hat; wie dies nun zugehe, mag folgende Erklärung deutlich machen.

Gesetzt, der menschliche Körper solle eingetheilt und classificirt werden, so würde man die einzelnen Theile aufzählen, die äußern wie die innern. Wäre dieses Geschäft vollbracht, so bliebe nun doch in dem lebendigen menschlichen Körper ein von diesen Theilen und Gliedern Verschiedenes zurück; dies ist, was ihn zum lebendigen Körper macht; das Leben selbst, welches alle diese Theile durchbringt, belebt und erhält.

Gerade so verhält sich nun die Philosophie zu den speciellen Wissenschaften. So wie jedes Glied des Körpers für einen bestimmten Zweck eingerichtet ist, so hat auch jede specielle Wissenschaft einen besondern Gegenstand.

Die Philosophie aber ist auf keine besonderen Gegenstände eingeschränkt, sondern ist der Lebensgeist aller Wissenschaften, die ohne sie wie todte Leichname seyn würden, von keiner lebendigen Kraft beseelet.

Die Philosophie ist die allgemeine Wissenschaft, die als solche alle übrigen befaßt und begründet; sie verbreitet sich gleichmäßig über alle Gegenstände, womit die andern sich einzeln beschäftigen. Die Gottheit wie die Menschheit, die Kunst und Sprache wie die Natur sind das Ziel ihrer Untersuchungen. Allein sie erhebt sich nicht allein zu den Gegenständen des theoretischen Wissens, der höhern Speculation, sondern auch in das praktische Leben steigt sie herab. Die ersten Begriffe und Grundsätze der praktischen Wissenschaften, z. B. des Rechts, sind eben sowohl ihrem Gebiete unterworfen, wie jene der theoretischen.

Die Philosophie ist also die allgemeine Grundwissenschaft, die alle besondern sowohl theoretischen, als praktischen Wissenschaften umfaßt, und eben deswegen selbst auf keinen besondern Gegenstand eingeschränkt seyn kann.

Es ist aber hier von großer Wichtigkeit, den Begriff einer Grundwissenschaft nicht irrig aufzufassen.

Man denke sich das Verhältniß der Grundwissenschaft zu den gegründeten nicht etwa, wie das eines Fundamentes zu dem Gebäude, das auf ihm beruht. Es ist dies blos ein körperliches mechanisches Verhältniß, und das Fundament ist selbst nur ein specieller Theil eines Gebäudes. Die Philosophie ist aber der Geist aller Wissenschaften.

Das Verhältniß der Philosophie zu den speciellen Wissenschaften muß man sich vorstellen, wie das Verhältniß der Lebenskraft in einem belebten thierischen Körper zu den einzelnen Gliedern und Werkzeugen.

Die Philosophie ist also nicht das Fundament aller übrigen Wissenschaften, sondern die Lebenskraft, der beseelende Geist, der sie durchbringt.

Betrachtet man die Philosophie in ihrem Verhältnisse zu den übrigen Wissenschaften, so zerfällt sie in so viele Haupttheile, als es Hauptgattungen und Klassen von Wissenschaften gibt.

Die Haupteintheilung der speciellen Wissenschaften in theoretische und praktische ist auch auf die Philosophie anwendbar. Es ergeben sich aus ihr zwei Haupttheile der Philosophie:

a. **Metaphysik** oder theoretische Philosophie, welche die theoretischen Grundbegriffe und Lehren für alle besondern theoretischen Wissenschaften enthalten soll.

b. **Moral** oder der Inbegriff aller praktischen Grundbegriffe und Lehren.

Weil nun aber die Philosophie keine specielle Wissenschaft, sondern über alle anderen verbreitet seyn soll, um sie zu begründen, zu lenken und zu leiten, so muß sie sich auch vorzüglich beschäftigen mit der Methode, oder der Verfahrungsart in allen Wissenschaften überhaupt, abgesehen von deren besondern Gegenständen, und sie muß die Regeln und Gesetze für dieselben aufstellen.

c. Diese Regeln nun sind es, die den Inhalt und Gegenstand der **Logik** oder des dritten Haupttheiles der Philosophie ausmachen.

Die Philosophie zerfällt also in Logik, Metaphysik und Moral.

Die Logik sowohl als die Moral setzen die Kenntniß des menschlichen Geistes und der menschlichen Seele voraus. Nur wenn ich den menschlichen Geist selbst kenne, und von den geistigen Thätigkeiten und Funktionen überhaupt einen Begriff habe, kann ich die Regeln des Denkens auffassen und darstellen.

Die Moral erfordert die Kenntniß des menschlichen Herzens, seiner Neigungen, Triebe ⁊c.

Zu dem dritten Haupttheile der Philosophie kommt also auch noch die Psychologie hinzu, oder die Kenntniß des Menschen, seiner Natur und seines Wesens, seiner theoretischen und praktischen Kräfte und Anlagen.

Zur Logik gehört die Kenntniß der Natur unseres Verstandes, des Umfanges und der Gränzen seiner Thätigkeiten und Kräfte.

Zur Moral gehört die Kenntniß des praktischen Theiles unserer Natur, der Neigungen, Triebe, Gefühle, mit einem Worte, des menschlichen Herzens.

Zur Logik wie zur Moral ist die Psychologie also eine durchaus unentbehrliche Wissenschaft.

Was die Metaphysik betrifft, welche als theoretische Philosophie die allgemeinsten Lehren und Grundsätze über die Gottheit, den Menschen und die Natur enthalten soll, so ist es einleuchtend, daß auch zu ihr Psychologie nothwendig ist.

Gott ist freilich der höchste Geist, aber doch immer ein Geist. Die Erkenntniß der Gottheit setzt also Begriffe und Kenntnisse von der Natur des Geistes überhaupt voraus. Die Geschichte hat es zwar vorzüglich mit dem äußern Menschen zu thun, mit seinen äußern Handlungen, Schicksalen und Begebenheiten. Allein wie könnte man den äußern Menschen wohl richtig beurtheilen und erkennen, wenn man nicht vorher seine innere Natur gehörig erforscht und aufgefaßt hätte?

Was endlich die Physik betrifft, so läßt sich im Allgemeinen nicht bestimmen, ob Psychologie dazu erfordert werde oder nicht. Dies hängt von der Verschiedenheit der philosophischen Ansicht ab. Betrachtet man die Körperwelt als das Product eines geistigen Wesens, so setzt auch die Physik Psychologie voraus. Diese ist ihr aber ganz entbehrlich, wenn man von der Natur einen blos materialistischen Begriff hat.

Wenn wir nun gleich die erste Ansicht für die einzig wahre, philosophisch richtige, begründete halten, so haben sich doch viele Naturforscher und Philosophen zu der zweiten bekannt. Daher kann man über das Verhältniß der Psychologie zur Physik nichts Bestimmtes angeben; man kann nur sagen, daß zur Geschichte und Theologie Psychologie durchaus erfordert wird, und nach jener Philosophie, die die Natur als eine Hervorbringung des göttlichen Geistes ansieht, auch zur Physik. Mithin zu allen Theilen der Metaphysik: zur Erkenntniß der Gottheit, des Menschen und der Natur.

Die Psychologie ist demnach nicht sowohl ein abgesonderter Theil der Philosophie, als Erforderniß und Ingredienz für alle Theile der Philosophie.

Nur muß man den Begriff der Psychologie richtig und fest bestimmen. Man redet oft von der Psychologie als von einer Wissenschaft, welche die mancherlei sonderbaren Erscheinungen im menschlichen Gemüthe, z. B. Krankheiten, Rasereien ꝛc. erklären und herleiten soll. Wir verstehen unter Psychologie nur die Wissenschaft von der Natur des innern Menschen. Erst wenn man diese im Ganzen aufgefaßt und erkannt, wenn man ihre allgemeinen Grundgesetze und Fähigkeiten bestimmt hat, werden auch die besondern Abweichungen sich erklären lassen. Psychologie ist Theorie des Bewußtseyns. — Es ist früher gesagt worden, die Philosophie habe keinen besondern Gegenstand, sondern sie sey blos eine allgemeine Grundwissenschaft; jetzt muß die nähere Bestimmung hinzugefügt werden, daß nämlich die Philosophie auf einen Gegenstand sich dennoch ganz besonders bezieht, ob sie gleich nachher von diesem aus sich nach allen Seiten und Richtungen verbreitet, die Gegenstände aller andern Wissenschaften umfaßt und in sich aufnimmt. Dieser eine Gegenstand aber ist die Kenntniß des innern Menschen, der Natur unserer Seele, unseres Geistes, mit einem Worte,

wir selbst, nicht nach zufälligen Beschaffenheiten und Erscheinungen, sondern nach den wesentlichen Kräften und Anlagen,
nach den ewigen, unveränderlichen Gesetzen unseres Ichs. —
Hieraus erklärt es sich, was es heiße, die Philosophie sey
Selbsterkenntniß, sie fange mit der Vorschrift an: N o s c e   t e
i p s u m.

§. 7. Die Logik oder die Wissenschaft von den Regeln
des Denkens ist ein Theil, und zwar der erste der Philosophie; denn die Regeln des Denkens werden schon vorausgesetzt
bei der Moral und Metaphysik. Sie ist die Einleitung in die
Philosophie und als solche muß sie behandelt werden, wenn sie
von Nutzen seyn soll. Es muß zugleich mit ihr eine encyclopä-
dische Uebersicht verbunden werden, denn ohne diese ist es nicht
möglich das Gebiet zu kennen, worauf die Regeln der Logik
angewandt werden können. Die Logik als Inbegriff der Regeln des Denkens enthält das von der Philosophie, was auf
die speciellen Wissenschaften anwendbar ist. Die theoretische
Philosophie gilt blos für die theoretischen, die praktische für
die speciellen praktischen Wissenschaften. Die Gültigkeit der
Logik aber erstreckt sich auf alle. Die Logik ist daher der allgemeinste Theil der Philosophie, der für alles gilt, und zugleich ist sie die Anleitung zum Philosophiren.

II.

Geschichte und Begriff der Logik.

Die erste Veranlassung zu der Entstehung der Logik gab
bei den Griechen die Sophistik der Rhetoren und Skeptiker. —
Sophistik war bei den Griechen die Kunst, durch scheinbare,
aber unrichtige Schlüsse andere zu täuschen und irre zu führen,
es mochte diese Täuschungskunst nun ausgeübt werden, um einen

praktischen Zweck zu erreichen, wie dies bei öffentlichen bür=
gerlichen Verhandlungen der Fall war; oder auch in einem
philosophischen Streite, um den Gegner durch künstlich ver=
steckte Trugschlüsse zu verwickeln und zu verwirren.

Sophist ist jeder, der statt wahrer und richtiger sich fal=
scher, irriger Gründe bedient, den Irrthum aber unter dem
täuschenden Scheine der Wahrheit sorgsam versteckt, der mit
dem Sinne und der Bedeutung der Worte willführlich spielt,
sie absichtlich entstellt und verdreht, durch unrichtige, aber mit
scheinbarer Consequenz durchgeführte Folgerungen unser Ur=
theil zu verwirren, unsern Verstand zu hintergehen, und endlich
durch rednerischen Schmuck und Prunk unsre Einbildungskraft
zu blenden, unser Gefühl zu überraschen und zu bestechen sucht.

Zwar war anfangs die Bedeutung des Worts nicht so
schlimm. Σοφίστης bedeutete ursprünglich einen, der von der
Weisheit Profession machte, und wirklich finden wir bei den
ältesten Griechen das Wort Σοφίστης gleichbedeutend mit dem
Worte σοφός, und mehrere wahre Weisen Sophisten genannt.
Allein diese edle würdige Bedeutung verlor sich gar bald, und man
bezeichnete am Ende mit dem Worte Sophist nur einen Men=
schen, der die Philosophie zu einem unedlen, trügerischen Hand=
werke herabwürdigte, das seinen eigennützigen Zwecken die=
nen mußte.

Die griechischen Sophisten verbreiteten ihren Einfluß
nicht allein über die Philosophie, sondern über alle Wissen=
schaften, deren Grundsätze sie dadurch erschütterten und verkehr=
ten, über alle bürgerlichen und politischen Geschäfte, wo diese
feile Scheinphilosophie der größten Immoralität ungemessenen
Spielraum gab.

Diesem verderblichen Beginnen der Sophisten hat Sokrates
zuerst sich mit Glück entgegengesetzt; mit Muth und Entschlos=
senheit bekämpfte er das Trugbild, das die ruhm = und wißbe=
gierige Jugend Griechenlands durch Vorspiegelung eines glän=
zenden Zieles auf die verderblichsten Abwege führte, und das
um so gefährlicher war, je mehr es der Eitelkeit, der Habsucht
und allen Begierden und Leidenschaften fröhnte, überall den

Irrthum und die Lüge beschönigte, die Unsittlichkeit hegte und pflegte. Sokrates legte durch den Widerstreit gegen die schändliche Kunst der Sophisten den ersten Grund zu der wahren Logik.

Der erste Ursprung der Logik bei den Griechen war also nicht sowohl eine Methodenlehre, wodurch die Grundsätze und Regeln und die wahre Verfahrungsart für jede Wissenschaft bestimmt und festgesetzt wurden, als vielmehr eine Schutzwehr gegen jene trugvolle Verführungskunst der Sophisten. Es war eine Waffe in der Hand edeldenkender Männer, die, erleuchtet durch das Licht wahrer Weisheit, die dunkeln Irrgänge des Irrthums, der Heuchelei, der Unsittlichkeit durchdrangen und die verkappte Lüge bis in ihre letzten Schlupfwinkel verfolgten.

Da nun der Name eines Sophisten so sehr herabgewürdigt war, so kam vorzüglich durch Sokrates und seine Schüler der Name Philosophie in Umlauf, um dadurch den ächten Weisheitsfreund zu bezeichnen und ihn von jenen Irrlehrern, deren niedere und gefährliche Täuschungskunst man verabscheute, zu unterscheiden. Philosophie oder Weisheitsliebe war die Benennung, die man dem Studium desjenigen verlieh, der mit ernstem, redlichem Bemühen nach Wahrheit forschte und strebte. Auch wollte Sokrates durch diese bescheidene Benennung den hochmüthigen Eigendünkel der Sophisten beschämen, die sich selbst Weise nannten, und mit der schamlosesten Dreistigkeit behaupteten, daß sie im Besitze alles Wissens wären.

Sokrates hielt es der Sache angemessener mit dieser anspruchslosen, aber aufrichtigen, wahren Benennung seine Lehre zu bezeichnen, um dadurch anzudeuten, daß der Mensch zwar die Weisheit lieben, ihr mit allen Kräften nachstreben und mit ununterbrochenem Fortschreiten sich ihr immer mehr zu nähern suchen soll, daß aber die Beschränktheit aller Thätigkeiten und Kräfte seines Wesens ihm nicht verstatte, dieses höchste Ziel zu erreichen und sich in den vollen Besitz der Wahrheit zu setzen.

Auch sollte jener Name anzeigen, daß im Gegensatze jener Afterweisen, welche die Philosophie nur als ein Hülfsmittel ansahen, sich Reichthum, Ansehen, politischen Einfluß und alle

Genüsse des Lebens zu verschaffen, der wahre Philosoph, nur von dem edlen Triebe des Wissens angefeuert und geleitet, die Weisheit aus Neigung und Liebe suche.

Es war der Name Philosophie und Philosoph zwar schon vor Sokrates gebräuchlich, allein durch ihn und seine Schule ward er allgemein verbreitet, besonders in der Bedeutung, wo man ihn der Sophistik entgegenstellte, welche erst in dem Zeitraume zwischen Pythagoras und Sokrates als eine eigene Wissenschaft und Kunst begründet und aufgestellt ward.

Die Logik war also bei den Griechen nicht Einleitung in die Philosophie und Methodenlehre, sondern nur Hülfsmittel gegen den Irrthum und die Verkehrtheit der Sophistik. Eine falsche Logik kann man diese nennen; die wahre entstand, um diese zu bekämpfen und zu vertilgen. Die falsche war mit der Rednerkunst immer verbunden; dies ist der Grund, warum die griechische Logik in so großer Beziehung stand zur Rhetorik. Die wahre Logik sollte die Sophistik vernichten, die zugleich falsche Logik und Rhetorik war.

Für falsch und verkehrt müssen wir jede Rhetorik halten, die nicht im Dienste der Wahrheit sich einzig der Verkündigung ihrer erhabenen Lehren widmet, sondern eiteln und eigennützigen Zwecken fröhnend die Kunst und das Talent herabwürdigt, zu einer leeren Spielerei mit schwertönenden Worten und zierlich gebildeten Phrasen, oder gar im schlimmern Falle, um, statt einer höhern moralischen Belehrung und Ueberzeugung, den Irrthum und die Lüge, durch die täuschendsten Scheingründe versteckt, mit dem glänzenden Schmucke einer üppigen Wohlredenheit ausgestattet, in die unbefangenen, sorglosen Gemüther einzuführen. Wer nicht für die Wahrheit redet, ist ein Sophist; je größer sein Talent und seine Kunst ist, desto verwerflicher ist der Mißbrauch, den er davon macht, desto gefährlicher kann der Einfluß werden, den er durch die Macht seines Genies über die Gemüther ausübt. In dem Zeitraume zwischen Pythagoras und Sokrates hatten die Sophisten in Griechenland den ausgedehntesten Einfluß. Der Erste, der in dieser zweideutigen und höchst gefährlichen Kunst sich auszeichnete, war

Gorgias. Ihm folgten Hippias und Protagoras, beide berühmte Sophisten. Zeno war doch mehr Skeptiker, als eigentlicher Sophist. — Diese Männer zogen in Griechenland unzählige Schüler. Fast alle Redner von Bedeutung befolgten ihre Grundsätze: ja selbst Geschichtschreiber und Dichter bildeten sich nach ihnen, und unter den Letztern vorzüglich Euripides. Der Grund dieses außerordentlichen Einflusses der Sophistik bei den Griechen lag theils in dem Nationalcharakter des Volkes, welches im höchsten Grade redselig, witzig, sinnreich, lebhaft und beweglich, dabei für Kunst und Schönheit sehr empfänglich, durch Wohlredenheit daher auch leicht zu blenden und zu täuschen, zu leiten und zu lenken war. Der zweite Grund lag in der Staatsverfassung. Die meisten Staaten Griechenlands waren Republiken oder Demokratien, wo die Macht in den Händen des Volks war, welches in allgemeinen Versammlungen über alle öffentlichen Angelegenheiten entschied. Hier war also der Kunst, jede mögliche Meinung aufstellen, durchführen, auch den verkehrtesten Grundsatz in das vortheilhafteste, schönste Licht setzen, für die verworfensten Maximen scheinbare Gründe auffinden zu können, der weiteste Spielraum geöffnet. Bei der Menge darf man das reife, leidenschaftslose, richtig und still prüfende Urtheil eben nicht erwarten. Wer hier, um seine eigennützigen oder ehrgeizigen Plane durchzusetzen und sich Einfluß zu verschaffen, der Eitelkeit der Menge schmeichelt, ihren Vortheilen huldigt und, indem er seine Absicht klüglich versteckt, nur ihre Macht und Herrschaft preiset und erhebt, nur ihre Entscheidung anzuerkennen scheint, wer das Talent hat, durch kräftige, pathetische Schilderungen Leidenschaften zu erwecken, das Gefühl zu bestechen, durch glänzende, prunkvolle Darstellungen die Einbildungskraft zu entflammen, durch künstlich verwickelte, fein und methodisch angelegte und fortgeführte Trugschlüsse den Verstand zu hintergehen, das Urtheil zu verkehren, kann für seine Zwecke sich den erwünschtesten Erfolg versprechen.

Dies war es, was in den griechischen Freistaaten der Redekunst soviel Gewicht und Ansehen verschaffte. Sie war in der Hand des Eigennutzes, des Ehrgeizes, der Herrschsucht, des Parteigeistes ein höchst brauchbares Werkzeug, das ohne Unterschied für alle Meinungen focht, allen Leidenschaften, Absichten, Zwecken diente. Das Volk von Athen war eben so eitel, eigennützig und verderbt, als es sinnreich, klug und gebildet war. Wo ein solches Volk über Recht und Unrecht, Wahrheit und Unwahrheit zu entscheiden hatte, waren diese gewiß sehr schlechten Richtern anvertraut; und man darf sich nicht wundern, daß die Kunst, den Irrthum mit allen Farben und Reizen der Wahrheit ausgeschmückt vor den blödsinnigen, trüben Blicken des leichtfertigen, thörichten Pöbels aufzustellen, so viele Anhänger und Verehrer fand. Die Sophisten waren nicht nur selbst Volksredner, sondern sie unterrichteten auch andere in dieser viel geltenden Kunst. Wer nur immer das Volk gewinnen, sich einen Anhang verschaffen, Ansehen und Ehre erlangen, oder was sonst noch so eigennützige Absichten durchsetzen wollte, bildete sich in dieser Schule. Besonders aber wurde die leichtsinnige Wißbegier und die hochstrebende Ruhmbegierde der griechischen Jugend von den hochtönenden Orakelsprüchen und den vielversprechenden Verheißungen der Sophisten angelockt, welche behaupteten im Besitz jener Weisheit zu seyn, die allein den leichten, sichern Weg zu allen Würden und Annehmlichkeiten des Lebens bahne.

Aus diesem Gesichtspunkte betrachtete Sokrates und nach ihm Xenophon und Plato die Sophisten. Sie erklärten sie für die erklärtesten Feinde der Philosophie, für absichtliche Verfälscher und Entsteller der Wahrheit, für die geschäftigsten Pfleger und Verbreiter des Irrthums, für schaamlose Betrüger und Verführer der Jugend und Zerstörer der heiligsten Grundsätze aller Moral und Staatsverfassung. Von edlerem Eifer getrieben bekämpften sie mit den siegreichen Waffen der Wahrheit und des Spottes die überall verbreiteten Irrlehren, sie entlarvten die Heuchelei, den leeren Eigendünkel, den groben Eigennutz ihrer Urheber; sie beleuchteten die oft gemeinen und niedrigen Kunstgriffe, womit man Worte und Begriffe verdrehte und entstellte, eine Schlußfolge nach Willkühr durchführen,

ober verwickeln und verwirren, jeden beliebigen Satz mit über=
all zusammengerafften Scheingründen unterstützen, den entge=
gengesetzten umstoßen und entkräften konnte. Sie zerrissen das
künstlich verflochtene, trugvolle Gewebe, womit jene Meister
des Betruges die Wahrheit umstrickten, sie zeigten die Unphilo=
sophie in ihrer ganzen Blöße und gaben sie so dem gerechten
Abscheu jedes Wahrheit= und Sittlichkeitliebenden Preis.

Unter den Bekämpfern der Sophistik zeichnete sich vorzüg=
lich Plato aus, auch Cicero folgte diesem Beispiele unter den
Lateinern, welche mit andern wahren und edeln auch wohl diese
schlechte Kunst von den Griechen überkommen hatten.

Um sich deutlich zu überzeugen, wie gerecht die Vorwürfe
waren, welche diese Männer den Sophisten machten, und wie
wenig übertrieben das Böse und Schlechte, welches sie ihnen zur
Last legten, braucht man nur zu bemerken, daß die Sophisten
selbst schamlos und verworfen genug waren, um in ihrer
dummdreisten Sprache öffentlich zu behaupten, daß sie die Kunst
besäßen und mittheilen könnten, Unwahrheit in Wahrheit zu
verwandeln.

So verabscheuungswürdig die Sophisten ohne Ausnahme
von dieser Seite erscheinen, so haben doch mehrere unter ihnen
durch eminente Geistesgaben und ausgebreitete Gelehrsamkeit
sich vortheilhaft ausgezeichnet und um die Redekunst und Sprach=
gelehrsamkeit sich große Verdienste erworben. Dies gilt beson=
ders von Gorgias, der die Rhetorik der Griechen zuerst auf
Grundsätze brachte und daher als ihr eigentlicher Stifter an=
gesehn werden kann. Um die Sprache hat Prodikus sich sehr
verdient gemacht, den auch Sokrates vor allen andern schätzt.
Wegen dieser Verdienste um die Redekunst werden auch von
Quinctilian die Sophisten viel gütiger und ehrenvoller behan=
delt, als von Plato; selbst Cicero beurtheilt sie gelinder in sei=
nen oratorischen Werken, wie in seinen philosophischen, wo er
meistens dem Plato folgt.

Als die eigentlichen Erfinder und Vollender der griechischen
Rhetorik haben die Sophisten sich als sehr scharfsinnige, geist=
reiche Männer gezeigt; an der griechischen Redekunst selbst aber

hat sich dieser Einfluß der Sophistik immer deutlich genug offenbart. Sie strebten weit mehr nach äußerem Glanz und Prunk, nach Effekt und Ueberredung, als nach wahrer Belehrung und Ueberzeugung.

Von den Sophisten muß man die Skeptiker billig unterscheiden, weil man ihnen großes Unrecht thun würde, sie jenen völlig gleich zu setzen. — Sie wurden nicht blos und einzig von Eigennutz, Gewinnsucht und Eitelkeit getrieben, sondern suchten die Wahrheit ernstlich, hielten sich aber für überzeugt, daß der Mensch diese nicht erkennen könne, ja zweifelten, daß es überhaupt Wahrheit gebe, indem nur Schein, Täuschung und Irrthum, nur Meinen, aber nicht Wissen sey.

Der berühmteste unter ihnen ist Zeno, der in dem Zeitraume zwischen Gorgias und Sokrates lebte.

Wenn gleich die Skeptiker durch ihre persönlichen Eigenschaften, durch ihren Charakter, die Aufrichtigkeit ihrer Behauptungen von den Sophisten sich auszeichneten, und eine viel eblere Tendenz verriethen, so war der Skepticismus der Philosophie selbst doch nicht weniger gefährlich, wie die Sophistik, ja diese entlieh von jenem noch neue und scharfe Waffen. Das ewige Zweifeln und Verzweifeln an der Wahrheit, die Behauptung, daß es nichts an sich wahres gebe, sondern alles nur Glauben und Wähnen, Vorurtheil und Irrthum sey, mußte natürlich der Gewissenhaftigkeit den empfindlichsten Stoß geben. Wenn der Mensch von nichts sich eine feste, richtige Ueberzeugung verschaffen kann, so ist alle Philosophie nur ein thörichtes, nutzloses Streben nach eiteln, wesenlosen Chimären. Wenn es überhaupt nichts an sich wahres gibt, sondern alle Meinungen und Ideen gleichen Grad von Gewißheit haben, so fällt der Unterschied zwischen Recht und Unrecht, Sittlichkeit und Zügellosigkeit ꝛc. natürlich weg; alles ist der individuellen Beurtheilung und willkührlichen Entscheidung überlassen, welche nach Lagen und Verhältnissen, nach Zeit und Umständen, nach Absichten und Zwecken, mit einem Worte, nach äußern wandelbaren Bedingungen modifizirt und bestimmt wird.

Es ist einleuchtend, wie die sophistische Kunst, welche ganz auf Schein und Täuschung, Eigennutz und Willkühr beruhte, durch diese Lehre verstärkt und vollendet wurde. Gorgias, der eigentliche Stifter der Sophistik, berief und stützte sich hauptsächlich auf diesen Skepticismus. Er behauptete: „es gebe keine Wahrheit. Wenn es eine gebe, so könne der Mensch sie doch nicht erkennen. Und wenn der Mensch sie auch erkenne, könne er sie andern doch nicht mittheilen."

Wir kommen nun zu der wichtigen Frage, wie es denn überhaupt möglich und leicht sey, den Menschen durch Redekunst in dem Grade zu täuschen, daß man ihm Unwahrheit als Wahrheit aufbringen könne?

Alle sophistische Täuschung wird hervorgebracht 1. durch Entziehung der Aufmerksamkeit, welche von dem Hauptgegenstande, worin der Irrthum eigentlich verborgen liegt, und der eine eigentliche gründliche Prüfung wohl nicht aushielte, auf Nebenvorstellungen gelenkt wird, die desto stärker herausgehoben werden, je mehr sie die Fehler und Mängel der Hauptsache verstecken helfen. Der Sophist muß alle Mittel seiner Kunst aufwenden, um zu verhindern, daß in seinem Zuhörer kein richtiges, fortgesetztes Urtheil sich bilden könne. Er blende, überrasche, erschüttere, halte das Gefühl, die Phantasie in ewiger Bewegung, beschäftige den Witz, damit nur der Verstand nicht zum ernstlichen Nachdenken komme. Dann wird es ihm möglich, durch künstliche Täuschung die Begriffe gleichsam unter der Hand zu entstellen, zu verkehren und zu verwechseln und immerdar an ihre Stelle andere zu schieben, aus denen er alle Folgerungen ziehen kann, welche er haben will.—

2. Durch Verwirrung, wenn nämlich die Gedankenfolge so verwickelt ist, daß es unmöglich ist, sie zu übersehen oder mit Bedachtsamkeit zu zergliedern. Dann wird es dem Sophisten leicht, aus wahren und allgemein anerkannten Voraussetzungen durch künstlich verwebte Uebergänge mit anscheinender Consequenz ganz falsche, irrige Folgerungen zu ziehen, in die Kette der Begriffe fremde Mittelglieder einzuschieben, die Lücken seines Raisonnements zu verstecken und das Unzusam-

menhängende, Widersprechende in scheinbaren Zusammenhang zu bringen. — Der

3. nicht minder wichtige Quell sophistischer Täuschung beruht auf irrigen Annahmen und Voraussetzungen des Eigennutzes, der Leidenschaften und der parteiischen Vorliebe. — Man stelle dem Habsüchtigen irgend etwas als Mittel oder Werkzeug dar, seine Gewinnsucht zu befriedigen, man schmeichle dem Eigendünkel des Eiteln, dem Vorurtheile des Unwissenden, man entzünde in dem Sinnlichen die Begier des Genusses, und man ist sicher, einen durch die Leidenschaften betäubten und bestochenen Richter zu haben, der über Recht und Unrecht, Sittlichkeit und Unsittlichkeit mit Wahrheit zu entscheiden unfähig ist.

Gegen diese dritte Quelle sophistischer Täuschung, die sich auf die Verwirrung der Leidenschaften und der Selbstsucht gründet, gibt es nur moralische Gegenmittel.

Vorzüglich ist es die Unaufmerksamkeit, welche so manchen Fehlschluß in unserm Urtheile durchlaufen läßt und unsern Verstand unfähig macht, gründlich und mit Sicherheit zu entscheiden. Geschickte Redner und Sophisten wissen diesen Umstand zu ihrem Zwecke zu benutzen und uns nach Absicht und Willkühr irre zu leiten.

Wie durch Unaufmerksamkeit ein Fehlschluß zu Stande kommen kann, mag folgendes Beispiel deutlich zeigen. Alle richtigen Schlüsse lassen sich auf folgende Grundform zurückführen:

$$a = b \qquad b = c \qquad ergo \ a = c.$$

Die Form der fehlerhaften Schlüsse, die durch Unaufmerksamkeit entstehen, ist:

$$a = b + r, \ b = c \qquad ergo \ a = c.$$

Dies ist aber, wird man sagen, ein sehr grober Fehler. Allerdings; dennoch liegt jedem Fehlschlusse ein ähnlicher zu Grunde, nur daß derselbe in der täuschenden und verwickelten Umkleidung der Sprache nicht so auffallend merkbar ist, wie in den Zahlen und mathematischen Zeichen. In jedem Fehlschluß ist irgend ein Umstand wie oben das (r) übersehen worden. Dieses kann bei jedem der Glieder des Schlusses statt finden , und es kann, um uns mathematisch auszudrücken, dieser übersehene Umstand eben sowohl ein (— r) als ein (+ r) seyn.

Wie nun ein solcher Mangel an Aufmerksamkeit möglich sey, beweist uns selbst die Mathematik, indem wir im Zustande der Zerstreuung uns sehr leicht verrechnen und ganz so große Fehler machen, wie das oben angeführte Beispiel zeigt.

Daß aber in der Mathematik weit seltener ähnliche Fehlschlüsse vorkommen und weit leichter zu entdecken sind, wie in der Rhetorik und philosophischen Demonstration, dies hat mehrere Gründe.

Der erste liegt in der künstlich verwickelten, und doch so unvollkommenen, unzulänglichen Einrichtung der Sprache. Der zweite aber in dem oft überwiegenden Einflusse der Neigungen und Leidenschaften, wodurch das helle, gesunde Urtheil getrübt und verfälscht wird.

Auch die wahre Philosophie bedarf zur Bezeichnung und Mittheilung ihrer Begriffe der Sprache, wo Schwierigkeiten und Mängel aller Art ihrem Streben, sich deutlich zu machen, im Wege stehen. Auch auf sie hat , wo nicht grobe Leidenschaft, doch größere Neigung und Vorliebe für eine oder die andere Meinung oft nicht unbedeutenden Einfluß, denn die Gegenstände der Philosophie sind von höherm Interresse, wie jene der Mathematik, sie sind das heiligste, womit der menschliche Verstand sich nur immer beschäftigen kann, von ihrer richtigen Ergründung und Erkenntniß hängt der ganze Werth der menschlichen Bestimmung ab. Es ist also leicht erklärlich, wie hier das Interesse auf die lebhafteste Weise erregt und in edlen Gemüthern selbst der Enthusiasmus für die Anerkennung und Verbreitung der höchsten und wichtigsten Wahrheiten, der kalten, ruhigen Beurtheilung und besonnenen Prüfung nachtheilig werden kann.

Wir fügen hier noch die Formel für die skeptischen Schlüsse hinzu. Gesetzt es wäre unwidersprechlich $a = b$, $b = c$: nun untersuchte man c, und fände c sey $= — a$. Da nun $c = b$, b aber $= a$, so ist auch $c = a$; welches in diesem Falle als

bejahend, als + a gedacht wird. c wäre also zugleich = —
a und + a; oder um es in andern Worten zu sagen, c wäre
zugleich a, und auch nicht a, welches sich freilich widerspricht.

Aber eben diesen Widerspruch findet der Skeptiker überall.
Er sieht ihn als den unvertilgbaren Grundcharakter des menschlichen Verstandes an, der in allen Funktionen des Denkens zuletzt in unauflösliche Widersprüche sich verwickele, daher er
auch alles Nachdenken für eine leere, fruchtlose Beschäftigung
hält.

Fände sich wirklich, daß c zugleich a und auch nicht a wäre, so hätte der Skeptiker Recht. Dann wäre es freilich
rathsamer, alles Nachdenken als ein unnützes Streben nach
nichtigen Gegenständen aufzugeben, indem der menschliche Verstand sich selbst widerspräche und die Wahrheit für ihn durchaus unerreichbar wäre. Unter den Neuern hat vorzüglich Kant
auf diese skeptische Weise am scharfsinnigsten philosophirt, da
er nämlich in der theoretischen Philosophie zu zeigen suchte, die
Erkenntniß des Unendlichen übersteige weit die Kräfte des
menschlichen Verstandes; es verwickele sich dieser nothwendig
in unauflösliche Widersprüche, sobald er die Erforschung des
Unendlichen zum Gegenstande seiner Untersuchung mache.

Von der sokratischen und platonischen Dialektik.

Die Dialektik, welche Plato und die andern Sokratiker
der Sophistik entgegensetzten, war nach ihrer Meinung nicht
eine abgesonderte, für sich bestehende Wissenschaft, kein eigner
Theil der Philosophie, sondern die Form aller Philosophie.

Was zuerst den Namen der Dialektik betrifft, so heißt er
im Griechischen διαλεκτική. Er kommt her von διαλέγειν,
sprechen, ein Gespräch führen; daher Dialog. Dialektik heißt

also wörtlich die Kunst oder Wissenschaft des Gesprächs. Dieses bedarf einiger Erläuterung. Die Griechen hatten zur Zeit
des Sokrates und Plato nur wenig geschriebene Bücher, auch
die Philosophie ward vorzüglich durch Gespräche mündlich gelehrt und mitgetheilt. Unter diesen Gesprächen müssen wir uns
aber nicht eine ganz form- und regellose, blos zur Unterhal-
tung oder nothdürftigen Erklärung dienende Conversation denken, sondern es waren ganz regelmäßige mit systematischer Genauigkeit und Consequenz fortgeführte Dialoge, etwa wie die
philosophischen Disputirübungen der Schule. In sehr vielen
Fällen heißt daher auch wirklich Dialektik so viel, als die
Kunst methodisch und regelmäßig zu disputiren. — Jedoch haben Sokrates und besonders Plato noch etwas anders mit jenem Ausdruck Dialektik bezeichnet. Sie nannten die Kunst des
Selbstdenkens und Nachdenkens darum Dialektik, weil sie glaubten und behaupteten, das Nachdenken über philosophische Gegenstände sey nichts anders, als ein fortdauerndes inneres
Selbstgespräch. Man wird hier fragen, wie es möglich sey,
daß der Mensch mit sich selbst ein Gespräch führen könne, da
zum Gespräche doch zwei Wesen gehören, und sonach der eine
und derselbe Mensch auch zwei Menschen oder mehrere seyn
müsse? Diese sonderbare Erscheinung, daß der Eine Mensch,
indem er über sich selbst urtheilt und zu Rathe geht, sich gleichsam theilen kann, wird erst später erklärt und erläutert werden; genug aber daß jeder in seiner Erfahrung es so findet.
Auf diese innere Zwiefachheit der menschlichen Natur, nach welcher der Mensch sich selbst fragen und antworten, mit sich zu
Rathe gehen und wie einen andern sich selbst beurtheilen kann,
machten die Sokratiker ihre Schüler vorzüglich aufmerksam. —
Sie behaupteten, es seyen zwei Seelen im Menschen; eine
sinnliche, niedere, leidenschaftliche, und eine geistige, höhere,
göttliche. — Das innere Selbstgespräch nun entspringt aus dem
gegenseitigen Verkehr, der Wechselwirkung dieser beiden Seelen
aufeinander. Wie denn auch die mancherlei Widersprüche in
der menschlichen Natur und der sonderbare Widerstreit, der
sich unserm Innersten oft so deutlich offenbart, aus dieser sokra-

tischen Voraussetzung, daß unsere Natur aus zwei verschiedenen Elementen zusammengesetzt sey, sich natürlich würde herleiten und erklären lassen.

Da dieser sokratischen Lehre zufolge alles Nachdenken ein
inneres Selbstdenken war, so konnte ihre Dialektik oder Kunst
des Nachdenkens auch keine eigene Wissenschaft, oder ein besonderer Theil der Philosophie seyn, sondern es war die Form
aller Philosophie überhaupt. Die Philosophie des Sokrates,
seiner Schule, und selbst jene des Plato, war kein eigentlich
geschlossenes und vollendetes System, sondern es war vielmehr
ein stets fortschreitendes Philosophiren, ein unermüdetes Forschen und Streben nach Wahrheit und Gewißheit, ein metho-
disches Bilden und Vervollkommnen des Denkens und Nachdenkens.

Vorzüglich sahen sie die Vernichtung des Vorurtheils und
des Irrthums als das erste Geschäft der wahren Philosophie
an und glaubten, daß ihre wahren Priester damit beginnen
müßten, alle ihr entgegenstehenden Hindernisse aus dem Wege
zu räumen, um so den Weg zu ihrem Heiligthume zu bahnen.

Wir finden auch, daß alle Schriften der sokratischen Schule,
die wir noch besitzen, zunächst bestimmt sind, gewisse damals
allgemein verbreitete Irrthümer und herrschende Vorurtheile zu
bestreiten und die eigne bessere Lehre nur beiläufig vorzutragen, gleichsam nur anzudeuten. Eine solche Widerlegung von
mancherlei irrigen und verkehrten Meinungen und Grundsätzen
kann aber kein eigenes System bilden, denn es hängt von zufälligen Umständen ab, welche Irrthümer der Philosoph in seinem Wirkungskreise herrschend findet. Schon darum können die
Schriften der sokratischen Schule nicht systematisch seyn, weil
sie meistens polemisch sind, d. h. mehr geneigt, die Unphilosophie zu bekämpfen, als ein eigenes System von selbst gedachten Wahrheiten zu entwickeln und zu begründen.

Es liegt aber noch ein anderer Grund in der sokratischen,
so wie in der platonischen Philosophie, warum sie nicht systematisch seyn konnte.

Es scheint nämlich dem Sokrates und Plato der Gegen-

stand der Philosophie so sehr erhaben zu seyn über die engen
Gränzen des menschlichen Verstandes, so außer allem Verhält=
nisse mit seiner beschränkten Fassungskraft, daß sie behaupteten,
auch bei der höchsten Anstrengung könne es diesem nie gelingen,
sich ganz zur Erkenntniß der unendlichen Wahrheit zu erheben
und diese vollkommen zu erschöpfen; nur ahnen, errathen und
andeuten lasse sie sich, nur annähern könne man sich ihr immer
und mehr durch ein rastlos fortschreitendes Streben, und eine
steigend sich vervollkommnende Bildung und Veredlung aller
Geisteskräfte und Thätigkeiten; aber sie ganz zu erreichen sey
für den Menschen ein unauflösliches Problem. Weit heilsamer
und der Philosophie zuträglicher sey es daher, wenn man die
groben Irrthümer, welche den höchsten Gegenstand der mensch=
lichen Erkenntniß entstellen und in den Augen wahrer Weis=
heitsfreunde herabwürdigen, zu zerstören suche und damit den
philosophischen Wirkungskreis beginne, als wenn man gleich
zu Anfang ein eigenes System aufstelle. Die sokratische und
platonische Philosophie muß nach diesen Voraussetzungen, um
sie gehörig zu charakterisiren, angesehen werden als ein metho=
disches Erzeugen und Entwickeln der Begriffe und Ideen, ein
kunstmäßiges Denken und Nachdenken, wodurch der Verstand
durch Regel und Gesetz geleitet, und die Denkkraft durch Uebung
vervollkommnet werde; es sey nun, daß der Mensch im einsa=
men Nachdenken sich mit der Entwicklung und Verbindung sei=
ner eignen Gedanken beschäftige; oder im philosophischen Ge=
spräche zugleich mit andern denke, äußerlich darstelle und mit=
theile. Aus diesem Grunde sind dann auch die Schriften der
platonischen Schule so ganz vorzüglich geeignet, das Nachden=
ken, den Tiefsinn zu erregen, die Urtheilskraft zu schärfen, den
Verstand zur Selbstbetrachtung und Prüfung aufzufordern, und
somit den ächten, wahren philosophischen Geist zu begründen.
Dies ist beim Anfange des philosophischen Studiums das erste,
höchste, dringendste Bedürfniß. Denn hier kömmt es ja nicht
etwa darauf an, daß man mit Mühe und Anstrengung die For=
men und Grundsätze irgend eines Systems allenfalls blos mit
dem Gedächtniß auffasse, sondern daß man selbst denken und

philosophiren kann. So wie nun die sokratische Schule kein
eigentliches System der Philosophie aufgestellt hat, so hat sie
auch keine eigentliche · systematische Logik als besonderen Theil
der Philosophie ausgeführt, welches Verdienst zuerst Aristoteles sich eigen machte.

Indessen sind alle Schriften der sokratischen Schule, der
Inhalt sey nun moralisch, oder metaphysisch, oder beides zugleich, in der besten dialektischen Form abgefaßt, und man muß
sie in dieser Hinsicht als die wahren, ewigen Muster anerkennen. Systematisch aber sind sie nicht. Durch diese Eigenschaft
zeichnen sich mehr die Schriften des Aristoteles und jene der
besten neuern Philosophen aus. Nachdem wir nun den Grundcharakter der sokratischen und platonischen Dialektik aufgestellt
haben, fügen wir noch ein Paar Bemerkungen über einige ihrer
besondern Formen hinzu. —

Zuerst die Ironie. — Als Redefigur ist diese aus der
Rhetorik hinlänglich bekannt. In der sokratischen Schule aber
hat sie noch eine ganz eigenthümliche Bedeutung. Es ist schon
bemerkt worden, wie Sokrates die Wahrheit vorzüglich dadurch
zu befördern und ihr in die Gemüther Eingang zu verschaffen
suchte, daß er alle ihrer Verbreitung entgegenstehende Vorurtheile und Irrthümer aus dem Wege räumte und zuerst ächte
Weisheitsliebe an die Stelle jenes eiteln, eigennützigen, unphilosophischen Strebens der Sophisten setzte. Wenn diese ihren
Ruf und ihren Einfluß hauptsächlich der dreisten Zuversicht, dem
stolzabsprechenden Uebermuthe verdankten, womit sie ihr gehalt-
loses Scheinwissen als vollendete Wahrheit aufstellten, und mit
der prahlerischen Behauptung, alles zu wissen und zu lehren, die
Gemüther der wißbegierigen, ehrgeizigen Jugend für sich ge-
wannen und ganz mit ihrem verderblichen Eigendünkel erfüll-
ten, so richtete Sokrates seine vernichtenden Waffen vorzüglich
gegen diesen lügnerischen, unphilosophischen Hochmuth, welcher
den Menschen von dem Wege zur Erkenntniß der Wahrheit entferne, indem er ihn durch die täuschende Vorstellung, schon ihres
vollen Besitzes zu genießen, von allem ernsthaften, mit unermüdeter Anstrengung immer weiter fortschreitenden Streben zu-

rückhalte, wodurch doch allein eine endliche Annäherung zu dem Heiligthume der Weisheit möglich werde. Dieses eitle, verkehrte Beginnen der Sophisten in seinem wahren Lichte zu zeigen, bediente sich Sokrates der Ironie. Er gestand nämlich, daß er nichts wisse, und daß seine Weisheit gerade darin bestehe, seine Unwissenheit deutlich zu erkennen. b)

Zuerst wollte Socrates durch diese Aeußerung auf die unendliche Größe und Erhabenheit, die nie zu erschöpfende Fülle und Mannichfaltigkeit der höchsten Gegenstände der Erkenntniß aufmerksam machen, und allen Wahrheitsforschern die ihnen so nothwendige Gesinnung der Bescheidenheit einprägen, welche er für den Menschen nach dem geringen Maaße seiner Kräfte bei allem Denken und Thun für weit angemessener hielt, als jenen unphilosophischen Eigendünkel, der ohne wahre, gründliche Selbstkenntniß, unbekannt mit den Schranken, die eine hohe Nothwendigkeit aller seiner Thätigkeit gesetzt hat, im blinden Selbstvertrauen auf Eigenschaften, deren Umfang er nicht kennt, und deren Vorzüge er überschätzt, die Gränzen seines Wirkungskreises überspringt und weit von dem Ziele seines Strebens zu leeren, nichtigen Chimären sich verirrt.

Diese mit so lobenswürdiger Bescheidenheit frei und offen eingestandene Unwissenheit über die höchsten Gegenstände aller menschlichen Erkenntniß, die doch zugleich eine so hohe Einsicht in die Natur unseres Geistes, und ein so redliches, ernstes Streben nach Wahrheit verrieth, mußte mit der gehaltlosen Vielwisserei der Sophisten, die sich selbst als Allwissenheit auszuposaunen kein Bedenken trug, sonderbar contrastiren. Allein sie gab auch dem Sokrates noch den besondern Vortheil, seine unbedachtsamen Gegner mit ihren eignen Behauptungen zu verwirren und zu beschämen. Er stellte sich nämlich, als wenn er an ihrer Allwissenheit gar nicht zweifle, selbst aber viel zu beschränkt und zu unwissend wäre, die Wahrheit ihrer erhabenen Lehren einzusehen und zu begreifen; daher er sie denn bat, seiner Schwäche zu Hülfe zu kommen und ihm den Sinn und den Zusammenhang ihrer philosophischen Behauptungen deutlicher zu erklären. Da die ganze Weisheit der Sophisten nur

auf Schein und Täuschung beruhte, so war es natürlich, daß
sie dieser Aufforderung nicht Genüge leisten konnten, und daß
Sokrates gehaltvolle überdachte Fragen, welche gerade auf die
schlecht begründeten Principien ihrer Lehre gingen, sie in nicht
geringe Verlegenheit setzten.   Sein gründlicher Forschungsgeist
zwang sie das ganze Gewebe der künstlich verworrenen Trugschlüsse zu zerlegen, sein Scharfsinn entdeckte die Lücken und
Blößen, die man vor der oberflächlichen Beurtheilung leicht zu
verstecken gewußt hatte, er machte die Verständigen auf die geheimen, oft kleinlichen, verächtlichen Kunstgriffe aufmerksam,
womit man sie bisher zu blenden und ihr Urtheil zu hintergehen gewußt hatte, und entlarvte allmälig das Trugbild der
hochgepriesenen Allwissenheit; den dummdreistesten Eigendünkel,
die gröbste Unwissenheit, die gefährlichste, verworfenste Ver-
führungssucht entdeckte er an ihrer Stelle, die billig dem Hohne
und der Verachtung aller Edeldenkenden Preis gegeben werden
müsse.

Die zweite besondere Form der sokratischen Dialektik ist
die Analogie oder Induktion.

So streng Sokrates auf der einen Seite gegen die grundlosen Anmaßungen und die täuschenden Irrlehren der sophistischen Unphilosophie zu Werke ging, so sehr bestrebte er sich an-
bererseits, seine eigene Lehre wahrheitsliebenden Männern, selbst
ungelehrten, verständlich zu machen; er wollte die Wahrheit
von allem blendenden, künstlichen Prunke, womit die Betrügerei
der Sophisten sie umgeben und entstellt hatte, entkleidet in ihrer
natürlichen Schönheit und Erhabenheit darstellen, um dadurch
ihrem Dienste alle Herzen zu gewinnen und sie mit dem edlen
Eifer zu entflammen, der Hoffnung ihres endlich zu erringenden
Besitzes alle Kraft und Thätigkeit zu wethen. Es ist hier nicht
der Ort von der sokratischen Methode überhaupt zu reden, noch
von der Kunst, die ihm vorzüglich eigen war, den philosophischen Sinn in seinen Schülern zu entwickeln, das Nachdenken,
den Scharfsinn, die Urtheilskraft, den gründlich und tief ein-
bringenden Forschungsgeist in ihnen zu erwecken, durch immer
fortschreitende und allmälig höher steigende Bildung und Ver-

edlung aller Geisteskräfte sie zur Erkenntniß der Wahrheit vorzubereiten. Wir reden hier blos von der besondern Form der
Analogie, deren er sich bediente, um dem natürlichen Verstande
ungelehrter und mit den künstlichen Abstraktionen und Spitzfindigkeiten der Schule unbekannter Männer zu Hülfe zu kommen.
Er suchte vorzüglich durch Beispiele und Vergleichungen, die
aus dem gemeinen Leben und den Erscheinungen der umgebenden Welt hergenommen waren, seinen Lehren die höchste Deutlichkeit und Anschaulichkeit zu geben.

Beispiele und Vergleichungen dieser Art sind immer und
überall ein hauptsächliches und unentbehrliches Hülfsmittel eines
populären und lebendigen Vortrags gewesen, nur daß Sokrates
und seine Schüler eine ganz eigene Geschicklichkeit darin besaf-
sen, und es ist wohl gar keinem Zweifel unterworfen, daß
jene beiden eigenthümlichen Formen der Dialektik oder des philosophischen Gesprächs und Vortrags, die Ironie und Analogie,
dem Sokrates selbst als Erfinder oder doch als eigenthümlichem
Ausbilder müssen zugeschrieben werden. Alle seine Schüler sind
ihm in dieser Methode gefolgt, sowohl der tiefsinnige Plato,
als der leichtere, populäre Xenophon. Auch bezeugen sie alle,
daß er sich dieser beiden Mittel sowohl in seinen philosophischen
Streitigkeiten, als in seinem Unterrichte durchgängig bedient
habe.

Von der Logik des Aristoteles.

Aristoteles hat das Verdienst, die Logik als Wissenschaft
und als besonderen Theil der Philosophie systematisch aufgestellt
zu haben. Er ist in dieser Hinsicht der eigentliche Stifter und
Vater der Logik geworden. Sein Ansehen in dieser Wissenschaft
hat sich durch alle Zeitalter behauptet. Durchgängig ist man

ihm bei dem ſyſtematiſchen Vortrage der Logik gefolgt, oder hat
ſich doch nur wenig von ihm entfernt ; dies gilt nicht nur von
den Griechen und Römern und dem ganzen Mittelalter, ſondern auch von der neuern Zeit, wo man doch immer wieder auf
ihn zurück kam.

Die Geſchichte der Logik bei den Griechen zerfällt in drei
Hauptepochen.

1. In die der Sophiſtik, als der eigentlichen Veranlaſſung der wahren Logik. Dieſe haben die Sophiſten gegen ihren
Willen befördert ; indem ſowohl ihre künſtlichen Trugſchlüſſe
ſelbſt, als vornehmlich das Beſtreben dieſe zu widerlegen nicht
wenig dazu beigetragen haben, den menſchlichen Verſtand zu
ſchärfen.

2. Die zweite Epoche iſt die der ſokratiſchen Dialektik.
— Die

3. der ariſtoteliſchen Logik.

Die Geſchichte der ariſtoteliſchen Logik kann um ſoviel kür-
zer zuſammengefaßt werden, weil in dem Vortrage der Logik
ſelbſt ſchon das Weſentliche von ihr vorkommt ; wir begnügen
uns daher blos ihre Haupttheile anzugeben. Der wichtigſte und
umfaſſendſte Theil der ariſtoteliſchen Logik iſt die Syllogiſtik,
die Lehre von den Schlüſſen, den Syllogismen. Dieſe Lehre
nennt Ariſtoteles Analytik, welches ſoviel heißen ſoll als die
Lehre, wiſſenſchaftliche Fragen und Aufgaben zu zergliedern und
aufzulöſen. Ariſtoteles iſt in der Syllogiſtik für alle Zeiten Quelle
und Urbild geblieben. Er hat ſie eigentlich erfunden und im
weſentlichen vollendet. Alles, was die ſpätern hinzugefügt haben, betrifft nur Nebenſachen : in der Hauptſache iſt man immer nur ihm gefolgt.

Die einzige hiſtoriſche Bemerkung, die wir hier hinzuzufügen haben, iſt, daß Ariſtoteles auch wohl vorzüglich durch die
Sophiſtik bewogen worden, ſeine Syllogiſtik mit ſoviel Scharfſinn, Gründlichkeit und ſyſtematiſcher Strenge auszubilden und
zu vollenden.

Bei einer Nation und in einem Zeitalter, wo der ſophiſti-
ſche Geiſt weniger vorherrſchend geweſen wäre, würde auch die

Sophistik auf weit einfachere und nicht so scharf und fein bestimmte, künstlich verarbeitete Grundsätze zurückgeführt worden
seyn. Allein diese sophistische Täuschungskunst machte eine so
große Strenge und Aufmerksamkeit nöthig, und es war besonders bei den Griechen sehr natürlich, daß man sich eben so
künstlicher Waffen bediente, seine Gegner zu schlagen. Es war
Bedürfniß geworden, die sophistischen Trugschlüsse methodisch
anzugreifen, in den Gang des Denkens und Urtheilens selbst,
wo möglich, Regel und Gesetz zu bringen, und dadurch sowohl
das eigene Urtheil vor Verwirrung zu sichern, als es gegen
fremde Irrthümer zu schützen. Wir dürfen indessen nie vergessen, daß die vielen Subtilitäten der griechischen Logik nicht allgemein begründete, nothwendige, wesentliche Regeln des Denkens sind, die aus der Natur des menschlichen Geistes sich natürlich entwickelten, sondern weit mehr herbeigeführt wurden
durch den individuellen Geist der griechischen Philosophie, und
als Schutzwehr gegen ihre Täuschungen dienen sollten. Als Anfang zur Syllogistik, dem wichtigsten Theile der aristotelischen
Logik, kann man die Abhandlung v o n   d e r   W i d e r l e g u n g
d e r   s o p h i s t i s c h e n   F e h l s c h l ü s s e betrachten.

Der zweite Haupttheil ist die T o p i k. Diese bezieht sich
ganz und gar nur auf die bei den Griechen statt findende Verbindung der Logik und Rhetorik. Daher auch in spätern Zeiten, wo die Rhetorik überhaupt mehr vernachläßigt, oder nicht
mehr auf die Art, wie bei den Griechen, behandelt wurde, die
Topik aus dem Gebiete der Logik verwiesen wurde.

Was die Bedeutung des Wortes betrifft, so heißt τοπική
sc. τέχνη die Wissenschaft von den τόποις — oder locis com-
munibus, und ist eine Art rhetorischer Erfindungkunst. Locus,
oder im Griechischen τόπος ist jede allgemeine Rubrik von Sen-
tenzen, Urtheilssprüchen, Begriffen oder Bewegungsgründen, die
in einzelnen Fällen vorkommen, und mit Erfolg angewandt werden können. Topik war also die Kunst aus solchen Gemeinbe-
griffen und Urtheilen das, was für jeden besondern Fall zweckmäßig dienen kann, schnell und mit Sicherheit aufzufinden und
zu brauchen. — Es erhellt hieraus, daß die Topik eben sowohl

zur Rhetorik gehört wie zur Logik. Beim Aristoteles bilden die logischen und rhetorischen Schriften eine zusammenhängende Reihe. Dies Verhältniß ward in spätern Zeiten aufgehoben, man behandelte die Logik allein für sich, und die Rhetorik nahm gar nicht mehr jene bedeutende Stelle ein, die sie bei den Griechen immer behauptet hatte, daher denn auch die Aufmerksamkeit von der Topik ganz weggelenkt wurde.

Somit hätten wir also die beiden Haupttheile der aristotelischen Logik, die Topik und Syllogistik, in kurzem angegeben, allein es sind in den Schriften dieses Philosophen noch einige Versuche von geringem Umfange, aber von großer Wichtigkeit enthalten.

Die erste kleine Schrift, welche die Lehre von der Bezeichnung, vom Ausdrucke, enthält, handelt von dem für die Erforschung und Erkenntniß der Wahrheit so mächtigen Verhältnisse der bezeichneten Begriffe und Gegenstände zu den Zeichen, wodurch sie bezeichnet werden, oder dem Verhältnisse der Gedanken zur Sprache, des Geistes zum Worte. — Dies wäre also dieselbe Lehre, welche wir früher philosophische Grammatik genannt haben, und die für die Logik und die Philosophie überhaupt gewiß von dem größesten Nutzen seyn, und die bedeutendsten Resultate liefern würde. Aber freilich finden sich beim Aristoteles und andern ältern Philosophen von ihr nur die ersten Keime und die rohesten Anfänge.

Der zweite Versuch ist in der Schrift von den Kategorien enthalten; Kategorie oder Prädikamentum bedeutet einen Elementarbegriff, d. h. einen abstracten Begriff, der nicht weiter getheilt werden kann. Das Wort Kategorie κατηγορία kömmt her vom Verbum κατηγορέω, welches praedicare bedeutet. Betrachtet man die Begriffe und die Denkweise des menschlichen Verstandes, so findet sich, daß alle Begriffe und Urtheile die Vorstellung eines Gegenstandes enthalten, und sodann die Vorstellung von allerlei Beschaffenheiten und Verhältnissen, welche diesem Gegenstande beigelegt werden. Dieses Beilegen heißt nun praedicare und die beigelegten Beschaffenheiten und Verhältnisse Prädikamenta oder Kategorien.

Was die Untersuchung über die Kategorien so wichtig macht, kann folgende Bemerkung zeigen.

Obgleich der Gegenstände für die Anschauung, Beobachtung und Erkenntniß so unendlich viele vorkommen, daß ihre Anzahl sich durchaus nicht angeben läßt, so ist dennoch die Anzahl der Beschaffenheits= und Verhältnißbegriffe, welche diesen Gegenständen beigelegt werden, nicht sehr groß und wie es scheint ganz bestimmt; wäre es nun möglich ihre Anzahl genau und sicher zu bestimmen, die Kategorien vollständig aufzuzählen, so wäre damit für die Philosophie wirklich viel gewonnen, indem wir dadurch einen großen Theil der Gesetze des menschlichen Verstandes würden kennen lernen. Sind gleich die Gegenstände zahllos und unbestimmbar, worauf der Verstand jene einfachen Begriffe oder Kategorien anwenden kann, so wüßten wir doch, wenn wir das System jener Begriffe kennten, was der Verstand zur Bearbeitung der Gegenstände von dem seinigen hinzuthut. Wir erhielten zwar dadurch keine Einsicht in die Natur der Dinge selbst, allein wir wüßten doch, in welche Fächer der menschliche Verstand sie alle eintheilt, und nach welchen Gesetzen er ihren Stoff eintheilt und zerlegt.

Diese philosophische Absicht war es, die im Alterthume den Aristoteles auf die Untersuchung über die Kategorien geleitet hat, um diese wo möglich vollständig aufzuzählen und dadurch das menschliche Erkenntnißvermögen systematisch kennen lernen.

In der neuern Zeit offenbart sich bei Kant ein ähnliches Bestreben.

Der Versuch des Aristoteles über die Kategorien ist übrigens unvollendet geblieben, daher er auch nicht unter die Haupttheile seiner Logik gerechnet werden kann.

Von der Logik des Mittelalters und der Scholastiker.

Es ist schon erinnert worden, daß nach Aristoteles in der Logik nicht viel neues von den Griechen sei erfunden und ge= leistet worden, nicht einmal von den Stoikern, die sich doch unter den spätern philosophischen Sekten am meisten mit dieser Wissenschaft beschäftigten. Auch die Römer erweiterten oder begründeten ihr Gebiet nicht mehr, als es schon von den Grie= chen geschehen war, denen sie überhaupt in der Philosophie blos folgten, ohne übrigens durch bedeutende Versuche, zur Erkenntniß der Wahrheit sich neue Wege zu bahnen, sich auszuzeichnen.

Während des ganzen Zeitraumes vom Untergange des römi= schen Reichs, also vom vierten und fünften Jahrhundert bis zum sechszehnten, erhielt die Philosophie durch die christliche Religion eine sehr nahe Beziehung auf die Theologie. In der Philosophie suchte man besonders im Anfange dieses Zeitraums den Plato mit Aristoteles zu verbinden; erst in der letzten Hälfte erhielt dieser das Uebergewicht, obgleich man eifrig bemüht war, jene Verbindungsversuche durchzusetzen, die sich nicht nur auf die Philosophie überhaupt, sondern auch auf die Logik erstreckten, daher man diese ganz in Plato's Sinn und nach dem Sprach= gebrauche seiner Schule Dialektik nannte.

Dem Plato war die Wissenschaft von dem höchsten Gute oder dem vollkommensten Wesen die Dialektik, welche Wis= senschaft allein durch die Kunst des wahren Denkens und Nach= denkens könne gefunden werden und mit dieser Kunst einerlei sey. Ganz in diesem Sinne sah man auch im Mittelalter die Dialektik als das Werkzeug und die Methodenlehre der Got= teserkenntniß und der wahren Weisheit an.

In dem Begriffe des Ganzen und der Definition der Dia= lektik folgten die Kirchenväter und die Scholastiker mehr dem Plato; in der Ausführung der einzelnen Theile hingegen mehr dem Aristoteles, nur daß sie hier immer neue Spitzfindigkeiten zu den alten häuften; bis die Wissenschaft selbst wieder zu ei=

ner wahren Sophiſtik herabſank, in leeres, gehaltloſes Wort-
ſpiel und Formelnweſen ausartete, das nur zu eitelm, fruchtlo-
ſem Schulgezänke dienen konnte. — So kehrte alſo die Dialektik wieder zu jenem ſchlechten, verworrenen Zuſtande zurück,
der bei den Griechen zur Erfindung der Logik den erſten Anſtoß
gegeben hatte, und aus dem ſie durch die vereinten Bemühungen der größten Wahrheitsforſcher mit ſoviel Aufwand von
Kraft und Anſtrengung allmälig herausgezogen ward. c)

Auch die ſcholaſtiſche Logik enthielt nichts neues und eigenthümliches. Das Gute und Wahre, das ſie dem philoſophiſchen
Denker darbot, war einzig und allein aus Plato und Ariſtoteles geſchöpft, ja ſelbſt die vielen Subtilitäten und Sophiſte-
reien, in die ſie ſich bei ihrer Ausartung verwickelte, waren
die nämlichen, die ſchon die griechiſche Philoſophie ſo ſehr ver-
unſtaltet hatten, und die hier vielleicht unter etwas veränderten
Formen aus der dunklen Vergeſſenheit, wohin erleuchtete Männer ſie verwieſen hatten, und worin ſie zur Ehre und zum Heile
der Philoſophie ewig hätten verharren ſollen, von neuem wieder ans Licht traten.

Hiſtoriſche Erläuterungen über die Logik oder die Dialektik der ſcholaſtiſchen Philoſophie.

Die Dialektik der Scholaſtiker erhielt eine beſonders nahe
Beziehung auf die Theologie, eines Theils durch die Annahme
des platoniſchen Begriffs, nach welchem dieſe Wiſſenſchaft ja
nichts anders iſt, als Wiſſenſchaft von dem höchſten Gute, dem
vollkommenſten Weſen, oder Gottesgelehrtheit, anderntheils durch die chriſtliche Religion und Philoſophie, zu deren
Dienſte jene Dialektik von den Kirchenvätern und andern chriſtlichen Philoſophen angewandt wurde. — Endlich gehörte bei

den Scholastikern die Dialektik auch zu den sieben freien Künsten; wir halten es für passend über diese hier einige historische
Erläuterungen beizufügen.

Die sieben freien Künste theilte man in ein Trivium, eine
Abtheilung von drei, und ein Quadrivium, eine Abtheilung von
vier freien Künsten ein. Das Trivium enthielt die Grammatik, die Rhetorik und die Dialektik. Das Quadrivium die
Arithmetik, Geometrie, Musik und Astronomie. Diese Eintheilung ist freilich nicht mehr die unsrige, aber es ist dennoch zur
Kenntniß des wissenschaftlichen Zustandes der damaligen Zeit
durchaus erforderlich, von ihr und ihrem eigentlichen Zwecke einen historischen Begriff zu haben, da sie während des ganzen
Mittelalters so wie schon früher bei den spätern Griechen und
Römern herrschend war.

Man darf nicht glauben, daß diese sieben freien Künste
den ganzen Umfang alles Wissenswürdigen und Erkennbaren
umfassen und erschöpfen sollten; es war vielmehr nur die Auswahl derjenigen Elementarwissenschaften, welche wegen ihrer
allgemeinen, praktischen Anwendbarkeit beim Schulunterrichte
zum Grunde gelegt wurden. Unstreitig ist die Mathematik von
dem allgemeinsten, praktischen Nutzen, da sie fast auf alle mechanischen Künste und Beschäftigungen anwendbar ist. Dies
gilt auch von der Arithmetik und der Geometrie. Die Astronomie ist zwar nicht von so allgemein verbreiteter Gültigkeit
und Brauchbarkeit, allein sie verdankt ihre Stelle unter den
sieben freien Künsten ihrer theoretischen Würde und der möglichen Richtung auf den höchsten Gegenstand alles Wissens. Sie
macht den Menschen auf die wundervolle Einrichtung des Wel-
tenbaues aufmerksam, sie öffnet sein Auge der entzückenden
Pracht und Schönheit jener himmlischen Körper, die in unbe-
greiflicher Harmonie und Ordnung nach ewigen Gesetzen sich
bewegen; sie erweitert und erhebt seinen Verstand, erfüllt sein
Gemüth mit Bewunderung, Liebe und Ahndung des unendlichen
Schöpfers und Herrschers und bereitet ihn dadurch auf die
würdigste Weise zur Erkenntniß des göttlichen Wesens vor. —
Dazu kam noch im Mittelalter der äußere Umstand, daß die

christlichen Feste, welche von Geistlichen festgesetzt wurden, nicht ohne Beihülfe der Astronomie bestimmt werden konnten.

Wir müssen es diesen Geistlichen und Gelehrten des Mittelalters Dank wissen, daß sie die Entdeckungen und Kenntnisse des Alterthums in dieser Wissenschaft aufbewahrt und uns überliefert haben. Wenn gleich die Astronomie in unsern Tagen zu einem Grade von Ausbildung und Vollendung gediehen ist, der sie weit über die alte erhebt, so hat diese denn doch die ersten Entdeckungen und Beobachtungen hergegeben, auf welche man nachher weiter fortbaute, wie denn überhaupt diese Wissenschaft nur durch die fortgesetzten Bemühungen mehrerer Zeitalter gedeihen kann.

Die Musik wurde bei den Griechen mit zu jenen sieben Elementarwissenschaften gerechnet, weil man von dem Werthe und dem Einflusse der Musik außerordentlich hohe Begriffe hatte. Schon in den ältesten Zeiten hielten die Griechen die Musik für eine nothwendige Bedingung der höhern Bildung und sahen sie in dieser Hinsicht als einen Haupttheil der Erziehung an; zuweilen wurde unter dem Namen Musik Poesie mitverstanden, als welche von Musik begleitet war. Wir finden bei den klassischen Autoren oft Musik und Gymnastik zusammengestellt, die erste für die Ausbildung der Seele, die zweite für die des Körpers bestimmt.

Wir wissen zwar wenig von dem Wesen und Charakter der griechischen Musik und können daher gar nicht den Grad und die Vollkommenheit dieser Kunst, und die Macht ihres Einflusses auf Bildung und Erziehung bestimmen; allein nehmen wir auch nur die Musik, wie wir sie kennen, so lassen sich die hohen Begriffe der Griechen von ihrem Werthe leicht rechtfertigen, so abweichend diese auch immer von der Vorstellungsart anderer Völker sind. Die Musik, wenn sie in ihrer reinen und wahren Gestalt zur höchsten Vollkommenheit und Schönheit ausgebildet erscheint, ist dann unter allen Künsten diejenige, die über das menschliche Herz eine über alles gehende Gewalt ausübt, das Gefühl in seinen verborgensten Tiefen mit unwiderstehlichem Zwange ergreift, erhebt und veredelt, und so ihre bildende Kraft auf die Quelle und Wurzel alles Bewußtseyns erstreckt.

Zu den äußern Gründen, welche der Musik eine Stelle unter den freien Künsten verschafften, gehört der Umstand, daß sie von den ältesten Zeiten an mit dem christlichen Gottesdienste verbunden war, und zwar weit mehr noch, wie dies bei den Heiden statt gefunden hatte. Daher war sie denn auch dem Geistlichen eine nothwendige Elementarwissenschaft geworden.

Wenn wir bemerken, daß sie in dem System der sieben freien Künste mit der Arithmetik, Geometrie und Astronomie ein Quadrivium bildet, so führt uns dies auf die äußerst interessante und lehrreiche Betrachtung, daß nämlich diese geheimnißvolle, wunderbare Kunst, obgleich sie auf das Gefühl so mächtig wirkt, doch ganz auf mathematischen Gründen beruht und den größten Theil ihrer Wirkungen durch mathematische Verhältnisse hervorbringt, ja vielleicht ist eben darum die Musik in unsern Zeiten so sehr in Verfall gerathen und ihrer hohen Bestimmung ganz entgegen in eine leere, kindische Spielerei ausgeartet, weil man, unbekannt mit ihrem eigensten und innersten Wesen, die mathematische Grundlage ganz vernachläßigt hat.

Was das Trivium der Grammatik, Rhetorik und Dialektik betrifft, so erklärt es sich von selbst, warum diese zu den Elementarwissenschaften gerechnet wurden. — Die Kunst richtig und gut zu denken, zu reden und zu schreiben ist für jeden, der nur auf irgend eine Art höherer Bildung Anspruch macht, nothwendiges Hülfsmittel, ja selbst zu den Geschäften des gemeinen Lebens ist sie unentbehrlich.

Bei den Griechen kam zu dieser allgemeinen Nothwendigkeit noch der besondere Umstand, daß bei ihnen fast alle bürgerlichen Geschäfte mündlich und in allgemeinen Versammlungen verhandelt wurden. Hier war es also für den Geschäftsmann noch weit mehr, wie bei uns, ein dringendes Bedürfniß, seine Gedanken schnell und in ihrer natürlichen Folge sammeln, verbinden und mit Ordnung, Klarheit, Kraft, Nachdruck, Kunst und Anmuth vortragen zu können.

Im Mittelalter blieb die erstorbene lateinische Sprache fortwährend im Besitze des ganzen Gebietes der Gelehrsamkeit. Als allgemeine Sprache der Kirche erstreckte sie ihre Herrschaft über die ganze christliche, wie über die gebildete Welt, sie diente für den Gottesdienst, die Gesetzgebung, für Philosophie, Geschichte, und überhaupt für alle Wissenschaften. Die Erlernung dieser Sprache mußte daher nothwendig einen Haupttheil der gelehrten Erziehung ausmachen. Eine todte Sprache aber kann nicht anders als wissenschaftlich erlernt werden. — Die Grammatik und Rhetorik des Mittelalters beschäftigte sich einzig mit der lateinischen Sprache, als welche richtig verstehen, reden und schreiben zu können für jeden Gelehrten und Gebildeten das dringendste Bedürfniß war. — Die Dialektik oder die Kunst richtig zu denken ist mit der Kunst richtig zu sprechen so innigst verbunden, daß es sehr natürlich ist, sie beide zusammengestellt zu sehen.

Die scholastische Philosophie zeichnet sich vor der ältern griechischen durch den wesentlichen Unterschied aus, daß diese die Erkenntniß der höhern Wahrheit, welche noch nicht aufgefunden und begründet war, zu erreichen strebte; die scholastische hingegen, durch das Licht des Evangeliums und das Ansehen der Kirche über die göttlichen Dinge vollkommen erleuchtet und belehrt, diese Erkenntniß unmittelbar durch göttliche Offenbarung nicht blos empfangen zu haben, sondern auch zu besitzen glaubte. Auch gründete sich diese Ueberzeugung zum Theil auf das große Ansehen des Aristoteles, den man für einen schlechthin vollendeten Philosophen hielt, und seinen Grundsätzen daher die entschiedenste Allgemeingültigkeit zuerkannte. So erhielt die Philosophie des Mittelalters einen ganz von der ältern verschiedenen Charakter, war weniger ein Suchen und Ergründen, als vielmehr ein von der vollkommensten, innigsten Ueberzeugung geleitetes, ruhiges, sicheres Erklären, Zergliedern und Weiterausbilden der schon gefundenen Wahrheit.

Wenn man nun gleich zugeben muß, daß die Philosophie des Mittelalters, auf den christlichen Glauben und selbst das Ansehen des Aristoteles gegründet, eine weit höhere, richtigere

Ansicht über die meisten Gegenstände philosophischer Untersuchungen besaß und verbreitete, als die frühern griechischen Systeme diese aufstellen konnten, so ist doch auf der andern Seite
jene Ueberzeugung, daß man im vollen Besitze der Wahrheit
sey, Ursache gewesen, daß die Philosophie, durch kein entferntes, erhabenes Ziel zu einem kräftigen, ernsten Streben und
rastlosen Fortstreiten gereizt, oder durch feindliche Angriffe zur
Begründung und Vertheidigung der schon errungenen Wahrheit
aufgefordert, im Genusse der höchsten Erkenntniß ihre Kraft und
ihre Thätigkeit weniger auf das innere Wesen, dessen Tiefen
sie hinlänglich offenbart glaubte, als auf die äußern Formen wandte.   Die Dialektik, die jetzt den ersten Zweck, die
Wahrheit zu erforschen und zu begründen, nicht mehr hatte,
wurde blos als eine philosophische Disputir- und Uebungskunst
angesehen, deren Bestimmung es sey, durch eine Menge künstlicher
Formen und fein verwickelter Spitzfindigkeiten die Urtheilskraft
und den Scharfsinn kräftiger zu entwickeln und zu jenem Grade
der Geschicklichkeit und Gewandtheit auszubilden, von dem
man sich in jedem philosophischen Streite das vollkommenste
Uebergewicht und den glänzendsten Sieg mit Gewißheit versprechen könne.   So sank denn die Dialektik zu einer noch är-
gern Sophisterei herab, als die griechische je gewesen war, sie
verwandelte sich in eine zwecklose, leere Beschäftigung, die als
Verstandesübung blos spielend betrieben wurde, oder als vollendete Streitkunst der Eitelkeit diente.

Von der Logik der neuern Philosophie.

Die große Entartung der scholastischen Dialektik zog dieser allgemeine Verachtung zu, und so wie der Kreis alter
Kenntnisse zu neuen Entdeckungen sich erweiterte, sank auch allmälig das Ansehen der Scholastik, und die Herrschaft, die sie
bisher unbestritten ausgeübt hatte, schwankte immer mehr und

mehr, besonders aber ward jene Ueberzeugung, daß man schon
im vollen Besitze der Wahrheit sey, auf eine gewaltsame Weise
erschüttert; die Philosophie, aus jener unthätigen Ruhe und
trägen Sicherheit, in die sie versunken war, aufgeregt, erhielt
eine ihrem Wesen angemessenere Richtung und ward durch den
wiederentzündeten Trieb mit verdoppeltem Streben zu jenem höchsten Ziele hingerissen, das sie irriger Weise schon errungen zu haben
glaubte. Jene neuen Kenntnisse und Entdeckungen aber, die seit
dem Anfange des sechszehnten Jahrhunderts diese Revolutionen her-
vorbrachten, betrafen vorzüglich die physikalischen Wissenschaften
und mechanischen Künste, sowie auch die historischen und philologischen Wissenschaften, die zwar außer dem Kreise der Philosophie lagen, aber doch bald einen großen Einfluß auf sie erhielten, welcher auf die Logik sich gleichmäßig erstreckte. In
allen früher erwähnten Epochen, bei den Griechen sowohl
als bei den Scholastikern, hatte man die Logik betrachtet als
einen Theil der Philosophie oder als die allgemeine Form der
Philosophie, man war aber noch gar nicht auf den Versuch gekommen, sie mit andern Wissenschaften in Verbindung zu setzen,
die damals auch noch wenig systematisch, also eigentlich wenig
wissenschaftlich ausgebildet waren. Jetzt wo die Wissenschaften
so sehr erweitert und vervollkommnet wurden, suchte man auch
auf sie die Logik als Lehre von der wissenschaftlichen
Form überhaupt anzuwenden. Theils wollte man sich einen
Begriff von dem Zusammenhange und der wechselseitigen Verkettung und Verbindung aller Wissenschaften machen, theils
glaubte man auch, die Logik als die eigentliche Kunst des Urtheilens und Denkens müßte für alle möglichen Zweige des
menschlichen Wissens die Grundformen und Regeln enthalten,
die wahre Methode der Vervollkommnung und Erfindung.
Man ging also eigentlich darauf aus, die Logik zu einer allgemeinen Encyklopädie und Erfindungskunst für alle Wissenschaften zu erweitern. Nachdem der menschliche Geist von dem
Irrthume, die höchste Erkenntniß sich errungen zu haben, zurück-
gekommen war und einen neuen Antrieb zur Thätigkeit erhalten
hatte, warf er sich mit verdoppelter Anstrengung auf die Er-

forschung und Ergründung philosophischer Wahrheiten. — Durch
die Erkenntniß der vorherigen Täuschung mißtrauisch geworden
auf seine eigene Kraft und Fähigkeit, mußte in ihm das Bestreben entstehen, auf allen Seiten nach Schutzmitteln gegen ähnliche Verirrungen sich umzusehen, — mit der Erweiterung des
ganzen Umkreises historischer Erkenntnisse erhielt man nun auch
nach und nach eine historische Uebersicht der verschiedenen Systeme anderer Zeiten und Nationen; man lernte die vielen oft
so verschiedenartigen und entgegengesetzten Versuche kennen, die
von den größten Denkern aller Zeiten gemacht worden waren,
zur Erkenntniß der höchsten Wahrheit durchzudringen, eine Philosophie auf unbestreitbare, feste Principien fest und dauerhaft
zu begründen; man überzeugte sich, wie ungeachtet des ernst-
haftesten und redlichsten Bemühens und eines so großen Aufwandes von Thätigkeit, Kraft, Talent und Genie der menschliche Geist dem Ziele, wonach er so eifrig und beharrlich ge-
rungen hatte, dennoch nur wenig sich genähert, ja oft sich völlig von ihm verirrt habe. — Eine so ernsthafte, lehrreiche Einsicht mußte natürlich die vielseitigsten, gründlichsten Untersuchungen veranlassen und das Bedürfniß einer Kritik der Philosophie selbst lebhaft erregen. — Der Widerstreit so mannichfaltiger Systeme machte eine kritische Prüfung und Vergleichung
ihres gegenseitigen Verhältnisses, ihrer Uebereinstimmung oder
ihres Gegensatzes, ihrer Mängel und ihrer Vorzüge nothwendig. Man suchte die wahre Philosophie von der falschen zu
unterscheiden und den Grund zu entdecken, warum die letztere
oft auf so gefährliche Abwege gerathen sey, die andere dem
Ziele ihres Strebens sich so wenig genähert, und was sie oft
auf halbem Wege zurückgezogen habe; man wollte genau bestimmen, wie weit man überhaupt auf dem Wege zur Erkenntniß der Wahrheit schon fortgeschritten sey, und was etwa für
die Philosophie noch zu thun übrig, um endlich die letzte
Stufe der Vollendung zu erreichen. Endlich mußte sogar das
Mißlingen so vieler von den ersten Geistern aller Zeiten und
Nationen mit Muth und Kraft und unbesiegbar beharrlichem
Streben unternommenen Versuche auf die entscheidende Frage

führen, ob der menschliche Geist überhaupt zur Erkenntniß der
höchsten Wahrheit sich erheben kann, und wenn die Natur seiner Kräfte und Thätigkeiten dies wirklich möglich macht, welche Mittel und Wege ihm dann vorgezeichnet seyen, auf denen
er, vor aller Abweichung und Verirrung bewahrt, mit Sicherheit zu diesem letzten Ziele seiner edelsten Bestrebungen fortschreiten kann.

So ward die Logik erweitert zu einer Kritik der Philosophie und ihrer verschiedenen Systeme, und zur Kritik des speculativen Verstandes selbst und seiner verschiedenen Thätigkeiten und Kräfte.

Unter den Philosophen neuerer Zeit, welche nach dieser
Ansicht die Logik behandelten als eine Encyklopädie aller Wissenschaften, als Erfindungskunst und als Kritik des menschlichen
Erkenntnißvermögens überhaupt, zeichnen Baco, Leibnitz und
Kant sich vorzüglich aus, — was andere Denker in dieser Hinsicht leisteten, ist mit den Versuchen dieser Männer nicht zu vergleichen. Es haben sich viele bemüht, die durch sie aufgestellten
neuen logischen Ideen und Ansichten mit einer Auswahl des
Besten aus der ältern aristotelischen und scholastischen Philosophie
zu verbinden; dies gilt besonders von Wolf, Baumgarten und
andern, welche Compendien der Logik geschrieben haben.

Es bedarf wohl keiner näheren Erklärung, daß die neue
Ansicht und Behandlung der Logik, welche von allen ältern Systemen so gänzlich verschieden ist, Vortheile und Aussichten gewährt, welche für die Philosophie von dem höchsten Interesse
sind und auf ihre Entwicklung und Vollendung den bedeutendsten Einfluß haben mußten; allein alles was bis jetzt geschehen,
ist nur Versuch gewesen und nicht zur Reife gediehen. Um
die Logik als Encyklopädie erschöpfend zu behandeln, wird eine
weit umfassendere, tiefer gegründete Einsicht in das System aller
Wissenschaften erfordert, als man wenigstens im Anfange dieser neuen Periode besaß. Dies gilt auch von der Logik als
Kritik der Philosophie und des philosophirenden Verstandes; es
gehört dazu eine Vollständigkeit der historischen Kenntnisse
und eine Bekanntschaft mit allen merkwürdigen Systemen

der alten Zeit, deren wir uns bis jetzt noch nicht rühmen können.

Es ist wohl keinem Zweifel unterworfen, daß auch die gründlichsten und scharfsinnigsten Denker, die bis jetzt eine Kritik der Philosophie und des philosophirenden Verstandes unternommen haben, durch Mangel an historischen Kenntnissen vorzüglich an der Ausführung ihres Unternehmens gehindert worden sind. Dies gilt auch von Kant, dessen Kritik der reinen Vernunft schon darum unvollkommen ist, weil es ihm so sehr an genauer Kenntniß der alten Systeme fehlt. Was aber endlich die Idee betrifft, die Logik als praktische Erfindungskunst aufzustellen, so kann vielleicht überhaupt gezweifelt werden, ob sie zu realisiren sey; gewiß aber läßt sich behaupten, daß alles, was bis jetzt in dieser Hinsicht geschah, nur unvollkommner Versuch geblieben ist. Der Grund, warum diese Behandlungsart der Logik, welche im Falle ihres Gelingens so äußerst lehrreich und fruchtbar seyn würde, bis jetzt noch mit so geringem Erfolg versucht worden ist, liegt einestheils in der Masse historischer und anderer scientifischer Kenntnisse, die dazu erfordert wird, anderntheils aber auch in dem innern schlechten und verderbten Zustande der Philosophie in den neuern Zeiten.

Nachdem man das Joch der scholastischen Philosophie und ihre durch den Glauben unterstützte Autorität einmal abgeworfen hatte, regte der philosophische Forschungs = und Prüfungsgeist sich in allen denkenden Köpfen mit verdoppelter Kraft und Thätigkeit, und von ihm über alle Schranken der Mäßigkeit geführt, verfiel man bald in den krassesten Unglauben und Materialismus, oder doch in unendliche, höchst gefährliche Streitigkeiten. Je größer unter der Herrschaft der Scholastiker die Sicherheit geworden war, womit der menschliche Geist auf den allgemein anerkannten Grundlehren der Philosophie, als auf unbezweifelten, und unerschütterlich begründeten Wahrheiten beruht hatte, desto rascher und kräftiger entwickelte sich nun, wo diese Ueberzeugung einmal gewichen war, in ihm der Trieb, alles zu untersuchen und zu prüfen, und im Gebiete der Philosophie keine fremde Gesetzgebung anerkennend, keiner Autorität vertrauend, alles der eigenen Beurtheilung zu unterwerfen, ohne Rücksicht auf allgemein anerkanntes, und durch so lange Ehrfurcht der Völker geheiligtes Ansehen, ohne Schonung für Vorurtheil und Irrthum, alle herrschenden Meinungen und Systeme bis in ihre letzten Gründe zu zerlegen und zu erforschen, sich endlich gegen jede Verwirrung zu versichern, das menschliche Wesen bis zu seiner Urquelle zu verfolgen und dort, noch unentstellt von allem Wahn und Irrthum, in seiner reinen ursprünglichen Gestalt aufzufassen.

Wenn dieses kühne Streben die Philosophie einerseits aus dem Kreise der Autorität und des Glaubens in die so bedeutend erweiterte Bahn menschlicher Erkenntnisse führte, wo ihrem Entdeckungsgeiste endlose Aussichten sich öffneten; so zog es sie auch andererseits auf Abwege, wo einem gänzlichen Verderben sie schnell entgegeneilte; von keinem höhern Gesetze gemildert, nur durch sich selbst geleitet, artete der Prüfungsgeist bald in die unbeschränkteste Zweifelsucht, den schonungslosesten Unglauben aus, der, von einer wilden Zerstörungswuth ergriffen, in das Heiligthum der Wahrheit selbst einbrach, es mit frevelndem Uebermuthe zu entweihen, zu schänden und zum Tummelplatze seiner Ruchlosigkeit zu machen.

In Italien gab es zwar anfangs vortreffliche Philosophen, allein sie verloren sich bald. Der allzu große Mißbrauch, den die Philosophie von ihrer Freiheit machte, mußte bald eine völlige Unterdrückung von dieser herbeiführen. Der freie Forschungsgeist, der in seinem ungehinderten Streben alle Schranken des Glaubens und des Ansehens überstiegen und die Grundfesten aller Wahrheit erschüttert hatte, ward durch ein natürlich zu erklärendes Gegenstreben der herrschenden Gewalt in die engsten Fesseln gelegt und in seiner Entwicklung auf alle mögliche Weise beschränkt, gehemmt und aufgehalten. Die Philosophie sank hier bald in gänzliche Unthätigkeit. In Frankreich und England behielt der gröbste Skepticismus und Materialismus die Oberhand; hier hatte der Unglaube seine eifrigsten Apostel, die ihre verderblichen Sitten kühn und ungescheut bekannten und mit rastloser Thätigkeit überall zu verbreiten

suchten. In Deutschland allein hielt sich die bessere Philosophie
aufrecht, wiewohl unter mancherlei Kämpfen und Streitigkeiten, mit abwechselndem Glücke; — Männer wie Leibnitz und
Kant schützten die Wissenschaft gegen jede Entartung und Her-
abwürdigung und wußten ihr durch redlichen Eifer und über-
wiegendes Genie immer neue Anhänger und Verehrer zu gewinnen; vorzüglich aber war es der ächte philosophische Geist und
Charakter der Nation, der Freiheit und Mäßigung in schöner
Harmonie vereinigt, welcher sich weder so unterdrücken läßt,
wie der Knechtsinn des Italieners, noch in die wilde Zügellosigkeit des rohesten Materialismus und Atheismus ausartet, wie
der Engländer und Franzose.

— In der Epoche der neuern Philosophie seit der Wiederher-
stellung der Wissenschaften bestand also das Eigenthümliche in
der Behandlung der Logik in den angegebenen fruchtbaren
Ideen, die aber aus hinlänglich erklärten Gründen nur erste
Anfänge und unreife Versuche geblieben sind. Außerdem wurde
aber auch durch die Erweiterung anderer Wissenschaften und
wissenschaftlicher Kenntnisse die Bearbeitung mehrerer Neben-
zweige der Logik sehr befördert. Vorzüglich die philosophische
Grammatik, welche zwar nach unserer Eintheilung kein eigentlicher Haupttheil der Logik ist, aber doch eine genau mit ihr
verbundene Hülfswissenschaft, — sowie die Geschichte der
Philosophie und Logik selbst, deren Unentbehrlichkeit wohl nicht
leicht zu verkennen ist.

Uebrigens aber war, was die gründliche Ausführung betrifft, die Logik während dieser ganzen Epoche in dem aller-
schlechtesten Zustande. — Der allgemeinherrschende Materialismus und Empirismus mußte natürlich auf ihre wissenschaftliche Bildung und Vollendung den nachtheiligsten Einfluß haben, da die
beschränkte, gemeinsinnliche Ansicht, die er verbreitet, aller wissenschaftlichen Gründlichkeit so gerade entgegensteht, daß durch ihn
die Philosophie selbst am Ende als Wissenschaft aufgehoben und
jede höhere Erkenntnißart als Täuschung und Irrthum ver-
schrieen wird. So weit ging wirklich der Empirismus des
achtzehnten Jahrhunderts in Frankreich und England, daß er

auch die Logik völlig läugnete. Die beßere Philosophie in Deutschland erhielt freilich die alte Logik, aber dies war doch immer nur Ausnahme von der allgemein herrschenden Denkungsart.

Es war dem ruhmvollen Streben der großen Männer unserer Zeit aufbewahrt, die Philosophie aus ihrem tiefen Verfall in verklärter Gestalt zu neuem Leben und Wirken hervorzurufen, sie von den groben Irrthümern und Entstellungen, womit sowohl die Unwissenheit ihrer bisherigen Anhänger, wie die absichtliche Verkehrtheit ihrer Feinde sie überhäuft hatte, zu läutern und endlich in beständigem Kampfe gegen die Schlechtigkeit und Verderbtheit der Zeit, gegen die trostlose Gleichgültigkeit für alles wahrhaft Gute und Schöne, welche die Gemüther völlig erschlafft und unempfänglich gemacht hatte, gegen eingewurzelte Vorurtheile und willführliche Irrthümer, gegen die hämischen Angriffe beleidigter Eitelkeit und leidenschaftlicher Parteiwuth den Versuch zu wagen, von neuem das Reich der Wahrheit auf unerschütterlichen Grundfesten für die Ewigkeit zu versichern.

III.
Darstellung der Logik.

Erstes Hauptstück.
Psychologie.

Wir schicken hier die Bemerkung voraus, das die Psychologie sonst wohl eingetheilt wurde in rationale und empirische,
wir aber hier weder die eine oder die andere meinen. Die rationale Psychologie oder Wissenschaft von dem Wesen der Seele
und des Geistes überhaupt, nicht blos wie sie in dem Menschen
erscheint, sondern wie sie in dem ganzen Weltall sich offenbart,
kann erst durch die Wissenschaft von der Welt und der Gottheit begründet und aus dieser hergeleitet werden, sie setzt also
philosophische Theologie und Kosmologie voraus, ja ist selbst
nur ein wesentlicher Bestandtheil von diesen, und zwar einer
der höchsten und schwierigsten. Was die empirische Psychologie
betrifft, so ist einleuchtend, daß die Seele und das geistige
Wesen überhaupt nie der Gegenstand eines sinnlichen Eindruk-
kes oder einer eigentlichen Erfahrung seyn kann, daher denn
auch streng genommen gar keine empirische Psychologie möglich
ist. Was unter diesem Namen gewöhnlich abgehandelt wird,
wie z. B. die Lehre von dem Traum, der Raserei und andern
ungewöhnlichen Zuständen der menschlichen Seele, gehört meisten-
theils mehr in die Physik als in die Psychologie, besonders in
die Anfangsgründe derselben.

Die Psychologie, von der hier die Rede, könnte, um sie
von jenen beiden zu unterscheiden, freilich die reine Psychologie
oder auch die Denklehre genannt werden. Wir verstehen da-

runter die Wissenschaft von dem menschlichen Geiste,
wie dieser aus eigner vernünftiger Selbstbeob=
achtung hervorgeht.

Inwiefern nun diese Selbstbeobachtung keineswegs blos
sinnlich und empirisch ist, sondern vielmehr durch freies, ab=
sichtliches Denken erzeugt wird, könnte man die aus ihr herge=
leitete Seelenkenntniß oder Psychologie auch wohl rational
nennen. Da man aber unter dieser Benennung nun einmal die
Lehre von allen beseelten geistigen Naturen des Universums ver=
steht, so muß die gegenwärtige Denklehre, die sich blos mit den
menschlichen Geistesthätigkeiten beschäftigt, einen andern Namen
tragen. In diesem Hauptstücke nun ist enthalten die Lehre von
den Begriffen, welche der Lehre von den Urtheilen und Schlüs=
sen vorangehen muß und zum Grunde liegt.

1. Der Mensch ist ein vorstellendes, d. h. ein in be=
schränkter Weise denkendes Wesen.

Erläuterung. Vorstellen ist von Denken noch unter=
schieden, Vorstellen ist ein beschränktes Denken.

Jede Vorstellung ist die Vorstellung von Etwas, also das
Denken eines Gegenstandes, welcher gedachte Gegenstand
von dem denkenden Ich verschieden ist. Jede Vorstellung hat
also einen Gegenstand außer dem denkenden Ich, oder ein Nicht
Ich, und kann daher nur beschränkten Wesen beigelegt werden.
Denn denkt man sich den Verstand eines unendlichen, allumfas=
senden geistigen Wesens, so kann man diesem wohl Gedanken
beilegen, aber keine Vorstellungen, indem in jeder Vor=
stellung ja die Beziehung auf ein Vorgestelltes liegt, einen außer
dem vorstellenden Ich existirenden Gegenstand, für das unendliche
göttliche Ich es aber kein Nicht Ich, keinen außer ihm exi=
stirenden Gegenstand geben kann, weil das unendliche Ich ja
alles ist, alles in sich enthält und umfaßt. Gäbe es außer der
Gottheit noch irgend ein außer oder neben ihr bestehendes We=
sen, so wäre sie ja nicht das Eine, höchste, unendliche, allum=
fassende Princip, nicht der Inbegriff und der Quell aller Din=
ge, und somit ein beschränktes Wesen, welches dem Begriff
widerspricht. d) — Daher ist es ganz richtig, wenn man nach

dem herrschenden Sprachgebrauch der Gottheit zwar sch affen-
de Gedanken, d. h. solche, die ihren Gegenstand selber erzeugen, aber keine Vorstellungen, die noch eines Gegenstandes außer sich bedürfen, beilegt. Dieser Ausdruck würde
hier durchaus unstatthaft und dem Begriffe des göttlichen Wesens unangemessen seyn.

Folgerung. Weil der Mensch nur ein vorstellendes,
beschränktes, denkendes Wesen ist, so kommt ihm nothwendig
zu das Vermögen der Sinnlichkeit, oder das Vermögen der
Empfänglichkeit für äußere Eindrücke, das Vermögen der
Verbindung mit andern Gegenständen und Wesen
außer ihm.

Sinne also sind dem Menschen nothwendig, weil er vorstellendes Wesen ist, er bedarf ihrer als Werkzeuge der Verbindung mit äußern Gegenständen.

Man kann die Sinne eintheilen in höhere und niedere.
Die höhern sind das Gesicht und das Gehör. Das Gesicht ist
der Sinn für ruhende, beharrliche Gegenstände und Gestalten. Das Gehör hingegen ist der Sinn für die Bewegung und die beweglichen Veränderungen der
äußern Gegenstände.

Wir glauben zwar auch Bewegung zu sehen, eigentlich
aber sehen wir nur die veränderten Umrisse der äußern Gestalten und schließen nun, daß eine Bewegung vorgegangen sey,
die Bewegung selbst aber sehen wir nicht.

Im Allgemeinen also ist das Gesicht das Werkzeug der
Empfänglichkeit für die beharrlichen Gestalten, das Gehör hingegen der Sinn für innere Veränderungen der Körper; diese
beiden Sinne umfassen daher die Körperwelt in ihren zwei
wichtigsten Beziehungen.

Es wird dies blos deswegen angeführt, damit man nicht
auf den Gedanken komme, die Sinne des Menschen, ihre ursprüngliche Beschaffenheit, ihre Anzahl und ihr gegenseitiges Verhältniß seyen etwas zufälliges, wie denn manche Philosophen behauptet haben, daß andere dem Menschen ähnliche und doch
auch von ihm verschiedene Wesen wohl noch ganz eigenthümliche,

uns völlig unbekannte Sinne haben können; von den höhern
Sinnen wenigstens gilt dies nicht, da sie gerade auf die beiden Seiten der Körperwelt sich beziehen, welche die vornehm-
sten und ursprünglichsten sind, die der Verstand an ihr entdecken
kann: äußere Gestalt und innere Bewegung. Ganz
anders verhält es sich freilich mit den niedern Sinnen. Das
Gefühl, der Geschmack, der Geruch sind im Grunde nur Ein
Sinn. Es läßt sich wohl denken, daß andere menschenähnliche
Wesen oder auch Thiere uns noch unbekannte Sinne der niedern
Art besitzen. Auch kann der Mensch einen von diesen wohl entbehren ohne wesentlichen Verlust für seine geistigen Thätigkeiten. Unter den niedern ist nur das Gefühl nothwendig, weil
dies nicht in einem besondren Theile seinen Sitz hat, sondern
über den ganzen Körper verbreitet ist, daher es auch nur mit
dem Tode völlig ersterben kann.

Die höhern Sinne sind beide für die geistigen Thätigkeiten
durchaus unentbehrlich; das Gehör indessen noch mehr, wie das
Gesicht. Der Blinde, besonders der Blindgeborne, verliert mit
der Anschauung der äußern Welt freilich sehr viel, doch ist er
Mensch, wie andere Menschen, das kann man aber von dem
Taubgebornen nicht ganz behaupten. Dieser kann mit dem Verlust des ersten und vollkommensten Organs der Mittheilung und
dem daraus nothwendig entspringenden Mangel an geistiger
Entwicklung nur einer halben Art von Vernunft theilhaftig
werden.

Diese Sinne wirken in gewissen Mittelstoffen (Mediis) oder
feinen Elementen und Materien. — Das Gesicht in dem Lichte, das Gehör in der Luft.

Bei den niedern findet aber unmittelbare Berührung, ja
Vereinigung und Verschmelzung statt; und dies ist der Hauptunterschied der höhern und niedern Sinne, wiewohl auch hier
ein Medium, aber ein niedrigeres, nämlich das der Wärme
und Feuchtigkeit statt zu finden scheint.

Die sinnliche Vorstellung wird genannt Anschauung, ein
Wort, welches zunächst freilich von dem Sinne des Gesichts
entlehnt ist und nur für diesen ganz paßt, indem sinnliche Vor-

stellung durch das Gehör wohl schicklicher Wahrnehmung genannt würde.

Die Vorstellungen der niedern Sinne heißen Empfindungen, welches man wörtlich erklärt durch in sich Findungen, weil nämlich hier der wahrgenommene Gegenstand selbst
in uns und unsere Sinnorgane aufgenommen wird, oder doch
in so nahe Beziehung mit uns tritt, daß wir ihn gleichsam
in uns finden. Die sinnliche Vorstellung im allgemeinen
nennt man meistens Anschauung.

Man setze aber hier ja nicht voraus, als gebe es eine
reine sinnliche Vorstellung ohne alle geistige Einwirkung, wir werden vielmehr in der Folge sehen, daß in dem
Menschen als solchem nichts rein sinnliche Vorstellung sey.

Anmerk. Anschauung, obgleich dies Wort zunächst
nur die Vorstellungen des Gesichts bezeichnet, wird meistens gebraucht für sinnliche Vorstellung überhaupt, insofern
dieselbe als Werkzeug und Mittel der Erkenntniß betrachtet wird. In der Empfindung der niedern Sinne ist der
Eindruck, welchen der Gegenstand in unsern Sinnesorga-
nen hervorbringt, oft stärker, als die Vorstellung des Gegenstandes selbst. In den Wahrnehmungen des Gehörsin-
nes ist der Gegenstand meistens zu schnell vorübereilend, als
daß er gehörig erkannt werden könnte; daher man hier die
vorzüglichste Art für die Gattung überhaupt nimmt, und
wenn von den sinnlichen Vorstellungen und ihrem Verhältniß zur Erkenntniß die Rede ist, sie alle Anschauungen
nennt.

2. Alle Vorstellungen des Menschen sind Gedanken,
oder mehr und minder vollkommene und unvollkommene Begriffe.

Zuerst bemerken wir hier, daß dieser Satz mit der Behauptung, es gebe im Menschen, als solchem, durchaus keine
rein sinnlichen Vorstellungen, sondern in allen sogenannten
sinnlichen Vorstellungen sey immer auch etwas geistiges enthalten, durchaus einverstanden und übereinstimmend sey. Im Gegensatz der von vielen behaupteten rein sinnlichen Vorstellung

oder Anschauung kann man den **Begriff** erklären als eine Anschauung, die zugleich **Ahnung** und **Erinnerung** ist.

Erinnerung heißt uns hier Vorstellung des **vergange-nen**, — Ahnung Vorstellung des **zukünftigen**. Anschauung Vorstellung des gegenwärtigen, oder ganz reine ohne alle Beimischung von Vergangenheit und Zukunft. Eine solche blos und einzig auf die Gegenwart begründete und beschränkte Vorstellung gibt es in dem Menschen nicht, wie dies später bewiesen werden soll. Gewöhnlich erklärt man den Begriff als **eine allgemeine Vorstellung**, welche aus der Vergleichung und Verbindung mehrerer sinnlichen Vorstellungen hervorgeht; — nach dieser Ansicht sind die Begriffe **höhere**, die Anschauung **niedere** Vorstellungen. Jene stehen auf dem ersten, diese auf dem zweiten Grade. Betrachten wir diese Erklärung genau, so widerstreitet sie der vorhingegebenen gar nicht. — Denn Anschauungen, welche zugleich Erinnerung und Ah-nung sind, die Vergangenheit und die Zukunft um-fassen, können sehr gut allgemeine Vorstellungen genannt werden.

Uebrigens erklärt freilich die gegebene gewöhnliche Defi-nition der Begriffe als allgemeiner Vergleichungs- und Ver-bindungsvorstellungen dasjenige nicht, worauf es eigentlich an-kommt; denn dazu müßte uns vorerst gesagt werden, was jenes Vergleichen und Verbinden der Vorstellungen denn eigentlich sey, und wie es damit zugehe.

Andere haben den Begriff erklären wollen als eine Vor-stellung, die zugleich verbunden sey mit der Vorstellung der Vorstellung, d. h. der Begriff sey eine Anschauung, bei der man **außer dem angeschauten Gegenstande** auch noch der **eigentlichen Thätigkeit im Anschauen bewußt** werde und diese wieder anschaue.

Nun ist es zwar allerdings wahr, daß das Bewußtseyn sich ins unbestimmte erhöhen und verdoppeln läßt, indem wir bei jeder Anschauung oder Vorstellung von dem angeschauten und vorgestellten Gegenstande abstrahiren und wegdenken können, und unsere **Aufmerksamkeit lenken auf unsere eigene**

dabei stattfindende Thätigkeit und die Form derselben. (Uns fragen, was denn, indem wir nun anschauen,
in Uns vorgehe, auf welche Art und Weise unsere innere
geistige Thätigkeit beschäftigt sey, und in welcher Form sie erscheine).

Es ist vollkommen wahr, daß das Bewußtseyn sich erhöhen oder, mathematisch ausgedrückt, sich potenziren kann,
allein mit der Annahme dieses Satzes wird das eigentliche Wesen des Begriffs gar nicht erklärt, denn dazu müßte uns zugleich gesagt werden, welche Kraft denn in uns die Vorstellungen auf diese Weise erhöhen und zu Begriffen machen
könne. Die bisher üblichen Definitionen des Begriffs sind also:

1. „Der Begriff sey eine allgemeine Vorstellung", wie
dies die Kantische, zum Theil auch die ältere Philosophie annimmt.

2. „Der Begriff sey eine potenzirte Vorstellung", nach der
Fichtischen Ansicht. (So wäre die sinnliche Vorstellung die
Wurzel, der Begriff das Quadrat).

Statt dieser Definitionen, welche nur einzelne Unterschiede
des Begriffs, nicht aber das Entstehen und das innere Wesen
desselben erklären, geben wir folgende unserer Meinung nach
vollkommen bestimmte und erschöpfende Definition. „Der Begriff ist eine durch den freien Willen und die Willenskraft bestimmte und modifizirte Vorstellung." Dieses Bestimmen der
Vorstellung kann nun freilich einestheils in Vergleichungen
und Verbindungen mit andern Vorstellungen bestehen, wie es
die erste Definition nimmt, oder auch, wie die zweite vorgibt,
darin daß in der Vorstellung neben dem vorgestellten Gegenstande
zugleich auch die Vorstellung (Anschauung) unserer eigenen Thätigkeiten in diesem besondern Acte enthalten ist. — Wir haben daher die beiden Definitionen nicht als falsch und irrig verworfen,
sondern als unvollständig und den innern Grund des zu lösen-
den Problems nicht ganz durchdringend und erschöpfend dargestellt, welcher unserer Ansicht gemäß einzig und allein in der
Willenskraft zu suchen ist. — Ein Beispiel wird diese letzte
Definition des Begriffs deutlich machen. — Gesetzt es ist ge-

geben die sinnliche Vorstellung eines Baumes, und zwar eines der Art nach als individuell bestimmten Baumes — dieses nun ist eine sinnliche Vorstellung. — Abstrahiren wir nun von dem Umstande, daß der angeschaute Baum gerade der und der bestimmte ist, und sehen wir nur auf die gemeinschaftlichen Merkmale aller Bäume überhaupt, so ist diese allgemeine Vorstellung eines Baumes nicht mehr eine sinnliche Vorstellung, sondern durch Vergleichung und Verbindung bestimmt. Es ist ein Begriff, aber es kann auch noch auf eine andere Weise aus jener sinnlichen Vorstellung ein Begriff entstehen. Wenn wir nämlich in jener sinnlichen Vorstellung von dem Gegenstande derselben wegdenken und unsere Aufmerksamkeit lenken auf unsere eigene Geistesthätigkeit und Handlung, die dabei statt hat, so erhalten wir die Vorstellung des Sehens, als einer unserer geistigen Thätigkeiten, welche Vorstellung nun keine sinnliche ist, sondern die Vorstellung der Vorstellung oder ein Begriff.

Endlich ist noch eine Art möglich, wie aus der sinnlichen Vorstellung ein Begriff entsteht. Wenn wir nämlich den Gegenstand, den Baum z. B., nicht als einfach und als ein Ganzes betrachten, sondern in mehrere Theile zergliedern, z. B. in Wurzel, Stamm, Zweige, Blätter u. s. w. oder in jene Werkzeuge, welche zur Einsaugung des Nahrungsstoffes, und jene, welche zur Fortpflanzung und Hervorbringung der Frucht bestimmt sind; so entsteht auch durch die Eintheilung eben sowohl ein Begriff, wie durch die beiden vorhergehenden Funktionen. Was die Vorstellung zum Begriffe macht, ist nicht die Allgemeinheit oder höhere Dignität, sondern es ist die freie Richtung der Aufmerksamkeit, welche wir bald auf diesen, bald auf jenen Bestandtheil der Vorstellung hinlenken, während dem aber die andern mehr aus der Acht lassen und als gar nicht vorhanden ansehen.

Ohne diese freie willkührliche Richtung und Bewegung der Aufmerksamkeit ist überhaupt keine Erkenntniß durch Vorstellungen möglich, weder sinnliche, noch geistige. Sie ist es also, die unsere Vorstellungen auf mancherlei Weise zu Begriffen bildet. Daher kann auch jede Vorstellung zu einem Begriffe erhöhet werden, so lange wir dabei die Freiheit haben, unsere Aufmerksamkeit darauf oder hinwegzulenken.

Der Hauptsache nach haben wir also in dem vorhergehenden gesagt, alle Vorstellungen seyen Begriffe, mehr oder minder vollkommen.

Die Behauptung ist einestheils gegen diejenigen gerichtet, welche im Menschen nur sinnliche Vorstellungen annehmen, die geistigen, übersinnlichen aber für blos zusammengesetzte sinnliche erklären, wie Locke und seine Schule; anderntheils auch gegen diejenigen, welche sinnliche Vorstellung oder Anschauung und die mehr als sinnliche Vorstellung oder den Begriff ganz trennen, so daß sich am Ende gar nicht begreifen läßt, wie beide denn doch im Menschen bestehen und vereint wirken können, welche unnatürliche Trennung bei Kant und seiner Schule statt findet.

Die hier gegebene Ansicht aber stimmt unter den neuern am meisten mit Leibnitz überein.

Aus dem bisher gesagten folgt denn nun auch, daß das Prädikat der Allgemeinheit und der höhern Dignität, wodurch man in der gewöhnlichen Definition den Begriff von der sinnlichen Vorstellung unterscheidet, nicht das eigentliche Wesen dieses Unterschiedes bezeichnet, welches einzig in der freien, willkührlichen Richtung der Aufmerksamkeit besteht, sondern nur die verschiedenen Arten und Weisen, wie die sinnliche Vorstellung zum Begriffe ausgebildet werden kann.

Der Begriff also ist eine durch Freiheit bestimmte und ausgebildete Vorstellung.

Die verschiedenen Arten und Weisen, wie Vorstellungen bestimmt und ausgebildet werden können, lassen sich folgendermaßen angeben:

1. Durch Combination, d. h. durch Vergleichung, Verbindung, Summirung mehrerer einzelnen Vorstellungen.

2. Durch Reflexion; wenn man nämlich nicht blos auf den vorgestellten Gegenstand, sondern auch auf die vorstellende Thätigkeit sieht, wodurch die Vorstellung zu einer höhern Dignität gesteigert wird. Z. B. Die Vorstellung des individuellen

Baumes ist eine niedere vom ersten Grade, die Vorstellung des
Sehens aber oder unsre besondre Thätigkeit bei jener erwähnten Vorstellung ist eine höhere vom zweiten Grade, es
ist eine reflectirte Vorstellung, oder ein Begriff. Reflexion
ist soviel als Zurückbringung der Aufmerksamkeit auf uns selbst.
— Die

3. Art, wodurch Vorstellungen bestimmt und zu Begriffen
gemacht werden, ist die Abstraction. Zuerst bedeutet dies
die Zerlegung des Ganzen in seine Theile, vermöge der will-
führlichen Richtung der Aufmerksamkeit, die sich
erst auf den einen, dann auf den andern Theil eines Gegenstandes wenden kann. Abstrahiren heißt aber seine Aufmerksamkeit von etwas abziehn, und die Vorstellungen, welche durch
dieses Weglenken der Aufmerksamkeit von einem oder dem andern Theile der niedern Vorstellung entstehen, heißen abstracte
Vorstellungen oder Begriffe, obwohl dieses Vermögen, unsre
Aufmerksamkeit willführlich bald auf den einen bald auf den andern Theil zu lenken, auch zu den reflectirten und combinirten Vorstellungen erfordert wird; daher man im allgemeinen wohl sagen kann, alle abstracten Vorstellungen sind Begriffe, und alle
Begriffe sind abstracte Vorstellungen, denn zu allen wird das
Vermögen der freien Richtung der Aufmerksamkeit erfordert.

Schlußanmerkung 1.

Es geht aus der gegebenen Definition deutlich hervor,
daß die Begriffe nicht das Product sind einer einzelnen
abgesonderten Fähigkeit in dem Systeme menschlicher
Geistesthätigkeiten und Kräfte, sondern das Resultat ihres
gemeinschaftlichen Zusammenwirkens; so wie in dem Menschen überhaupt eine solche Absonderung und Verein-
zelung der verschiedenen Thätigkeiten und Kräfte nicht statt
hat, sondern alle zu einem harmonischen Ganzen verbunden
immer mit und ineinander wirken.

Gewöhnlich sieht man die Begriffe als Erzeugnisse der
Vernunft oder des Verstandes mit der Sinnlichkeit an, wogegen wir bewiesen haben, daß der freie Wille, oder die absichtliche und willführliche Richtung der Aufmerksamkeit zu ihrer

Hervorbringung eben so nothwendig ist. — Eben so muß auch
das Gedächtniß mitwirken, denn was würde uns das Ver=
mögen helfen, die Aufmerksamkeit von einem zum andern
Theile zu wenden, wenn wir nun dasjenige, wovon wir ab=
strahirt hätten, gänzlich vergäßen; wir würden dann bei all
unserm Denken und Forschen eben so viel verlieren als ge=
winnen und neues hinzudenken. — Zur Bildung der Begriffe
gehört also auch nothwendig das Vermögen, diejenigen Vor=
stellungen, wovon wir abstrahirt und weggedacht hatten, im
Gedächtnisse fest zu halten und nachher wieder zu merken.
Das Gedächtniß muß man sich aber nicht als ein blos passives
Seelenvermögen denken, sondern es hängt das wahre Gedächt=
niß sehr genau zusammen mit jener willkührlichen Aufmerk=
samkeit, worin das Wesen des Begriffes besteht; ohne das
Vermögen, Vorstellungen, welche unserm Bewußtseyn entschwun=
den, wieder in dasselbe zurückzurufen, würde auch nicht ein
einziger Begriff zu Stande kommen, der als ein Ganzes aus
Theilen zusammengesetzt ist. Gehen wir nämlich ein Ganzes
nach seinen Theilen in Gedanken durch, so richtet sich unsere
Aufmerksamkeit in einem Momente vorzüglich auf einen oder
einige Theile, während wir die andern mehr unbeachtet lassen;
sind wir nun aber alle Theile durchgegangen, und soll nunmehr
das Ganze in Eins zusammengefaßt werden, so müssen wir alle
jene Theilvorstellungen, die wir vorhin wechselweise außer Acht
ließen, nun wieder auf einmal auffassen und in unserm Be=
wußtseyn von neuem hervorrufen.

Endlich gehört auch die Einbildungskraft noch zur Bildung
des Begriffes.

Die Einbildungskraft ist von der sinnlichen Empfänglich=
keit dadurch unterschieden, daß i h r die Vorstellungen nicht wie
der Sinnlichkeit gegeben werden, sondern daß sie solche ur=
sprünglich hervorbringt und erzeugt, daher denn auch die Ein=
bildungskraft vorzüglich die Vorstellungen des zukünftigen um=
faßt, so wie das Gedächtniß jene des vergangenen. Sie ist,
wie schon gesagt, zur Bildung des Begriffes unentbehrlich,
denn um die Theile eines Ganzen ordnen und zusammenfassen

zu können, müssen wir doch schon einige vorläufige Vorstellungen
von dem Ganzen selbst haben, obgleich wir dies erst nach vollendeter Erforschung und Auffassung vollständig erkennen. Diese
Anticipation dessen, was erst später näher bestimmt werden
kann, ist ein Act der Einbildungskraft, und er hat einen viel
größern Antheil an der Bildung der Begriffe, als man gewöhnlich voraussetzt.

Schlußanmerkung 2.

Das Wesen des Begriffes liegt in der willkührlichen Begränzung und Bestimmung, daher kann jede Vorstellung,
auch die ganz niedere und sinnliche, zu einem Begriffe erhöht und ausgebildet werden. Aber auch diejenige, die
schon bestimmt ist, kann immer noch mehr bestimmt und
entfaltet werden. Es kann diese Bestimmung der Vorstellung ins unendliche fortschreiten, sie hat gar keine
Gränzen. Es muß wenigstens jetzt noch zweifelhaft gelassen werden, ob es einen ganz vollständig bestimmten, durchaus vollendeten Begriff geben könne. Ein solcher würde
nicht mehr in die Klasse der übrigen gehören.

Schlußanmerkung 3.

Wir müssen es uns noch einmal deutlich machen, daß
der unterscheidende Charakter des menschlichen Vorstellungsvermögens in der freien willkührlichen Bewegung der Aufmerksamkeit bestehe. Auch die Thiere haben Vorstellungen.
Sie haben dieselben Sinne wie wir, und auch eine Art
von Gedächtniß und Einbildungskraft kann man ihnen nicht
absprechen. Dasjenige aber, was den Menschen zum Menschen macht, und wovon sich bei den Thieren auch nicht
die geringste Spur findet, ist jene willkührlich freie Bewegung seiner geistigen Kraft und Thätigkeit.

Anmerkung. Begriff heißt in dem neuern Latein
nach Baco und Leibnitz: idea. Im guten alten ciceroni-
schen Latein aber darf man diese Benennung nicht brauchen; das eigentliche ächt classische Wort ist notio. Im
scholastischen Latein endlich findet man für Begriff: con-
ceptus.

Von den verschiedenen Arten der Begriffe.

§. 1. Die allgemeinste Eintheilung der Begriffe ist jene in generische und specielle und individuelle. Z. B. lebendiges Wesen ist ein generischer Begriff; Mensch ein specieller; Julius Cäsar ein individueller.

Diese Eintheilung betrifft eigentlich nur die Unterordnung der combinirten Begriffe. — Die combinirten Begriffe entspringen durch Vergleichung und Verbindung der einzelnen Vorstellungen.

Durch Verbindung aller gemeinschaftlichen Merkmale, wodurch eine Anzahl gleichartiger Individuen gleichartig ist, entsteht der Begriff einer Art (species). Verbindet man nun wieder mehrere Arten, so entsteht der noch höhere allgemeinere Begriff einer Gattung, eigentlich aber hat diese Verbindung und Steigerung der Begriffe keine bestimmten Gränzen; — zwischen der höhern Gattung und der Art kann man entweder nur eine einzige Art in die Mitte setzen oder sehr viele Untergattungen, Arten und Unterarten. Ferner ist auch diese Steigerung und Combination der Begriffe darum nicht ganz bestimmt, weil sich die höchste Gattung nicht wohl angeben läßt. Man hat zwar mehrere Versuche gemacht, aber ohne hinreichenden Erfolg, — einige haben als den höchsten Gattungsbegriff, als das summum genus angegeben den Begriff des Dinges oder des Seyns, andere haben behauptet, der Begriff Etwas übersteige diesen noch; wieder andere haben den Begriff der Einheit (unum) als den Urbegriff dargestellt.

Soll damit der höchste Begriff, aus dem alle übrigen entspringen, in den sie zuletzt alle sich wieder auflösen, gemeint seyn, so geben alle diese Antworten keine befriedigende Erklärung, wie dies sich zeigen wird, wenn wir eine besser erschöpfende gefunden haben, oder jenen Begriff, der in dem angegebenen Sinne wirklich der höchste ist.

Sieht man aber blos auf die gewöhnliche Eintheilung der

generischen, speciellen und individuellen Begriffe und auf den praktischen Nutzen derselben, so braucht man sich gar nicht so hoch zu versteigen, indem diese Subtilitäten doch von gar keinem Einfluß sind auf die praktische Eintheilung und Unterordnung der Begriffe.

Wichtiger aber ist der Unterschied, daß einige Eintheilungen in Gattungen und Arten natürlich sind, andere künstlich; z. B. die Eintheilung Pflanzen als Gattung, Baum als Art, Lindenbaum als Unterart ist natürlich. Die Eintheilung Schiff als Gattung, Ruderschiff als Art ist künstlich. Und noch ungleich wichtiger sind die Unterschiede, welche statt finden unter derjenigen Klasse von Begriffen, die man gewöhnlich unter dem Namen der abstracten oder allgemeiner zusammenzufassen pflegt. Gewöhnlich nimmt man unter der Benennung: abstracte Begriffe, mehrere Arten von höheren Begriffen auf, die eigentlich noch davon unterschieden sind und seyn müssen.

Vor allen Dingen unterscheide man den blos generischen oder den Allgemeinbegriff von dem abstracten. — Der generische Begriff bezieht sich allemal auf einen ganzen Gegenstand, wenn dieser gleich ein allgemeiner, eine Gattung ist; dahingegen der abstracte eine willkührliche Trennung und eine Absonderung von demselben voraussetzt; wie z. B. die Begriffe: Eigenschaften, — Zustände, — Verhältnisse, welche wir alle von den Gegenständen, woran wir sie wahrgenommen haben, abzusondern vermögen. Unter diesen abstracten Begriffen findet selbst wieder eine solche Unterordnung und Eintheilung statt, wie diejenige ist, wodurch man die gewöhnlichen generischen und speciellen Begriffe unterscheidet. Es gibt unter ihnen wieder allgemeine und allgemeinere und andere mehr specielle Begriffe.

Da das Wesen der Abstractionsbegriffe auf der Absonderung und Trennung oder Theilung beruht, so ist das eigentliche Kennzeichen der abstracten Begriffe im engern Sinne: daß allemal zwei sich streng einander entgegengesetzt sind, indem sie ja durch Theilung entstehen. Solche abstracte Begriffe oder

Gegenfätze find z. B. Form und Stoff, Quantität und Qualität, Zweck und Mittel, Zeichen und Bedeutung, Urſache und Wirkung. Von den abſtracten Begriffen im engern Sinne müſſen noch ſorgfältig unterſchieden werden die intellectuellen und univerſellen, obgleich man gewöhnlich auch dieſe abſtracte Begriffe zu nennen pflegt, welches inſofern nicht unrichtig iſt, als die Geiſteshandlung der Abſtraction auch zu dieſen erfordert wird. Eigentlich aber ſind ſie nicht mit einander zu verwechſeln.

Intellectuelle Begriffe ſind ſolche, welche nicht eine Vorſtellung äußerer Gegenſtände enthalten, ſondern ſich auf unſere eigene geiſtige Thätigkeit beziehen; wie z. B. der Begriff des Denkens, der Einbildungskraft ꝛc. — Man könnte hier den Einwurf machen, auch dieſe ſeyen ja Theilbegriffe, welche einen Gegenſatz haben, ſo iſt der Geiſt entgegengeſetzt dem Körper, das Denken dem Wollen oder auch dem Anſchauen, die Einbildungskraft der Vernunft oder der Sinnlichkeit; allein dieſe Gegenſätze ſind gar nicht ſo ſtreng und nothwendig, als die Gegenſätze der eigentlich abſtracten Begriffe. Man kann zwar das Denken dem Wollen und Anſchauen entgegenſetzen, allein man kann von dem Denken ſich recht gut einen Begriff machen, ohne eben auf jene Gegenſätze Rückſicht zu nehmen, welches aber bei den abſtracten Begriffen nicht möglich iſt.

Univerſelle Begriffe ſind z. B. die Begriffe der höchſten Naturkräfte und Elemente, ſodann der Begriff der Natur und Welt ſelbſt, endlich die Begriffe der Grundzahlen, welche keineswegs durch Abſtraction von den ſinnlich gegebenen entſtanden ſeyn können.

Der Begriff der Natur oder der Welt iſt keineswegs ein generiſcher, denn ſein Gegenſtand iſt ein wirkliches, einziges Weſen oder Individuum; er iſt aber auch kein ſpecieller, weil in ihm alles reelle umfaßt wird; er iſt endlich auch kein abſtracter im engern Sinne, weil er ja die ganze Wirklichkeit umfaßt, nicht blos eine beſondere Eigenſchaft oder ein abſtrahirtes Verhältniß derſelben.

Die höhern Begriffe also, welche für die Theorie die größte Wichtigkeit haben, werden noch in drei verschiedene Arten eingetheilt, die man sorgfältig unterscheiden muß:

1. **Abstracte Begriffe im engern Sinne**, welches allemal vollkommene Gegensätze sind und sich eben sowohl auf die allgemeinsten Eigenschaften der Körperwelt als der Geisterwelt beziehen; wie z. B. Form und Stoff, Quantität und Qualität ꝛc.

- 2. **Die intellectuellen Begriffe**, oder die Begriffe von unsern eigenen geistigen Thätigkeiten und Kräften z. B. Wille, Geist.

3. **Die universellen Begriffe**, die sich auf die allumfassenden Individuen beziehen. Z. B. der Begriff der Natur, der Welt, der Elemente, der Einheit und der Grundzahlen.

Für die Philosophie nun ist diese Eintheilung aller theoretischen und philosophischen Begriffe in intellectuelle, universelle und abstracte von der größten Wichtigkeit. In dem gemeinen Leben ist eine so strenge Unterscheidung nicht nöthig; da pflegt man alle höhern philosophischen Begriffe unter dem Namen abstracte Begriffe zusammen zu fassen.

Sowie nun diese Eintheilung nur für die philosophische Untersuchung Bedeutung und Werth hat, so ist die Eintheilung in generische, specielle und individuelle von ganz praktischem Gebrauche. Wir würden gar nicht zweckmäßig denken und dem Gedachten gemäß handeln können ohne diese Unterordnung und Eintheilung der Begriffe. Die ganz unermeßliche Anzahl unserer Vorstellungen wäre ohne diese Classification für uns völlig unübersehbar und anwendbar. Uebrigens darf man aber nicht glauben, daß durch diese Eintheilung der Begriffe in generische, specielle und individuelle, so groß auch immer ihr praktischer Nutzen ist, für die Erkenntniß viel gewonnen wäre. Auch die Natur classificirt: aber unsere Classificationen sind größtentheils nach äußern Kennzeichen sehr willkührlich und zufällig eingerichtet und gründen sich gar nicht auf eine tief eindringende, wahre Naturerkenntniß.

Wir bemerken zuletzt noch folgende Eintheilungen der Begriffe:

1. Die in bejahende und verneinende.

Ein verneinender Begriff ist ein solcher, der eine Negation in sich schließt. Z. B. Unvollkommenheit. Hier ist die Verneinung auch sogar in der Sprachform ausgedrückt durch die particula negativa un; es gibt aber andere Verneinungen, wo dies nicht der Fall ist; z. B. der Begriff: Irrthum, Beschränkung. — Verneinende und bejahende Begriffe sind übrigens nicht sowohl Begriffe, als Urtheile, denn das Bejahen oder Verneinen, das Prädiciren oder Nichtprädiciren ist nicht Sache des Begriffs, sondern des Urtheils.

2. In relative und absolute.

Auch diese Eintheilung bezieht sich zum Theil auf Urtheile, die die Form des Begriffs annehmen, und nicht auf Begriffe im eigentlichen ursprünglichen Sinne. —

Man nennt relative Begriffe solche, die einem Gegenstande nur beigelegt werden in Beziehung auf einen andern Gegenstand und sein quantitatives und qualitatives Verhältniß zu diesem, die unter gewissen Einschränkungen und unter gewissen Rücksichten von den Gegenständen prädicirt werden, z. B. hoch und niedrig, böse und gut. Was in Vergleich mit diesem Dinge groß ist, ist in Vergleich mit einem andern klein u. s. w.

Daraus erhellt nun, daß diese Eintheilung nicht so die Begriffe selbst betrifft, als den Gebrauch derselben. Ein Begriff, den man einem Gegenstande ohne Einschränkung beilegt, ist ein absoluter. — Eine

3. Eintheilung bezieht sich nicht so auf die Begriffe selbst, wie auf die Anwendung derselben; die Eintheilung nämlich, oder vielmehr die Behandlungsart der Begriffe in abstracto und in concreto. Man kann einen und denselben Begriff oftmals auf diese beiderlei Arten behandlen und z. B. den Begriff des Rechts oder des Schicklichen betrachten in abstracto, indem man den Begriff selbst erörtert; oder auch in concreto, um in einzelnen Fällen zu unterscheiden, was recht und schicklich sey. —

Wichtiger aber ist die

4. **Eintheilung der Begriffe in einfache und zusammengesetzte.**

Diese Eintheilung ist zwar an und für sich deutlich genug; die große Schwierigkeit liegt nur darin zu entscheiden, ob es einfache Begriffe im Menschen gibt und welche diese seyen. Die Beantwortung dieser Frage, welche erst später befriedigend gelöst werden kann, wollen wir indessen hier schon vorzubereiten suchen. Zuvor aber bleibt uns noch die Frage übrig, ob es denn einen höchsten Begriff gebe? Die Antwort auf diese Frage kann uns vielleicht zum Aufschluß dienen über die Eintheilung oder die Herleitung der subalternen Begriffe.

Sind Begriffe aus andern abgeleitet, so muß diese Ableitung doch irgendwo stille stehn, wir müssen endlich auf einen Begriff kommen, welcher der erste und höchste ist und sich nicht weiter herleiten läßt. Solche höhere Urbegriffe nun, welche als die Quelle aller übrigen abgeleiteten und zusammengesetzten Begriffe angesehen werden, nennt man in mehreren philosophischen Systemen Ideen, wie dies bei Plato und seit Kant auch in der neuern deutschen Philosophie statt findet.

Idee heißt ursprünglich Bild. Plato aber und alle seine Anhänger verstehen unter Idee die ewigen Urbilder aller Wesen, wonach der göttliche Geist alle Dinge geschaffen und gebildet hat, und wovon die äußern Erscheinungen der wirklichen Welt nur mehr oder minder unvollkommene Nachbildungen sind.

In der neuern Philosophie aber, bei Kant, bezeichnet man mit der Benennung Idee gewisse, das eigentliche Verstandesvermögen übertreffende Begriffe, welche denn auch, um sie von den Verstandesbegriffen zu unterscheiden, Vernunftbegriffe genannt werden. Dies diene nur zu einer historischen Erläuterung.

Alle Begriffe sind nur mehr oder minder bestimmte und ausgebildete sinnliche Vorstellungen. Der einzige Begriff, welcher durchaus nicht aus irgend einer sinnlichen Vorstellung abgebildet werden kann, ist der Begriff des Unendlichen. Dieser Begriff des Unendlichen ist dann auch der einzige, der als ein Begriff besondrer Art und als der höchste aller Begriffe unterschieden zu werden verdient; der einzige, der Idee genannt werden kann, in dem Sinne, wo Idee bedeuten soll einen höheren übersinnlichen Begriff; — wir nehmen also nur e i n e I d e e an, nämlich diesen Begriff des Unendlichen, welche alle übrigen Begriffe beherrscht und beherrschen soll.

Von dem Ursprunge der Begriffe.

Die Frage von dem Ursprunge der Begriffe betrifft nichts weniger, als den Hauptpunkt der ganzen Philosophie. Wird sie befriedigend und zugleich bestimmt und verständlich beantwortet, so hat man in der philosophischen Untersuchung einen großen Schritt vorwärts gethan und die bedeutendste Schwierigkeit überwunden; ist hingegen die Beantwortung falsch und unrichtig ausgefallen, wie z. B. bei den Empirikern, welche behaupten, alle Begriffe seyen nur sinnlichen Ursprungs und für nichts anders zu halten, als für die Abdrücke der äußern körperlichen Dinge, so wird mit dieser verkehrten Lösung des Problems zugleich ein Grundirrthum an die Spitze der Philosophie gesetzt, aus dem nachher ein ganzes System von zusammenhängenden Irrthümern sich entwickelt.

Wenn aber auch die Beantwortung jener Frage nur mangelhaft, unbefriedigend oder dunkel und unverständlich ausfällt, wie dies bei Kant der Fall ist, so kann man gewiß seyn, daß die nämliche Unvollkommenheit und Dunkelheit auch in der ganzen Gedankenfolge eines solchen Systems herrschend wird.

Um die Frage zu entscheiden, was in den menschlichen

Begriffen einen höhern, übersinnlichen Ursprung haben muß, ist es nothwendig dasjenige in unsern Vorstellungen zu unterscheiden, was aus sinnlichen Eindrücken und Empfindungen nicht entsprungen seyn kann, weil es entweder über alle sinnliche Anschauung erhaben ist, oder weil es von dieser schon vorausgesetzt wird und also schon früher in uns vorhanden seyn muß. — Eine solche Idee aber, die durch sinnliche Anschauung nicht empfangen und gegeben seyn kann, weil sie die Schranken derselben weit übersteigt, ist die Idee des Unendlichen und zwar der unendlichen Mannigfaltigkeit und Fülle.

Zwar ist in jeder Anschauung eine Mannigfaltigkeit gegeben, allein sey diese auch noch so groß und reich, sie ist immer doch nur eine endliche, beschränkte; denn jede Anschauung als auf einen Gegenstand gerichtet, ist dadurch schon bestimmt und auf einen gewissen Raum, den der Gegenstand nun eben einnimmt, eingeschränkt. Eine unendliche Mannigfaltigkeit und Fülle aber kann auf keinerlei Weise in einer so beschränkten Anschauung aufgefaßt, noch in einem äußern Eindruck empfangen oder von einem äußern Gegenstande gegeben werden. Es ist aber noch etwas anderes in unsern Vorstellungen enthalten, was gleichfalls nicht aus der Anschauung äußerer Gegenstände herzuleiten ist, weil es allen sinnlichen Eindrücken in uns vorhergegangen seyn muß. Dies ist die Idee der unendlichen Einheit, welche Idee auf alle unsere Vorstellungen angewandt wird und sie alle beherrscht. Denn jede Vorstellung setzt ja, weil sie sich auf einen Gegenstand beziehen soll, die Einheit dieses Gegenstandes und den Begriff der Einheit voraus. Es muß daher ein ursprünglicher Gedanke und Begriff der Einheit uns schon von Ewigkeit her beiwohnen und angeboren seyn, der allen äußern Wahrnehmungen vorhergeht, ja es würden diese ewig nur empirisch sinnliche Eindrücke bleiben, wenn sie nicht durch jene ursprünglich aus uns selbst hervorgehende Idee der unendlichen Einheit, welche man sich als die eigentliche Wurzel der Geisteskraft des Menschen denken muß, zu Gedanken und Begriffen erhoben würden.

Die ursprüngliche uns angeborne Idee der Einheit aber

kann, insofern sie auf alle Gegenstände ohne Unterschied anwendbar ist, und auch wirklich angewandt wird, nicht eine besondere, bestimmte Art von Einheit seyn, sondern Einheit überhaupt, allgemein umfassende Einheit.

Da ferner diese Einheit in allen Gegenständen nur auf
eine mehr oder minder vollkommene Weise angetroffen wird,
so muß diejenige Einheit, deren Idee in unserm Bewußtseyn
allen sinnlichen Wahrnehmungen äußerer Gegenstände vorhergeht, eine schlechthin vollkommene seyn, und die mehr oder
minder unvollkommene Einheit der äußern Gegenstände muß aus
der besondern, individuellen Beschaffenheit der beschränkten Verhältnisse dieser erklärt werden.

Die ursprüngliche Einheit also, deren Idee uns angeboren ist und allen sinnlichen Eindrücken und Vorstellungen vorhergeht, ist — 1. eine allgemeine; 2. eine vollkommene Einheit; d. h. es ist eine unendliche Einheit, denn eben
weil sie schlechthin allgemein und schlechthin vollkommen ist, ist
sie auch nothwendig unendlich. — 3. Findet sich mithin in der
gesammten Masse unserer Vorstellungen, was nicht von den
äußern Gegenständen und sinnlichen Eindrücken herzuleiten ist,
der Begriff der unendlichen Einheit und der unendlichen Fülle.
Diese beiden, als weit über alle sinnliche Vorstellungen erhaben, als die Quelle, woraus alle andern einzelnen Begriffe
hervorgehen und abgeleitet sind, als das Ideal, zu dem die
abgeleiteten Begriffe sich nur wie höchst unvollkommene Nachbildungen und als Annäherungsversuche verhalten, werden deshalb von uns durch die eigenthümliche Benennung der
Ideen unterschieden.⟩

⟨Es gibt daher nach unserer Ansicht zwei Ideen unter den
menschlichen Begriffen, die Idee der unendlichen Einheit, und die Idee der unendlichen Fülle.

Diese Behauptung ist gar nicht im Widerspruche mit der
oben vorgetragenen, daß es nur eine Idee in dem menschlichen
Bewußtseyn gebe: die Idee des Unendlichen; denn jene beiden
Ideen, die wir nun aufgestellt haben, stehen in der unzertrenn-
lichsten Beziehung auf einander, und sind im Grunde nur eine

und dieselbe Idee in zwei verschiedenen Richtungen und Gestalten. Man könnte daher auch sehr gut sagen, es gibt in
dem menschlichen Geiste nur die Eine Idee des Unendlichen,
aber dieses Unendliche ist zweifacher Art; eine unendliche Einheit und eine unendliche Fülle und Mannigfaltigkeit; man kann
aber auch beides nun wirklich trennen und zwei verschiedene
Ideen annehmen, die aber in der innigsten Verbindung und
Beziehung stehen. Wir haben nun noch zu erklären, wie denn
jene beiden Ideen in den menschlichen Geist hineinkommen,
wie man sich jenes angeboren seyn eigentlich zu denken habe.
Ganz vollständig kann diese Erklärung hier freilich nicht gegeben werden, weil der Ursprung alles desjenigen im menschlichen Bewußtseyn, wodurch dieses eigentlich ein menschliches,
höheres, der Gotteserkenntniß fähigeres Bewußtseyn wird, nur
allein aus der Fülle des unendlichen, göttlichen Wesens und
Bewußtseyns selbst vollkommen herzuleiten ist: ein Gegenstand,
der ganz in dem Gebiete der Theologie liegt, mit dem sich also
unsere Untersuchung nicht gründlich beschäftigen darf. — Doch
wird sich hier deutlich machen lassen, was denn jene beiden Begriffe in dem menschlichen Bewußtseyn sind, und wie sie in
ihm entstehen, oder, da man sie als vorhanden voraussetzt, erwachen.

Es ist schon früher bemerkt worden, daß der Begriff der
unendlichen Einheit auf alle sinnlichen Anschauungen äußerer
Gegenstände ohne Ausnahme angewandt und von diesen vorausgesetzt wird, daß er also schon vor ihnen in unserm Bewußtseyn vorhanden seyn müsse. Dieser Begriff, dessen Entstehen
aus der jetzigen Form unseres Bewußtseyns nicht herzuleiten
ist, kann daher nur aus einem frühern, von dem jetzigen ganz
verschiedenen Zustande dieses Bewußtseyns erklärbar seyn, und
als eine zurückgebliebene Erinnerung von diesem betrachtet
werden.

Aus der Erinnerung eines ehemaligen Zustandes, wo unser
Ich mit dem göttlichen Bewußtseyn der unendlichen Ichheit und
Einheit selbst noch Eins war, entspringt dieser Begriff der
Einheit; es ist das wiedererwachende Bewußtseyn jener ur-

fprünglichen Einheit ein Gedanke, den wir aus unferm eigenen Bewußtfeyn in den Gegenstand hinübertragen, und den
unfere Einbildungskraft dann dort umfaßt; der aber in der
Wirklichkeit weder in der finnlichen Anschauung, noch in
ihren Gegenständen enthalten feyn kann, da das eigentliche
Wefen von diefer ja in der Befchränkung, mithin in der Endlichkeit befteht. Es ift alfo die unendliche Fülle, die wir oft
in den Gegenständen der finnlichen Welt zu erblicken meinen,
nur das Product unferer eigenen Geifteskraft und Thätigkeit,
welches wir durch eine leicht zu erklärende Verwechfelung den
Gegenständen felber leihen und dann in ihnen felber zu finden
wähnen.

Wie kommt denn nun aber unfer Geift dazu, diefen Gedanken der unendlichen Fülle in die Gegenstände hineinzulegen,
diefe überall zu fuchen und vorauszufetzen? — Es läßt fich
diefes nur erklären aus einem, dem menfchlichen Geifte ur-
fprünglich beiwohnenden, unvertilgbaren Streben nach diefer
unendlichen Mannigfaltigkeit und Fülle. So zerfällt alfo das Wefen des menfchlichen Geiftes in zwei Hauptthätigkeiten; die Erinnerung der unendlichen Einheit, und das Streben nach
unendlicher Fülle. Die erfte ift dem Menfchen aus feiner ehemaligen näheren Verbindung mit dem göttlichen Wefen felbft
übrig geblieben. Die letztere ift ein aus der innern Natur der
geiftigen Thätigkeit felbft fich entwickelndes, urfprüngliches,
nothwendiges Streben.

Diefe beiden Beftandtheile unferes Bewußtfeyns find es
eigentlich, welche den Menfchen zum Menfchen machen, fie find
die Quelle aller jener hohen Begriffe und Gedanken, die ihn
über die Thierheit und die engen Schranken des blos finnlichen Lebens erheben; und was aus ihnen ausfließt in das
menfchliche Denken, ift gerade das, was man das göttliche
nennen kann.⟩

Von der logischen Vollkommenheit der Begriffe.

Nach der schon früher gegebenen Definition des Begriffs ist es einleuchtend, daß die Begriffe einer mindern oder größern, immer höher steigenden Vervollkommnung fähig sind; es fragt sich nun, worin diese Vollkommenheit eigentlich bestehe?

In der bisherigen Logik setzte man die Vollkommenheit der Begriffe vorzüglich in folgende drei Eigenschaften, in die Klarheit, Deutlichkeit und Bestimmtheit. Allein es bedürfen diese Kennzeichen der Begriffe selbst noch einer nähern Erörterung und Erklärung, um vollkommen befriedigend und fruchtbar zu seyn. Man muß die folgenden Erklärungen aber nur als vorläufige Worterklärungen oder Nominalerklärungen ansehen, denn das, wodurch ein Begriff die logische Vollkommenheit eigentlich erhält, kann erst später erörtert werden.

Die Worterklärungen jener drei Bestandtheile der logischen Vollkommenheit sind folgende:

Bestimmt kann ein Begriff genannt werden, wenn derselbe in seinen äußern Gränzen von allen übrigen verwandten und angränzenden Begriffen hinlänglich geschieden und abgesondert ist.

Klar nenne ich ihn, wenn der Punct der Einheit, worauf alle einzelnen Theile und Glieder des Begriffes zusammenkommen, und worauf sie sich beziehen, vollkommen einleuchtend ist.

Deutlich ist ein Begriff, wenn auch die einzelnen Glieder und Bestandtheile, die ein Begriff umfaßt, hinlänglich von einander unterschieden sind.

Die Bestimmtheit bezieht sich also auf die äußere Umgränzung des Begriffes; die Klarheit auf die innere Einheit; die Deutlichkeit auf die Anordnung und die gegenseitige Unterordnung der einzelnen Glieder.

Die Lehre von der logischen Vollkommenheit der Begriffe
ist für die Logik selbst von der äußersten Wichtigkeit. Es werden hier weit häufigere und gröbere Fehler begangen, weit be-
deutendere, gefährlichere Irrthümer veranlaßt und fortge-
pflanzt durch unbestimmte, dunkle, verworrene Begriffe, als
durch falsche, fehlerhafte Schlüsse. Die eigentlichen Fehlschlüsse sind eher hier zu entdecken, aber wo einmal verworrene Begriffe herrschend geworden sind, da ist der Irrthum oft tief versteckt, eingewurzelt und äußerst schwer auszurotten. Nicht in irrigen, verkehrten Schlüssen, sondern weit
mehr in der logischen Unvollkommenheit der Begriffe liegt der
Grund der hartnäckigsten, beharrlichsten Vorurtheile und Irrthümer in der gemeinen Denkart sowohl, als in den Systemen
der Philosophen. Haben sie sich hier schon gleich in die ersten
Grundsätze eingeschlichen, so theilen sie sich auch allen übrigen
aus diesen entwickelten und abgeleiteten mit und pflanzen sich
durch die ganze Reihe der systematischen Folgerungen fort.

Die Lehre von der logischen Vollkommenheit der Begriffe
ist einerlei mit der Theorie der Definition. Die Definition
ist ein in Worten ausgedrückter und bestimmter
Begriff.

Die Theorie der Definition ist die Lehre von den Regeln,
nach welchen man bei der Bestimmung und Erklärung eines Begriffes verfahren muß, oder auch die Lehre von dem Ideal,
nach welchem jede Definition gebildet und dem sie genähert werden soll. Denn da schon vorhin gezeigt worden, daß die Begriffe ins unendliche bestimmbar sind und sich vervollkommnen
lassen, so folgt daraus, daß auch die Definition einer stäts
fortschreitenden, immer höher steigenden, aber nie einer vollendeten, absoluten Vollkommenheit fähig sey. — Die Definition
wird in definitio nominalis und realis, Worterklä-
rung und Sacherklärung eingetheilt; was dieses heißen
wolle, ist an und für sich deutlich genug.

Streng genommen sind die Worterklärungen blos grammatische Definitionen, und die Erkenntniß, die man durch sie erlangt, ist eine bloße Sprachkenntniß. Für die Philosophie, ja

für alle theoretiſche Erkenntniß überhaupt ſind nur R e a l b e ﬁ n i t i o n e n von Werth und Nutzen.

Für die Realdeﬁnition pflegt man die Regel feſtzuſetzen, daß dieſe enthalten müſſe: 1. das genus ; 2. die differentia specifica, oder den ſpeciﬁſchen Unterſchied eines Gegenſtandes ; z. B. von einem Thier, einer Pflanze, einem Metalle gibt man zuerſt die Gattung an, und dann das eigenthümliche der beſonderen Art oder Species.

Das mangelhafte dieſer Annahme in philoſophiſcher Hinſicht wird ſich vollkommen deutlich machen laſſen. Nicht einmal zu erwähnen, daß es philoſophiſche Begriffe gibt, z. B. der Begriff der Gottheit, der Welt, der Natur, auf welche jene beiden Beſtandtheile der Realdeﬁnition gar nicht anwendbar ſind, ſo iſt außerdem eine Deﬁnition, die beide enthält, zwar hinreichend, um den deﬁnirten Gegenſtand in praktiſcher Hinſicht von andern Gegenſtänden zu unterſcheiden, allein für die eigentliche Erkenntniß iſt dadurch gar nichts gewonnen; ein Beiſpiel wird die Sache klarer machen. Um zwiſchen Metallen zu unterſcheiden, mag es genügen, ein oder das andere äußere Merkmal zu kennen. Eine Münze von Silber werden wir von einer zinnernen oder bleiernen, oder eine falſche von einer guten unterſcheiden durch die Farbe, das Gewicht, den Klang. Für den blos praktiſchen Gebrauch des gemeinen Lebens, im Handel und Wandel, wo es blos darauf ankommt, höhere oder mindere, ächte oder unächte Münzſorten zu unterſcheiden, mag eine ſolche durch Beobachtung einzelner äußerer Merkmale erlangte Erkenntniß vollkommen hinreichen. Der Naturforſcher aber, der das eigentliche, wahre, innere Weſen der Metalle zu erforſchen ſtrebt, dürfte bei einer ſo oberflächlichen Auffaſſung äußerer Unterſcheidungszeichen gar nicht ſtehen bleiben. Ihm iſt eine chemiſche, phyſikaliſche Kenntniß der Metalle, ihrer Natur, ihres Verhältniſſes zu andern Körpern und Kräften ꝛc. durchaus unentbehrlich.

Für dieſes praktiſch gültige und anwendbare Unterſcheiden gilt jene gewöhnliche Regel der Deﬁnition, daß man zuerſt die Gattung eines Gegenſtandes kennen muß, und dann die unterſcheidenden Merkmale, oder den ſpecifiſchen Unterſchied, aber auch nur auf die gemein praktiſche Sphäre ſchränkt dieſe Regel ſich ein, für die philoſophiſche Unterſuchung müſſen wir uns nach einem höhern Ideale von Definition umſehen.

Worin beſteht aber nun dieſer Unterſchied der praktiſchen und philoſophiſchen Anſicht?

In dem praktiſchen Leben, wo es blos darauf ankommt, Dinge zu gewiſſen Zwecken und Abſichten zu gebrauchen und zu benutzen, wird es gar nicht erfordert, ſie ihrem innerſten Grund und Weſen nach vollkommen zu erkennen, ſondern es iſt hinlänglich nur diejenigen Eigenſchaften an ihnen zu unterſcheiden, die zu dieſem praktiſchen Gebrauche dienlich und zweckmäßig ſind, und wonach die Art und Weiſe dieſes Gebrauchs ſelbſt beſtimmt wird. Ganz anders verhält es ſich mit der philoſophiſchen Anſicht, bei der von Anwendbarkeit und Brauchbarkeit für gemeine praktiſche Abſichten und Zwecke durchaus nicht die Rede ſeyn kann, ſondern die einzig und allein darauf ausgeht, die Natur aller Dinge, ihr Entſtehen, ihre allmälige Entwicklung, ihre letzte und höchſte Beſtimmung, ſo wie ihren allgemeinen und nothwendigen Zuſammenhang, ihre mannigfaltigen Thätigkeiten und Kräfte, Formen und Geſetze den innerſten Gründen nach zu erkennen und zu begreifen.

Es erklärt ſich von ſelbſt, daß zu dieſer Erkenntniß ein bloß oberflächliches Auffaſſen und Unterſcheiden äußerer Merkmale und Eigenſchaften keineswegs zureiche, ſondern nur eine gründliche, erſchöpfende, tief und vollkommen den innern Gehalt der Gegenſtände durchdringende Erfahrung hier den beabſichtigten Zweck herbeiführen könne.

Welches iſt denn nun aber jenes Ideal von Definition, welches die philoſophiſche Unterſuchung fordert? Die allgemeine Regel, welche für jede philoſophiſche und theoretiſche Definition Gültigkeit hat, beſteht darin, daß jede Definition, die wiſſenſchaftlich ſeyn ſoll, genetiſch ſeyn muß; denn eine philoſophiſche Sacherklärung iſt nur dann befriedigend, wenn ſie mit der Auffaſſung der innerſten Natur eines Gegenſtandes die Ergründung ſeines erſten urſprünglichen Entſtehens natürlich zu verbinden ſucht.

Jede philosophische Definition muß demnach genetisch seyn, so wie jede wahrhaft genetische Definition philosophisch ist. Wir machen beiläufig hier die Bemerkung, daß das, was man gewöhnlich in der Behandlung anderer nicht philosophischen Materien p h i l o s o p h i s c h e n   G e i s t nennt, eigentlich nur in dieser genetischen Erklärung bestehe. Jeder wahrhaft philosophische Kopf wird den Gegenstand seiner Untersuchung, er sey welcher er immer wolle, so historisch wie möglich darzustellen suchen. So hoch sein Forschungsgeist nur immer sich zu — heben vermag, wird er bis zu der ersten Quelle durchzudringen streben, um aus dieser sein ursprüngliches Entstehen herzuleiten und zu erklären; dann wird er ihn durch alle Stufen der allmäligen Entwicklung, durch die mannigfaltig abwechselnden Formen der Bildung hindurch bis zu dem Zustande verfolgen, worin er ihn in der Wirklichkeit findet, um so aus dem natürlichen Gange der Entwicklung das gegenwärtige Daseyn eines Gegenstandes, so wie die Form dieses Daseyns begreiflich zu machen. —

Ist nicht von einem äußern Gegenstande die Rede, sondern von einer Meinung, einem Begriffe, so wird auch hier der philosophische Geist damit beginnen, das erste Entstehen des Gedankens aus seinen einfachsten Grundelementen zu erklären, ihn in allen Modificationen und Formen, worin er nach und nach sich entfaltete, aufzufassen und bis zu der Stufe von Ausbildung und Vollendung oder auch Verbildung und Entartung durchzuführen, worin er sich in der Geschichte darbietet.

Versäumt man diese genetisch historische Erklärungsart, so wird Unvollkommenheit, Verworrenheit, Dunkelheit, Mangel an Begründung und Zusammenhang das ganze System der Darstellung und Erklärung drücken, man möge noch so subtil unterscheiden, so scharfsinnig und consequent raisonniren.

Aus dem eben gesagten ergibt sich natürlich, daß eine solche Behandlung der Gegenstände für blos praktischen Gebrauch keineswegs erforderlich sey: ja wollten wir, ehe wir die Gegenstände gebrauchen, uns vorher in so hoch steigende, so weit sich verbreitende, so künstlich verwickelte, tieffinnige Speculationen, oder ihre innersten Gründe und ihr erstes Entstehen verlieren, so würden wir in manchen Fällen gar nicht zum Handeln kommen. Man muß daher den praktischen Gesichtspunkt und den philosophischen sorgfältig unterscheiden.

Das zweite Erforderniß einer philosophischen Definition ist, daß sie charakteristisch sey. Es ist aber dieses nicht sowohl eine unnachläßliche Regel, sondern es bezieht sich vielmehr auf das Ideal der philosophischen Definition, welchem sich die besondern Definitionen mehr oder minder annähern sollen. — Daß die Definition genetisch sey, ist schlechthin Regel und conditio sine qua non; daß sie charakteristisch sey, darin besteht ihre Vollkommenheit. Eine Definition, die nicht genetisch ist, ist auch nicht philosophisch; die wahrhaft philosophische Definition aber kann mehr oder minder charakteristisch seyn, in sehr verschiedenen Graden, ohne daß sie darum aufhörte philosophisch zu seyn.

Das Prädicat der Charakteristik ist einer unbestimmten Steigerung fähig. Wir verstehen darunter, daß man bei der Definition des Gegenstandes sich nicht damit begnügen solle, ein oder das andere unterscheidende Merkmal aufzufassen, sondern daß man alle Eigenthümlichkeiten und Individualitäten erforschen und in dem Resultate der Untersuchung oder der Definition zusammenfassen und bezeichnen soll, wenn nämlich unser Zweck nicht irgend ein praktischer Gebrauch, sondern eine philosophische Erkenntniß ist. Die Eigenthümlichkeiten eines Gegenstandes aber sind unbestimmbar und unzählig, weil alle Wesen unter sich in Wechselwirkung und Verbindung stehen, aus jedem neuen Verhältnisse aber auch neue Eigenthümlichkeiten hervorgehen. So lehrt uns, um bei dem früher angeführten Beispiele stehen zu bleiben, jedes neue chemische und physikalische Verhältniß der Metalle auch neue charakteristische Unterschiede an ihnen kennen, und so groß deren Anzahl auch immer sey, so wird doch niemand behaupten, daß es nicht noch andere uns unbekannte geben könne.

Der eigentliche Grund nun der aufgestellten Regel, daß jede philosophische Definition genetisch und charakteristisch seyn müsse, wird erst in folgendem deutlich bewiesen werden können.

Es ist dies ein Punkt, von dem die richtige oder unrichtige Methode in der Philosophie fast allein abhängt. Eine in den alten Logiken gewöhnliche Classification der Prädicabilien bezieht sich bloß auf das äußere Fachwerk der Definition, ohne über das innere Wesen derselben den geringsten Aufschluß zu geben. Doch ist es wenigstens historisch nothwendig diese Classification zu kennen, die zum Theil schon aus dem vorhergehenden deutlich ist.

Anmerk. Praedicare heißt einen Begriff auf einen Gegenstand beziehen, ihn von diesem aussagen, praedicatum der auf den Gegenstand bezogne und von diesem ausgesagte Begriff, praedicamenta die Allgemeinbegriffe, welche auf die Gegenstände bezogen werden können, in abstracto betrachtet. Praedicabilia i. e. omnia quae praedicari possunt, heißen die Prädicate nach innerm Fachwerk und innerer Unterordnung der mindern oder größern Allgemeinheit und Wesentlichkeit betrachtet.

Gemäß dieser Classification zählen die alten Logiker fünf praedicabilia: genus — species — differentia — proprium — accidens. — Die ersten drei beziehen sich blos auf die Unterordnung der Merkmale und Prädicate nach ihrer mehrern oder mindern Allgemeinheit. Die beiden letztern beziehen sich auf den Unterschied der wesentlichen und zufälligen Prädicate, welche unterscheiden zu können freilich schon Einsicht in das innere Wesen des Gegenstandes voraussetzt.

Von den theoretischen Vermögen des Menschen, den einzelnen Zweigen und Theilen seiner Denkkraft nach ihrer Verschiedenheit und ihrer gegenseitigen Verbindung.

Wir haben in dem vorhergehenden die Erinnerung und die Einbildungskraft bezeichnet als die Vermögen vergangener und zukünftiger Vorstellungen, allein erst jetzt, nachdem die Theorie der Begriffe abgehandelt worden ist, kann das ganze System der zum Begreifen nöthigen Kräfte und Fähigkeiten dargestellt werden.

Das Vermögen der Begriffe überhaupt ist der Verstand. Da aber der Mensch in seinem Denken ein beschränktes Wesen ist, so hat er seine Begriffe nicht durch den reinen Verstand allein, sondern zur Bildung der Begriffe müssen auch noch andere Vermögen mitwirken.

Zuerst die Sinnlichkeit, d. h. das Vermögen Eindrücke von äußern Gegenständen zu empfangen. Diese sinnliche Empfänglichkeit ist nur auf die Gegenwart beschränkt. Daß aber eine auf das Gegenwärtige beschränkte Vorstellung eine bloße Anschauung und gar keine Erkenntniß gewähren, oder daß selbige gar nicht zu einem Begriffe werden könne, ist schon hinlänglich gezeigt worden. Damit der Mensch zu denken oder Begriffe zu erzeugen vermöge, sind Erinnerung oder Gedächtniß und Einbildungskraft durchaus unentbehrlich; die erste, um vergangene Vorstellungen wieder zu erwecken und ins Bewußtseyn zurückzurufen; die zweite, um die Zukunft zu anticipiren. Insofern diese überhaupt über die engen Schranken der sinnlichen Anschauung und der gemeinen Wirklichkeit in das Ideal nach freien Geistesschöpfungen sich erhebt, wird sie auch Dichtungsvermögen genannt.

Die Sinnlichkeit ist unter diesen Vermögen am meisten beschränkt, so wie die Einbildungskraft den weitesten und freiesten Spielraum hat. Die Erinnerung steht in der Mitte von beiden, nicht so arm und beschränkt, wie die sinnliche Anschauung, nicht so frei und ungebunden, wie die Einbildungskraft. Unter diesen drei Vermögen, welche den Stoff alles Denkens und Erkennens herbeiführen, nimmt die Erinnerung als Mittelglied die Hauptstelle ein. Diese Kraft ist gleichsam die Quelle, aus der alle Gedanken hervorgehen, oder auch der Grund, worauf das Gebäude der Erkenntniß gegründet wird.

Außer jenen drei Vermögen, welche alle nur den Stoff der Begriffe liefern, müssen aber auch noch andere da seyn, jenen gegebenen Stoff in Form zu bringen und die Begriffe anzuordnen.

Es ist früher gezeigt worden, daß auch zu der gemächlichsten und beschränktesten Anschauung das Vermögen einer willkürlichen Richtung unserer Aufmerksamkeit, mithin Freiheit gehört. — Diese willkürliche Richtung der Aufmerksamkeit ist also eine Verbindung des praktischen Vermögens mit dem theoretischen, die Anwendung des Willens auf die Denkkraft. — Und diese Anwendung des Willens auf die Denkkraft ist es, was unter dem Namen Vernunft verstanden werden muß. Man könnte die Vernunft definiren als praktischen Verstand; so wie der Verstand das Vermögen der Begriffe, so ist die Vernunft das Vermögen der Gesetze, Zwecke.

Die Vernunft ist dasjenige, was den Menschen wesentlich unterscheidet, — in diesem Sinne heißt Vernunft die Möglichkeit eines freien Gebrauchs der Denkkraft. ⟨Jeder Mensch hat Vernunft, aber nicht jeder Mensch hat Verstand⟩ oder wenigstens doch ein gleiches Maß desselben, Denn der Verstand ist die späte Frucht aller vereinten geistigen Kräfte des Menschen, die nur durch eine angestrengte Uebung, eine stets fortschreitende Entwicklung zur höchsten Ausbildung und Vollendung gedeihen kann. —

Vernunft aber ist die erste Bedingung, ohne welche das sinnliche Wesen sich nicht aus der niedern Sphäre der Thierheit zur Würde des Menschen erheben würde.

Als praktischer Verstand ist die Vernunft: der Verstand angewandt auf die äußern Gegenstände, oder auf die Sinnlichkeit, und ist in dieser Hinsicht dem eigentlichen Verstande weit untergeordnet.

Wir wollen den höchst wichtigen Unterschied zwischen Vernunft und Verstand durch einige Erläuterungen aus dem gewöhnlichen Sprachgebrauch etwas mehr ins Licht setzen. — Man redet z. B. wohl von einem göttlichen Verstande, aber nie von einer göttlichen Vernunft, weil auch schon nach der Voraussetzung des gewöhnlichen Sprachgebrauchs Verstand (intelligentia) das höhere, Vernunft, (ratio) aber das niedere, das untergeordnete ist.

Dies stimmt mit der gegebenen Definition, Vernunft sey der auf die äußern Gegenstände und die Sinnlichkeit angewandte, praktisch gewordene Verstand, vollkommen überein. Daß man aber vorzüglich das praktische Erkenntnißvermögen unter Vernunft verstehe, mag folgendes Beispiel aus dem gewöhnlichen Leben beweisen. Man sagt z. B.: Cajus hat sehr viele Kenntnisse, sehr viel Verstand, aber handelt unvernünftig, ein Zeichen, daß man bei dem Worte Vernunft vorzüglich auf die Anwendung des Denkens auf das Handeln und Thun des Menschen Rücksicht nimmt. Ein anderes merkwürdiges Beispiel, welches die Annahme dieses Unterschiedes in dem gewöhnlichen Sprachgebrauche beweiset, ist, daß man von Rasenden und Geisteskranken nicht sagt, sie haben die Vernunft, sondern sie haben den Verstand verloren.

Der Verstand ist das Vermögen der Begriffe, welches in sehr verschiedenen Graden von Vollkommenheit bei den Menschen angetroffen wird, bei allen einer sehr sorgfältigen Pflege und Bildung bedarf und eben darum auch sehr leicht zerrüttet und in Verwirrung gebracht werden kann, indem die Wirkungen heftiger Leidenschaften, krankhafter körperlicher Zustände, eine ganz vernachläßigte, schlechte, verkehrte Bildung hier die unheilbarsten Unordnungen verursachen; darum man auch diesen Zustand von Verstandesabwesenheit, oder Unvermögen, Verstandesverwirrung sehr treffend nennt. Oder es werden einige Begriffe aus der Masse der übrigen dermaßen herrschend, daß es von der Willkür des Menschen nicht mehr abhängt, sie zu ordnen und zu regieren, oder seine Aufmerksamkeit freiwillig auf sie zu lenken, daher man sie denn auch in dem gemeinen Sprachgebrauche fixe Ideen zu benennen pflegt.

Zwar entbehrt der Rasende, Wahnsinnige auch der Vernunft, insofern er unfähig ist, nach Absicht und Willkür vernünftig zu handeln, oder insofern die Vernunft das Vermögen des auf Sinnlichkeit angewandten Denkens ist und der allgemeinen Grundgesetze dieser Anwendung, oder das Vermögen der Schlüsse. Insofern hat der Rasende Vernunft, denn raisonniren und zwar oftmals sehr künstlich und subtil raisonniren, Schlüsse an Schlüsse reihen, das kann der seines Verstandes beraubte zu Zeiten eben so gut, als der bei gesundem Verstande ist, nur daß er bei seinem Raisonnement von falschen Begriffen ausgeht, daß sein Denken und Schließen, so syllogistisch und scharfsinnig es auch in den einzelnen Theilen und Gliedern seyn mag, im ganzen doch ohne Anfang und Ende, ohne Plan und Zweck, Zusammenhang und Ordnung ist.

Nur bei den eigentlich Blödsinnigen, wenn bei dem äußersten Grade des Uebels ihre geistige Kraft und Thätigkeit entweder völlig unentwickelt oder abgestumpft und gelähmt ist, so daß sie wirklich zur Thierheit herabsinken, könnte man sagen, daß sie auch nicht einmal Vernunft haben.

Wie wichtig eine genaue Unterscheidung der geistigen Vermögen und Kräfte des Menschen und ihres gegenseitigen Werthes und Vorrangs sey, kann aus folgendem erklärt werden.

A n m e r k. Der Unterschied zwischen Verstand und Vernunft ist so wichtig, daß z. B. der Gegensatz der Kantischen und Leibnitzischen Philosophie auch mit darin besteht, daß in der erstern der Vernunft, in der andern dem Verstande die erste Stelle und der Vorrang eingeräumt wird.

Die drei den Stoff des Denkens herbeischaffenden Vermögen sind die Sinnlichkeit, die Einbildungskraft und die Erinnerung. Je nachdem man bei diesem Geschäfte der Herbeiführung des Stoffes dem einen oder dem andern jener Vermögen den Vorrang oder den größten Antheil zuerkennt, entsteht eine andere Philosophie; diejenige nämlich, welche den Stoff einzig von der Einbildungskraft hernehmen wollte, würde zur Schwärmerei führen; die ihn nur aus sinnlichen Eindrücken und Wahrnehmungen herleitet, ist jene verderbliche Denkart, die alles auf das Gebiet gemeiner Wirklichkeit beschränkt und das höhere geistige gänzlich aus dem Bewußtseyn vertilgt. Jene endlich, welche die Erinnerung als in der Mitte zwischen den beiden andern stehend, weder so beschränkt wie die Sinnlichkeit, noch so frei und ungebunden, wie

die Einbildungskraft, zum Grunde legen wollte, diese Philosophie würde eine historische genannt werden können, und gewiß ist es, daß nur eine solche historische Philosophie für die
Wissenschaft wie für das Leben selbst vollkommen lehrreich und
fruchtbar seyn würde. Eine solche Philosophie ist aber noch
nirgend ausgeführt und vollendet worden, indem auch die bessern Philosophen ihre Systeme noch nicht genug von un-
nützen Subtilitäten, gehaltlosen Formeln und Abstractionen gereinigt haben.

Noch ein Vermögen, das in dem bis jetzt aufgestellten Systeme geistiger Kräfte nicht vorgekommen ist, bleibt uns zu bestimmen übrig, dies ist die Urtheilskraft. Die Urtheilskraft ist aber kein besonderes, für sich bestehendes Vermögen, sondern nur eine besondere Aeußerungsart der Vernunft.
Urtheilen heißt specielle Gegenstände unter allgemeine Begriffe
subsumiren, oder allgemeine Begriffe auf die besondern Gegenstände beziehen und anwenden.

Ist nun die Vernunft überhaupt das auf die äußern Gegenstände angewandte Denken, so erhellt daraus, daß die Urtheilskraft nichts von der Vernunft verschiedenes ist, sondern
ein Theil und eine Aeußerung von ihr; das eigentliche Verhältniß, so wie die Einheit, die zwischen beiden statt findet,
kann erst in der Lehre von den Schlüssen ganz erörtert werden.

———

Zweites Hauptstück.

Ontologie

oder die Lehre von den Grundsätzen.

Die Lehre von den Schlüssen oder von der Verbindung
und Verkettung der Begriffe ist neben der Lehre von den Begriffen selbst das wichtigste Hauptstück der Logik. — Denn man

muß die Verbindung und Verkettung der Begriffe nicht als willkührlich ansehen, sondern sie beruht auf gewissen, ganz fest bestimmten Sätzen, die eben darum Grundsätze genannt werden.

Die Lehre von diesen Grundsätzen wird der größern Deutlichkeit wegen von jener über die Schlüsse abgesondert und für sich behandelt.

Sonach besteht die Logik aus drei Haupttheilen, der Lehre von den Begriffen, den Grundsätzen, und den Schlüssen. Daß die zweite der dritten vorhergehe, ist darum nothwendig, weil die Schlüsse sich auf die Grundsätze stützen und von denselben beherrscht und bestimmt werden.

Die Lehre von den allgemeinen Prinzipien alles Denkens oder den logischen Grundsätzen wird hier Ontologie genannt, d. h. Wissenschaft von den Dingen, oder dem Daseyn überhaupt, weil die allgemeinen Grundsätze des Denkens anwendbar sind auf alles Daseyn überhaupt, ohne Rücksicht auf eine besondere Art oder Modification desselben.

Prüfung der logischen Grundsätze.

Ehe wir die allgemeinsten Regeln des Denkens aufstellen, ist es nothwendig diejenigen, welche gewöhnlich als logische Grundsätze angegeben werden, aufmerksam zu prüfen.

Man nimmt gewöhnlich zwei logische Hauptgrundsätze an, den Satz des Widerspruchs und den Satz des zureichenden Grundes. Beide fordern eine strenge Kritik, und besonders bedarf die Frage von ihrer Gültigkeit und Anwendbarkeit in der höhern Philosophie der gründlichsten Untersuchung. Der Grundsatz des Widerspruchs ist, daß ein Gegenstand nicht zugleich seyn und auch nicht seyn kann, daß A nicht zugleich B und auch nicht B sey. Da dieser ein negativer Grundsatz ist, so setzt er einen positiven voraus, aus welchem er nur abgeleitet wurde. Dieser höhere logische poſitive Grundſatz, welcher auch von manchen Philoſophen als ein drittes Princip der Logik aufgeſtellt wird, iſt der Grundſatz der Identität oder der Einerleiheit, gemäß welchem jedes Ding ſich ſelbſt gleich, mit ſich ſelbſt ein und daſſelbe iſt: a = a. Es iſt einleuchtend, daß der Grundſatz des Widerſpruchs nur aus dieſem herfließt; a kann darum nicht zugleich b und auch nicht b ſeyn, weil ſonſt a nicht mehr = a, ſondern = nicht a ſeyn würde. Niemand wird ſich einfallen laſſen, die Richtigkeit und Gültigkeit des Grundſatzes der Identität und des Widerſpruchs in Zweifel zu ziehen; aber es iſt auch nicht abzuſehen, was dadurch für die Erkenntniß gewonnen werde. Der Satz: a iſt gleich a, iſt abſolut gewiß, oder er enthält nichts, was nicht ſchon in dem Begriffe a enthalten war. Ich weiß nur, daß a ſich ſelbſt gleich, d. h. a iſt, aber über die Natur deſſelben erhalte ich keine neue Aufſchlüſſe. Daher wird es immer ein verkehrtes, fruchtloſes Bemühen bleiben, dieſe Grundſätze mit Erfolg auf alles Denken überhaupt anzuwenden, indem ſie zwar abſolut gewiß und evident, aber auch vollkommen inhaltsleer, zum Gebrauche für die höhere Speculation durchaus untüchtig ſind; ſo gewiß und unbezweifelt es immer iſt, daß wir nicht zu gleicher Zeit einen Gegenſtand unter einem Begriffe denken und auch nicht denken können, ſo leidet doch die Anwendung jenes Grundſatzes auf äußere, von uns unabhängige Dinge noch große Schwierigkeit. So könnte z. B. der Philoſoph, wenn davon die Rede wäre, dieſe Grundſätze nicht blos auf unſere eigenen Gedanken, ſondern auch auf die Gegenſtände der äußern Welt anzuwenden, den Einwurf machen, daß es überhaupt kein eigentlich feſtes, beharrliches, ruhendes, abſolutes Seyn gäbe, ſondern daß alles in einer ſtäten Veränderung, ewigem Wechſel und Fluſſe ſich befinde; ſonach, würde jener ſagen, hat der Satz a = a für die Philoſophie keine reelle Bedeutung; denn jener Gegenſtand, welcher a genannt wird, verändert ſich unaufhörlich; ſomit iſt a nach Verlauf eines unendlich kleinen Zeitraums, ſchneller, als man jenen Satz nur ausſprechen kann, nicht mehr daſſelbe a, ſondern ſchon etwas modificirt und ver-

ändert; freylich, muß man hinzufügen, ist diese Veränderung
so unmerklich, klein und unbedeutend, daß sie auf das prakti=
sche gar keinen Einfluß hat, und hier der Zweck, den man mit dem
Gegenstande beabsichtigt, sehr gut erreicht werden kann. Allein
in theoretischer Hinsicht, wo es einzig darauf ankommt zu be=
stimmen, was ein Gegenstand ist, müßte auf diese mögliche
Veränderung die größte Rücksicht genommen werden. Daher
denn auch hier die Anwendbarkeit jener Grundsätze sehr in An=
spruch zu nehmen ist. In wiefern aber jene behauptete Ver=
änderlichkeit der Dinge gegründet ist, oder nicht, dieß kann erst
aus den spätern genauen Untersuchungen hervorgehen. Gewiß
aber haben jene Grundsätze praktische Gültigkeit, die auch der
Skeptiker nicht bestreitet.

Zugleich macht uns die vorgetragene Einwendung auf=
merksam auf die eigentliche Bedeutung jenes Grundsatzes, wenn
er als ein theoretischer gebraucht wird; denn was bedeutet a
in der Formel $a = a$? Wenn man in der Mathematik sich ähn=
licher Formeln bedient, so ist die Bedeutung einleuchtend; a ist
dann jede beliebige bekannte Größe. Die philosophische Formel
ist schwerer zu bestimmen. Doch liegt die Auflösung der Frage
schon in dem erwähnten Einwurfe selbst, es soll etwas seyn,
was an und für sich betrachtet wird, also etwas für sich beste=
hendes, eine S u b s t a n z. Der Satz $a = a$, theoretisch verstan=
den, bedeutet nicht blos eine Einerleiheit, sondern eine sich
selbst gleiche, unveränderliche, beharrliche Substanz, ein Be=
griff, der für die gesammte Philosophie von der größten Wich=
tigkeit ist; und diesen Begriff eben greift jener Einwurf un=
mittelbar an: mit welchem Rechte, wird später sich zeigen. Wir
begnügen uns hier nur anzumerken, daß jene Zweifel gegen den
Begriff einer beharrlichen Substanz, wenn sie wirklich gegrün=
det wären, und es in dem gegebenen Sinne gar kein a geben
könne, die theoretische Gültigkeit der Grundsätze der Identität
und des Widerspruchs ganz aufheben würden.

Die praktische Anwendbarkeit kann, wie gesagt, der Skep=
tiker selbst nicht in Zweifel ziehen, denn indem er sie leugnen
wollte, müßte er selbst sie befolgen. Daher gelten sie auch ohne

Ausnahme für die untern Theile des logischen Geschäfts, für
dasjenige, was gleichsam der mechanische Theil des Denkens
ist; denn die Ausführung, die Mittheilung, die Darstellung des
Denkens ist nur ein praktisches Geschäft und eine mechanische
Sache; nur das Denken selbst ist etwas ungleich höheres, und
jene Grundsätze dürfen schon darum nicht als die höchsten Denkgesetze betrachtet werden, weil sie zur mechanischen Ausführung
der Gedanken mit erfordert werden, mithin eine ganz untergeordnete Stelle einnehmen. Zu der praktischen Gültigkeit des
Grundsatzes vom Widerspruche z. B. gehören die allgemein angenommenen Regeln: Wer den Zweck will, muß auch die Mittel wollen. — Man soll seinen eignen Grundsätzen treu seyn,
— jederzeit bestimmt wissen, was man will rc. rc. Durch die
Befolgung dieser und ähnlicher Regeln entsteht in dem Leben
dasjenige, was man consequent nennt, wodurch 'zwar unser
praktisches Leben keine höhere moralische Vortrefflichkeit erhält,
aber doch eine gewisse untergeordnete mechanische Vollkommenheit entsteht, und in unsere Handlungen gleichsam mathematische Richtigkeit kommt.

Der Grundsatz des zureichenden Grundes oder der
Causalität, daß nämlich nichts ohne Ursache sey, alles
einen zureichenden Grund haben müsse, hat auch eine vollkommene praktische Gültigkeit; wir sollen nie ohne zureichenden
Grund, d. h. immer vernünftig, verständig nach Absicht und
Zweck, mit Ueberlegung handeln. Die theoretische Anwendung dieses Grundsatzes leidet aber gleichfalls große Einschränkung; denn theoretisch ist er nur anwendbar auf die einzelnen endlichen Dinge; aber ganz ungültig, sobald von
dem unendlichen Ganzen die Rede ist. Alles muß eine
Ursache haben und einen Grund, nur dasjenige nicht, was
selbst die Ursache und der Grund von allem übrigen ist. Der Grundsatz der Causalität führt uns auf eine
Reihe und Verkettung von Ursachen und Wirkungen, wo eines
immer aus dem andern entspringt, begründet ist und selbst
wieder den Grund eines folgenden in sich enthält, wo wir auf
diese Weise von einem Gliede zum andern immer weiter stei-

gen. Dies kann aber nicht ins Unendliche fortgehn, wir müssen endlich auf einen Punkt kommen, bei dem wir stille stehen, zu einer obersten Ursache, die nicht wieder in einer andern begründet ist, weil sie sonst ja nicht das erste, höchste Prinzip seyn würde, sondern die den Grund ihres D a s e y n s i n s i c h s e l b s t hat und der Ursprung und die Quelle aller übrigen Dinge ist; es wäre widersinnig, nach der Ursache der Gottheit zu fragen, da die Gottheit die Ursache von allem ist.

Somit ließe sich dann der Grundsatz des zureichenden Grundes nicht auf dasjenige anwenden, was doch der Hauptgegenstand der Philosophie ist, nämlich das unendliche, göttliche Wesen.

Nur in soweit die Philosophie für das gemeine Leben Brauchbarkeit haben soll, muß man diesem Grundsatze auch in der Philosophie praktische Gültigkeit zugestehen; er nimmt dann aber in ihr nur eine untergeordnete Stelle ein und ist durchaus nicht als einer der ersten ontologischen Grundsätze anzusehen.

Wir wollen nun von der Verbindung, Verkettung und Verknüpfung der Begriffe handeln, worauf schon jene beiden kritisch geprüften Grundsätze hindeuten.

Der Begriff von dem organischen Zusammenhange aller Dinge ist der allgemeine Grund- und Verbindungsbegriff, weil er uns lehrt, daß und wie alle Begriffe verknüpft werden sollen. Nichts anders wird durch das Wort Grundsatz bedeutet, worunter man sich nicht etwas von einem Begriffe verschiedenes zu denken hat, sondern es ist der Grundsatz selbst ein Begriff, aber ein durchaus allgemeiner und herrschender Begriff, welcher den Grund für die Verbindung aller übrigen Begriffe enthält.

Da dieser Grundsatz der Begriffsverbindungen nun selbst ein Begriff seyn soll, so müssen wir ihn herleiten aus jenen beiden höchsten Ideen oder Urbegriffen, aus welchen alle übrigen Begriffe abgeleitet und zusammengesetzt sind: der Idee nämlich der unendlichen Einheit und der unendlichen Fülle. Verbinden wir diese beiden Begriffe, so entsteht der Begriff des

organifchen Zufammenhangs. Denn organifch heißt gerade dasjenige, worin Einheit und Fülle auf das innigfte verbunden
find; was in sich felbft ganz und in feinen Theilen vollendet
ist, ein Ganzes, wo alle Glieder und Theile in ein Syftem
harmonifch verfchmolzen, zu einem Zwecke wechfelfeitig zufammen
wirken, so daß jeder Theil für das Ganze nothwendig ist, die
einzelnen Theile und Glieder aber doch nur durch das Ganze
beftimmt und beherrfcht werden.

Anmerk. 1. Hier könnte der Einwurf gemacht werden,
daß die organifchen Wefen zwar allerdings die entgegen-
gefetzten Eigenfchaften der Einheit und Fülle in sich
verbinden, daß sie aber doch endlich feyen, dahingegen in jenen Ideen von einer unendlichen Einheit und
Fülle die Rede fey; diefer Punkt wird fpäter erörtert
werden.

Anmerk. 2. Es könnte fcheinen, als fey diefer orga-
nifche Zufammenhang aller Dinge einerlei mit jener Verbindung und Verknüpfung, die auch der Satz des zureichenden Grundes und der Caufalität fordert; allein es findet hier ein fehr wichtiger Unterfchied ftatt. Die Verknüpfung,
welche das Gefetz der Caufalität fordert und vorausfetzt,
ist eine bloß äußerliche, welche zwifchen allen Gliedern
in der ganzen Kette der Urfachen und Wirkungen ftatt
findet, wodurch jene zwar äußerlich zufammenhängen,
aber doch kein lebendiges Ganzes bilden. Diefer Unterfchied zwifchen der blos mechanifchen Verknüpfung und
jenem innern organifchen Zufammenhange, wovon hier die
Rede ist, ist genau derfelbe, welcher ftatt findet zwifchen
der künftlichen Verbindung der verfchiedenen Theile eines
mechanifchen Werkzeugs oder Kunftwerks und der lebendigen Einheit, wodurch die Glieder eines belebten Wefens
und Körpers zu einem Ganzen vereinigt werden.

Das Refultat diefer Unterfuchung kann man ausdrücken
in den Axiomen: alles ist in organifchem Zufammenhange, alles
ist organifirt; nichts ist in der unendlichen Wefenkette todt
und mechanifch, alles ist von demfelben lebendigen Geifte be-

seelt und durchdrungen; überall offenbart sich nur in höherm und niederm Grade die unendliche Kraft und Thätigkeit, die alles zu einem großen Systeme verbindet und in dem Einzelnen, wie in dem Ganzen selbst wirksam ist; nirgend ist eine Lücke, ein Stillstand, überall herrscht der innigste Zusammenhang und eine ewig fortlaufende harmonische Wechselwirkung und Einheit. So wie dies von den Dingen gilt, muß es auch von den Begriffen gefordert werden. Auch sie sollen in organischem Zusammenhange stehen, ein organisches Ganzes bilden, nicht blos scheinbar durch äußere mechanische Anordnung und Eintheilung zusammengefügt und gereiht, sondern durch wahrhaft lebendige innere Einheit verbunden seyn.

Hierdurch wird erst der Sinn der gewöhnlichen Forderung deutlich, daß die Begriffe bestimmt seyn sollen. — Ein bestimmter Begriff ist ein organisch gedachter, und die Bestimmtheit der Begriffe ist der organische Gliederbau derselben, wo, weil der Begriff ein Ganzes umfaßt, die Bestimmtheit und zum Theil auch die Klarheit von der wahrhaft vollendeten Umfassung und Eintheilung des Ganzen in seine Glieder, von der harmonischen Verbindung dieser, nach ihrem innern natürlichen und nothwendigen Zusammenhange, abhängt.

Ist aber der Gegenstand des Begriffes kein Ganzes, sondern nur Theil eines Ganzen, so besteht die logische Vollkommenheit in Rücksicht auf die Eigenschaft, wovon hier die Rede ist, darin, daß genau angegeben werde, von welchem Ganzen dieser Gegenstand ein Theil ist. —

Die Lehre von den allgemeinen Grundbegriffen oder Grundsätzen aller Begriffsverbindungen und Verknüpfungen steht also in genauem Zusammenhange mit der Lehre von der Eintheilung und Unterordnung, mit der Lehre von dem Gliederbau der Begriffe, und diese führt uns auf eine andere, welche in der ganzen Ontologie die wichtigste ist. (e)

Lehre von den Kategorien.

Die Kategorien oder Prädicamente, die man zu deutsch Urbegriffe nennen könnte, sind die allgemeinsten unter den allgemeinen Begriffen. Das System dieser Kategorien ist gleichsam das Fachwerk des menschlichen Verstandes und enthält die Rubriken, nach denen wir denken und unsere Gedanken ordnen. Hieraus erhellt der genaue Zusammenhang dieser Lehre mit der vorigen, von dem organischen Zusammenhange, dem Gliederbau, der Eintheilung und Unterordnung der Begriffe.

Es ist einleuchtend, daß man die Begriffe auch sehr willkürlich anordnen und eintheilen könne, aber es wäre dann doch nicht alles willkürlich in dieser Anordnung, sondern es gäbe zugleich eine allgemeine unabänderliche Regel für die Eintheilung und Anordnung aller Begriffe, die auch hier befolgt werden müßte. Eine solche Grundregel enthält nun eben das System der Kategorien, welche in dieser Hinsicht durchaus objective Begriffe sind.

So willkürlich und verschiedenartig die Begriffe im Einzelnen auch immer zusammengesetzt und angeordnet werden, so ist das Vorhandenseyn einer allgemeinen Grundregel für diese Zusammensetzung dennoch unläugbar, wenn diese gleich nicht immer deutlich gedacht und vollkommen beobachtet wird. Folgendes Gleichniß mag die Sache klarer machen. Wenn man das gesammte Wissen und die Erkenntniß als ein Product des menschlichen Verstandes mit einem regelmäßigen Gebäude vergleichen kann, so enthält das System der Kategorien den bloßen Grundriß zu diesem Gebäude; dadurch wird denn auch der Werth der Kategorien richtig bestimmt. Freilich ist der Grundriß nicht das Gebäude selbst, aber es ist doch für die zweckmäßige Aufführung nicht gleichgültig, ob man nach einem guten, richtigen, oder nach einem schlechten, fehlerhaften Plane gebaut habe.

Man hat in Betrachtung der großen Aehnlichkeit, welche,

wie das angeführte Gleichniß zeigt, hier statt findet, die Lehre von den Kategorien auch wohl die Architektonik des menschlichen Verstandes genannt, d. h. die Wissenschaft von dem Grundrisse zu dem Gebäude des menschlichen Wissens, welcher Grundriß eben das Fachwerk des Denkens ist, das in dem Systeme der Kategorien aufgestellt werden soll.

Bisher suchte man größtentheils dieses Fachwerk des Denkens, oder das System der höchsten abstracten Begriffe durch Vergleichung, Absonderung und Schichtung der ganzen Masse menschlicher Begriffe zu finden, ein Weg, der eben so weitläufig, als schwer und unsicher ist. Hier soll im Gegentheile der Versuch gemacht werden, die Kategorien abzuleiten aus jenen beiden Ideen, welche die Quellen aller menschlichen Begriffe sind, nach Anleitung des allgemeinen Grundsatzes vom organischen Zusammenhang. Diese Ableitung wird ungleich weniger Schwierigkeiten unterworfen, weit deutlicher und bestimmter seyn; wie die vorhin erwähnte Methode.

Der Wichtigkeit des Gegenstandes wegen wollen wir unserm Versuche eine kleine historische Ansicht der Kategorientafel nach Aristoteles, den Scholastikern und nach Kant voranschicken. Sowohl die aristotelischen als die kantischen Kategorien sind so oft und mannigfaltig wissenschaftlich angewandt worden, daß eine historische Kenntniß von ihnen für jede gründliche philosophische Untersuchung dringendes Bedürfniß wird, gesetzt auch, daß gegen ihre theoretische Gültigkeit sich manches einwenden ließe.

Schon die Pythagorder haben ein System der Kategorien aufzustellen gesucht. Da wir indessen von diesem Versuche uns nur eine höchst mangelhafte, unzuverläßige Kenntniß verschaffen können, sie auch überhaupt nicht von großem wissenschaftlichem Einfluß gewesen sind, so lassen wir sie beruhen und machen den Anfang mit den Kategorien oder Prädicamenten des Aristoteles, welcher folgende zehn aufstellt:

substantia — quantitas — qualitas — relatio (Verhältniß) — actio et passio (Thun und Leiden) ubi — quando — (Raum und Zeit) situs et habitus. —

Diese zehn Kategorien enthalten zwar unstreitig viele der wesentlichsten und wichtigsten Rubriken, nach welchen man einen Gegenstand begreifen und kennen lernen kann, und jede Erkenntniß eines Gegenstandes nach diesen zehn Rubriken würde schon sehr vollständig und befriedigend seyn.

Allein nicht zu erwähnen, daß in dieser Kategorientafel ein oder der andere Begriff vorkommt, der völlig überflüssig zu seyn scheint, weil er mit den andern derselben Tafel zu nahe verwandt oder ganz identisch ist, wie z. B. die Kategorie situs, die Lage, gar nichts anders zu bedeuten scheint, als die Kategorie ubi: so ist der weit größere Fehler sogleich einleuchtend, daß dieses Verzeichniß durchaus nicht systematisch ist. Die Kategorien werden da nur einzeln aufgezählt, weder wird ihr Zusammenhang und gegenseitiges Verhältniß deutlich gemacht, noch ist man versichert, daß dieses Verhältniß durchaus vollständig ist.

In dieser Hinsicht ist die kantische Tafel ungleich systematischer; sie enthält zwölf Kategorien, die in vier Classen eingetheilt sind, so daß eine jede Classe aus dreien Kategorien besteht; sie sind folgende:

1. Classe. Kategorien der Quantität: Einheit, — Vielheit, — Allheit. —

2. Classe. Kategorien der Qualität: Position — Negation — Limitation (Bejahung — Verneinung — Begränzung) Position und Negation sind wie das plus und minus der Mathematiker. Ueberhaupt ist in dieser kantischen Kategorientafel die dritte Kategorie allemal eine Verbindung der beiden ersten, oder soll es nach Kants Behauptung wenigstens seyn, welches hier bei der Kategorie der Limitation wirklich eintrifft, denn Beschränkung ist zugleich Bejahung und Verneinung.

3. Classe. Kategorien der Relation, des Verhältnisses der Gegenstände zu einander: Causalität, Inhärenz und Wechselwirkung; Causalität bezieht sich auf das Verhältniß zwischen Ursache und Wirkung. Inhärenz bezieht sich auf den Zusammenhang der einzelnen Eigenschaften mit der Substanz, der diese beigelegt werden; Wechselwirkung auf die Ge-

meinschaft und gegenseitige Einwirkung zweier thätigen Kräfte und Substanzen.

4. Classe. Kategorien der Modalität. Modalitas, ein scholastisches Wort, ist das Substantiv von dem Adjectiv modalis, welches selbst von modus gebildet ist. Dieses Wort kann aber ziemlich willkürlich und eigenthümlich für das Verhältniß der vorgestellten Gegenstände zu unserer Ueberzeugung genommen werden. Kant versteht also darunter das Verhältniß der Gegenstände zu unserer Vorstellungsart von diesen Gegenständen. Die Kategorien dieser Classe sind: Wirklichkeit, Möglichkeit, Nothwendigkeit.

Wenn gleich diese kantische Kategorientafel bei weitem systematischer ist, als jene des Aristoteles, so hat die Kritik doch sehr bedeutende Einwürfe dagegen zu machen.

1. Die unter der Classe der Quantität aufgestellten Kategorien der Einheit, Vielheit und Allheit sind eher Ideen als Kategorien zu nennen, sie sind als Ideen schon früher erklärt worden.

2. Die unter der Classe der Qualität aufgestellten betreffen eigentlich gar nicht die Qualität, sondern gleichfalls die Quantität, weil sie sich ja gleichfalls auf die Schranken der Gegenstände beziehen.

3. Die Kategorien der Relation enthalten nicht ursprünglich reine Begriffe, sondern Begriffsverbindungen, sind also vielmehr Grundsätze.

4. Jene der vierten Classe endlich betreffen gar nicht die Gegenstände und unsere Begriffe von den Gegenständen, sondern blos das Verhältniß dieser Gegenstände zum Daseyn überhaupt, oder zu unserer Erkenntniß und Ueberzeugung vom Daseyn. Sie gehören demnach zu einer andern Lehre, die in der Folge erörtert werden soll.

5. Die drei in jeder Classe angegebenen Kategorien hängen zwar unter sich sehr gut zusammen, allein der Zusammenhang der vier Classen untereinander selbst ist gar nicht deutlich gezeigt und daher ist diese Kategorientafel mehr dem Scheine nach als in der That systematisch. —

Wir wollen nun unfererfeits verfuchen, ein Syftem der all-
gemeinften abftracten Begriffe aufzuftellen, welches für die
wahre Realdefinition oder Charakteriftik aller Gegenftände
brauchbar ift und die nöthigen Rubriken dafür enthält.

Zuvor müffen wir in Erinnerung bringen, was in der
Lehre von den Begriffen über die Abftraction ift gefagt worden,
daß nämlich die abftracten Begriffe fich dadurch vorzüglich von
den univerfellen unterfcheiden, daß fie Gegenfätze bilden, wie:
Form und Stoff, Quantität und Qualität ꝛc. ꝛc. — Es hängt
dies mit dem Wefen der Kategorien genau zufammen; denn
die Kategorien find ja abftracte Begriffe, haben folche beftimmte
Gränzen und Gegenfätze, was dort zum Kennzeichen der abftracten Begriffe gemacht wurde.

Bei der Ableitung der Kategorien gehen wir aus von dem
aufgeftellten Grundfatze der allgemeinen Harmonie und des organifchen Zufammenhangs aller Dinge.

Organifcher Zufammenhang und Einheit oder Organifa-
tion kann nur ftatt finden, wo Form und Stoff ift. Alles,
was organifirt ift, theilt fich in Form und Stoff, und was
Form und Stoff hat, ift auch organifch gebildet.

Form und Stoff find alfo die erften Kategorien, die
wir aufftellen; zu diefen gefellt fich aber noch eine dritte, die
wefentlich zu ihnen gehört.

Sehen wir nämlich auf die Form der Dinge und Gegenftände, fo ift der Stoff dasjenige, was die Form befchränkt,
und wodurch die vollkommene Ausführung der Form oftmals
gehindert wird. Wir bemerken, daß die Wefen gleicher Gattung in ihren Formen viel übereinftimmendes haben, wiewohl
jedes Individuum die allgemeine Form, nach der fie alle ftreben, auf eine eigenthümliche Weife ausdrückt.

Das gemeinfchaftliche Ziel, wonach die Wefen einer Gattung in ihrer Form ftreben, ift nicht mehr die fichtbare und
wirklich ausgeführte Form felbft, fondern etwas davon verfchiedenes, eine unfichtbare Grundform, das Vorbild
und Urbild aller einzelnen ausgeführten Formen. Diefer ift
der Begriff des Ideals, er ift der dritte zu jenen zwei Be-

griffen von Form und Stoff. Diese drei machen also eine Classe: Ideal — Form — Stoff.

Anmerk. Die erste Classe: Ideal, Form, Stoff kann die ästhetische genannt werden, nur muß das Wort nicht auf die schöne Kunst allein beschränkt, sondern von dem ganzen Reiche der sinnlichen Wahrnehmungen und Erscheinungen verstanden werden, wo dann freilich die schöne Kunst mit einbegriffen ist, als welche es mit sinnlichen Erscheinungen zu thun hat.

Form ist der Mittelbegriff, weil durch die Form das Ideal im Stoffe dargestellt und der Stoff dem Ideale angenähert wird, wenn gleich nur unvollkommen. Aus dem Begriffe der Form lassen sich wieder mehr andere abstracte Grundbegriffe oder Kategorien herleiten. Alle Form beruht auf einer Eintheilung des Ganzen und auf dem Zusammenhange und Gliederbau der Theile: d.h. alle Form enthält eine Construction.

Construction ist gerade jener Zusammenhang oder organische Gliederbau des Ganzen und der einzelnen Theile.

Dieser Begriff der Construction setzt aber noch zwei andere Begriffe nothwendig voraus, nämlich daß in dem Ganzen Theile enthalten sind, und dieses ist nicht möglich, ohne daß in dem Ganzen etwas entgegengesetztes sich finde, ein Unterschied und Gegensatz. Dieser vollkommene Gegensatz wird ausgedrückt in den Begriffen Positiv und Negativ. Es sind dies Grundbegriffe der Arithmetik und Algebra.

Die zweite Klasse der Kategorien also, welche man die mathematische nennen könnte, enthält die drei Begriffe: Construction, — das Positive — und das Negative, alle drei sind hergeleitet aus dem Begriffe der Form.

Aus dem Begriffe des Stoffes in der ersten Klasse lassen sich nun gleichfalls mehrere andere herleiten. Der Stoff zerfällt und theilt sich in Quantität und Qualität. Die innern Eigenschaften und Kräfte eines Gegenstandes liegen nicht in der Form desselben, sondern in dem Stoffe. Da aber diese Kräfte ein bestimmtes Maaß haben, so ist der Begriff der Quantität der nothwendige Begleiter des Begriffs der Qualität. Beide Begriffe sind inniglichst verbunden, wie sie denn auch in den verschiedensten Systemen immer zusammengestellt werden, allein auch hier wird um das Ganze zu vollenden noch ein dritter Begriff erfordert. —

Man kann in jedem Wesen unterscheiden die Eigenschaften und Qualitäten, welche dasselbe wirklich besitzt, und die strebenden Kräfte, welche diesen Eigenschaften zum Grunde liegen. Beides ist noch wesentlich verschieden; denn werden die strebenden Kräfte eines Wesens in ihrer Entwicklung gehemmt und gestört, so wird dies natürlich nicht in den Besitz aller jener Eigenschaften kommen, die es bei gehöriger Entwicklung hätte erlangen können. Die strebende Kraft nun mit dem Nebenbegriffe, daß es noch unbestimmt gelassen wird, in wiefern sie zu einer bestimmten Entwicklung und Aeußerung gelangen und alle jene Eigenschaften in der Wirklichkeit erzeugen wird, die der ursprünglichen Anlage nach in ihr gegründet sind, heißt Tendenz, und dies ist der dritte Begriff zu den beiden der Qualität und Quantität. Der mittlere Begriff ist hier die Qualität, — das ganze innere Wesen und Streben eines Dinges heißt die Tendenz — die äußere Bestimmung, Begränzung und Beschränkung kommt hinzu durch die gegebene Quantität, und auf diesen beiden Theilen beruht die Qualität.— Diese ist das gemeinschaftliche Resultat des innern Strebens, der Tendenz, und der äußern Beschränkung oder der Quantität. Diese dritte Classe der Kategorien kann man die physische nennen.

Die aufgestellten drei Classen der Kategorien enthalten alle wesentlichen Elemente und Rubriken zu einer reellen Definition oder Charakteristik, der Gegenstand derselben sei nun welcher er wolle. — Es ist vorzüglich Eine Kategorie jeder Classe, welche auf alle Gegenstände ohne Unterschied anwendbar ist. — Diese drei auf jede reelle Definition anwendbaren Kategorien sind: die Construction, die Form, die Tendenz. — Von jedem Gegenstande, den man unter diesen drei Kategorien kennt, ist man im Stande, eine Realdefinition oder

Charakteristik zu geben, so wie hingegen jede Definition, die in einem der angegebenen Theile mangelhaft ist, keine reelle, vollständige Definition genannt werden kann.

Die Construction enthält gleichsam den mathematischen Grundriß des Gegenstandes, sowohl des innern in Rücksicht des Verhältnisses der Theile zum Ganzen, als auch des äußern, in Rücksicht des Verhältnisses des Gegenstandes zu dem großen Ganzen, wovon er etwa Theil ist.

Die Tendenz betrifft das innere Wesen des Gegenstandes. Das Wort Tendenz ist absichtlich gewählt worden, statt des Wortes Wesen, weil in dem Worte Tendenz zugleich enthalten ist der Begriff einer strebenden Kraft, als worin das innere Wesen besteht.

Die Form eines Gegenstandes enthält auch alle Modificationen desselben, denn sie ist ja das Resultat seiner ganzen innern Kraft und seiner äußern Verhältnisse.

Bei diesem Resultate, daß vorzüglich diese drei Kategorien die Elemente und Bedingungen jeder reellen Definition enthalten, bleiben wir hier stehen; denn noch zu untersuchen, warum die zwei übrigen Kategorien jeder Classe nicht so allgemein anwendbar sind, sondern nur für ihre Classe gelten, würde uns zu weit von unserm Zwecke abführen. Auch kann hier nicht das ganze System aller abstracten Begriffe aus diesen Grundbegriffen abgeleitet werden, wir müssen uns nur auf einige Anmerkungen über das Verhältniß der wichtigsten abstracten Begriffe zu diesem Systeme der Kategorien einschränken.

Erste Anmerkung.

Die abstracten Begriffe, Ursache und Wirkung sind dieselben, wie Leiden und Thun, actio et passio, nur ruhend und substantiel gedacht, Leiden und Thun hingegen in Bewegung und Thätigkeit. Leiden und Thun aber ist ein abstracter Gegensatz, der abgeleitet ist aus den Kategorien Negativ und Positiv. Leiden und Thun ist das theoretische Negative und Positive praktisch, das Gute und Böse.

Zweite Anmerkung.

Es gibt noch einige Hauptgegenstände in dem menschlichen Denken, die jedoch keineswegs in das System der Kategorien selbst gehören; dergleichen sind **Raum** und **Zeit**, welches nicht Kategorien, sondern verschiedene Formen des Unendlichen sind. — Ferner **Theorie** und **Praxis**, ein höchst wichtiger Gegensatz, da sich alles Thun und Streben des Menschen in diese beiden Zweige theilen läßt. Sie gehören gleichfalls nicht in das System der Kategorien.

Einige andere abstracte Gegensätze und Begriffe, die wegen ihrer allgemeinen Anwendbarkeit eine Erwähnung verdienen, gehören nur zu den abgeleiteten. Die beiden Begriffe des **Innern** und **Aeußern** gehören mit unter die Kategorien von Form und Stoff, wiewohl man unter dem Innern nicht allemal den Stoff, sondern auch die innere strebende Kraft oder Tendenz versteht.

Es sind überhaupt unbestimmbar viele Combinationen und Modificationen dieser einfachen Grundsätze möglich, welche einzeln aufzuzählen nicht wohl thunlich wäre; so z. B. die Begriffe des Ganzen und des Theiles sind untergeordnet der Kategorie der Construction und enthalten blos die Erörterung derselben.

Wir haben drei Classen von Kategorien aufgestellt, eine mathematische, eine physische und eine ästhetische. — Nun ist noch eine vierte Classe übrig, welche zwar keine neuen Elemente für die vollständige und reelle Definition enthält, aber für die Philosophie höchst wichtig, ja man könnte wohl sagen, die wichtigste ist, so daß man sie auch wohl die philosophische Classe der Kategorien nennen dürfte.

Die Kategorien dieser Classe sind der Begriff des **Ichs**, der diesem entgegengesetzte Begriff der **Substanz**, oder des beharrlichen Dinges, und sodann der zwischen diesen beiden in der Mitte stehende Begriff des **Objects**.

Die philosophische Classe ist ihrer Wichtigkeit wegen gleichsam eine Classe für sich, ihr Zusammenhang aber mit den vorigen ist folgender:

Zuerst müssen wir die schon früher gemachte Bemerkung wiederholen, daß der allgemeinste und höchste aller abstracten Unterschiede und Gegensätze der zwischen dem O b j e c t e und S u b j e c t e, dem Ich und dem D i n g e sey. Auch findet sich in den aufgestellten drei Classen durchaus nicht der Begriff der S u b s t a n z, der doch als einer der höchsten abstracten Begriffe in der Logik überall vorausgesetzt wird. Es läßt sich aber doch der Zusammenhang dieses Begriffs mit den Kategorien der drei vorigen Classen leicht aufweisen. — Die Qualitäten, die Formen, die wir wahrnehmen an den Gegenständen außer uns, müssen doch irgendwo ein ruhendes Substrat haben, sonst würde uns alles verschwinden, alles sich in unsern Anschauungen verwirren.

Jene ruhende Unterlage nun, die wir den veränderlichen Erscheinungen zum Grunde legen, ohne jetzt noch unterscheiden zu wollen, ob auch wirklich etwas beharrliches zum Grunde liegt, oder ob wir dieses nur voraussetzen und hinzudenken, ist eben der Begriff des D i n g s, der S u b s t a n z, und dieses ist die ursprüngliche wahre Bedeutung des Begriffs.

Die Kategorien der ersten drei Classen betreffen also die reelle Definition des Objects oder der äußern Erscheinungen. Zu dem Begriffe des Objects gehören aber nothwendig noch zwei hinzu; 1) der Begriff der ruhenden, beharrlichen Unterlage der veränderlichen Erscheinungen; 2) der Begriff des Ichs, welches die Erscheinungen auffaßt, anschauet, denkt und begreift. Das O b j e c t wird so genannt in Rücksicht des anschauenden, begreifenden Ichs, welches in dieser Rücksicht S u b j e c t heißt. Bezieht man aber das Object auf den Begriff der Realität, so ist dasselbe nur ein Phänomen, eine Erscheinung: τὸ φαινόμενον. — Das Erscheinende ist entgegengesetzt dem Seyn: ὄν. — In Beziehung auf den Begriff der Substanz sind alle Beziehungen des Objects nur accidentia und praedicata. Alle Bestimmungen des Objects können wechseln, aber jener unsichtbare Grund, der die beharrliche Unterlage der wechselnden Erscheinungen ausmacht, bleibt stäts derselbe, und alle Bestimmungen des Objects werden auf diese beharrliche Substanz bezogen.

Daraus folgt nun aber gar nicht, daß diese Substanz et=
was reelles sey, sondern es folgt daraus nur, daß es ein
Gesetz des menschlichen Bewußtseyns gebe: gar keine
Erscheinungen, ohne die Voraussetzung einer solchen Substanz
oder beharrlichen Unterlage, eines solchen Dinges an sich wahr=
nehmen und denken zu können.

So viel bleibt denn doch immer klar, daß die Substanz
nur von uns selbst vorausgesetzt wird, indem wir sie nie wahr=
nehmen noch begreifen können. Was wir wahrnehmen, sind im=
mer nur Erscheinungen, Eigenschaften, Aeußerungen der Sub=
stanz, nicht aber sie selbst.

Sie bleibt also eine Hypothese, eine Fiction, wovon
wenigstens zweifelhaft ist, ob sie Realität und wissenschaft=
liche Gültigkeit habe; wahrgenommen kann sie einmal unmit=
telbar nicht werden; ob aber vielleicht auf einem andern We=
ge, durch den reinen Verstand oder die reine Vernunft, sich von
ihr Erkenntniß und Gewißheit erhalten lasse, soll sich in der
Folge zeigen.

Die drei philosophischen Kategorien beziehen sich auf die
Realität, oder das Verhältniß dieser Kategorien zur Reali=
tät: sie sind so wichtig, daß auf diesem Puncte die Grund=
verschiedenheit der entgegengesetztesten philosophischen Systeme
beruht.

Zwar kann darüber kein Streit statt finden, daß das Ob=
ject nur eine Erscheinung sey und keine vollkommene wahre
Realität, wie denn alle gründliche Philosophen darin überein=
stimmen, daß in den Erscheinungen wahres und falsches, Rea=
lität und leerer Schein gemischt seyen. —

Schwieriger aber ist das Verhältniß der Substanz und des
Ichs oder des Geistes zur Realität zu bestimmen. Ueber
diesen Punkt weichen die Meinungen der Meisten von einander
ab. Hier erheben sich die größten Widersprüche, offenbart sich
die entschiedenste Differenz, die es auf dem Gebiete der Philo=
sophie gibt.

Diejenige Philosophie, welche einzig und allein der Sub=
stanz alle Realität beilegt, wird eben deswegen Realismus

ausschließend benannt, weil sie nur die Substanz, als das
Eine wahre Reelle, das ens realissimum anerkennt, außer
diesem aber nichts bestehen läßt, daher denn dieses für Rel's
gion und Moralität so gefährliche System auch Pantheismus
heißt, weil nach seiner Lehre das ens realissimum Eins und
Alles, Natur und Gottheit zugleich ist, und nirgend ein
Unterschied statt findet. — Auch Spinozismus nennt man diese
Ansicht nach Spinoza, der sie vor allen andern am scharfsinnigsten durchgeführt und mit wahrhaft wissenschaftlicher Consequenz und Strenge begründet und vollendet hat. Sie hat in
der neuern Zeit viele und bedeutende Anhänger gefunden.

Diejenige Philosophie, welche den Begriff der Substanz,
des Dings, des beharrlichen, unveränderlichen Seyns durchaus
verwirft und nichts für Real anerkennt, als die lebendige,
ewig beharrliche geistige Kraft und Thätigkeit, die Ichheit,
wird Idealismus genannt, das einzige philosophische System,
das mit der Religion und Moralität in die vollkommenste Uebereinstimmung gebracht werden kann.

Ungeachtet der Streit zwischen diesen beiden Ansichten,
der wahrhaft moralischen und religiösen, und jener die Religion und Moral gleich sehr anfeindenden und zerstörenden, der
einzige Inhalt aller höhern philosophischen Untersuchung seyn
muß, so halten wir es doch unserm Zwecke gemäß, schon hier
auf den Kampf dieser zwei entgegengesetzten Prinzipien aufmerksam zu machen; die Unhaltbarkeit und Nichtigkeit des Begriffes der Substanz und mithin auch des auf ihn begründeten
Realismus wird in der Folge der Untersuchung genauer erörtert werden.

Schlußanmerkung.

Man hat in der alten Logik bei den Scholastikern und
selbst bei den Griechen, namentlich den Stoikern, oft und
mannichfaltig gestritten, welchen Begriff man im Grade der
Abstraction den höhern und höchsten nennen solle, ob entweder
der Begriff des Dings, oder des Etwas, ob ens oder
quid das summum genus sey. Ens ist die Substanz,
quid ist die Erscheinung. f) Beide Begriffe gehören also

zusammen und unter die nämliche Anordnung. Der Begriff
des Etwas ist in soweit der höchste unter den drei philosophischen Kategorien, als er der mittlere ist. Insofern
aber dieser Begriff derjenige ist, welcher die vollkommenste
Realität hat, nimmt er die erste höchste Stelle ein, keineswegs der Nichtbegriff des ens, der beharrlichen Substanz, des Dinges. g)

Von dem Verhältnisse des Unendlichen zum Endlichen.

Die gesammten Kategorien sind hergeleitet worden aus
dem aufgestellten Grundsatze des organischen Zusammenhangs
aller Dinge. Dieser Begriff des organischen Zusammenhangs
war selbst aber wieder abgeleitet worden aus den beiden Ideen
des Unendlichen: der Fülle und der Einheit, den Urquellen aller
menschlichen Begriffe.

Es sind aber die Kategorien der drei ersten Classen alle-
sammt nichts anders, als die Fächer für alle möglichen Bestimmungen des Objects oder der Erscheinung. Das Object
hingegen, die Erscheinung, das Ding im gemeinen Sprachgebrauche, ist aber ja doch beschränkt und endlich; wie kann man
sich denn nun denken, daß die aus dem Unendlichen abgeleiteten Kategorien darauf anwendbar sind?

Anmerk. Im strengen, philosophischen Sprachgebrauche wird die Substanz nur im Ding oder ens bestimmt.

Das Unendliche und das Endliche scheint durch eine ungeheure Kluft getrennt und geschieden, woher käme denn da
irgend ein Zusammenhang, eine Verbindung, ein Uebergang
von dem einen zum andern? Dieses ist die große Frage,
das schwierigste Problem nicht nur der Ontologie, sondern der
gesammten Philosophie. Die Streitigkeiten und Widersprüche

der bedeutendſten philoſophiſchen Syſteme drehen ſich hauptſächlich um dieſen Punkt herum, das Verhältniß des Endlichen
zum Unendlichen zu beſtimmen, ein vermittelndes Princip zwiſchen dieſen ſo ganz verſchiedenen und getrennten Welten aufzufinden.

So weit umfaſſend und verwickelt dieſe Streitfrage auch
immer ſeyn mag, ſo ſehr ſie der ſorgfältigſten Unterſuchung und
Prüfung bedarf, und daher erſt in dem ganzen Syſteme der
höhern Philoſophie vollkommen klar gemacht werden kann, ſo
ſoll ſie doch eben ihrer großen Wichtigkeit wegen ſchon in den
Anfangsgründen nicht mit Stillſchweigen übergangen, ſondern
vielmehr der Verſuch gemacht werden, eine befriedigende Auflöſung des Problems zu geben. Die mannigfaltigen Streit-
punkte aber, die aus ihm ſich entwickeln, die vielen merkwürdigen Unterſuchungen, die mit ihm in Verbindung ſtehen, dürfen in unſere jetzige Unterſuchung nicht hineingezogen werden,
ſondern bleiben dem eigenen weiter fortgeſetzten philoſophiſchen
Studium überlaſſen. Wir gehen nun zur Beantwortung der
Streitfrage ſelbſt über.

Zwiſchen einem unendlichen und endlichen Seyn
iſt gar keine Verbindung möglich, noch auch ein Uebergang
von dem einen zum andern, eine Verwandlung des einen in
das andere denkbar. Dieſe Unmöglichkeit einer Gemeinſchaft
zwiſchen dem endlichen und unendlichen Seyn hat grade die
uralte Streitigkeit in dem Gebiete der Philoſophie und die Widerſprüche ſo entgegengeſetzter Syſteme veranlaßt.

Verbinden und vereinigen läßt ſich beides nicht. — Der
Philoſophie alſo, die nur das Prinzip eines beharrlichen unveränderlichen Seyns anerkennt, bleibt nichts übrig, als ſich
für das eine oder das andere zu erklären, dann aber das ent-
gegengeſetzte ganz zu verwerfen.

Dadurch entſtehen zwei große Partheien in der philoſophiſchen Welt.

1. Die Empiriker, welche das endliche Seyn als das
zuverläßigſte und gewiſſeſte allein für real anerkennen, das unendliche Seyn hingegen gänzlich läugnen, oder doch als durch-

aus zweifelhaft an seinen Ort gestellt seyn lassen und behaupten, daß das unendliche Seyn, wenn es auch vorhanden wäre, von dem Menschen, der blos auf das endliche beschränkt sey, doch durchaus nicht erkannt werden könne; diesen stehen entgegen:

2. Die Intellectualphilosophen, welche nur in dem unendlichen Seyn die einzig wahre vollkommene Realität finden, alle endlichen und einzelnen Dinge hingegen für nichts anders ansehen, als für vorübergehenden, wechselnden, leeren Schein, der streng genommen durchaus nichtig sey; daher sie denn auch behaupten, daß die Sinnenerkenntniß und Erfahrung durchaus keine Wahrheit enthalte, diese sei einzig und allein in dem Inhalte aller Realität, dem unendlichen Seyn, zu suchen und könne nur von dem reinen Verstande aufgefaßt werden.

Auf dem Standpunkte des Seyns der Substanz kann dieser Streit gar nicht ausgeglichen und entschieden werden, beide Ansichten haben hier wegen der gänzlichen Unauflösbarkeit des Problems völlig gleiche Rechte. Auch ist die Gültigkeit von beiden gleich zweideutig und beschränkt, denn wenn der Empirismus für das praktische Leben brauchbarer scheint, als das entgegenstehende System, welches alle Erfahrung als höchst trügerisch, inhaltsleer und nichtig verwirft, so ist er selbst hingegen mit der Moral und Religion durchaus unverträglich und unvereinbar, indem er das Grundprinzip, worauf diese einzig und allein beruhen, die Idee des Unendlichen, leugnet und umstößt.

Von dieser Seite hat die intellectuelle Philosophie einen unbestreitbaren Vorzug, welche den Menschen aus der niedern Sphäre der Endlichkeit zu den höchsten unendlichen Wesen erheben will. Nur insofern sie auf jenen verkehrten Begriff der Substanz sich gründet, ist sie mit mancherlei Irrthümern verbunden, und führt bei consequenten Denkern nothwendig zum Pantheismus. Wir kommen aber jetzt auf die eigentlich entscheidende Frage, ob denn der Begriff der Substanz hier mit Recht gebraucht werde, oder ob dieser Begriff, der nun freilich allen Erscheinungen zum Grunde liege, nicht

blos eine subjective Eigenheit unserer besondern Geistesform
sey.

Daß wir ihn nicht von außen her empfangen, indem wir
die innere Substanz der Dinge nicht unmittelbar zu ergreifen
und aufzufassen vermögen, sondern immer nur einzelne Erscheinungen und Aeußerungen von ihr, ist schon früher bemerkt worden.

Auf welchem Wege sollen wir denn nun das schwierige
Problem des Verhältnisses des Unendlichen zum Endlichen zu
lösen im Stande seyn?

Man mache den Versuch und entferne aus dem Gegensatze
des Endlichen und Unendlichen den Begriff des ewigen, unveränderlichen, beharrlichen S e y n, und setze an dessen Stelle den
entgegengesetzten Begriff des ewigen Lebens und Werdens, so
fällt alle Schwierigkeit weg, und es zeigt sich, daß nicht nur
eine Verbindung zwischen dem Endlichen und Unendlichen möglich, sondern daß beide eigentlich eins und dasselbe und nur
dem Grade und dem Maaße nach verschieden seyen.

Ein werdendes Unendliche ist, insofern es noch nicht seine
höchste Vollendung erreicht hat, zugleich doch auch endlich, so
wie das werdende Endliche, insoweit in ihm eine ewig bewegliche, wechselnde, sich verändernde, verwandelnde Thätigkeit
wirksam und lebendig ist, troß seiner äußern Beschränkung doch
eine unendliche, innere Fülle und Mannigfaltigkeit enthält. —

Wir haben damit gar nichts wunderbares und unbegreifliches behauptet, sondern nur das Resultat der Erfahrung selbst,
das bei der Betrachtung der innern und äußern Eigenschaften
eines organischen Wesens sich aufdrängt, in einer höhern philosophischen Bedeutung aufgefaßt. Denn das wird doch leicht
ein Jeder eingestehen müssen, daß kein Naturforscher die große
innere Mannigfaltigkeit, auch der kleinsten Pflanzen, auch des
kleinsten Thierchens, vollkommen darzustellen vermöge. Wir gehen mit unsrer Annahme nun weiter und behaupten, daß alles
in dem unendlichen Weltall organisirt und belebt sey, überall
die eine unendliche Kraft und Thätigkeit sich offenbare, daß
auch das äußerlich beschränkte Wesen von demselben Prinzip
des Lebens durchdrungen werde, und nur in einem mindern

ober höhern Grade, mehr oder weniger verhüllt, eine unendliche Mannigfaltigkeit und Fülle in sich fasse.

Nur auf diesem Wege kann durch Entfernung des Begriffes der Substanz und die Annahme einer unendlichen Thätigkeit, eines immer höher steigenden, immer mannigfaltiger und reicher sich entwickelnden, ewigen Fortschreitens und Werdens der absolute Gegensatz zwischen Endlichem und Unendlichem gehoben und der Streit geschlichtet werden. Die wahre Philosophie kann nirgends eine beharrliche Substanz, ein ruhendes, unveränderliches, statuiren, sie findet die höchste Realität nur in einem ewigen Werden, einer ewig lebendig beweglichen Thätigkeit, die unter stets wechselnden Formen und Gestalten eine unendliche Fülle und Mannigfaltigkeit aus sich erzeugt.

Die wahre Bedeutung dieser Behauptung läßt sich noch auf eine andere Weise klar und deutlich machen.

Kant hat sich viele Mühe gegeben, das subjective in unsern Vorstellungen, nämlich dasjenige, was nicht von den Gegenständen selbst, sondern von der Eigenthümlichkeit unserer Geistesformen herrührt, aufzufinden und abzusondern. Als solche blos aus der ursprünglichen Einrichtung unseres Vorstellungsvermögens entspringende subjective Formen sah er nun den Raum und die Zeit, den Begriff der Einheit und den Begriff des Unendlichen an. Ein höchst seltsames und der Natur des Menschen widersprechendes System, welches im Falle, daß es wirklich und wahrhaft erwiesen und gegründet wäre, nicht nur die höhere Erkenntniß des Unendlichen, sondern auch alle Gewißheit und Erkenntniß überhaupt aufheben würde: wie denn auch in der That Kant's theoretische Philosophie ganz skeptisch ist, und er nur in der praktischen wieder zur Gewißheit und Ueberzeugung zurückführt.

Grade nun wie Kant Zeit und Raum, Einheit und Unendlichkeit als blos subjective, nur dem menschlichen Vorstellungsvermögen eigenthümliche Anschauungsformen und Begriffe mit Unrecht ansieht, so wird hier behauptet, der Begriff der Substanz oder des beharrlichen Dings sei das subjective, blos aus unserer individuellen Vorstellungs- und Denkform herrührende;

dieſer Begriff aber ſey ein nicht allein dem Menſchen eigen=
thümlicher, und aus der irdiſchen Beſchränkung natürlich ent=
ſpringender, ſondern allen an Körper geſeſſelten Geiſtern ein=
wohnender, unvermeidlicher Wahnbegriff. Unvermeidlich, noth=
wendig und allgemein iſt dieſer Begriff, wenn er wirklich ab=
hängt von unſrer beſondern Lage in der Welt, von der Verbin=
dung des geiſtigen Wahnes in uns mit einem Körper, daher
er denn auch in dem Syſtem unſeres Vorſtellungsvermögens ſo
tief eingewurzelt, ſo allgemein verbreitet und vorherrſchend iſt,
und unter den mannigfaltigſten Formen und Geſtalten immer
wieder zurückkehrt. Ein Wahnbegriff iſt er aber dennoch ohn=
geachtet ſeiner Allgemeinheit und Nothwendigkeit, die unter
ſolchen Umſtänden nichts entſcheiden können für ſeine Gültig=
keit. Er iſt demnach ein höchſt irriger und falſcher Begriff,
eben weil er nur aus der eigenthümlichen Unvollkommenheit und
Beſchränktheit unſerer irdiſchen Natur herrührt, und auf einer
Täuſchung beruht, und einzig auf dem niedern Standpunkte,
den wir in der Welt einnehmen, möglich iſt, und hier auch ei=
nem nothwendigen Bedürfniſſe entſpricht.

Wenn nun gleich der Begriff der (beharrlichen) Subſtanz für
die theoretiſche Anſicht und Erkenntniß gar keine Wahrheit und Rea=
lität enthält, ſo kann ihm eine vollkommene praktiſche Gültigkeit und
Brauchbarkeit für den Standpunkt des wirklichen Lebens nicht
abgeſprochen werden. Dieſe iſt ſchon dadurch hinlänglich be=
gründet, daß es ein ganz allgemeines und nothwendiges Vor=
urtheil iſt, welches aus der beſondern Form, die unſere geiſtige
Thätigkeit in ihrer Verbindung mit dem Körper erhält, ſich na=
türlich entwickelt; welches aber in der Philoſophie die gefähr=
lichſten Irrthümer veranlaſſen kann, weil es der objectiven Er=
kenntniß immer eine ſubjective Zuthat beimiſcht.

Der eigentliche Urſprung aber und die für uns ſubjectiv
geltende Nothwendigkeit des Begriffs der Subſtanz könnte nur
dadurch vollkommen deutlich und begreiflich gemacht werden, daß
man zeigte, wie der freie unendliche Geiſt, in irdiſche Be=
ſchränkung gefallen, durch körperliches, materielles Seyn überall
umfangen und gefeſſelt worden ſey, eine Unterſuchung, welche

allein der höhern Philosophie aufbewahrt bleibt, die das Entstehen aller Dinge aus ihrer ersten Urquelle aufzuzeigen hat. Wir begnügen uns blos mit dem aus den vorhergehenden Bemerkungen sattsam einleuchtenden Resultate, daß der Begriff der Substanz, des Dings, des beharrlichen, unveränderlichen Seyns theoretisch ganz verworfen werden muß, und nur für das praktische Leben vollkommene Gültigkeit behauptе.

Anmerk. Man könnte hier vielleicht mit Grund einwenden, wie denn dem theoretisch durchaus Falschen praktische Gültigkeit zugesprochen werden könne? Dieser Einwurf ist hier nicht befriedigend zu lösen, denn eine Entwicklung des ganzen Verhältnisses zwischen Theorie und Praxis, so wie die eigenthümliche Verschiedenheit dieser beiden Arten von Ansicht, kann nur in dem Gebiete der höhern Philosophie gefunden werden. Einige vorläufige Beantwortung dieser Frage mag indessen durch folgendes Gleichniß gegeben werden. Wir sagen im gemeinen Leben: die Sonne geht auf und unter, wir setzen voraus, die Sonne gehe um die Erde herum, und viele von den Geschäften, die sich nach dem Laufe der Sonne richten, wie z. B. der Ackerbau, leiden gar nicht unter dieser falschen Voraussetzung, wie denn überhaupt zur Erreichung praktischer Ansichten und Zwecke ein allgemeiner oder allgemein geltender Anschein oft eben so gut hinreicht, als die Wahrheit selbst. —

Noch eine allgemeine Anmerkung finden wir hier am Schlusse dieser Untersuchung nicht an unrechter Stelle. Der Begriff der Substanz, des beharrlichen Dings hängt genau zusammen mit dem logischen und metaphysischen Grundsatze des Widerspruchs. Der Grundsatz des Widerspruchs ist nur der negative Ausdruck von dem Satze der Identität oder Einerleiheit, d. h. des beharrlichen Daseyns; dieses ist ja aber gerade der Begriff der Substanz, wie wir ihn aufgestellt haben; daher gilt denn auch, wie wir dies schon früher auf eine andere Weise gezeigt haben, von dem Satze des Widerspruchs dasselbe, was von dem Begriffe der Substanz ist behauptet worden, nämlich eine vollkommene theoretische Unbrauchbarkeit und eine blos praktische Gültigkeit. Diese erstreckt sich dann über das ganze Gebiet des praktischen Lebens und Wissens, zu dem in dem weitesten Umfange auch die Mathematik gehört.

In dem letzten Kapitel dieses zweiten Hauptstücks wollen wir uns nun mit der Anwendung der aufgestellten Lehre von dem Verhältnisse des Endlichen zu dem Unendlichen beschäftigen.

Von den genetischen Gesetzen.

Genetisch werden diese Gesetze darum genannt, weil es ja überhaupt nichts als ein unendliches Werden gibt, nirgend ein todtes, beharrliches Daseyn, sondern überall eine freie, lebendig wirkende Kraft und Thätigkeit angenommen werden muß. Aus der Betrachtung über das Verhältniß des Endlichen und Unendlichen war ja dieses Resultat hervorgegangen, daß es überhaupt gar nichts schlechthin Unthätiges und Beharrliches gebe und geben könne, sondern daß alles thätig, lebendig und in Bewegung und stetem Werden sey und wirke.

Die genetischen Gesetze enthalten die Resultate der aufgestellten Grundbegriffe und Grundsätze für die Ontologie oder die Lehre von dem Daseyn überhaupt, weswegen auch dieses Hauptstück der Ontologie mit dieser Lehre beschlossen wird. Allein an die Stelle des Daseyns im strengern Verstande, d. h. an die Stelle des beharrlichen, ruhenden, unveränderlichen Seyns tritt hier der Begriff der Freiheit und der Thätigkeit und des ewigen Werdens. Daher heißen auch die Grundsätze, wovon hier die Rede ist, nicht ontologische, sondern genetische. Die Behauptung, daß alle allgemeinen Gesetze des Daseyns keine ontologische, sondern genetische seyen, steht in Verbindung mit der früher vorgetra-

genen Behauptung, daß alle Erkenntniß der Form nach genetisch seyn müsse, und daher auch nur durch die eigentlich genetischen Definitionen eine wirklich und wahrhaft philosophische
Erklärung und Einsicht gewonnen werden könne. Genetische Definitionen sind nämlich solche, die nicht blos sagen, was ein
Ding sey, sondern die auch sein erstes Entstehen, seine allmälige Entwicklung erklären, und also das Werden des Gegenstandes und seine Thätigkeit in allen ihren Formen und Gestalten darstellen.

Es versteht sich übrigens, daß hier nur die allerallgemeinsten
Gesetze des Daseyns aufgestellt werden, weil nur diese in die
Ontologie gehören, nicht aber die physikalischen Naturgesetze,
die viel zu speciell sind. Man kann es übrigens als ein Kennzeichen der wahren ontologischen oder allgemeinen Daseynsgesetze ansehen, daß dieselben eben sowohl auf den Geist und das
Bewußtseyn anwendbar seyn müssen, wie auf die materielle körperliche Natur. Ein Gesetz, welches blos physikalisch wäre,
würde ungeachtet der größten Allgemeinheit in seiner Sphäre
eben so wenig ein ontologisches genannt zu werden verdienen,
als ein andres Gesetz, das etwa blos psychologisch für den
Geist und das Bewußtseyn geltend wäre, nicht aber für Körper und Materie auf jenen Namen Anspruch machen könnte.

Auf diese allgemeinen ontologischen Daseynsgesetze werden
wir also unsere Untersuchung einschränken und selbst unter ihnen
nur die wichtigsten auswählen, um nicht durch eine allzuweit
geführte Entwicklung die Aufmerksamkeit zu sehr von dem
Hauptpunkte zu entfernen, und uns am Ende ganz in einzelne
zu verlieren. — Von allem ist hier wohl zu bemerken, daß unserer Ansicht gemäß die totale Verschiedenheit zwischen Endlichem und Unendlichem, die für den gemeinen Verstand statt
findet, ganz wegfällt, daß beide nicht wesentlich, sondern
blos dem Grade nach verschieden sind. Das Endliche und
Unendliche verhalten sich zu einander, wie der Theil und
das Ganze, aber nicht etwa, wie der Theil und das Ganze in einem blos äußerlich verbundenen, mechanisch zusammengesetzten Dinge, sondern wie in einem lebendigen organi-

schen Wesen, wo jeder Theil wieder ein kleines Ganze für sich ist.

Die Gesetze des Werdens überhaupt gehen hervor aus der Unmöglichkeit einer absoluten Ruhe und Beharrlichkeit, und der Nothwendigkeit einer ewigen Bewegung und Thätigkeit. Das erste allgemeine Daseynsgesetz nun betrifft das G a n z e, auch dasjenige Wesen, was in und für sich selber besteht und vollendet ist. Ist dieses Wesen nun eine lebendige Thätigkeit und Kraft, die nicht ruhig und unthätig in sich verharren kann, sondern ihrer Natur gemäß sich stets bewegen und verändern muß, so wird gemäß dem allgemeinen Gesetze des Werdens eine solche Thätigkeit und Kraft von ihrem ersten Keime und Anfange an sich entwickeln, ausdehnen, verändern, wechseln und steigen, so lange dies nur immer geschehen kann. Ist aber endlich die Möglichkeit des Wachsens und Steigens erschöpft, hat die Kraft der Entwicklung und Ausdehnung einen äußersten Grad erreicht, über den sie nicht hinaus zu gehen vermag, so bleibt alsdann nichts mehr übrig, als daß ein solches Wesen, insofern es in sich geschlossen und vollendet ist, und nicht in ein anderes übergehen kann, in seinen eigenen Anfang und Ursprung zurückkehre. Nun muß man aber nicht glauben, daß der Zustand nach dieser Rückkehr gleich sey dem des ersten Anfangs und Ursprungs, weil ja doch unmöglich anzunehmen ist, daß die Thätigkeit und Kraft während der ganzen Entwicklung nicht beträchtlich verändert und modificirt worden sey, vielmehr aus offenbar einleuchtenden und nothwendigen Gründen zugegeben werden muß, daß sie durch die verschiedenen Formen der Entwicklung und Bildung, die sie durchlief, äußerst vermehrt und bereichert zurückkehre, und das organische Wesen, wenn es nun noch einmal von dem nämlichen Punkte ausgeht, bei diesem zweiten Anfange in einem weit gebildetern, reichern, mannigfaltigern Zustande unter einer von der ersten ursprünglichen gar sehr verschiedenen Form und Gestalt erscheinen müsse.

Dieses ontologische Gesetz des Werdens, welches sich bezieht auf die Thätigkeit und Entwicklung der Wesen, insofern diese ein für sich bestehendes Ganze ausmachen, kann d a s

Gesetz des ewigen Kreislaufes genannt werden. Es gilt für den himmlischen Körper eben so gut, wie für den kleinsten organisirten Atom; für die einzelnen Gedanken der einzelnen Geister, wie für die Entwicklung ganzer Nationen, Geschlechter und Zeitalter.

Nur bemerke man hier wohl, daß das Gesetz des ewigen Kreislaufes durchaus nicht so zu fassen ist, als wenn die Wesen am Ende ihrer Entwicklung nur gerade wieder auf den nämlichen Punkt zurückkommen, von dem sie ausgingen, welches dann ein ewiges Stillstehen aller Bildung zur Folge hätte, indem diese nun über einen gewissen Grad der Bildung nicht heraufsteigen kann, und nur immer wieder in den ersten ursprünglichen Zustand wieder zurückfalle. Es ist im Gegentheile bemerkt worden, daß in der vorhergegangenen Entwicklung die Kraft und Thätigkeit beträchtlich gewachsen und gestiegen sey, sich auf die mannigfaltigste Weise verändert und modificirt, vermehrt und bereichert habe, mit neuen Kräften und Thätigkeiten ausgerüstet jetzt also unter andern Formen und Gestalten ihren Kreislauf zum zweitenmale beginnen, in diesem dann aber auch einen weit höhern Grad von Bildung und Erreichung nothwendig erreichen müsse. — Somit wäre dann mit diesem Kreislaufe eine ewig fortschreitende, immer höher steigende Bildung und Vollendung natürlich verbunden.

Das zweite allgemeine Daseynsgesetz bezieht sich auf diejenigen Wesen, welche selbst kein für sich bestehendes Ganzes, sondern nur Theile eines Ganzen sind. Die Theilung und Trennung der Wesen setzt immer einen Gegensatz voraus, dem Theilwesen steht immer ein anderes entgegengesetztes gegenüber. Hier bringt nun die Unmöglichkeit einer absoluten Ruhe und die Nothwendigkeit der Bewegung ein andres ontologisches Gesetz, als das zuerst angegebene, hervor. —

Auch die den Theilwesen inwohnende Thätigkeit wird nicht ruhig in sich verharren, sondern sich zu äußern und zu entwickeln streben, sie wird sich bewegen, verändern, wachsen und steigen, so weit es die innere Kraft und die äußere Beschränkung nur immer gestatten. Hat sie nun innerhalb der ge-

gebenen Schranken ihr äußerstes erreicht, kann aber bei dieser
nicht stille stehen, sondern wird durch das ihr inwohnende Princip zu ewiger Bewegung fortgerissen, so wird hier jenes Gesetz der Rückkehr in den Anfang nicht eintreffen, weil es nur
für jene Wesen gilt, die ein für sich bestehendes, in sich vollendetes Ganze sind. Die Theilwesen aber, insofern ihnen als
Stücken und Theilen eines größern Ganzen kein für sich selbst
bestehendes, in sich beschlossenes, vollständiges Daseyn zugeschrieben werden kann, haben sie auch keinen Anfang und Ursprung für sich allein, sondern der erste Grund und Keim ihres
Entstehens muß gleichfalls in jenem Ganzen gesucht werden, in
dem sie als Theile und Glieder enthalten sind. —

Was wird denn nun hier die Thätigkeit beginnen, die in
ihrer Entwicklung den äußersten Grad erreicht hat, und nun
weder ruhig beharren, noch in sich selbst und ihren Anfang zurückkehren kann?

Hat die Thätigkeit eines Theilwesens ihre äußerste Gränze
erreicht, und findet sie innerhalb ihrer eigenen Schranken keinen Spielraum mehr für ihre weitere Entwicklung, so bleibt
ihr nichts anders übrig, als in das Gegentheil überzuspringen. Daher sehen wir auch oftmals bei einer einseitigen Richtung eine Kraft oder Thätigkeit ein äußerstes erreichen, und dann plötzlich auf die entgegengesetzte Seite, wie
vom Leben zum Tode (oder umgekehrt) übergehen, und nun der
entgegengesetzten Richtung folgen.

Dieses zweite Gesetz wirkt eben so allgemein wie das erste, nur daß durch dieses mehr die stille, allmälige, harmonisch
fortschreitende Entwicklung und Bildung der Natur und des
Geistes begründet wird; in dem zweiten hingegen die Quelle jener großen Revolutionen zu suchen ist, die mit überraschender,
allerschütternder Gewalt dem Entwicklungsgange der physischen
und moralischen Welt einen plötzlichen Umschwung geben, die
ursprüngliche Gestalt der Dinge von Grund aus umkehren und
verwandeln, und ganz neue Formen und Zeiten herbeiführen. —
Begebenheiten dieser Art zeigt uns die tägliche Erfahrung sowohl
als die Geschichte im kleinen wie im großen; im Reiche der

Natur sowohl wie im Reiche der Wissenschaft und Kunst, in politischen und religiösen Verfassungen, im menschlichen Körper, wie im geistigen Bewußtseyn. Kurz dieses Daseynsgesetz gilt für die innere und äußere Welt, überall wo einzelne Thätigkeiten oder einseitige Richtungen sich offenbaren. —

Im menschlichen Körper sind Krankheiten und ihre schnellen Uebergänge und Veränderungen hieher zu rechnen.

Die allgemeinen Daseynsgesetze, so wie überhaupt alle Grundbegriffe und Grundsätze des Denkens sind hergeleitet worden aus den beiden Ideen der unendlichen Einheit und der unendlichen Fülle, als Urquellen aller Wesen, Erscheinungen und Begriffe, als höchster allgemeiner Normen, so wie des letzten Endzieles alles Strebens, Denkens und Thuns.

Auf diese nun beziehen sich besonders noch zwei genetische Gesetze, die gleichfalls allgemeinste Gültigkeit für die Körper sowohl als für die Geisterwelt haben — das Gesetz nämlich der Anziehung des Gleichartigen, und das Gesetz der Verknüpfung des Ungleichartigen. Den Ursprung dieser Gesetze aus jenen beiden Ideen wollen wir näher erörtern.

Man denke sich, daß ein in der Ausdehnung unendliches, mit sich selbst durchaus einiges gleichartiges Wesen, welches durch innern Zwiespalt oder äußere Störung aber in sich selbst entzweit, getrennt und getheilt worden sey, so werden die abgesonderten Theile dieses zerspaltenen Ganzen, vermöge des nothwendigen Zurückstrebens aller Dinge zu der ursprünglichen Einheit, sich wieder zu verbinden, zu vereinigen, den Zwiespalt und die Trennung aufzuheben suchen; aus diesem Streben nun entwickelt sich das Grundgesetz der Anziehung des Gleichartigen. — Es ist dieses, obgleich ein allgemeines, dennoch ein abgeleitetes Daseynsgesetz, weil darin vorausgesetzt wird eine vorhergegangene Trennung und Störung des gleichartigen Wesens. Wäre dieses immer in sich einig und verbunden geblieben, so würde keine Anziehung und Wiedervereinigung nöthig seyn.

Auch ist es schon ein mehr zusammengesetztes Gesetz, indem die Anziehung des Gleichartigen mit der Abstoßung des

Ungleichartigen nothwendig verbunden, oder ein und dasselbe ist, nur in positiver oder negativer Hinsicht betrachtet.

Man glaube aber ja nicht, daß hier blos von der physischen Attractions= und Repulsionskraft die Rede sey; freilich ist auch diese unter jenen genetischen Gesetzen mit einbegriffen und daraus hergeleitet, aber das Gesetz selbst ist viel allgemeiner, psychologisch eben so gültig wie physikalisch.

Das vierte genetische Gesetz endlich bezieht sich auf die unendliche Fülle und Mannigfaltigkeit, als die zweite Quelle aller Dinge, Erscheinungen und Begriffe.

So wie den getheilten und getrennten Wesen des großen Weltganzen nothwendig zukommt das Streben, in ihre ursprüngliche Einheit wieder zurückzukehren, so muß auf gleiche Weise ihnen beigelegt werden ein Streben, sich zur höchsten Mannigfaltigkeit und Fülle zu entwickeln.

Aus diesem Streben geht hervor das Gesetz der Verknüpfung des Ungleichartigen.

Wie das dritte Gesetz in der physikalischen Welt vorzüglich die Elemente und die elementarische Thätigkeit betrifft, so geht das Gesetz der Verknüpfung des Ungleichartigen auf die organische Bildung in der Körperwelt. Ein Wesen ist um so mannigfaltiger, je umfassender es ist, je mehr verschiedene ungleichartige Theile es in sich aufnehmen und vereinigen kann.

Das Streben nach Fülle und Mannigfaltigkeit ist also identisch mit dem Streben, jede mit dem Grundcharakter eines Wesens nur immer vereinbare, höchst mögliche Summe von Verschiedenheit sich anzueignen. Freilich darf diese Ungleichartigkeit, die ein Wesen in sich aufzunehmen strebt, nicht absolut seyn, weil in diesem Falle ja keine Vereinigung möglich wäre, sondern es muß eine Ungleichartigkeit in der Gleichartigkeit selbst seyn, ungleiche Species in demselben Genus; so wie in der Natur die Geschlechter sich entgegengesetzt sind, und sich doch zu verbinden suchen, aber nur in derselben Gattung. Dieses Ungleichartige im Gleichartigen könnte man das Verwandte nennen und sonach müßte das Gesetz heißen: das Gesetz der Verknüpfung des Verwandten oder Ungleichartigen.

Ferner heißt es in diesem Gesetze nicht Anziehung, sondern Verknüpfung. Denn wenn es in dem Weltall nichts als Anziehung gäbe, so würde ja alles in Eins sich auflösen und zusammenfließen und alle Mannigfaltigkeit wegfallen.

So wie also die Ungleichartigkeit, von der in diesem Gesetze die Rede ist, nicht blos eine einfache, schlechthin ungleiche Ungleichartigkeit seyn soll, sondern eine ungleichartige im Gleichartigen, so soll auch die Vereinigung zwischen diesen verwandten Wesen nicht eine einfache, unbedingte Verbindung und Verschmelzung, sondern eine bedingte seyn; d. h. eine bloße Verknüpfung, wo die beiden sich verbundenen Wesen nicht absolut in Eins zusammenfließen, sondern auch in der engsten Verbindung noch abgesondert existiren.

Auf dieser Verknüpfung des ungleichartigen Verwandten ruht in der Körperwelt: Leben — Erhaltung — Fortpflanzung — Wachsthum — und Bildung aller organischen Wesen.

Allgemeine Schlußanmerkung zum ersten und zweiten Hauptstücke.

Man unterscheidet gewöhnlich die Vorstellungen in Anschauungen, Begriffe und Ideen. Davon ist zwar schon im ersten Hauptstücke gehandelt worden, allein erst jetzt nach der aufgestellten Lehre von den Kategorien läßt sich ein vollständiges Resultat über diese ganze Eintheilung festsetzen.—

Das Verhältniß der Anschauung zu den Begriffen ist dadurch erklärt worden, daß man zu beweisen suchte, wie alle Vorstellungen zu Begriffen erhoben und ausgebildet werden können, daß also Anschauungen von Begriffen nicht wesentlich verschieden, sondern nur unreife, unentwickelte, ungebildete Begriffe sind.

Das Verhältniß aber der Begriffe und Ideen kann erst jetzt fortgesetzt werden. Es findet hier fast eben dasselbe statt, wie in dem Verhältniß der Anschauungen zu den Begriffen. Alle Begriffe müssen abgeleitet seyn aus den Ideen, und auch auf diese sich wieder zurückführen lassen; so wie also alle Anschauungen zu Begriffen gebildet werden sollen, so sollen auch

alle Begriffe aus den Ideen hergeleitet und zu diesen zurückgeführt und erhoben werden.

Es ist schon gezeigt worden, wie selbst die abstracten Begriffe aus den Ideen herkommen. Nun kann man freilich diese
abstracten Begriffe denken, ohne eben diese Herleitung aus den
Ideen mitzudenken, und so sind dann freilich im menschlichen
Denken Begriffe möglich, die nicht Ideen sind. Allein denkt
man sich die Begriffe in vollständigem Zusammenhange, so zeigt
sich ihre Herleitung aus den Ideen und sie selbst erscheinen nur
als abgeleitete Ideen. Nach dieser gründlich umfassenden vollständigen Ansicht werden also die Begriffe in Ideen verwandelt,
oder sollen doch darin umgeschaffen werden. —

Sind nun auf diese Weise alle Begriffe des Menschen in
Ideen umgebildet, so ist die Menge der Ideen unbestimmbar.
Dieses streitet aber keineswegs mit der frühern Annahme, daß
es nur zwei Ideen gebe; denn diese beiden bleiben denn doch
die Urquellen aller Begriffe, alle werden aus ihnen hergeleitet
und eben durch diese Herleitung und Beziehung erst zu Ideen
erhoben. —

Drittes Hauptstück.

Syllogistik.

Nachdem im ersten und zweiten Hauptstücke das Wesen der
Begriffe und Vorstellungen überhaupt erörtert und auch diejenigen allgemeinen Grundbegriffe und Grundgesetze aufgestellt
worden sind, wodurch es allein gelingen kann, die gesammte
Masse menschlicher Vorstellungen und Begriffe in einem System
zusammenzufassen und anzuordnen, so beschäftigen wir uns im
gegenwärtigen Hauptstücke mit der Verbindung und Verknüpfung

der Begriffe selbst und den Regeln dieser Verbindung und Verknüpfung.

Es handelt dieses Hauptstück also von den Urtheilen,
vorzüglich aber von den mittelbaren und unmittelbaren Schlüssen jeder Art als den verschiedenen Verknüpfungsweisen der
Begriffe.

In dem vollständigen Schlusse ist die Gedankenfolge regelmäßig und absichtlich bestimmt durch den Verstand des Menschen, sie ist ein Werk der freien Aufmerksamkeit und Ueberlegung.

Allein außer dieser künstlich geordneten, regelmäßig verknüpften Gedankenfolge gibt es noch eine natürliche, welche
statt findet, wenn wir nicht selbst mit Absicht und Wahl den
Gang unserer Vorstellungen beherrschen und bestimmen, sondern
uns vielmehr unthätig dem natürlichen Flusse der Gedanken
überlassen und dieser sich ohne unser Zuthun ergießt.

Jene natürliche Gedankenfolge vertritt bei den meisten
Menschen, und in vielen Fällen bei allen, die Stelle der künstlichen Begriffsverbindungen. — Die meisten Menschen werden
von diesem Gedankenstrome unwillkürlich fortgezogen, ohne
zu jenem Punkte von Besonnenheit sich zu sammeln, sich zu jenem Grade von freiwirkender Kraft und Selbstbeherrschung
zu erheben, der erfordert wird, um seine Vorstellung mit Willkür und Absicht, nach einem regelmäßig bestimmten Plane, künstlich zu ordnen.

Selbst bei jenen, die diese Stärke und Gewandtheit der
Denkkraft besitzen, findet dennoch in sehr vielen Fällen blos
die natürliche Gedankenfolge statt.

1. Wo die Aufmerksamkeit überhaupt weniger gespannt
und in Thätigkeit ist, weil es denn doch unmöglich statt finden
kann, daß sie immer in der nämlichen Anstrengung verharre,
und auch jene ruhige Klarheit und einige Kraft der Selbstbetrachtung, die zur willkürlichen Anordnung des Denkens erfordert wird, auf die mannigfaltigste Weise gestört, getrübt
und nach tausend Richtungen hin verstreut wird.

2. In denjenigen Fällen, wo Krankheiten, Leidenschaften,

ober andere außerordentliche Zufälle der Denkkraft ihre Herrschaft rauben, und dann wieder die natürliche Gedankenfolge
an die Stelle der mit Wahl und Absicht geordneten Begriffsverbindung tritt.

Der Syllogismus, oder die mit Wahl und Absicht künstlich und regelmäßig geordnete Gedankenfolge ist also dem Menschen nicht natürlich, sie entwickelt sich nicht ohne unser Zuthun
aus der Natur unserer Denkkraft, sondern ist eine Kunst, die
durch Uebung erworben wird, eine Vollkommenheit, zu der man
sich bilden muß.

Da also die natürliche Gedankenfolge die allgemeine und
die früher vorangehende ist, so muß der Lehre von der künstlichen Begriffsverbindung vorhergehen eine kurze Erörterung
der blos natürlichen Gedankenfolge, die bei allen den Anfang
macht und die herrschende ist, so lange der Mensch noch nicht
zu dem Grade der Stärke und Geistesübung sich erhoben hat,
der erfordert wird, um den Gang und die Thätigkeit unsrer
Kräfte zu bestimmen, zu ordnen und uns nicht von ihnen beherrschen zu lassen.

Von der natürlichen Gedankenfolge.

Diese Lehre ward sonst wohl in der Psychologie unter dem
Namen Ideenassociation abgehandelt.

Es ist schon hinlänglich erinnert worden, daß die ontologischen und genetischen Gesetze nicht nur auf die Natur, sondern
auch auf die innere, geistige Welt oder auf das Bewußtseyn,
die Vorstellungskraft anwendbar sind.

Diesen Gesetzen muß das Vorstellungsvermögen und das
Bewußtseyn auch alsbann folgen, wenn wir es, gleichsam
als müßige Zuschauer, ohne absichtliche, willkürliche Unter-

brechung seinem natürlichen Laufe überlaffen. Hier wird schon die allgemeinste Erfahrung uns zeigen, wie in diefem blos natürlichen Gange der Vorstellungen eine gewiffe Regel und Gefetzmäßigkeit ohne unfer Zuthun sich einfindet; das haben alle, die sich die Mühe gaben sich selbst zu beobachten, leicht wahrgenommen und nie leugnen können.

Die eigentliche Beschaffenheit aber und den innern wefentlichen Grund diefer Gefetzmäßigkeit, die auch in der natürlichen Gedankenfolge sich so deutlich offenbaret, mit Gewißheit anzugeben und zu erklären, dazu wird eine höhere philofophifche Anficht erfordert.

Das erste, was wir wahrnehmen, ist, daß die Vorstellungen und Gedanken sich in unferm Gedächtniffe verknüpfen durch das Zufammenfeyn in Zeit und Raum und durch die äußere Gleichheit und Aehnlichkeit. Durch diefe natürliche Verknüpfung wird das Gedächtniß begründet, und sie ist eigentlich das was man Ideenaffociation nennt. Man glaube aber ja nicht, daß die Folge unferer Gedanken durch die angegebenen Gefetze der Gleichzeitigkeit, des Zufammenfeyns im Raume und die äußere Aehnlichkeit unabänderlich bestimmt werde. In diefem Falle würde der Mensch nur eine Denkmafchine feyn, wo die Vorstellungen, unabhängig von aller Selbstbestimmung, nach nothwendigen Gefetzen sich entwickelten und folgten.

Diefe allgemeinen Gefetze, welche die menschliche Denkkraft bei der natürlichen Verbindung der Vorstellungen befolgt, find gar nicht so einfach, wie man wohl glauben möchte. Es find ihrer mehrere und von fehr zufammengefetzter Art. Dabei bleibt auch noch der Freiheit und willkürlichen Selbstbestimmung des Menfchen ein großer Spielraum offen. Diefes alles wollen wir nun so gründlich als möglich zu entwickeln fuchen.

Die nun erwähnten Gefetze der äußern Aehnlichkeit, der Gleichzeitigkeit und des Zufammenhanges im Raume gründen sich fämmtlich auf die befondere Beschaffenheit der menschlichen Sinnlichkeit und Vernunft. — Sinnlichkeit heißt die an körperliches Dafeyn und an die Vorstellung der Substanz gefeffelte Denkkraft. — Vernunft heißt der Verstand, insofern er leidet und der Sinnlichkeit unterworfen ist, und den Begriff der Substanz annimmt.

Alle jene drei Gesetze der Ideenassociation beruhen auf dem Begriffe der Substanz, der aus der beharrlichen Trägheit und Beschränktheit der menschlichen Denkkraft sich natürlich entwickelt.

Die geistige Kraft und Thätigkeit in ihrem freien Wirken und Handeln, durch die körperliche Starrheit überall beschränkt und gebunden, in ihrer Entwicklung durch Hindernisse mancherlei Art gehemmt und gestört, ist selbst beharrlich und träge geworden; daher entspringt jenes allgemeine Grundgesetz des Denkens und Vorstellens, daß wir allen beweglichen Erscheinungen eine ruhende, unbewegliche Unterlage zum Grunde legen, dies ist der Begriff der Substanz; der aber ein Product unserer eigenthümlichen Vorstellungsart, unser eigenes Gedicht und Hirngespinnst ist, keineswegs aber in den Dingen selbst von uns wahrgenommen und erkannt wird.

Je mehr nun die sinnlichen Erscheinungen nicht etwa durch eine innere wesentliche Gleichheit, sondern blos durch eine äußere oft sehr zufällige Aehnlichkeit verbunden und eins zu seyn scheinen, jemehr schreiben wir alle diese Erscheinungen einer und derselben Substanz zu, gründen sie auf eine und dieselbe gleich erdichtete Unterlage.

Die innere wesentliche Gleichheit wird allein durch den Verstand erkannt, die Sinnlichkeit begnügt sich mit der Auffassung äußerer zufälliger Aehnlichkeiten. Ob wir nun eine Mehrheit von beweglichen Erscheinungen einer einzigen Substanz zuschreiben, oder unter mehrere vertheilen, ändert im Ganzen gar nichts; im Grunde ist es doch immer nur ein und derselbe Begriff der Substanz, welchen wir zu allen Erscheinungen ohne Ausnahme hinzudenken; es ist überall jene leere, von uns erdichtete Unterlage, die wir als beharrlichen Träger der Erscheinungen annehmen, so daß in dieser Hinsicht diejenigen allerdings Recht haben, welche behaupten, es gebe nur Eine Substanz. Mit Grund leugnen sie die Mehrheit der Substanzen, allein sie selbst sind in einem ähnlichen Irrthum befangen, wenn sie nicht den Begriff der Substanz überhaupt als einen zwar höchst allgemeinen subjectiven vermeidlichen, aber dabei inhaltsleeren und nichtigen, einzig aus der Beschränkung unseres Vorstellungsvermögens entspringenden Wahnbegriff verwerfen.

Diese Beschränktheit und Trägheit des Menschen begränzt überall die Fülle und Mannigfaltigkeit der Erscheinungen durch jenen gehaltlosen Begriff, der blos dazu dient, dem ermüdeten Anschauungsvermögen Ruhe zu verschaffen, und der, ehe noch die wahre Einheit und Ordnung der Erscheinungen durch den erkennenden Verstand vollendet worden, eine blos äußere und zufällige Ordnung und Einheit an die Stelle der innern, wahren und wesentlichen setzt.

Wenn nun alle die Vorstellungen und Erscheinungen, die wir in derselben Zeit und an demselben Orte wahrnehmen, sich in unserm Gedächtnisse verknüpfen, so rührt das daher, weil wir diesen abgesonderten Theil der Zeit und des Raums als Substanz denken, den uns angebornen Wahnbegriff, die uns eigenthümliche beschränkte Vorstellungsart in jenen Theil der Zeit und des Raums hineintragen; dadurch werden nun alle Vorstellungen und Erscheinungen derselben Zeit und desselben Raumes gleichsam zu Eigenschaften einer und derselben Substanz, und somit verknüpft; dasselbe gilt auch von der äußern Aehnlichkeit.

Diese Gesetze der Ideenassociation betreffen nur zwei Vermögen der menschlichen Vorstellungskraft, und zwar jene, die zu den untergeordneten, niedern gehören, die Sinnlichkeit nämlich und die Vernunft; sollte es aber nun nicht noch besondere Gesetze der natürlichen Gedankenfolge auch für andere Vermögen des menschlichen Bewußtseyns geben? Dieses läßt sich um so weniger bezweifeln, als es überhaupt gewiß ist, daß die ontologischen und genetischen Gesetze auch für das Bewußtseyn gelten müssen, wenn gleich ihre Gültigkeit für das Bewußtseyn, d. h. die Anwendung der allgemeinsten Gesetze auf ein besonderes Gebiet noch einer nähern Bestimmung und Untersuchung bedarf.

Man wird zuvörderst eingestehen-müssen, daß die Einbildungskraft in ihrem freien, kühnen Gange gar nicht allein jenen Vorstellungsgesetzen der Sinnlichkeit und der Vernunft folge, nämlich den Gesetzen der Gleichzeitigkeit, des Zusammenseyns im Raume und der äußern Aehnlichkeit, sondern daß sie in ihrem hochstrebenden, fessellosen Fluge sich weit über die engen Schranken der Zeit und der gemeinen Wirklichkeit in Ideale und in die Unendlichkeit erheben kann.

Aber demungeachtet wird man doch nicht behaupten dürfen, daß die Einbildungskraft durchaus an keine Gesetze gebunden und absolut regellos sey. Denn selbst in dieser anscheinenden Regellosigkeit offenbart sich soviel gleichförmiges, daß man gezwungen ist, auch hier eine innere Gesetzmäßigkeit anzunehmen.

Dasjenige unter den ontologischen und genetischen Gesetzen, welches mit diesem scheinbar regellosen und doch regelmäßigen Gange der Einbildungskraft vollkommen übereinstimmt, ist vorzüglich das des Ueberspringens in das Gegentheil.

Die Einbildungskraft ist gerade dasjenige Vermögen der menschlichen Seele, welches jede einseitige Theilvorstellung und Ansicht bis auf die äußerste und schärfste Höhe treibt, und wenn dies nicht weiter verfolgt werden kann, dann gerade in das Gegentheil überspringt. — Wenn man daher von dem Springen der Einbildungskraft redet, so ist dies ganz eigentlich und nicht blos als Bild zu verstehen.

Das Gesetz der Anziehung des Gleichartigen ist für das Gefühlvermögen hauptsächlich geltend, eine Behauptung, die beinahe keiner Erklärung bedarf, sondern in der Erfahrung durch Selbstbeobachtung leicht wahrgenommen werden kann. — In der Seele des traurig Gestimmten werden leicht finstere, trübe, melancholische Vorstellungen und Gedanken erzeugt; das Gemüth des Fröhlichen hängt nur an erfreulichen, lachenden, heitern Bildern, und so erweckt auch jedes andere bestimmte, wenn gleich nicht so einfache, sondern mehr gemischte Gefühl die ihm verwandten Vorstellungen. Zu bemerken ist

hierbei, daß diese Gleichartigkeit der Gefühle und Vorstellungen nicht eine blos äußere, zufällige Aehnlichkeit ist,
sondern eine innere wesentliche Verwandtschaft und Gleichartigkeit.

Die beiden übrigen ontologischen und genetischen Gesetze: das
Gesetz des Kreislaufs oder der Rückkehr zu dem
Ursprung und das Gesetz der Verknüpfung des
Verwandten aber Ungleichartigen, sind anwendbar
auf die Folge und Verbindung der Vorstellungen des Ver-
standes. —

Die Denkkraft des Menschen bewegt sich in einem ewigen
Kreislaufe: etwas begreifen und verstehen heißt nichts anders,
als auf den Ursprung desselben zurück gehen. Die Erzeugung
und Bildung der Gedanken und Begriffe aber geht gerade so
von statten, wie jene der organischen Wesen, nämlich durch
mannigfaltige Verknüpfung des Ungleichartigen, aber doch Verwandten, durch Aneignung und Aufnahme des Fremden in das
eigne Wesen; durch Verwandlung der Gestalten, durch Uebergang aus einer Form in die andere.

Freilich gehören diese zuletzt erwähnten Gesetze nicht ganz
mehr zu der natürlichen Gedankenfolge, denn das Zurückgehen
des Verstandes auf das Ursprüngliche, die Bildung der Begriffe durch Aneignung des Fremdartigen und Verwandlung
des Eignen ist nicht mehr blos ein Naturerfolg, wobei wir uns
ganz leidend verhalten; die künstliche, durch Wohl und Absicht
bestimmte Gedankenfolge beruht nur auf jenen Gesetzen, die
indessen so sehr in der natürlichen Anlage unseres Vorstellungsvermögens gegründet und mit dieser verwebt sind, daß man
sie auch ohne Absicht und Willkür, wenn gleich nur unvollkommen, befolgt; mit vollkommenem Bewußtseyn und ganz re-
gel- und planmäßig werden sie nur in der durch Absicht und
Willkür bestimmten und geleiteten künstlichen Gedankenfolge
befolgt und angewandt.

Die künstliche, freie und die natürliche nothwendige Gedankenfolge sind in der Wirklichkeit nicht so ganz getrennt, wie
im Begriffe; es gibt hier mancherlei Stufen und Uebergänge.

Auch der wissenschaftliche Denker, der durch vollendete Bildung aller Geistesthätigkeiten sich zu dem höchsten Grade von Freiheit und Selbstherrschaft erhoben hat, wird nicht immer das nämliche Maaß von Aufmerksamkeit und Besinnung in sich erhalten, die Selbstbeobachtung ununterbrochen fortsetzen, und in gleicher Anstrengung auf sich und sein Denken beharrlich richten können, sondern in vielen Fällen sich blos dem Strome der natürlichen Gedankenfolge überlassen. So wie auf der andern Seite auch der rohe Naturmensch, dessen Geisteskräfte noch auf der niedrigsten Stufe der Entwicklung stehen, dennoch keine bloße Denkmaschine ist, sondern auch bei ihm in den Gesetzen, die sein Verstand befolgt, die Anlage zur Freiheit und Bildung unverkennbar hervorleuchtet.

Betrachten wir jetzt den Einfluß der Nothwendigkeit und die Macht der Freiheit auf diese Gesetze des Bewußtseyns und der natürlichen Gedankenfolge.

Bei den für die Vernunft und Sinnlichkeit geltenden Gesetzen, nämlich der Gedankenfolge nach der äußern Aehnlichkeit und dem Zusammenseyn im Raume, verhält sich der Geist des Menschen zwar leidend, und ist in Beziehung auf die Außenwelt dem Begriffe des beharrlichen Dinges unterworfen; — dennoch hat auf diese Gesetze auch die Willkür einigen Einfluß. Wir können die Verknüpfung der Vorstellungen nach der äußern Aehnlichkeit, der Gleichzeitigkeit und des Zusammenseyns im Raume selbst einigermaßen bestimmen und festsetzen, ja die blos willkürliche Verknüpfung zweier Vorstellungen ist hinreichend, daß diese im Gedächtnisse verknüpft bleiben. Dieses begründet nun die Merkmale, die Zeichen, und inwiefern die Sprache nur ein System von Zeichen ist, auch die Sprache und ihre Erlernung.

Das Gesetz, wonach die Gefühle sich richten, erfolgt ganz nothwendig und ohne unser Zuthun. Es ist nicht freie Wahl und Absicht, die in dem Traurigen ꝛc. ꝛc. alle jene Vorstellungen erzeugt, die zu seiner leidenschaftlichen Stimmung passen und diese unterhalten und rühren, sondern sie strömen ihm unwillkürlich zu, er wird gewaltsam von ihnen fortgerissen, und

verliert in dem wilden Strudel, der ihn umhertreibt, jede Besonnenheit und Kraft der Selbstbestimmung. —

Das Gesetz also, welches für das Gefühlsvermögen geltend ist, ist ein nothwendiges Gesetz. Die Freiheit hat hier
keine positive Macht, sondern nur den negativen Einfluß, daß
sie die Nothwendigkeit des Gesetzes zu beschränken und zum
Theile aufzuheben sucht. So ist, wie schon gesagt, das Zu-
strömen trüber, melancholischer Vorstellungen in die Seele des
traurig Gestimmten ein nothwendiger Erfolg, bei dem die
Willkür nur den Versuch machen kann, den Andrang jener
Vorstellungen so viel als möglich zu beschränken. Die Macht
der Freiheit ist also hier blos negativ. In Rücksicht auf die
Einbildungskraft ist das aufgestellte Gesetz gleichfalls nothwendig, daß diese, wenn sie einen Gedanken, eine Ansicht bis
auf das äußerste getrieben hat, in das gerade Gegentheil
überspringt. Aber auch hier offenbart sich der Einfluß der
Freiheit, insofern diese Thätigkeit der Einbildungskraft und ihr
schnelleres Fortschreiten und Vollenden von dem Maaße der
Geisteskraft und Bildung überhaupt abhängt, wie denn die
Einbildungskraft dasjenige Vermögen ist, welches in den verschiedensten Graden von Stärke und Schwäche angetroffen wird;
wo die Geisteskraft überhaupt sich in Fülle und Reichthum
entwickelt, wird auch der Einbildungskraft die Macht nicht
fehlen, sich mit raschem, kühnen Fluge auf die höchste Höhe
der Gedanken zu erheben, und dann plötzlich auf das Entgegengesetzte überzuspringen. Wo aber die Summe der geistigen
Vermögen im Ganzen sehr beschränkt ist, wird auch die Einbildungskraft nur untergeordnet erscheinen, und weder das Gesetz, das sie befolgt, noch die Erscheinungen, die durch dasselbe
veranlaßt werden, auffallend hervorstehn, ja kaum dem Beobachter bemerkbar seyn.

Die Gesetze, welche der Verstand bei der Bildung und
Anordnung der Begriffe befolgt, wenn er theils durch Aneignung des Fremdartigen und Verwandlung des Eigenen immer
neue Begriffe erzeugt, theils die gesammte Mannigfaltigkeit der
Begriffe in dem mit einem stäten Fortschreiten verbundenen

Kreislaufe zu einem Systeme verbindet und vollendet, diese Gesetze sind mit der Freiheit sehr gut vereinbar, denn Freiheit und Verstand sind eigentlich eins und dasselbe.

Nur wird in der Ausübung dieser Freiheit und der Befolgung der Verstandesgesetze ein sehr verschiedener Grad von Kraft, Kunst und Bildung angetroffen. — Auch bei dem rohesten, unthätigsten Menschen, der einzig den äußern, sinnlichen Eindrücken und Empfindungen und der natürlichen Gedankenfolge hingegeben, von innerer Selbstanschauung und Beobachtung wenig Ahnung hat, ist die Anlage zur Freiheit unverkennbar und so zeigen sich auch in seiner Gedankenfolge Spuren von einer freilich halbbewußtlosen, unwillkürlichen Befolgung jener Verstandesgesetze. — Aber auch in dem Leben des eigentlich philosophischen Denkers, bei dem durch die vielseitigste, vollendetste geistige Bildung der Verstand zur überwiegendsten geistigen Herrschaft durchgedrungen und die Kraft und Kunst der Selbstbeherrschung und Beobachtung den höchsten Grad erreicht hat, werden sich Augenblicke und Verhältnisse genug finden, wo jene ächte, klare Selbstanschauung, jene freiwirkende und bestimmende Thätigkeit des Geistes entweder durch äußere Eindrücke, oder auch durch innere Unaufmerksamkeit, Zerstreuung oder Ermüdung geschwächt, getrübt und gestört wird, und auch er also jene Verstandesgesetze nur auf eine vollkommene Weise befolgt und ausführt.

Die Freiheit in Rücksicht der Verstandesgesetze ist also unbestimmbar vieler Gradationen fähig, auch der rohe Naturmensch zeigt Spuren von freiem, absichtlichem Verstandesgebrauch, und auch der freieste und gebildetste Mensch, ja der vollendete Denker hat nachläßige Augenblicke, in denen er sich nicht höher erhebt, wie jener.

Vorläufige Erörterung von der künstlichen Anordnung der Begriffe.

Die künstliche Anordnung der Vorstellungen nach Absicht und Wahl betrifft vorzüglich nur die Begriffe als solche; —

die Anschauungen, ehe sie zu Begriffen verarbeitet werden, sind noch viel zu roh, verworren und unbestimmt zu diesem Zwecke; denn nur das kann auf eine bestimmte Weise mit einem andern verknüpft und in Verhältniß gesetzt werden, was schon an und für sich selbst hinreichend bestimmt und vollendet ist. Anschauungen und Vorstellungen können zwar zu Begriffen werden, sind es aber an sich noch nicht.

Die künstliche Anordnung der Vorstellungen betrifft sonach nur die Begriffe.

Aber auch blos die Begriffe und nicht die Ideen als solche.

Nur dasjenige, was getrennt, abgesondert und getheilt ist auf eine bestimmte Weise, kann auch auf eine bestimmte Weise wieder verknüpft, verschmolzen und verbunden werden. In den Ideen aber ist alles Eins. — In die beiden höchsten Urideen, die auf das innigste verbunden sind, lösen zuletzt alle Begriffe sich auf. —

Nun ist aber gemäß der früher vorgetragenen Theorie des Begriffes Anschauung, Begriff und Idee nicht absolut und total, sondern nur dem Grade nach unterschieden. Die Anschauung steht auf der niedrigsten Stufe; sie ist ein verworrener, unbestimmter, eingebildeter Begriff, so wie der Begriff in seiner höchsten Vollendung in Idee sich auflöst.

Wenn also gesagt wurde, daß die künstliche Anordnung der Vorstellungen vorzüglich die Begriffe betreffe, so wird damit gar nicht die Möglichkeit geleugnet, einen Begriff auf eine Anschauung beziehen und mit derselben verbinden zu können. Anschauung und Idee sind gleichsam die beiden Gränzpunkte der Begriffsverbindung; die eigentliche Sphäre aber der künstlichen Gedankenfolge sind die Begriffe.

Die Verbindung übrigens zwischen Begriff und Anschauung, und Begriff und Idee ist das Urtheil im strengern Sinne, insofern das Urtheil unterschieden ist vom Satze. Der Satz hingegen ist eine Verbindung zweier oder mehrerer Begriffe.

Dem Gesetze des stäten Fortschreitens, welches die Denkkraft in ihrem Kreislaufe befolgt, gemäß ist die Verbindung der Begriffe von unbestimmter Ausdehnung, kann immer fortgesetzt und erweitert werden, indem man ohne Ziel und Ende Begriffe und Sätze verbindet und aneinander reiht.

Die Verbindung mehrerer Sätze und Urtheile heißt ein Schluß, ein Syllogismus.

Von solchen Sätzen und Urtheilen lassen sich wieder ins unbestimmte fortlaufende Reihen neuer Verbindungen zusammensetzen, nur daß die Denkkraft sich nicht ganz ins Unendliche verliert, sondern gemäß dem Gesetze des Kreislaufes eine gewisse Sphäre durchläuft und wenn diese zurückgelegt und vollendet worden, wieder zu dem Princip, von dem sie ausging, zurückkehrt, und ein geschlossenes Ganze von Begriffen, Sätzen, Urtheilen, Schlüssen und Schlußreihen, oder ein System bildet.

Die beiden Gesetze der Gedankenfolge, welche vorzüglich für den Verstand gelten, nämlich das Gesetz des stäts fortschreitenden Kreislaufes im Denken und das Gesetz der Bildung der Begriffe durch Aneignung des Fremdartigen und Verwandlung des Eigenen, gelten auch für die Begriffsverbindungen, in Sätzen, Urtheilen und Schlüssen, sie betreffen das Ganze der Erkenntniß, den organischen Zusammenhang und Gliederbau, wodurch die gesammte Masse der Begriffe zu einem umfassenden Systeme verbunden und geordnet wird.

Bevor wir aber unsere Untersuchung bis zu ihnen erheben, wird es nöthig seyn, auch das Mechanische der Begriffsverbindung im einzelnen und kleinen genauer zu erörtern, wie nämlich und nach welchen Regeln und Gesetzen mehrere Begriffe im einfachen Satze, im Urtheile oder Schlusse verknüpft werden. Hat man erst diesen Mechanismus des Denkens in allen seinen einzelnen Zweigen und Theilen betrachtet, dann wird es auch möglich und thunlich seyn, zu der Untersuchung der höchsten, das ganze System der Erkenntniß betreffenden Gesetze fortzuschreiten. —

Vom Satze.

Der Satz (propositio) ist die Verbindung zweier oder mehrerer Begriffe. — Wir betrachten nun erstens die Theile des Satzes. — Der Satz enthält: Subject, Prädicat und Copula. — Subject ist derjenige Begriff, dem der andere beigelegt wird. Prädicat der beigelegte Begriff. — Copula das Verhältniß des Prädicats zum Subjecte. — Zweitens das Verhältniß des Subjects und Prädicats im Satze, in Rücksicht auf die Qualität dieses Verhältnisses. Das Verhältniß des Prädicats zum Subjecte ist entweder das der Einerleiheit, der Gleichheit, oder der Verschiedenheit; ferner der Verknüpfung oder der Trennung, und zwar der gänzlichen und unbestimmten, oder der bedingten, beschränkten Einerleiheit und Verknüpfung. Drittens. Das Verhältniß des Satzes in Rücksicht auf die Quantität. Das quantitative Verhältniß der Sätze in Rücksicht auf ihre größere und geringere Ausdehnung und Gültigkeit. In dieser Rücksicht werden die Sätze genannt enunciationes modales in Rücksicht auf die verschiedenen modos und modificationes der Ausdehnung und Gültigkeit der Sätze.

Die Hauptfächer für die Eintheilung der Sätze von diesem Standpunkte aus sind: der Begriff des Nothwendigen und des Zufälligen, des Möglichen und des Unmöglichen.

Beispiele:

A ist gleich B. Dies ist ein einfacher kategorischer Satz. Kategorisch heißt ein Satz, wo das Prädicat mit dem Subjecte ohne weitere Bedingung schlechthin verbunden wird. Folgende Sätze aber sind im Gegensatze des einfachen kategorischen Satzes bedingte oder näher bestimmte (modale) Sätze: a muß nothwendig immer gleich b seyn, nach dem modus: necesse est. — Es trifft sich, daß a gleich b ist: nach dem modus: contingit. — a kann gleich b seyn: nach dem modus: possibile est.

Viertens. Die Arten der Sätze. Sie sind entweder generelle oder specielle, allgemeine oder besondere; negative oder positive, verneinende oder bejahende.

Anmerkung. Die speciellen Urtheile, nämlich diejenigen, die nicht blos relativ speciell sind, in Vergleichung gegen andere allgemeinere, sondern die an und für sich betrachtet speciell sind, indem das Herabsteigen ins Besondere darin seine äußersten Gränzen erreicht hat. — Diese an und für sich speciellen Sätze sind eigentlich dasjenige, was wir Urtheile im engern Sinne des Worts nennen, da uns nämlich ein Satz bedeutet die Verbindung zwischen zwei Begriffen, ein Urtheil aber die Verbindung eines Begriffs mit einer Anschauung oder mit einer Idee.

Es gibt aber zwischen den oben genannten Hauptarten entgegengesetzter Sätze noch andere Mittelgattungen, die zugleich generell und speciell, negativ und positiv sind, und auf irgend eine Weise zwischen jenen vier Hauptgattungen in der Mitte stehen. In Rücksicht auf jene Haupt= und diese Mittelgattungen werden die Sätze eingetheilt in einfache und zusammengesetzte, (propositiones simplices und compositae). Die simplices sind die vier Hauptgattungen, die Mittelgattungen sind die compositae. In der Mitte zwischen den positiven und negativen Sätzen stehen erstens die disjunctiven (propositiones disjunctivae), welche zwei entgegengesetzte Fälle, wovon einer den andern aufhebt, problematisch aufstellen, z. B. a ist entweder b oder c; Cajus hat entweder zu dieser Handlung Recht gehabt oder nicht.

Zweitens. Die hypothetischen Sätze (propositiones conditionatae). Diese sind bejahend, positiv, aber nur unter einer gewissen Bedingung, nämlich der Voraussetzung der Gültigkeit einer Hypothese. Ist diese falsch, oder wird die Bedingung nicht erfüllt, so fällt auch der Satz selbst weg und wird negativ.

Drittens. Diejenigen Sätze, welche in der lateinischen Logik heißen propositiones infinitae, welches negative Sätze sind, insofern nur Negation darin enthalten ist. — Die

Negation ist hier aber nicht mit der Copula, sondern entweder mit dem Subject oder Prädicat verbunden, z. B. die Seele ist unsterblich. Oder die Unsterblichkeit der Seele ist ein Gut. Man kann diese Sätze nicht ganz zu den negativen rechnen, auch haben einige Logiker sie definirt als positive Sätze in negativer Form. Sie gehören zu den positiven Sätzen, insofern darin etwas bejaht wird. Sie haben aber doch einen negativen Charakter, insofern entweder das Subject oder das Prädicat nur ein negativ bestimmter Begriff ist.

Noch andere dieser Mittelgattungen von Sätzen stehen in der Mitte zwischen den generellen und speciellen, z. B. die propositio exclusiva, oder die exclusiven oder restrictiven, limitativen Sätze, z. B. etliche Menschen sind ohne Wißbegier. In diesem Satze und überhaupt in allen Mittelgattungen sind eigentlich mehrere Sätze vereinigt. Daher nennt man sie auch propositiones exponibiles, solche, die aufgelöst und in mehrere Sätze zerlegt werden können. Der Satz: etliche Menschen sind ohne Wißbegier, enthält eigentlich zwei Sätze: 1. den Satz: mehrere Menschen haben keine Wißbegier. 2. den Satz, welcher unbestimmt gelassen wird, ob nämlich alle Menschen sie haben oder nicht haben.

Ferner gehört auch hieher der copulative Satz, wo entweder zwei oder mehrere Subjecte verbunden sind oder zwei oder mehrere Prädicate, z. B. Petrus und Paulus sind Apostel. — Kenntnisse sind nützlich und an sich schön. — Auch in diesem Satze ist meistens das generelle mit dem speciellen verbunden, indem die mehrern Subjecte oder Prädicate sich doch auf irgend eine Weise als Species in ein höheres Genus müssen vereinigen lassen, wenn gleich diese Specification (Ableitung der Species aus dem Genus) nicht vollständig angegeben ist, denn sonst könnten sie ja gar nicht verbunden seyn.

Der comparative Satz, (propositio comparativa) z. B. die Tugend ist ein größeres Gut als der Ruhm. Auch diese Sätze gehören zu der Mittelgattung zwischen generellen und speciellen. Generell sind sie, insofern das Prädicat ohne die Comparation ein abstracter und allgemeiner Begriff ist; speciell,

insofern zu diesem abstracten Prädicate eine specielle Bestim=
mung des Grades hinzugefügt ist.

Der exceptive Satz, der also insofern ein vollkommen
comparativer Satz ist, z. B. alle Apostel außer dem Judas sind
seelig worden. Dieser Satz enthält zwei Sätze, 1. einen positi=
ven: die Apostel sind seelig; 2. einen speciellen nega=
tiven: Judas ist nicht seelig.

1. Schlußanmerkung.

Der Mechanismus des Satzes ist durch das bisherige hin=
länglich bestimmt, es ist nun noch übrig in Rücksicht auf
die früher vorgetragene Theorie der Begriffe den Unter=
schied zu bemerken zwischen dem eigentlich philosophischen
und blos praktischen Satze, und die Theorie des Satzes
zu vergleichen mit der Theorie des Begriffes.

So lange die Gränzen des Begriffes noch nicht bestimmt
sind, ist der Satz etwas sehr willkürliches. — Der Satz z. B.
lautet: A = B; wenn aber A + B nur einen Begriff ausmachen,
Subject und Prädicat aber zum Begriffe wesentlich zusammen
gehören, dann ist A = B nur ein scheinbarer, kein wahrer Satz;
weil dieser nur durch die Verbindung zweier Begriffe entstehen
kann, welches nicht statt findet, wenn Subject und Prädicat
ohnehin schon zu einem Begriffe wesentlich zusammen gehören.

Wir müssen hier aus der Theorie der Begriffe in Erin=
nerung bringen, daß jede Vorstellung durch vollständige Bestim=
mung zu einem Begriffe ausgebildet und vollendet werden kann,
welche vollständige Bestimmung indessen bei den meisten soge=
nannten Begriffen noch nicht erreicht ist, bei denen im Gegen=
theile noch eine große Mangelhaftigkeit und Unvollkommenheit
statt findet. Aus solchen mangelhaften Begriffen nun kann man
wohl praktisch gültige Sätze bilden, indem zum praktischen Ge=
brauch, wie schon mehrmal bemerkt worden, schon ein einziges
Unterscheidungsmerkmal hinreichend ist, philosophische Genauig=
keit und Vollständigkeit aber gar nicht erfordert wird.

Philosophische Sätze aber oder Begriffsverbindungen kön=
nen auch nur aus philosophischen, d. h. aus genau und gründlich
bestimmten und vollendeten Begriffen hergeleitet werden.

Der *philosophisch vollendete* Begriff, der, wie schon früher aufgestellt worden, immer constituirt, d. h. als ein Ganzes in bestimmte Glieder und Theile geordnet seyn muß, enthält eben darum mehrere Sätze der ersten und niedern Art in seinem Umfange. Er enthält ein Ganzes von bestimmten Theilen; das Verhältniß dieser Theile, wenn es gedacht wird, ist immer ein wahrer Satz, und solcher Sätze, die nur Ein Merkmal bestimmen, werden gar viele erfordert, um einem einzigen Begriffe die wahre philosophische Begründung und Vollendung zu geben.

Man darf also auch in dieser Hinsicht die niedere Logik, welche nur praktische Gültigkeit hat, mit der höheren, welche den Eingang zur Philosophie enthält, gar nicht verwechseln, oder glauben, daß man philosophisch zu Werke gehe, wenn man praktisch gültige Sätze bildet und verbindet.

2. **Schlußanmerkung.**

Der grammatische Satz hat eine genaue Beziehung auf den logischen. Beide erklären sich gegenseitig. Die Uebereinstimmung der Theile des ersten mit den Theilen des zweiten ist folgende: der Nominativ ist das Subject in dem grammatischen Satze: der Accusativ und meistens auch der Dativ mit dem Adjectiv ist das Prädicat; das Verbum mit allen seinen Modificationen, der Ablativ und das Adverbium sind Bestimmungen der Copula; der Genitiv kann als Nebenbestimmung sowohl zum Subjecte als auch zum Prädicate gehören; sogar zur Copula als Anhang des zur Copula gehörigen Ablativs.

Vom Syllogismus.

So wie der Satz drei Theile hat: Subject, Prädicat und Copula; so enthält auch der Schluß drei Sätze: den Vordersatz, den Untersatz, (propositio major et minor), welche

zusammen die Prämissen heißen, und den Schlußsatz (conclusio), der aus jenen beiden hervorgeht.

Der aus drei verbundenen Sätzen bestehende Schluß kann
daher auch nicht weniger enthalten, als drei Begriffe. In der
lateinischen Logik heißen diese drei Sätze so: der terminus
major ist das Prädicat in der conclusio, der terminus minor ist das Subject, und der terminus medius ist derjenige
Begriff, durch welchen major und minor eigentlich verknüpft
werden.

Die Grundformel für alle Schlüsse ist in folgender mathematischen Formel ausgedrückt:

$$a = b \qquad\qquad b = c \qquad\qquad ergo \; a = c$$

b ist in diesem Falle der Mittelbegriff; a = c ist die Conclusion; a = b, b = c sind die Prämissen.

Die Gewißheit dieses Syllogismus ist gegründet auf den
Grundsatz des Widerspruchs oder der Identität, wie dies aus
jener Formel selbst einleuchtend ist.

Da nun der Grundsatz des Widerspruchs oder der Identität selbst nur eine praktische Gültigkeit hat, wie früherhin
gezeigt wurde, weil er auf dem blos praktisch anwendbaren,
theoretisch aber unbrauchbaren Begriff des Dings beruht, so ist
dies auch mit dem gemeinen Syllogismus, von dem wir hier
reden, der Fall.

Von der höhern Form des philosophischen Denkens und
Schließens wird späterhin gehandelt werden. — Die Grundregeln des gewöhnlichen Syllogismus aber sind nur Folgerungen aus dem Satze des Widerspruches, angewandt auf die Form
der Sätze.

Wir nehmen hier noch keine Rücksicht auf die speciellen
Regeln, welche sich beziehen auf die mancherlei möglichen Arten
des Syllogismus und der syllogistischen Figuren, wir beschränken uns nur auf die Grundregel des Syllogismus überhaupt
nach seiner natürlichsten und regelmäßigsten Gestalt, welche
in Vergleich mit den andern die erste Figur genannt wird.

Diese Grundregel heißt nun das dictum de omni et
nullo, d. h. was von allen Wesen einer Gattung gilt oder

nicht gilt, das gilt auch oder gilt nicht von jedem einzelnen, das unter der Gattung begriffen ist.

Der vollständige Schluß besteht, wie gesagt worden, aus drei Sätzen, wovon der dritte aus den beiden ersten hervorgeht. Es gibt aber auch unvollständige Schlüsse, wovon ein Satz aus dem andern unmittelbar ohne Mittelsatz gefolgert wird. — Diese unvollständigen Schlüsse heißen unmittelbare, und es gibt ihrer vorzüglich fünf Arten:

1. Der Schluß ad aequipollentem sc. propositionem, der Schluß auf einen gleichbedeutenden Satz. Diese Gattung bezieht sich mehr auf die Variationen des Ausdrucks, als daß er ein wahrer Schluß wäre. Bei der großen Mannigfaltigkeit der Sprache kann man sehr oft entweder die Ausdrücke, die das Subject oder das Prädicat bezeichnen, oder aber auch die grammatische Stellung des Satzes mit andern ganz gleichbedeutenden Ausdrücken und Wortstellungen vertauschen.

Eigentlich gehört daher diese Schlußart ad aequipollentia zur Grammatik und Rhetorik, welche handelt von den sogenannten Synonimen, d. h. von solchen Ausdrücken, die entweder völlig gleichbedeutend sind, oder bei einem großen Anscheine von gleicher Bedeutung dennoch eine wesentliche Verschiedenheit enthalten.

In der Logik kann diese Gattung eigentlich nur der Vollständigkeit wegen angeführt werden; doch muß freilich auch der Logiker sie kennen, um sich vor Täuschung und Irrthum zu sichern. Er muß nämlich genau und sorgfältig aufmerken, ob derjenige, dessen Schlüsse er prüfen will, die Ausdrücke für seine Sätze variirt, ob hier keine Verwechselung statt findet, ob die gleichseynsollenden Ausdrücke auch wirklich gleiche Bedeutung haben, oder ob unter einer anscheinend gleichen Bedeutung sich nicht etwas ganz verschiedenes, fremdartiges eingeschlichen habe.

Diese praktische Regel ist blos logisch; die Anwendung davon aber setzt genaue grammatische und rhetorische Kenntniß voraus und zwar ganz specielle, besonders in der Sprache, in welcher die Schlüsse, die geprüft werden sollen, ausgedrückt sind.

2. **Ad subalternantem sc. propos.** Der Schluß von dem Allgemeinen auf das Besondere, was darunter begriffen ist, z. B. alle Menschen sind vernünftig, also sind es auch die schwarzen. Hier ist kein Mittelsatz und Mittelglied nothwendig, denn der gefolgerte Satz ist schon in dem, woraus gefolgert wird, enthalten. Freilich ist es auch hier nicht sowohl ein neuer Satz, als eine Variation des Ausdrucks, eine besondere Anwendung, die aber doch in logischer Hinsicht von großem Nutzen ist, indem oft die ganze Mannigfaltigkeit von speciellen Sätzen, die in einem einzigen generellen Satze mit umfaßt werden, nicht übersehen werden kann, daher es oft sehr nöthig ist, die ganze Aufmerksamkeit noch besonders darauf zu lenken, indem man den speciellen Satz als einen eignen besonders aufstellt und ausdrückt, obgleich er eigentlich in dem generellen schon mit umfaßt wird.

Die noch übrigen Gattungen der unmittelbaren Schlüsse stehen zwischen diesen beiden in der Mitte. Es sind theils bloße Variationen des Ausdrucks, theils aber unmittelbare Herleitungen abgeleiteter und besonderer Sätze, aus dem allgemeinen, worin sie mit einbegriffen sind.

3. **Ad contradictoriam sc. propositionem.** Von einem direct widersprechenden Satze auf den andern, nach der Regel: wenn der eine von zwei direct sich widersprechenden Sätzen wahr ist, so ist der andere falsch. Es ist aber große Vorsicht nöthig, diese sich widersprechende Sätze nicht zu verwechseln mit den blos entgegenstehenden, worauf sich bezieht die

4. Art der unmittelbaren Schlüsse **ad contrariam scil. propos.** Diese Schlüsse haben die Regel: wenn einer dieser Sätze wahr ist, so ist der andere falsch; aber nicht umgekehrt, wenn der eine falsch ist, so ist der andere wahr, sondern sie können beide falsch seyn. Z. B. Alle Menschen sind reich,— kein Mensch ist reich. Es sind dies nach der Kunstsprache der Logik nicht widersprechende, sondern entgegengesetzte Sätze, und beide sind falsch. Bei den entgegenstehenden Sätzen findet nämlich noch statt die Möglichkeit eines dritten Falles, weshalb nicht einer wahr, sondern beide falsch seyn können. Wider-

sprechende Sätze hingegen beruhen auf dem principio exclusi tertii; z. B. Titius lebt noch oder nicht mehr. Das Kennzeichen daher, wodurch sich widersprechende Sätze von blos entgegenstehenden unterscheiden, ist allemal das principium exclusi tertii, daß nämlich kein dritter Fall möglich sey.

5. **Ad conversam** sc. propos. Dieser Schluß bezieht sich auf die Umkehrung der Sätze und ist daher mehr für eine Variation des Ausdruckes, als für einen neuen Satz zu betrachten. Ein Satz wird umgekehrt, wenn man den vordern Theil zum hintern, und umgekehrt diesen zum vordern macht; z. B. kein Geiziger ist zufrieden, folglich ist kein Zufriedener geizig. Von diesen Umkehrungen der Sätze gibt es mehrere Unterarten, die aber mehr zur Grammatik, als zur Logik gehören. Das logische Princip für diese Art Sätze ist das nämliche, das für alle Syllogismen gilt: der Satz des Widerspruchs oder das dictum de omni et nullo, d. h. man prüfe in jedem einzelnen Falle, ob auch die Umkehrung des Satzes und die Verwechselung des Ausdruckes bei einer scheinbaren Gleichheit nicht dennoch etwas ganz neues verschiedenes enthalte.

Die Vervielfältigung der Regeln hilft hier gar nichts, denn es ist am Ende doch nur die richtige Anwendung des logischen Grundsatzes und die Aufmerksamkeit der Urtheilskraft, die allein gegen alle Täuschung sichern kann.

Außer den unmittelbaren Schlüssen, die alle der Form nach unvollständig sind, gibt es noch eine andere Schlußart, die ebenfalls unvollständig ist, aber im gemeinen Gebrauche und selbst in der Rhetorik häufig vorkommt, häufiger noch als der regelmäßige vollständige Syllogismus. Diese unvollständige Schlußart heißt **Enthymema**. Es ist dies der versteckte Vernunftschluß, wo der eine Satz im Sinne behalten wird, wo die Form des Syllogismus durch Verschweigung und Abbreviation verstümmelt ist. Z. B. man soll das Laster meiden, weil es schändlich ist. In einem regelmäßigen Syllogismus würde es heißen: Man soll alles meiden was schändlich ist — Das Laster ist schändlich. — Also soll man das Laster meiden. Auf ähnliche Weise kann man jedes Enthymema in einen regelmäsfiges Syllogismus verwandlen und auflösen, indem man den versteckten verschwiegenen Satz entwickelt und heraushebt.

Verwandt mit dem Enthymema ist der Sofites oder Kettenschluß; denn dieser ist aus lauter Enthymemen zusammengesetzt.

Die Bestandtheile des Sofites lassen sich durch die mathematische Form am deutlichsten machen. Folgender Schluß ist ein Kettenschluß und zugleich ein Schema für alle andern: a $=$ b, b $=$ c, c $=$ d, ergo a $=$ d. Dieses ist kein gewöhnlicher Syllogismus, denn hier sind drei Prämissen und eine Conclusion. Es ist eine Verbindung von zwei regelmäßigen Syllogismen, die hier der Kürze wegen zu einem Kettenschlusse verbunden sind. Löse ich diesen nun auf, so erhalte ich folgende zwei regelmäßige Syllogismen: a $=$ b, b $=$ c, ergo a $=$ c. — a $=$ c, c $=$ d, ergo a $=$ d. Auf diese Art aber lassen mehrere Syllogismen zu einem Kettenschlusse sich verknüpfen.

Von den vier syllogistischen Figuren.

M. P.	P. M.	M. P.	P. M.
S. M.	S. M.	M. S.	M. S.

S. bedeutet das Subject des Schlußsatzes, P. das Prädicat und M. den Terminus medius. Die obere Reihe enthält die Obersätze, die untere die Untersätze.

Vorläufige Bemerkung.

Die Lehre von den unmittelbaren Schlüssen hängt zusammen mit jener von den syllogistischen Figuren, weil durch dieselbe Veränderung des Ausdrucks und der Stellung der Sätze, wodurch die unmittelbaren Schlüsse hervorgebracht werden, auch diese vier syllogistischen Figuren sämmtlich auf eine, nämlich die erste und einfachste, reducirt werden können, und diese Reduction ist die Probe von der Richtigkeit der Schlüsse und der übrigen Figuren.

Man betrachtet die Lehre von den syllogistischen Figuren

aus einem ganz falschen Gesichtspunkte, wenn man glaubt, als würden diese ausgegeben für Werkzeuge und Methoden, die Wahrheit zu erkennen, das sind sie aber nicht und sollen es auch nicht seyn. — Ueberhaupt sind sie nicht etwa eine willkürliche Erfindung und spitzfindige Künstelei der Logiker, sondern sie sind nichts anders, als die mancherlei Formen und Figuren des Syllogismus, die in dem gemeinen Gebrauche und in der Rhetorik sehr häufig vorkommen und sich daraus gar nicht verbannen lassen, die aber der Logiker kennen muß, nicht blos um sie zu classificiren, sondern auch um ihre Richtigkeit zu prüfen, indem er die complicirten Verbindungsformen in die einfachen auflöset. Käme es einzig auf den Logiker und Philosophen an, so würde man überall nur den einfachen und regelmäßigen Syllogismus der ersten Figur befolgen, weil dieser am wenigsten der Gefahr des Irrthums ausgesetzt ist; allein so lange das menschliche Denken überhaupt noch in so mannigfaltig verwickelten Formen erscheint, zu so verschiedenartigen Zwecken und Absichten verwandt wird, werden auch die übrigen Figuren der Verbindung der Sätze sowohl in dem gemeinen Redegebrauche als in der Rhetorik, ja sogar in den Wissenschaften selbst vorkommen, und für den Logiker ist es dringendes Bedürfniß, sie alle zu kennen, und die complicirtesten Formen in einfache aufzulösen.

Beispiele zu der vorhergehenden Tabelle.

Zuerst wollen wir die drei Begriffe des Syllogismus geben, der nach den vier syllogistischen Figuren angeordnet und versetzt werden soll. Das Subject soll seyn g e l e h r t, das Prädicat w e i s e und der Terminus medius s e i n e n W i l l e n n i c h t b e s s e r n.

Fig. 1.　M. P.　⎫ Wer seinen Willen nicht bessert, ist nicht
　　　　　 S. M.　⎬ weise; einige Gelehrte bessern ihren Wil-
　　　　─────────⎥ len nicht; also sind einige Gelehrte nicht
　　　　　 S. P.　⎭ weise.

Fig. 2.　P. M.　⎫ Wer weise ist, bessert seinen Willen, eini-
　　　　　 S. M.　⎬ ge Gelehrte bessern ihren Willen nicht;
　　　　─────────⎥ also sind einige Gelehrte nicht weise.
　　　　　 S. P.　⎭

Fig. 3.

M. P.
M. S.
_____
S. P.

Wer seinen Willen nicht beffert, ist nicht weise; einige, die ihren Willen nicht beffern, sind Gelehrte; also sind einige Gelehrte nicht weise.

Fig. 4.

P. M.
S. M.
_____
S. P.

Wer weise ist, der ist nicht von der Art, daß er seinen Willen nicht beffern sollte; einige, die ihren Willen nicht beffern, sind Gelehrte; also einige Gelehrte sind nicht weise.

Wenn man diese Tabelle betrachtet, so geht hervor, daß nur diese vier syllogistischen Figuren möglich sind; weil nur vier verschiedene Stellen des Terminus medius im Ober= und Un=terfaße möglich sind.

Um aber zu beurtheilen, welche Schlüsse richtig oder un=richtig sind in jeder Figur, müssen einige allgemeine Regeln von dem Syllogismus überhaupt vorangeschickt werden.

R. 1. Jeder Syllogismus muß enthalten d r e i Begriffe, oder drei Terminos, wie solches aus der Definition des Syl=logismus selbst hervorgeht.

R. 2. Aus blos particulären, speciellen Sätzen kann man nicht folgern: A particularibus non valet conclusio. Da in besondern Sätzen nicht bestimmt ist, welche und wie viele ge=meint seyen, so können auch im Obersaße andere als im Un=terfaße gemeint seyn, es findet daher keine vollkommene Gleich=heit, also auch keine Folgerung statt.

R. 3. Aus blos negativen Sätzen läßt sich nichts fol=gern: a negativis non valet conlusio. Z. B. Feuer ist kein Wasser, Stein ist kein Wasser; daraus kann nichts gefolgert werden.

R. 4. H a u p t r e g e l. Die Folgerung oder der Schluß=faß ist ein verneinender Satz, wenn auch nur e i n e der bei=den Prämissen ein verneinender Satz ist. Der Schlußsatz ist kein allgemeiner, sondern ein besonderer Satz, wenn auch nur e i n e der beiden Prämissen, gleichviel welche, ein besonderer Satz ist; conclusio sequitur partem debiliorem. Unter pars debilior wird hier verstanden der particuläre oder negative Satz, der in den Prämissen enthalten ist. Zur kürzern Bezeich=

nung der allgemeinen und besondern Bejahungen und Vernei=
nungen bedient man sich in der Kunstsprache der Logik einiger
Buchstaben, nämlich der vier ersten Vocale. A bedeutet die
allgemeine Bejahung; E die allgemeine Verneinung; I die be=
sondere Bejahung; O die besondere Verneinung.

Nach der Angabe dieser Zeichen nun haben die ältern Lo=
giker die verschiedenen möglichen Methoden, nach welchen in
den vier syllogistischen Figuren richtig geschlossen werden kann,
durch höchst sonderbare Namen bezeichnet, die wir aber nicht
alle aufzuzählen gedenken, da sie gänzlich veraltet und höch=
stens nur von historischem Interesse sind.

Nur allein die erste Figur, die in jeder Hinsicht die wich=
tigste und natürlichste ist, wollen wir hier anführen.

b A r b A r A — Ein Schluß aus drei allgemeinen Be=
jahungen.

c E l A r E n t — Ein Schluß, worin der Obersatz
eine allgemeine Verneinung, der Untersatz eine allgemeine Be=
jahung, der Schlußsatz eine allgemeine Verneinung ist. —

d A r I I — Der Obersatz ist eine allgemeine Bejahung,
der Untersatz eine besondere Bejahung, der Schlußsatz gleich=
falls eine besondere Bejahung.

f E r I O — Der Obersatz ist eine allgemeine Vernei=
nung, der Untersatz eine besondere Bejahung, der Schlußsatz
eine besondere Verneinung.

Alle andern Figuren kann man auf die erste durch Ver=
setzung und Umkehrung reduciren, und dies ist zugleich der beste
Prüfstein ihrer Richtigkeit. In der zweiten Figur gibt es nur
negative Schlußsätze; in der dritten nur particuläre Verneinun=
gen, in der vierten nur particuläre Bejahungen.

Zur Erleichterung bei der Uebersicht eines Syllogismus und
bei dem Geschäfte der Reduction eines Syllogismus in den
andern Figuren auf einen Syllogismus der ersten Figur ist noch
die Regel zu merken, daß der Terminus medius nicht in dem
Schlusse vorkommen darf. Der minor ist das Subject des
Schlußsatzes, der major aber das Prädicat.

In Rücksicht auf die gegebene Regel: conclusio sequitur

partem debiliorem, ist noch zu merken, daß dieses auch gilt, wenn eine von den beiden Prämissen bedingt oder nicht ganz gewiß, sondern nur hypothetisch ist, alsdann ist auch der Schlußsatz bedingt, ungewiß und hypothetisch.

Von dem fehlerhaften Syllogismus.

Fehlerhaft sind alle Syllogismen, welche gegen die vier angegebenen Grundregeln verstoßen. Geschieht' dieses unwillkürlich und ohne Absicht jemanden zu täuschen, so heißen sie fehlerhafte Syllogismen, Paralogismen. Geschieht es aber absichtlich, um jemanden irre zu führen, so heißen sie Sophismen.

Es ist noch wohl zu merken und zu unterscheiden, daß der Schlußsatz gar wohl richtig seyn kann, und doch der Schluß selbst ganz unrichtig, wenn nämlich der Schluß an und für sich wahr und gewiß ist, z. B. einige Menschen haben Talent, Bonaparte ist ein Mensch, also hat Bonaparte Talent. Dieser Schlußsatz ist wahr und richtig, der Schluß selbst aber falsch und fehlerhaft. Ein wahrer Satz kann dadurch seine Gewißheit nicht verlieren, daß ihn jemand aus Ungeschicklichkeit in einen verkehrten irrigen Schluß aufnimmt. Der unrichtige Satz erhält durch die Verbindung mit einem wahren keinen höhern Grad von Gewißheit, und umgekehrt kann diese dem richtigen dadurch nicht entzogen werden, daß man ihn mit falschen Sätzen verknüpft.

Wir haben aber noch einige besonders merkwürdige Gattungen von falschen Schlüssen anzuführen:

1. Die Petitio principii, wenn man nämlich dasjenige, was erst erwiesen werden soll, in dem Schlusse selbst als erwiesen voraussetzt. Man sollte glauben, dieser Fehler sey

so offenbar und grob, daß er gar nirgend vorkommen könne, und dennoch ist keiner gewöhnlicher, als grade dieser. Die Meinungen des Menschen gründen sich zuletzt nicht auf philosophische Folgerungen und Syllogismen, sondern auf moralische Gründe. Daher beharren sie auch oft so fest und zuversichtlich auf den einmal angenommenen Grundsätzen, und können sich die Möglichkeit des Gegentheils so wenig denken, daß sie ihre individuelle Ueberzeugung für allgemein gültig und erwiesen, für absolut evident und unbezweifelt halten und überall voraussetzen. Das beste und wirksamste Versicherungsmittel gegen diesen so häufig vorkommenden Fehler ist ein stets reger Untersuchungs- und Prüfungsgeist und ein vernünftiger Skepticismus, der ohne vorhergehende reifliche Ueberlegung sich nichts als wahr und gewiß aufbringen läßt.

Es darf indessen gar nicht geleugnet werden, daß gewisse Fälle häufig genug bei jeder Philosophie oder wissenschaftlichen Untersuchung vorkommen, wo man gar nicht nöthig hat, sich auf das Princip einzulassen, sondern dieses mit Recht voraussetzt und postulirt. Postulate und Axiome nennt man diese Sätze, die man in einem gewissen Gebiete und für einen gewissen Endzweck dreist voraussetzen und jedermann zumuthen darf, daß er sie ohne Beweis gelten lasse, z. B. wenn ich mit dem Verbrecher streite, ob er ein gewisses Verbrechen begangen habe oder nicht, so darf ich mit Fug und Recht voraussetzen, daß allgemein ausgemacht und anerkannt sey, was ein Verbrechen ist; und eben so würde es höchst überflüssig seyn auf die ersten Grundsätze der Mathematik zurück zu gehen, wenn bei einem praktischen Geschäfte etwas der Quantität nach bestimmt werden sollte. Ich kann hier eben sowohl die Grundsätze der Mathematik als erwiesen voraussetzen, wie im ersten Falle den auf dem allgemein anerkannten Gefühl beruhenden Begriff des Verbrechens. —

Die Beispiele selbst aber, die wir hier angeführt haben, zeigen deutlich, auf welchem Gebiete eigentlich die Petitio principii anwendbar, ja unvermeidlich sey, nämlich einzig auf dem praktischen. Denn in der Philosophie selbst darf ohne die reif-

lichste und gründlichste Untersuchung nichts als wahr und ge=
wiß anerkannt werden. —

Der Pet. principii steht das Argumentum ad
hominem grade entgegen. Denn so wie in der ersten das=
jenige, dessen Gültigkeit erst dargethan werden sollte, schon als
erwiesen angenommen und vorausgesetzt wird, so wird im Ge=
gentheile in derjenigen polemischen Widerlegungsmethode, die
man das Argumentum ad hominem nennt, die Unrichtigkeit
der Behauptungen des Gegners dadurch gezeigt, daß man ihm
nachweiset, wie diese mit den Grundsätzen, die er selbst aner=
kannte und voraussetzte, in offenbarem Widerspruche stehen.

Diese Verfahrungsart ist im gemeinen Leben, in bürgerli=
chen Verhältnissen, ja selbst in der Philosophie sehr gewöhn=
lich. Doch wird sie auch oft auf eine sehr verkehrte und un=
gebührliche Art mißbraucht. Um sich gegen diesen Fehler in
Sicherheit zu stellen, bedarf es nur der einzigen Regel, daß
das Argumentum ad hominem vorzüglich die Grundsätze
des Menschen, weniger aber sein persönliches Betragen und
Benehmen treffen muß. Wenn ich z. B. meinem Gegner, der
mir Ungerechtigkeiten vorwirft, zu zeigen suche, daß er selbst
Ungerechtigkeiten begangen habe, so wird eigentlich nur der
Mensch angegriffen, nicht die Sache. Kann ich ihm im Ge=
gentheile beweisen, daß er selbst dasjenige, was er an mir
rügt, früher als gerecht anerkannt habe, so trifft diese Wider=
legung nicht den Menschen, sondern die Sache selbst, und ist
das eigentliche Argumentum ad hominem.

In der Philosophie kann man von diesem Argumente vor=
züglich Gebrauch machen gegen diejenigen Skeptiker, welche
alle Wahrheit und Gewißheit leugnen, denn sie müssen immer
eine Art von Wissen und Gewißheit auch zu ihrer Behauptung
annehmen, was doch ihrem Grundsatze widerspricht. — Der
2. merkwürdige Fehlschluß ist der Circulus in pro-
bando, wenn man zwei ungewisse Sätze, einen durch den
andern, beweisen will, zwei Hypothesen sich wechselseitig be=
gründen und befestigen läßt. Im praktischen Gebrauche ist dies
ein grober Fehler, da nämlich das Bewiesene gar keine Beweis=

kraft hat, wenn der beweisende Satz wiederum nur erwiesen und abhängig gemacht wird von dem, der im ersten Syllogismus der bewiesene war.

In der Theorie aber kann diese Art zu beweisen nicht gänzlich verworfen werden. Zwei Hypothesen können sich gegenseitig bestätigen, und wenn gleich keine von beiden gewiß ist, so können sie doch durch genaue Uebereinstimmung sehr an Wahrscheinlichkeit gewinnen. Es ist dies gar kein fehlerhafter Zirkelschluß, sondern eine sehr statthafte Art analogisch zu argumentiren, durch verstärkte Wahrscheinlichkeit sich der Wahrheit selbst zu nähern.

Lehre von der Analogie.

Alle bis jetzt aufgestellten Syllogismen beruhen auf dem Grundsatze des Widerspruchs und haben also in dem technischen und praktischen Gebiete, wo diesem vollkommene Gültigkeit zukommt, absolute Gewißheit.

Es gibt aber noch andere Schlüsse, denen keine absolute Gewißheit, sondern nur Wahrscheinlichkeit zugeschrieben werden kann, und die in der Philosophie demnach von großer Wichtigkeit und Bedeutung sind. Ist einmal der höchste Zweck aller Philosophie kein anderer, als die gesammte Welt und Natur in der unendlichen Fülle ihrer Wirkungen und Hervorbringungen zu ergründen und zu erkennen, so ist es wohl einleuchtend, daß keine Philosophie dieses erhabene Ziel vollkommen erreichen und ihren unendlichen Gegenstand ganz erschöpfen kann. Die philosophischen Wahrheiten sind insofern nicht sowohl unerschütterlich begründete, absolut vollendete Sätze, als vielmehr nur Annäherungen zur höchsten Wahrheit und zu dem Wesen, das der Inbegriff aller Wahrheit ist.

Daher hat auch nur der negative Theil der Philosophie, d. h. derjenige der die unphilosophischen Irrthümer und Vorurtheile zu vernichten bestimmt ist, eine durchaus selbstständige, vollkommene Gewißheit. Derjenige Theil hingegen, der das System der höchsten Wahrheiten selbst auffassen und begründen soll, kann der Vollendung dieses schwierigen Geschäfts sich nur allmälig nähern, durch einen stets regen, immer weiter strebenden Forschungsgeist die Sphäre seines Wissens immer mehr erweitern, und die Wahrscheinlichkeit, von der er ausgeht, durch immer höhere Grade der Gewißheit zu dem Gipfel von Wahrheit und Erkenntniß erheben, der für die beschränkte menschliche Fassungskraft nur immer erreichbar ist.

Sieht man so auf den Zweck und das Bedürfniß der Philosophie überhaupt, so ist es sehr einleuchtend, daß die Analogie für die Philosophie eben so wichtig, ja vielleicht noch nothwendiger ist wie der gewöhnliche Syllogismus. So unentbehrlich dieser in dem Systeme des menschlichen Denkens auch immer seyn mag, so glaube man doch ja nicht, daß er als Mittel und Werkzeug zur Entdeckung der Wahrheit diene. Der Nutzen, den er gewährt, besteht einzig in seiner praktischen Gültigkeit, und diese ist größer und ausgebreiteter, als man vielleicht denken möchte. Sieht man auf das Handeln und Wirken der meisten Menschen, so dürfte man wohl mit Fug und Recht behaupten, daß sie in den meisten Fällen weder so verkehrt und fehlerhaft, noch selbst so unmoralisch handeln würden, wenn sie deutlicher dächten und richtigere Schlüsse machten.

Dagegen ist der philosophische Werth des Syllogismus äußerst geringe. Die Falschheit und Nichtigkeit mancher philosophischen Systeme beruht weit weniger auf unrichtigen Schlüssen, als auf falschen Principien und Begriffen. Auch die gröbsten und verwerflichsten Irthümer sind von scharfsinnigen, subtilen Denkern oft mit der größten logischen Consequenz und wissenschaftlicher Strenge durchgeführt worden. Die Quelle der Verwirrung ist dann in den ersten Grundideen zu suchen, nicht in ihrer systematischen Entwicklung, Vollendung und Verbindung, welche ganz fehlerfrei und vollkommen seyn kann.

Der Schluß nach der Wahrscheinlichkeit und Analogie ist, wie schon gezeigt worden, eben so wichtig für die Philosophie, ja oft ist seine Anwendung von noch weit größerer Bedeutung.

Doch gibt es auch eine blos praktische Wahrscheinlichkeit, denn in praktischen Verrichtungen und Geschäften ist es für den beabsichtigten Zweck in vielen Fällen hinlänglich, durch Beobachtung äußerer Umstände und Verhältnisse, durch Vergleichung vorhergegangener ähnlicher Fälle den möglichen Erfolg ungefähr vorherzuberechnen, ohne eben das innere Wesen der Dinge, welche der Gegenstand unserer Thätigkeit sind, genau und gründlich zu erforschen.

Die philosophische Wahrscheinlichkeit liegt in einer höhern Sphäre, sie kann auch nur aus einer wahrhaft philosophischen Untersuchung hervorgehen, wenn das Resultat, das sie aufstellt, nur irgend Werth und Gewicht haben soll.

Alle höhere Wahrscheinlichkeit oder philosophische Analogie beruht auf den Grundsätzen und Principien, welche im zweiten Hauptstücke der Logik vorgetragen wurden, nämlich auf der Idee der unendlichen Einheit und unendlichen Fülle, und dem Grundsatze eines allgemeinen organischen Zusammenhanges aller Dinge; auf diese Ideen gründen sich nicht nur alle unsere Urtheile über Schönheit und Regelmäßigkeit in Kunst und Natur, sondern überhaupt alle höhern philosophischen und religiösen Anschauungen und Erkenntnisse.

Der Obersatz, auf welchen die analogischen Schlüsse sich gründen, ist also nicht sowohl ein einzelner Satz, als vielmehr der Inbegriff aller jener höhern Ideen und Grundsätze, die unter sich auf das innigste verbunden sind; dasjenige, worauf sie sich gründen, ist das ganze System der philosophischen Wahrheit, soweit diese dem Schließenden bis jetzt bekannt und deutlich ist.

Man könnte daher die analoge Schlußart des Philosophen ein Enthymema nennen, aber ein Enthymema ganz eigener Art; denn in dem gewöhnlichen Enthymema wird der Mittelsatz verschwiegen und stillschweigend vorausgesetzt. In der phi-

losophischen Analogie hingegen ist dies mit dem Obersatze der
Fall, weil dieser nicht blos ein einzelner Satz ist, sondern die
ganze Summe philosophischer Wahrheit, soweit der menschliche
Forschungsgeist diese durchdrungen und ergründet hat, welches
aber in einem einzelnen Satze doch auf keine Weise zusammengefaßt werden kann.

Jn Rücksicht auf die Form ist die philosophische Analogie,
besonders wenn sie entferntere Aehnlichkeiten und Wahrschein-
lichkeiten aufstellt, oft in den unregelmäßigen Schlüssen abgefaßt, die wir unter dem Namen Sorites, d. h. zusammengesetzte oder Kettenschlüsse definirt haben.

Zur Analogie gehört auch die Induction, oder diejenige
Schlußart, welche von einem Prädicate, das den meisten
Gliedern und Individuen einer Gattung zukommt, den Schluß
macht, daß es allen eigenthümlich und wesentlich seyn müsse.

Diese Schlußart ist gar nicht unbedingt zu verwerfen,
denn oft erzeugt sie eine Wahrscheinlichkeit, die der Gewißheit
sehr nahe kommt, und in praktischen Fällen kann man mit Zuversicht auf sie bauen; nur ist der philosophische Gebrauch sehr
zu beschränken und festen bestimmten Grundsätzen unterzuordnen. Denn dadurch, daß ein Prädicat vielen, ja den meisten
Wesen einer Gattung zukomme, ergibt sich nicht unbedingt, daß
es allen zukommen müsse, wenn nicht aus einem höhern Grunde
gefolgert wird, daß es der Gattung selbst wesentlich und nothwendig sey.

Zum richtigen philosophischen Gebrauche der Induction gehört eine vollkommene Einsicht in den Zusammenhang des Prädicats mit einer Gattung und den meisten Gliedern derselben,
sonst geräth man in Gefahr, sich hier gewaltig zu täuschen.
Ein Beispiel solcher täuschenden Induction mag die Sache klarer machen. Alle Körper, die wir kennen, Erde, Metalle,
das Wasser, sogar die Luft sind schwer. — Mithin sind
alle Körper schwer. — Das folgt noch nicht; denn darin,
daß die genannten Körper schwer sind, liegt gar kein Grund
zu der Behauptung, daß auch das Feuer und das Licht schwer
sey, wenn dies aus keinem andern Grunde bewiesen werden

kann. Auf unvollſtändigen und falſchen Inductionen beruhen die
meiſten falſchen Hypotheſen in der Phyſik und ſelbſt in der Phi‐
loſophie.

Von der Methode.

Wenn die Behauptung feſt ſteht, daß der Gegenſtand der
Philoſophie unerſchöpflich ſey, daß dieſe dem unendlichen Ziele
ihrer Beſtimmungen nur allmälich ſich nähern und es nie vollkom‐
men erreichen könne, ſo würde es für die Behandlungsart und
Methode der Philoſophie ein nothwendiges Geſetz ſeyn müſſen, daß
ſie kritiſch ſey. —— Denn iſt die Philoſophie wirklich mehr
das Suchen und Streben nach der höchſten Wahrheit, als die
vollendete Erkenntniß derſelben, ſo ergibt ſich von ſelbſt, daß
ein ſtets reger und wachſamer Prüfungsgeiſt alle dieſe Annä‐
herungsverſuche begleiten muß. Haben wir wirklich den rechten
Weg zu jenem höchſten Ziele ergriffen, oder wandeln wir viel‐
leicht auf betrüglichen Irrwegen, die uns auf immer davon
entfernen? — Iſt unſer Streben ein regel‐ und geſetzmäßiges
Fortſchreiten, von dem wir uns am Ende den erwünſchten Er‐
folg verſprechen können? — Sind die Formen und Methoden,
deren wir uns bedienen, wahrhaft geeignet, den unendlichen
Gegenſtand der philoſophiſchen Erkenntniß aufzufaſſen und dar‐
zuſtellen? — und wie läßt ſich ihnen die höchſte Ausbildung
und Vollendung geben? Das ſind Fragen, die nur eine ächte
gründliche Kritik befriedigend beantworten kann, und von deren
richtigen Auflöſung das Gelingen unſerer wiſſenſchaftlichen Be‐
mühungen doch einzig und allein abhängt.

Hat es ferner ſeine Richtigkeit, daß der Begriff des Dings
philoſophiſch ein höchſt ſchädlicher und verwerflicher Irr‐
thum iſt, dabei aber in der eigentlichen Beſchränktheit des
menſchlichen Bewußtſeyns ſo weſentlich gegründet, über alle

Zweige des Denkens und Vorstellens so allgemein verbreitet, daß er gleichsam zu einem nothwendigen Bedürfnisse gewor- den, uns in allen Geistesfunktionen unvermeidlich begleitet und selbst auf der höchsten Stufe philosophischer Erkenntniß, wo wir uns mit aller Anstrengung seinen Täuschungen zu ent- ziehen suchen, unter den mannigfaltigsten Formen und Gestal- ten wieder zurückkehrt, so wird es für den philosophischen For- scher eine eben so unerläßliche Pflicht seyn, diesen in dem Sy- steme des Denkens so tief versteckten und eingewurzelten Wahn- begriff in seinen vielfach und verwebten Verzweigungen auf- zuspüren und zu verfolgen, unter den verschiedensten Modifica- tionen hervorzuziehen, und wo möglich von Grund aus zu ver- tilgen. Auch von dieser Seite muß also die Methode der Phi- losophie eine kritische seyn, sie muß nämlich damit beginnen, diejenige beschränkte Denkart und Ansicht, welche der sinnlichen Natur des Menschen natürlich und angemessen und für das praktische Leben niemals unentbehrlich ist, als eine durchaus falsche, verkehrte zu bestreiten und zu widerlegen; sie muß das gehaltlose, leere, nichtige, so wie das gefährliche, ver- derbliche dieser Meinung auf das gründlichste darzuthun stre- ben, um auf diese Weise durch Entfernung des hartnäckigsten aller Grundirrthümer der philosophischen Forschung den Weg zur Erkenntniß der höchsten Wahrheit zu ebnen und zu bahnen. Sie muß also auch Kritik der philosophischen Richtungen seyn, und gehört als solche wesentlich zur Logik.

In sehr naher Beziehung mit dieser kritischen Methode der Philosophie steht noch diejenige besondere Schlußart, wel- che D i l e m m a heißt, denn diese ist nur in Widerlegung der Irrthümer von Nutzen.

Das D i l e m m a ist eine Schlußart, worin gezeigt wird, daß ein gegebener Satz falsch und irrig sey, weil, wenn er gegründet wäre, auch dieser oder jener bestimmte Fall wahr seyn müsse. Kann nun aber bewiesen werden, daß sowohl der eine als der andere unmöglich ist, so wird auch damit schon der Satz, aus dem diese folgen, widerlegt. Es muß aber wohl in Acht genommen werden, daß außer den aufgestellten Fällen

kein britter Fall mehr möglich ist, baher man auch wohl zu
sagen pflegt, das Dilemma beruhe auf dem Principium exclusi tertii.

Es ist diese in der Philosophie so wichtige Schlußart in
dem angegebenen Sinne blos polemisch, oder widerlegend; sie
kann aber auch kritisch angewandt werden, nicht blos als Wi-
derlegungsmittel gegen den Irrthum, sondern auch als Hülfs-
werkzeug zur Entwicklung der Wahrheit; wenn man nämlich
aus dem Umstande, daß zwei entgegengesetzte Fälle gleich unmöglich sind, nur nicht die Folge zieht, daß die Voraussetzung,
worauf sie beruhen, unrichtig und falsch sey, sondern wenn
man vielmehr daraus den Schluß zieht, daß die Wahrheit auf
einem Wege zwischen beiden entgegengesetzten, gleich unmöglichen Fällen gesucht werden müsse. —

Dieser Gebrauch des Dilemma, der nicht nur bei Kant,
sondern auch bei Leibnitz vorkommt, könnte der kritische genannt
werden, weil er nicht nur zur Widerlegung des Irrthums, sondern auch zur Erforschung der Wahrheit dient; gewöhnlich aber
wird das Dilemma nur praktisch angewandt.

Um die Methode und den Gang, den das menschliche
Denken in seiner Richtung zur höchsten Erkenntniß zu nehmen
hat, richtig zu charakterisiren, muß man vor allem das praktische Denken und das philosophische wohl unterscheiden, wie
beides in der Wirklichkeit auch völlig verschieden ist.

Bei dem praktischen Denken ist es nicht darum zu thun,
die Principien der Wahrheit aufzusuchen und zu ergründen,
sondern dieselben anzuwenden und zu gewissen Zwecken und Absichten zu gebrauchen; daher werden bei dem praktischen Denken die Principien als anerkannt schon vorausgesetzt, und nur
in Rücksicht auf ihre Anwendung betrachtet.

Solche Sätze nun, welche die als anerkannt vorausgesetz-
ten Principien für ein gewisses Gebiet mit Rücksicht auf ihre
praktische Anwendung enthalten, heißen Axiomata und Po-
stulata. Sie machen in dem praktischen Denken den Anfang;
mit Beihülfe der in jedem Gebiete vorhandenen und gegebenen
Data werden alsdann aus diesen Axiomen Theoreme und De-

finitionen gebildet. Diese Definitionen, welche zu einem blos praktischen Behufe aufgestellt werden, brauchen nicht ganz dem Ideale von philosophischer Definition zu entsprechen, welches wir früher angeführt haben, sondern es ist hinlänglich, wenn sie für den beabsichtigten Zweck vollkommene Gültigkeit haben.

Die Theoreme also sind aus den Principien abgeleitete Lehrsätze.

Die Ableitung geschieht vermittelst der Demonstrationen oder Beweise; nach Befinden der Umstände können auch die Definitionen eines solchen Beweises bedürfen, wenn es nicht bloße Nominalerklärungen sind, oder wenn sie nicht zu den Datis gehören, oder unmittelbar aus den Axiomen hervorgehen.

Der wichtigste Theil im praktischen Denken aber sind die Probleme. Sie sind eigentlich praktische Sätze, insofern sie nicht Bestimmungen und Erklärungen, sondern Aufgaben enthalten, welche gelöst werden sollen. Die Untersuchung nun, worin eine solche Aufgabe gelöst wird, ist nicht mehr ein bloßer Beweis, eine Demonstration, ungeachtet auch sie beweisende Kraft haben muß, sondern es ist eine Analyse, d. h. eine Erläuterung, worin gezeigt wird, daß irgend etwas geschehen kann, da hingegen in der Demonstration dargethan wird, daß ein Gegenstand wirklich diese und jene Beschaffenheit habe.

Die Probleme also und ihre Auflösung oder Analyse sind der bedeutendste Theil der praktischen Methode: ja diese selbst ist durchaus analytisch, weil auch die Theoreme, Demonstrationen und Definitionen aus den ersten Principien, d. h. aus den Axiomen und Datis abgeleitet und entwickelt, d. h. analysirt werden. Die praktische Methode ist gerade dieselbe, auf welcher auch die mathematischen Wissenschaften beruhen.

Sehr verschieden von dieser ist die Methode des philosophischen Denkens, oder das theoretische Verfahren. Denn hier, wo Erkenntniß der letzte und höchste Zweck ist, wird alles Streben blos und einzig darauf gerichtet, die Principien der Wahrheit zu ergründen und aufzustellen, das innere Wesen der Dinge zu durchdringen, sich ganz in die Beobachtung des Gegenstandes der Untersuchung zu vertiefen, unbekümmert um alle andere Zwecke und Absichten.

Man nennt dies Verfahren auch das speculative von der innern Geistesanschauung, die den Gegenstand nur erkennen will, ohne alle Rücksicht auf Anwendung und Gebrauch.

Der erste Schritt zu dieser speculativen Ansicht ist, daß man den Gegenstand, welchen man zu erforschen strebt, aus der unzähligen Menge aller übrigen Gegenstände, die unsere Geistesthätigkeit beschäftigen, ganz absondert und isolirt, um die ganze Aufmerksamkeit auf ihn allein zu concentriren. Dieses Bestreben heißt die Abstraction, die Grundlage des theoretischen Denkens.

Man darf aber gar nicht glauben, daß es zu der Abstraction, wovon hier die Rede ist, hinreicht, sich mit abstracten Begriffen zu beschäftigen, oder, wie nur zu oft der Fall ist, die Gedanken anderer nachzudenken und zu wiederholen; die Abstraction ist vielmehr derjenige Theil des Denkgeschäftes, der gar nicht durch Nachahmung erlernt werden kann, sondern vielmehr die eigene Geistesthätigkeit am meisten in Anspruch nimmt. Denn das Wesen der Abstraction besteht ja einzig darin, daß wir unsere Aufmerksamkeit von den mannigfaltigen Wahrnehmungen und Vorstellungen, über die sie sich verbreitet, zur ruhigen, stillen Betrachtung in uns zurückziehen und sammlen, und sie dann mit verstärkter vereinigter Kraft auf den Einen Gegenstand, den wir zu erforschen haben, fixiren. Es ist leicht zu begreifen, wie zu diesem Verfahren nicht etwa ein besonderes eigenthümliches Genie, wohl aber eine ungewöhnliche Uebung und Fertigkeit des ganzen Denkvermögens, eine wahrhaft selbstständige Kraft und Herrschaft des Geistes erfordert wird, um unabhängig von äußern und innern Zerstreuungen unser Bewußtseyn im harmonischen Gleichgewichte aller seiner Thätigkeiten zur höchsten Einheit zu concentriren, nach Willkür und Absicht auf einen beliebigen Gegenstand zu lenken, und dort in ungetrübter klarer Besonnenheit unwandelbar zu erhalten. — Ein Vermögen, das wir nur auf der höchsten Stufe der Bildung in größerer oder geringerer Vollkommenheit antreffen, das aber bei der erschlaffenden Geistesträgheit und Unthätigkeit, worin sie verſunken ſind, bei dem Mangel aller höhern Energie, die zur freien Selbſtbeherrſchung und Beſtimmung erforderlich iſt, gänzlich vermißt wird.

Der zweite Schritt bei dem theoretiſch philoſophiſchen Denken iſt die Conſtruction. Sie beſteht in der genetiſchen Ableitung und Begründung der organiſchen Gliederung und Anordnung der Begriffe. So wie in der Welt ſelbſt alles in einem organiſchen Zuſammenhange ſteht, ein harmoniſches Band alle Weſen zu einem lebendigen Ganzen vereinigt und verknüpft, ſo muß auch ein jeder Begriff als ein Ganzes nach Theilen und Gliedern, und ſelbſt wieder als Theil und Glied eines größern Ganzen in ſeinem natürlichen und nothwendigen Zuſammenhange aufgefaßt und dargeſtellt werden.

Und ſo wie man das Weſen eines Dinges erſt dann vollſtändig begreift, wenn man nicht blos ſeine einzelnen Merkmale und Beſtandtheile aufzählen kann, ſondern wenn man zugleich bis zu ſeinem Urſprunge und erſten Entſtehen hinuntergeſtiegen iſt, und aus dieſem die allmälige Entwicklung aller ſeiner Eigenſchaften und Beſchaffenheiten, ſo wie ſeine ganze jetzige Form herzuleiten und zu erklären vermag, — ſo iſt auch ein Begriff erſt dann vollkommen deutlich, wenn er genetiſch iſt, d. h. wenn wir in ſeiner Einſicht bis zu ſeinem Urſprunge fortgeſchritten ſind, ihn in dem Syſteme unſeres Denkens, in allen ſeinen Verhältniſſen und Verwickelungen, durch die mannigfaltigſten Formen und Modificationen hindurch bis zu ſeiner jetzigen Geſtalt verfolgt haben.

Daher ward in dem erſten Hauptſtücke die Regel gegeben, daß alle philoſophiſchen Begriffe und Definitionen genetiſch ſeyn ſollen, in der eben angeführten Bedeutung.

Zum praktiſchen Gebrauche bedürfen die Begriffe dieſer genetiſchen Herleitung und vollendeten Beſtimmung nicht, für die Philoſophie aber iſt ſie eine durchaus unerläßliche Bedingung. Denn hier iſt es ja einzig darum zu thun, die Gegenſtände unſerer Beobachtung in der höchſten Klarheit und Deutlichkeit, in ihrem ganzen Umfange und Zuſammenhange zu verſtehen und zu erkennen.

Die Construction der Begriffe ist nichts anders, als die **Verständlichmachung** derselben, und dieser Theil des philosophischen Denkens fordert vorzüglich eine große Uebung und Fertigkeit.

Man wird dieses Construiren der Begriffe vorzüglich in jenen philosophischen Schriften finden, die der historischen Darstellung angenähert sind, oder auch in historischen Schriften, die von philosophischem Geiste durchdrungen sind.

Ist ein philosophischer Vortrag an und für sich unverständlich, so fehlt es gewiß an einer richtigen Construction der Begriffe, der ersten Bedingung aller Deutlichkeit und Verständlichkeit. —

Auch die Mathematik kann dem Geiste eine große Uebung und Fertigkeit verschaffen, aus Gegensätzen und verschiedenen Gliedern ein Ganzes zu bilden, und eben so ein Ganzes in seine Theile und Elemente aufzulösen. Nur ist freilich die mathematische Form und Methode von der philosophischen noch ganz verschieden, und muß auch davon geschieden seyn und bleiben.

Das Wesentliche der wahren Construction besteht in der Vereinigung des Philosophischen und Historischen.

Das Philosophische ist nur dann wirklich und wahrhaft construirt, wenn es zugleich historisch, d. h. wenn die Darstellung und Entwicklung der Begriffe vollkommen genetisch ist.

Das Historische ist nur dann eigentlich construirt, wenn die Begebenheiten und Ereignisse nicht nur dem äußern Zusammenhange nach aneinandergereiht und hererzählt sind, sondern wenn ein historischer Forschungsgeist den innern Zusammenhang der Dinge in ihrer natürlichen und nothwendigen Folge, nach ursprünglichen Entwicklungsgesetzen und Formen umfaßt, eine erschöpfende Untersuchung die Grundelemente und Verhältnisse der Wesen und Kräfte ergreift, von welchen die gemeine blos praktische Geschichte nur die äußern Wirkungen und Erscheinungen darstellt.

Wenn zu dem Vermögen der **Abstraction** vorzüglich ein ernster, entschlossener, in der beharrlichen Richtung der Aufmerksamkeit unermüdeter Wille, eine seltene Vereinigung aller

Kräfte und Thätigkeiten und ein hoher Grad von Selbstbeherrschung erfordert wird, so ist die Construction derjenige
Theil des philosophischen Denkens, der sich wohl lehren und
lernen und durch Uebung mehr und mehr vervollkommnen läßt.

Der dritte Theil des philosophischen Denkens ist die Reflection.

In der Abstraction lenken wir unsere Aufmerksamkeit von allen andern Gegenständen weg, und concentriren
sie nur auf den einzigen, den wir untersuchen wollen.

Durch die Construction suchen wir den innern organischen Zusammenhang und Gliederbau eines Gegenstandes, seine
Gränzen und Verhältnisse, seine verschiedenen Bestandtheile und
Eigenschaften mit ihren Formen und Modificationen, sein Entstehen und die allmälige nach ursprünglichen Gesetzen fortschreitende Entwicklung uns deutlich zu machen.

In der Reflection sieht man nicht mehr auf die einzelnen Theile eines Gegenstandes und ihre gegenseitige Verhältnisse
und Verbindungen, sondern allein auf das Ganze, und zwar
in seinen Verhältnissen zu uns und zur Welt überhaupt.

Dies führt uns von neuem auf die kritische Methode zurück; denn wenn wir über einen Gegenstand reflectiren, d. h.
ihn in seinen Verhältnissen zu uns und der Welt betrachten, so
ist dies ja schon ein vergleichendes und kritisches Geschäft, besonders wenn das Object der Reflection zunächst ein Begriff
und nicht die Sache selbst ist. Denn was heißt wohl über
einen Begriff reflectiren, als die verschiedenen Ansichten und
Bestimmungen, die von ihm möglich sind, prüfen und vergleichen, dem Begriffe selbst seine Stelle anweisen, die er in dem
Systeme einnimmt, zu dem er gehört, und ihn aus diesem
Standpunkte beurtheilen.

Für die Reflection lassen sich keine bestimmte Regeln aufstellen, nach denen man sie zu erkennen fähig wäre, auch lassen
sich in diesem Denkgeschäfte keine besondern Uebungen anstel-
len, insofern alles unser Denken zuletzt ein Reflectiren ist, welches wir insofern stets üben.

Allerdings ist die Reflection nur die Frucht und das Resultat eines durch Erfahrungen und Kenntnisse bereicherten, im Denken geübten Verstandes.

Wir dürfen also überhaupt nur das Nachdenken in uns recht lebendig und rege erhalten, unsern Verstand mit Kenntnissen aller Art bereichern, und unsere geistigen Vermögen überhaupt auf das vielseitigste entwickeln und ausbilden, so wird die philosophische Reflection sich schon von selbst einstellen.

Anhang

zur

ogik.

Kritik

der philosophischen Systeme.

Die Gründe, warum die Methode der Philosophie überhaupt kritisch seyn muß, und warum eine Kritik der philosophischen Systeme als Anhang zur Logik gehört, insofern sie den Eingang in die Philosophie enthält, sind schon im dritten Hauptstücke, in den verschiedenen Rubriken entwickelt worden. In der Kritik der philosophischen Systeme werden zugleich bei jedem Systeme die merkwürdigsten Philosophen sowohl der alten als neuen Zeit angegeben werden, die zu diesem Systeme gehören. Der Deutlichkeit wegen aber wollen wir in der nächsten Rubrik voranschicken eine kurze Geschichte der Philosophie, nicht nach den Systemen, sondern nach der chronologischen Folge.

Von den Gattungen und Schulen der Philosophie blos historisch betrachtet.

Die Philosophie, nach ihrer Geschichte betrachtet, zerfällt in drei große Abtheilungen. Erstens: die orientalische Philo-

fophie. Zweitens: die griechische Philosophie, und drit=
tens: die scholastische und die neuere Philosophie.

Erläuterungen zu Nro 1. Man faßt die Philosophie
der asiatischen Nationen unter diesen gemeinschaftlichen Namen
zusammen, obschon die Philosophie der asiatischen Völker sehr
verschieden sowohl dem Inhalte, als auch dem Grade der Aus=
bildung nach gewesen ist; einestheils weil diese orientalische
Philosophie ohngeachtet der Verschiedenheit bei einzelnen Natio=
nen doch viel gemeinschaftliches hat, anderntheils weil man auch
von der Philosophie der asiatischen Völker nur sehr unvollkom=
mene Kenntnisse hat. Die Originalwerke der ägyptischen Phi=
losophen, der Phönizier und Babylonier sind verloren gegangen;
wir kennen ihre Philosophie nur aus einigen theils unzuläng=
lichen, theils unzuverläßigen Schriften der Griechen. Von
den philosophischen Werken der Indier und Chinesen haben sich
mehrere erhalten, doch sind auch diese noch bei weitem nicht
gehörig bekannt, benutzt und geprüft. Die orientalische Philo=
sophie ist also wohl der älteste, aber historisch merkwürdigste
Theil der ganzen Philosophie, dennoch bis jetzt der ungewisse=
ste und unbekannteste. Die Griechen selbst bekennen einen großen
Theil ihrer Philosophie aus Asien entlehnt zu haben. Die Sa=
ge, daß Pythagoras und Plato ihre Philosophie größtentheils
aus Aegypten, wohin beide gereist seyen, entlehnt haben, ist
zu allgemein, als daß sie ganz ohne Grund seyn könnte;
aber wie viel oder wie wenig sie entlehnt haben, das ist schwer
zu entscheiden, weil man orientalische Philosophie wenig kennt,
und die Werke der Aegyptier gar nicht mehr vorhanden sind.
Daher auch unter den Gelehrten allzeit viel Streites hierüber
war.

Erläuterungen zu Nro 2. Die griechische Philoso=
phie umfaßt zugleich die römische, denn die Römer waren nur
Schüler der Griechen. Nur die katholischen Kirchenväter sind
nicht mit hierzu zu rechnen, weil sie ganz verschiedenen Prinzi=
pien folgten, und obwohl die gelehrtesten unter ihnen mit der
alten Philosophie sehr bekannt waren, dennoch dieselbe nicht in
der Art annehmen, wie die Römer. Zur historischen Uebersicht kann

man die griechische Philosophie eintheilen in Schulen, welche
der Zeit nach so folgen: A. Jonische Schule. Hierunter
werden die ersten Stifter der griechischen Philosophie verstan=
den; die merkwürdigsten sind Thales, der Vater der griechischen
Philosophie, und seine Schüler Anarimenes und Anarimander,
Heraklit, einer der größten und tiefsinnigsten Denker der Grie=
chen, und Anaragoras, der zuerst in dieser Schule die Lehre
von der Vorsicht bei den Griechen vortrug, der Lehrer des
Sokrates. B. Die Pythagorder, sie hatten ihren Sitz
in Croton und im ganzen untern Italien und Sicilien. Es
war dies zugleich ein Bündniß, welches zur Verbesserung der
Sitten, der Philosophie und der Religion abzielte, dadurch aber
großen Widerstand fand und endlich in einer Revolution, in
der Pythagoras selbst und die meisten Pythagorder umkamen,
gestürzt wurde. C. Die eleatische Schule, von dem Orte
Elea in Unteritalien. Der Stifter dieser Schule war Xeno=
phanes und die wichtigsten Philosophen derselben waren Par=
menides und der ältere Zeno. Es scheint wohl, daß diese Phi=
losophen mit den Pythagordern persönlich genommen zusammen=
hingen, ihr System aber muß den noch vorhandenen Fragmenten
und Nachrichten zufolge grundverschieden von dem des Pytha=
goras betrachtet werden. Von diesen drei Schulen sind keine
Originalwerke vorhanden, sondern nur geringe Bruchstücke und
ziemlich unzureichende Nachrichten. D. Die Sophisten,
wenn sie eine Schule zu nennen sind; die wichtigsten unter die=
sen waren Gorgias, Protagoras, Hippias, und andre meh=
rere, von denen auch bei Cicero oft die Rede ist. Da die So=
phisten weniger auf die Wahrheit ausgingen, als auf betrüg=
liches Blendwerk, so kann man ihnen auch kein bestimmtes
System zuschreiben, weil sie überhaupt keine bestimmte Mei=
nung hatten und haben wollten. Für die speculative Philosophie
sind ihre skeptische Gedanken, Einwürfe und Grundsätze das
Wichtigste. E. Die sokratische und platonische Schule,
wodurch die griechische Philosophie, welche in der Schule der
Sophisten ganz erniedrigt und ausgeartet war, wiederherge=
stellt und reformirt wurde. Es ist hier sokratische und plato=

nische Schule zugleich genannt worden, weil unter allen Schülern des Sokrates Plato der größte und wichtigste war. Sokrates selbst hat nichts schriftliches hinterlassen, die kleinern sokratischen Schulen aber, wie die der Cyniker ꝛc., sind mehr in
moralischer, als in speculativer Rücksicht wichtig. Die platonische Philosophie nun ist die erste, welche wir authentisch aus
den Original-Schriften kennen. F. Aristoteles und seine
Schüler. G. Die Schule der Stoiker. Es ist hier zu merken, daß die wichtigsten Philosophen der vorhergehenden Schulen
durchaus Erfinder und Selbstdenker waren. Auch von Aristoteles gilt dies, obschon er zugleich ein großer Gelehrter war
und mit der größten Sorgfalt die ältere Philosophie studirte.
Die späteren Schulen aber nach Aristoteles enthalten nichts
neues und neuerfundenes, sondern nur eine neue Zusammensetzung und Mischung der ältern Systeme, wie man dieses den
Stoikern zuerst vorwarf. Daher freilich die frühern Schulen
bis auf Aristoteles die ersten und wichtigsten sind, weil darin
die Quelle enthalten ist, woraus die spätern schöpften. Die
achte Schule der griechischen Philosophie ist die
der Epikuräer, welche einen entschiednen Materialismus
lehrten. Das System derselben ist nicht von Epikur erfunden
worden, sondern schon viel früher von Demokrit und noch früher von Leucipp aufgestellt, welche aber keine Schule gestiftet
haben. Die Schule des Epikur ist in den frühern Zeiten, so
wie auch die Schule der Stoiker unter der Herrschaft der Römer, bis die Ausbreitung des Christenthums beiden Secten ein
Ende machte, sehr groß gewesen. Die neunte Schule ist
die der Skeptiker. Dahin gehören a. die spätern Schülern des Plato oder die sogenannten akademischen Philosophen;
die nächsten Schüler des Plato waren nicht Skeptiker, und
blieben seiner Lehre ganz und gar getreu. Bald aber nahm in
seiner Schule der Skepticismus überhand. Die berühmtesten
der platonischen Skeptiker waren Krantor, Karneades, Arke-
silas. Das sind diejenigen Philosophen, denen Cicero am meisten gefolgt ist. Außer diesen gehören zur Schule der Skeptiker b. noch einige einzelne Selbstdenker, die keine Schule

gestiftet haben; der berühmteste darunter ist Pyrrho, ferner diejenigen Sophisten, die skeptische Grundsätze aufstellten, namentlich
Gorgias. Die zehnte Schule der griechischen Philosophen endlich bilden die neuen Platoniker oder
Synkretisten. Neuplatoniker heißen sie, weil ihr System von
dem des Plato sehr verschieden war, obwohl sie diesem meistens
folgten und ihn gränzenlos verehrten; Synkretisten heißen sie
aber, weil sie mit der Lehre des Plato viele Lehren des Aristoteles, des Pythagoras und der Stoiker zu verbinden suchten.
Der berühmteste unter diesen ist Plotinus, ein großer Philosoph
im dritten Jahrhundert; ferner gehören noch hieher Porphyrius
und andre. Plotin aber ist der erste und wichtigste, dessen
Schriften sich auch erhalten haben, und die neben dem Arrianus
und den platonischen Schriften die wichtigsten sind für die griechische Philosophie der spätern Zeit. Diese Philosophie war sehr
zur Schwärmerei geneigt.

§. 3. Wir gehen nunmehr über zur neuern Philosophie. Die
erste Periode derselben bilden die Kirchenväter. Diese schließen
sich zunächst an die neuplatonische Philosophie an. Einige der
ältern Kirchenväter waren der neuplatonischen Philosophie ganz
ergeben. Augustin aber, der größte Philosoph unter den lateinischen Kirchenvätern, hat die neuplatonische Philosophie, insofern sie mit dem Christenthum stritt, widerlegt und reformirt,
und er vorzüglich hat das System der philosophischen Theologie begründet, welches in den folgenden Jahrhunderten allgemein das herrschende geblieben ist. Die zweite Periode
der neuern Philosophie bildet die Philosophie des Mittelalters. Nach derjenigen Zeit, in welcher die größten Kirchenväter blühten, blieb die Philosophie stehen, einestheils,
weil das System durch den Augustin vorzüglich so weit
vollendet war, als es in theologischer Rücksicht erfordert wurde, und anderntheils, weil die Unruhen und Kriege, welche
der Untergang des römischen Reiches und die Ausbreitung des
germanischen Reiches über Europa mit sich führten, den Gang
der Wissenschaften und das Studium derselben überhaupt
hemmten. Die einzelnen Männer in der frühern Zeit des Mit-

telalters, die vorzüglich berühmt sind, verdienen diesen ihren
Ruhm mehr deshalb, weil sie die Entdeckungen der Vorwelt
erhielten und auf die Nachwelt brachten und weil sie selbst
weise und ausgezeichnete Männer waren, als daß sie in der
Philosophie viele neue Entdeckungen gemacht hätten. Die
wichtigsten unter diesen Philosophen, welche den Uebergang von
den Kirchenvätern zu den eigentlichen Scholastikern machen,
sind Boethius unter dem Theodorich im sechsten Jahrhundert;
der Engländer Beda im achten Jahrhundert, Alcuin unter Carl
dem Großen, und endlich Scotus Erigena, am Ende des neun-
ten Jahrhunderts. Der letzte ist für speculative Philosophie der
wichtigste. Schon von dem Boethius an hatte die aristotelische
Philosophie Uebergewicht erhalten, obgleich es auch immer noch
Freunde der platonischen Philosophie gab. Im eilften Jahrhundert ward das Studium der Philosophie wiederum viel allgemeiner, besonders in England und in Frankreich, so daß
sogar eine Schule entstand, da die vorgenannten Männer mehr
für sich allein standen und keine Schule stifteten. Die wichtigsten
Philosophen dieser Schule sind Lanfraneus nebst seinem Gegner
Berengarius, Anselmus, Abelardus und Petrus Lombardus.
Lanfraneus wandte zuerst die Dialektik auf theologische Gegenstände an. Anselmus war ein tiefsinniger Denker, der in
der speculativen Theologie viele scharfsinnige Beweise zuerst
aufstellte, die alle nachkommenden Philosophen benutzt haben.
Abelardus stiftete eine große Schule durch die Kraft seiner Beredsamkeit, und wirkte außerordentlich auf sein Zeitalter; er
schrieb in einem sehr schönen Styl, war ein sehr bewunderter
Dialektiker und ein Freund der platonischen Philosophie, wie
auch sein Freund Johannes von Salisbury. Petrus Lombardus
endlich brachte das System der Theologie zuerst in ein Com-
pendium. Die dritte Periode der neuern Philosophie machen
aus die eigentlichen Scholastiker, welche geblüht haben im drei-
zehnten Jahrhundert. Die wichtigsten darunter sind: Albertus
magnus, wichtig als Stifter der scholastischen Philosophie
und als Lehrer des heiligen Thomas, Thomas selbst, Alexan-
der von Hales und dessen Schüler, der heilige Bonaventura,

Duns Scotus, Stifter der Schule der Scotisten, Occam, der im vierzehnten Jahrhundert dessen Lehre zum Theil folgte, zum Theil aber sie modificirte, und Durandus, welcher das den Scotisten entgegengesetzte System der Thomisten vertheidigte und erhielt; endlich gehört auch noch hieher der besonders für Physik merkwürdige ältere Baco oder Roger Baco. Die dritte Hauptclasse der neuern Philosophen sind die Reformatoren und Wiederhersteller der Philosophie im sechszehnten und siebenzehnten Jahrhundert. Da die scholastische Philosophie zuletzt sehr ausgeartet war, so bedurfte sie allerdings einer großen Reform, und da nun zu gleicher Zeit die historischen und grammatischen Kenntnisse sich sehr erweiterten, und in der Physik und Astronomie auch viele neuen Entdeckungen gemacht wurden, so hatte dies auch sehr großen Einfluß auf die Philosophie. Die ältesten dieser Reformatoren der Philosophie waren vorzüglich Italiäner und Deutsche. Die berühmtesten unter den ersten waren Marsilius Ficinus und Picus von Mirandola; unter den letztern Reuchlin. Marsilius Ficinus bemühte sich besonders die platonische Philosophie wieder in Ansehen zu bringen, da bei den spätern Scholastikern die aristotelische Lehre mit einer sectirerischen Partheilichkeit allein als unumstößliche Authorität angenommen wurde. Mirandola und Reuchlin suchten das Studium der orientalischen Philosophie bekannter zu machen und zu zeigen, daß es mit dem Christenthum gar nicht streite, wie man fälschlich vorauszusetzen pflegte, weil viele Freunde der orientalischen Philosophie auch Anhänger der Astrologie waren. Außer den genannten ist unter den Humanisten, die jetzt entstanden, für Philosophie und besonders für Moral der wichtigste der Niederländer Hugo Grotius, welcher in der Jurisprudenz und im Naturrecht Epoche gemacht hat. Die gesammten Philosophen waren alle zugleich auch große Gelehrte.

Die Philosophen, die im siebenzehnten Jahrhundert aufstanden, besaßen physikalische und mathematische Kenntnisse: Baco von Verulam, Descartes und Leibniz waren Physiker vom ersten Range. Die größere Freiheit, die in dem Gebiete der Philosophie überall zu herrschen anfing, nachdem man den scho-

laſtiſchen Zwang abgelegt hatte, gab dem menſchlichen Geiſte
einen neuen kräftigen Schwung und eine alles umfaſſende Viel-
ſeitigkeit. Alles wurde erforſcht und geprüft, behauptet und
beſtritten, alle Wege verſucht, die zur Erkenntniß führen können, alle in der Philoſophie nur immer möglichen Anſichten und
Syſteme kamen wieder zum Vorſchein; die älteſten Ideen wurden unter den mannichfaltigſten Formen von neuem aufgeſtellt,
entwickelt und begründet, alſo war es ſehr natürlich, daß neben dem Wahren und Guten auch wieder das Falſche, Schlechte
und Verwerfliche zum Vorſcheine kam. Spinoza ſtellte ein Syſtem des Pantheismus auf, welches mit der wahren Religion
durchaus unvereinbar iſt. Gaſſendi, Hobbes und mehrere andere gleicher Denkart verſchafften dem Materialismus der alten
Epikuräer wieder viel Anſehen und Einfluß. Ueberhaupt ward
die Freiheit des Philoſophirens aufs äußerſte mißbraucht, und
an die Stelle des richtigen, partheiloſen Forſchens und Prüfens trat ein wahrer Zerſtörungsgeiſt, der vorzüglich gegen
alles Alte mit der wildeſten, hartnäckigſten Wuth ankämpfte
und am Ende, ohne Urtheil und Ueberlegung einzig dem Zuge
ſeines ſinnlichen Ungeſtümes folgend und von blindem Par-
theigeiſt und leidenſchaftlichem Haſſe zu den gewaltſamſten Ex-
tremen fortgeriſſen, ſeine vernichtenden Angriffe ohne Scheu
und Schonung gegen die ehrwürdigſten Heiligthümer der Menſch-
heit richtete. Daß die Philoſophie allgemein verbreitet wurde,
und aus dem engen Bezirk der Schule in den erweiterten Kreis
des öffentlichen Lebens heraustrat, war an ſich nicht zu verwerfen; allein es hatte die üble Folge, daß der große Haufe
anfing, ſich mit Gegenſtänden zu beſchäftigen, die ſeine Faſ-
ſungskraft völlig überſtiegen und ſeinen Blicken ewig entzogen
bleiben mußten. Die Philoſophie gerieth gänzlich unter die Pöbel-
herrſchaft, und konnte nun der ſchmählichſten Entartung nicht
entgehen; denn es war natürlich, daß hier, wo das Verſtehen
unmöglich, das Mißverſtändniß um ſo ärger war, und daß man
zu dem verderblichſten Irrthum herabſinken mußte, wo man zur
höchſten Erkenntniß ſich nie erheben konnte. Die Philoſophie
aus ihrer wahren Sphäre, von der Richtung nach dem höchſten

Ziele in den Kreis des Gemeinsten herabgezogen, mußte nun als verächtliches Werkzeug unwürdiger Zwecke dem Schlechten und Verwerflichen dienen. Die Erkenntniß des Einen, Wahren und Höchsten für eitle, leere Chimäre und thörichte Anmaßung erklärend, beschränkte man ihren ganzen Wirkungskreis nur auf praktischen Nutzen und Brauchbarkeit für die kleinlichen Zwecke und Interessen des gewöhnlichen Lebens. Alle Zweige des menschlichen Wissens sollten zu dieser gemeinen praktischen Einheit verbunden und dadurch gerechtfertigt und erhalten werden. Es war vorzüglich die Moral bei dieser allgemeinen Verkehrtheit am meisten entstellt und verwirrt worden. Die zügelloseste Eitelkeit, der crasseste Eigennutz versteckten sich hinter ihre Lehren, und die ewigen Formen des Wahren und Guten mußten in ihrer Erniedrigung den scheußlichsten Auswüchsen der Unsittlichkeit zur Hülle dienen.

In dieser schlechten Gestalt trat jene populäre Philosophie auf, die vorzüglich mit Locke begann, nach ihm aber durch eine Menge Schriftsteller seiner Denkart in England und Frankreich auf die mannichfaltigste Weise ausgebildet und über alle Wissenschaften, alle bürgerlichen und religiösen Verhältnisse ausgebreitet wurde. Sie verdient in der Geschichte der Philosophie eine negative Stelle, als eine höchst gefährliche, aber lehrreiche Verirrung und Abart, die in ihrer verderblichen Tendenz die Grundfeste aller Moralität und Religion, so wie der wahren Philosophie selbst untergraben und erschüttert hat, und deren richtige Beurtheilung für uns um so viel nothwendiger ist, da zunächst in ihrem überwiegenden Einfluß auf die Sitten und Denkart der herrschenden Nationen die erste Quelle jener gewaltigen Umwälzung gesetzt werden muß, die Europa zum Schauplatz von Unordnungen, Verwirrungen und Zerrüttungen gemacht hat, wie die Geschichte in ihrem ganzen Umfange sie nicht größer und schrecklicher aufzuweisen vermag.

Wir gehen nun zu einer Kritik der verschiedenen Systeme selbst über und machen hier den Anfang mit dem niedrigsten, populärsten, und daher in unsern Zeiten beliebtesten von allen, dem System des Empirismus, der in speculativer Hinsicht ge-

wiß auf der unterſten Stufe ſteht und des Namens Philoſophie ſchwerlich gewürdigt werden kann.

Kritik des Empirismus.

Das Weſentliche und Auszeichnende in dieſem Syſtem beſteht in dem Grundſatz: daß alle Erkenntniß ſinnlich, an und
auf das Gebiet der Erfahrung beſchränkt ſey; alle angeblich
geiſtigen Begriffe und Erkenntniſſe alſo auch nur als weſenloſe,
inhaltsleere Phantasmen angeſehen werden müſſen. — Conſe-
quent genommen wird dies Syſtem zu dem vollkommenſten Materialismus und Atheismus führen.

Der Empirismus ward in der neuern Zeit vorzüglich ausgebildet und vollendet bei den Engländern durch Locke, bei den
Franzoſen durch Helvetius und Condillac. Man kann Baco
nicht mit vollem Rechte in dieſe Claſſe ſetzen, weil er die Philoſophie durch Erfahrung zu beweiſen und auf Erfahrung zurückzuführen ſuchte; denn es iſt wohl ſchwerlich ſeine Abſicht
geweſen, die Möglichkeit aller höhern Erkenntniß zu leugnen
und die Philoſophie alſo blos und einzig auf das Gebiet der
Erfahrung einzuſchränken. — So allgemein verbreitet der Empirismus in der neuern Zeit ſich bei den gebildeten Nationen
zeigt, ſo wenig Anhänger hatte er bei den Griechen. — Es
iſt gewiß ein deutlicher und ehrenvoller Beweis von der Kraft
und Energie des griechiſchen Geiſtes, daß ihre Philoſophie ſich
doch beſtändig in den höhern Regionen der Speculation erhielt
und zu jener gemeinen und niedrigen Anſicht nie herabgeſunken
iſt, die eigentlich nur aus gänzlicher Geiſtesohnmacht und Er-
ſchlaffung und der Verzweiflung, ſich zu dem Höchſten erheben
zu können, erklärbar iſt.

Unter der großen Anzahl griechiſcher Philoſophen, die aus

die Geschichte überliefert hat, kann man nur drei Empiriker aufzählen, die entweder gar keine, oder doch nur höchst unbedeutende Anhänger hatten.

Der erste griechische Empiriker war der Sophist Protagoras, welcher behauptete, die Empfindung sei die Quelle aller Erkenntniß und der Mensch der Maaßstab aller Dinge. Diesen letzten Satz würden wir in unserer Sprache so ausdrücken: alle Wahrheit sei durchaus subjectiv, es gebe gar nichts allgemein Gültiges in der Vorstellung.

Der zweite Grieche, den wir zu den Empirikern rechnen können, ist Xenophon. Er behauptete, es sei eine zwecklose, eitle, nichtige Beschäftigung, in höhere Speculationen sich verirren; nur das, was praktischen Werth und Gültigkeit habe, was in den Verhältnissen des wirklichen Lebens anwendbar und nützlich sey, könne als ein würdiger Gegenstand der menschlichen Wißbegier angesehen werden; es dürfe diese daher auch nur auf das Gebiet der Erfahrung sich beschränken. Wir erwähnen des Xenophon, der übrigens für speculative Philosophie von gar keinem Interesse ist, blos darum, weil diese Forderung praktischer Brauchbarkeit der Philosophie viele treffliche Männer verleitet hat, zu dem System des Empirismus sich zu bekennen. Wie wenig übrigens dieser Grundsatz für die Philosophie gelten könne, erhellet daraus, daß die Philosophie ja nur auf Wissen und Erkenntniß gerichtet und einzig bemüht ist, dieselbe so vollkommen und allumfassend zu machen, als die Natur der Sache es nur immer verstattet. Sie kann in diesem Streben, die höchsten und wichtigsten Gegenstände der menschlichen Wißbegier in ihren innersten Gründen zu erforschen, auf praktischen Nutzen, besonders aber auf Anwendbarkeit für die Zwecke des wirklichen Lebens durchaus nicht sehen. Die Erkenntniß des Wahren und Guten hat an und für sich den reellsten Werth, und darf nichts anderem untergeordnet, nicht als Mittel für fremdartige Zwecke angewandt werden. Sie reißt den Menschen aus dem Reiche gemeiner Naturerscheinungen heraus, und erhebt ihn zu einer höhern Stufe edlern vollkommenern Daseyns. Das irdische Leben liegt als solches tief unter ihrer erhabenen Sphäre, und wenn sie sich zu ihm herabläßt, so geschieht dies nicht, um sich in seine Formen einzuschmiegen, sondern diese selbst nach den Gesetzen einer ideellen Bildung zu gestalten und ihnen erst dadurch wahren Werth und wahre Bedeutung zu geben. Uebrigens folgt aus der großen Bestimmung der Philosophie selbst, daß die Beschäftigung mit ihr nicht Jedermanns Sache, und es daher auch sehr richtig und lobenswerth sey, wenn viele nach dem geringen Maaße ihrer geistigen Kraft alle höheren Speculationen als eine für sie fruchtlose Verirrung ansehen und ihre ganze Thätigkeit daher auch einzig auf das Gebiet des Praktischen richten. —

Für den Philosophen aber, d. h. für denjenigen, dessen einziges Streben es ist, seiner Wißbegierde bis an die äußersten Grenzen des menschlichen Wissens zu folgen, würde das Leere und Eitle der Spekulation nur dadurch dargethan werden können, daß man ihm die gänzliche Unmöglichkeit aller philosophischen Erkenntniß vollkommen erwiese.

Der dritte griechische Empiriker war ein Schüler des Sokrates, von dessen Lehre er aber freilich sehr abwich; so sehr sich auch Sokrates Schüler in Hinsicht ihrer theoretischen Lehren unterschieden, so übereinstimmend waren ihre moralischen Grundsätze; fast alle bekannten sich zu der strengen erhabenen Tugendlehre ihres Meisters. Der einzige Aristipp machte hier eine Ausnahme; denn ganz im Widerspruch mit jenem stellte er das sinnliche Vergnügen als das höchste Gut des Menschen auf, als das letzte Ziel aller seiner Bestrebungen, und die Möglichkeit seiner Erreichung als den einzigen wahren und richtigen Maaßstab für die Beurtheilung des Werthes oder Unwerthes alles Denkens und Thuns. So gefährlich und abschreckend diese Moral auch immer seyn mag, so folgt sie doch aus der Grundansicht des Empirismus ganz nothwendig und natürlich: denn liegt in den sinnlichen Eindrücken allein die Quelle aller Wahrheit und Realität, so können auch sie nur die Motive alles vernünftigen Denkens und Handelns hergeben und was gut oder böse sey, bestimmen.

Kant kann man als eigentlichen Empiriker nicht ansehen, wenn gleich seine theoretische Philosophie mit dem Resultate schließt, daß nur in dem Gebiete der Erfahrung die wahre reelle Erkenntniß sicher sey.

a. Ist Kant's praktische Philosophie durchaus nicht empirisch; b. und dann ist auch seiner theoretischen Philosophie viel Skeptisches und Idealistisches beigefügt, indem er die Erkenntniß zwar auf das Gebiet der Erfahrung einschränkt, aber doch nicht einzig und allein aus dieser herleitet.

Um zu zeigen, daß der Empirismus durchaus die wahre Philosophie nicht seyn kann, sind folgende Gründe hinreichend:

1. Die wahre Philosophie kann gerade nur in der Erkenntniß desjenigen bestehen, was ganz außer dem Gebiete der gemeinen Erfahrung liegt. Sie sucht ja allein die verborgenen Gründe der Dinge zu erforschen und bis zur Urquelle alles Seyns und Daseyns durchzudringen, um das innerste und geheimste, unsern irdischen Blicken unsichtbare Leben der Natur im Geiste und in der Wahrheit zu ergreifen und zu erkennen; und falls es noch zweifelhaft wäre, ob eine solche Erkenntniß auch wirklich statt haben kann, so soll die Philosophie wenigstens diese Zweifel zu lösen und die Frage zu beantworten suchen: ob die höchste Wahrheit wirklich für den Menschen erreichbar sey, auf welchen Wegen er sich ihr am ehesten und sichersten nähere, durch welche Mittel er sich in ihren vollen Besitz setzen kann. — Die Philosophie kann selbst nur das methodische Streben nach jener höchsten Erkenntniß seyn. Wäre nun die Behauptung des Empirismus wahr und begründet, so gäbe es gar keine Philosophie und alle Erkenntniß wäre nur in der Physik und Geschichte zu suchen.

2. Es gibt aber selbst unter den durch Erfahrung gegebenen Wissenschaften eine, welche mit den Grundsätzen des Empirismus in vollkommenem Widerspruche steht, und diese ist eben diejenige, welche in Hinsicht des hohen Grades der Gewißheit und der innern Vollendung den Vorrang hat vor allen übrigen, nämlich die Mathematik. Die nothwendigen Vernunftwahrheiten dieser Wissenschaft, deren vollendete Gewißheit niemand in

Zweifel ziehen wird, sind eine hinreichende Widerlegung des Empirismus; denn gälte sein Grundsatz, so wäre eine absolut gewisse allgemein gültige Erkenntniß durchaus nicht möglich.

3. Der Empirismus widerspricht sich selbst, indem er dasjenige, was er behauptet, seinen eigenen Grundsätzen zufolge nicht mit absoluter Evidenz beweisen und erkennen kann. Wenn das Uebersinnliche außer dem Gebiete der Erfahrung liegende für uns unter keinerlei Bedingung erkennbar ist, so können wir überhaupt nichts von ihm aussagen und behaupten, also auch seine Begreiflichkeit oder Unbegreiflichkeit auf keinerlei Weise darthun, welches einen Begriff von ihm nothwendig voraussetzt. Es ist dies nicht etwa eine überfeine Subtilität, sondern ein sehr natürlicher und gegründeter Einwurf, welcher deutlich beweiset, daß der Empiriker seinen eigenen Grundsätzen zufolge sich weit eher zum Skepticismus bekennen sollte; eine Anforderung, deren Gültigkeit durch die Erfahrung selbst zur Genüge bestätigt wird, da fast alle, welche von empirischen Grundsätzen ausgehen, wenn sie nur überhaupt Scharfsinn und philosophischen Geist haben und ihre Gedanken mit Consequenz verfolgen, zuletzt gänzlich zum Skepticismus übergehen.

4. So wie einerseits die Grundsätze des Empirismus, mit Scharfsinn und Consequenz durchgesetzt, unvermeidlich zum Skepticismus führen, so sind sie auf der andern Seite sehr nahe mit dem Materialismus verwandt, d. h. mit demjenigen Systeme, das alle Realität nur in der Sinnenwelt bestehen läßt und aus dieser herleitet; denn da, blos von dem Standpunkte der Erfahrung aus betrachtet, die sinnlichen Eindrücke von den materiellen Dingen herrühren, durch diese bewirkt werden, und nach dem Empirismus auf diese Art nur allein wahre Erkenntniß erworben wird, so wird denn doch zuletzt auch hier alle Wahrheit und Realität in die Körperwelt gelegt, und die Denkart ist im Grunde materialistisch, nur mit dem Unterschiede, daß der Materialist viel kühner und entschiedener die Körperwelt aus materiellen Kräften herleitet, die nicht unmittelbar wahrgenommen werden, indeß der Skeptiker, furchtsam und beschränkt, über die sinnlichen Wahrnehmungen sich nicht

zu erheben vermag, welches einzig daher rührt, weil seiner
materialistischen Ansicht doch viel skeptische Zweifelsucht und
ängstliche Unbestimmtheit beigemischt ist.

Aus dem bisher Gesagten geht folgendes für die Charakterisirung des Materialismus entscheidende Resultat hervor:

Der Empirismus ist gar keine ursprüngliche eigenthümliche
Art von Philosophie, sondern vielmehr eine bloße Mischung von
Materialismus und Skepticismus. Seinem ersten Grundsatz,
so wie seinem innern Wesen und Charakter nach ist er völlig
Eins mit dem Materialismus, nur erscheint dieser in ihm durch
die Beimischung von Skepticismus modificirt und beschränkt.
Man gebe dem Empiriker Kühnheit und Stärke der Einbildungskraft und systematischen Geist, und er wird den Materialismus ohne Rückhalt ergreifen; gebt ihm mehr philosophischen
Scharfsinn und Consequenz, und ihr seht ihn sich ganz zur skeptischen Ansicht bekennen. Der eigentliche Grund des Empirismus ist in einer wahren Geistesschwäche zu suchen, und zwar
in einer Schwäche, die sich gleichmäßig über alle Geistesthätigkeiten verbreitet, sie alle in gleicher Beschränkung erschlaffen
läßt und nirgend eine kräftige Aeußerung, einen kühnen Aufflug
verstattet. Diesen Zustand geistiger Kraftlosigkeit und Ohnmacht
finden wir nicht nur bei einzelnen Individuen, sondern bei
ganzen Zeitaltern und Nationen, bei welchen der Empirismus
herrschende Denkart ist.

5. Der Empirismus beruht auf ganz grundlosen Voraussetzungen, nämlich auf dem theoretischen Gebrauche vom Begriffe des Dings und der gänzlichen Trennung des Sinnlichen und Uebersinnlichen, des Endlichen und Unendlichen. Wenn
der Empiriker seine Behauptung blos dahin einschränken wollte,
daß der menschliche Geist das Unendliche, Uebersinnliche nur im
Endlichen, Sinnlichen zu erkennen vermöge, so könnte die wahre
Philosophie gegen diese Behauptung nichts einzuwenden haben,
wenn nur zugleich angenommen würde, daß es überall nichts
rein Sinnliches und Endliches gebe, und das alles, was man
dafür ausgibt, immer noch auf das Uebersinnliche, Unendliche
in Beziehung gesetzt werden müsse. Einen so beschränkten und

modificirten Empirismus könnte die höhere Philosophie unbestritten bestehen lassen. — Daß in allen irdischen Erscheinungen unsichtbare, geistige Kräfte thätig und lebendig sind, hat selbst in neuern Zeiten die Physik gelehrt, nachdem sie sich zu einem höhern Grade von Vollkommenheit erhob. Es ist dies aber eine Wahrheit, deren Bestätigung die Philosophie von keiner andern Seite herzunehmen bedarf, und welche unabhängig von allen physikalischen Entdeckungen und Erfahrungen durch die ältesten Denker schon mit der bestimmtesten Ueberzeugung ausgesprochen war. Indessen sind denn doch die Entdeckungen der neuern Physik eine offenbare Bestätigung und unverwerfliche Bewährung jener höhern philosophischen Ansicht, und man dürfte in dieser Hinsicht wohl sagen, daß das Reich des Empirismus zu Ende sey, indem die empirische Beobachtung und Betrachtung der Körperwelt selbst in ihren Fortschritten endlich auf das Resultat gekommen ist, daß eine unsern irdischen Blicken verborgene, geistige Kraft das ganze Weltall beseelend durchdringe und daß auch in dem kleinsten Naturproducte ein unendliches Leben tief innerlich verschlossen sey. —

Schlußanmerkung über das Verhältniß des Empirismus zur natürlichen Theologie.

Man muß natürlich auf den Gedanken gerathen, daß bei der empirischen Ansicht, die sich einzig nur auf die Sinnenwelt beschränkt und alle Erkenntniß nur aus dieser herleiten und begründen will, gar keine Theologie Statt haben kann, indem das göttliche Wesen ja gewiß nicht anders, als über die Sinnenwelt erhoben und ganz von ihr verschieden zu denken ist, wie es denn auch unter den strengen Empirikern manche Atheisten gegeben hat. Die Bessern aber, bei denen in diesem Punkte das moralische Gefühl über das System Herr geworden war, behaupteten immer Theisten zu seyn und gründeten ihre Beweise für das Daseyn Gottes auf die in der Natur überall sichtbaren und durch Erfahrung selbst erkennbaren, wohlthätigen Zwecke und Einrichtungen, welche auf eine absichtliche, planmäßige Anordnung des Weltalls und einen Alles lenkenden und regierenden Herrn und Gesetzgeber mit Sicherheit schließen lassen.

Gegen die Gültigkeit dieses Beweises würden sich ohne
Mühe sehr triftige und gründliche Einwürfe von allen Seiten
darbieten, deren Widerlegung wohl so leicht nicht gelingen
möchte; und hätten jene wohlmeinenden Empiriker den wahren
Begriff der Gottheit nicht schon früher aus der Offenbarung ge=
schöpft, oder wären durch ein sittliches Bedürfniß auf ihn ge=
führt worden, sie würden aus ihren empirischen Grundsätzen ihn
wohl nimmermehr hergeleitet haben, weil er aus diesen in der
That nicht herfließt. Bliebe man blos bei der Erfahrung
stehen und wollte nur auf das achten, was im Laufe der Na=
tur oder der Geschichte als äußere Erscheinung sich offenbart,
so dürfte es wohl schwerlich gelingen, alles wirklich Schlechte
und Böse, wodurch das physische, wie das moralische Reich
oft so gewaltsam zerrüttet wird, als Werkzeug und Mittel für
die höheren, uns verborgenen Zwecke einer göttlichen Weltre=
gierung zu rechtfertigen, und es möchte wohl sehr natürlich der
Gedanke sich aufdringen, ob die Weltregierung nicht unter meh=
reren göttlichen Wesen getheilt sey. Wollte der Empirismus
seiner Denkart getreu nur die äußere Erfahrung um Rath fra=
gen, so würde das einzige seinen Grundsätzen wahrhaft ent=
sprechende System der natürlichen Theologie sich auf die An=
nahme zweier ganz entgegengesetzter Principien, eines guten
und eines bösen, gründen, mit dem skeptischen Grundsatze in=
dessen, daß diese Annahme nur einen hohen Grad von Wahr=
scheinlichkeit habe, indem eine sichere vollkommene Erkenntniß
über diesen Gegenstand dem Menschen versagt sey. —

Kritik des Skepticismus.

Der Grundcharakter des Skepticismus ist im allgemeinen
hinreichend bekannt, läßt sich aber nicht so auf einige bestimmte
Grundsätze bringen, wie das vorhin characterisirte System, ei=

nestheils, weil es in dem Wesen des Skepticismus selbst liegt, keine feste Grundsätze anzuerkennen, anderntheils, weil die vielen Anhänger dieses Systems in Hinsicht ihrer Behauptungen so außerordentlich von einander abweichen, daß es höchst schwierig, ja unmöglich seyn würde, sie alle unter einerlei Principien ordnen zu wollen.

Der Skepticismus ist nicht sowohl ein System, auf fest bestimmten und gegründeten Principien gebaut, als vielmehr eine neue philosophische Ansicht und Denkart, nach welcher die Unmöglichkeit und Ungewißheit aller Erkenntnisse überhaupt angenommen wird. —

Um den Charakter dieser Denkart, der, wie gesagt, in einigen Hauptgrundsätzen sich' nicht vollständig bestimmen läßt, doch in so weit kennen zu lernen, als nothwendig ist, ein sicheres Urtheil über sie aufzustellen, wollen wir zur Geschichte selbst übergehen, um aus ihr die Hauptresultate des Systems, wie sie von dem ersten und bedeutendsten Repräsentanten ausgesprochen wurden, mit möglichster Genauigkeit zu entwickeln.

Unter den Griechen zeichnet Gorgias, dem nachher viele der wichtigsten Sophisten folgten, sich als Skeptiker vorzüglich aus. Er behauptete geradezu, daß es überhaupt gar keine Wahrheit gäbe, und wenn es auch eine gäbe, würde sie doch nicht erkennbar seyn, und wenn sie endlich auch erkennbar wäre, würde sie sich doch nicht mittheilen lassen.

Anmerk. Die Behauptung, daß es überhaupt keine Wahrheit gebe, entsprach vollkommen den Absichten der Sophisten, um so sicherer konnten sie jede beliebige Meinung, je nachdem es die Umstände erforderten, entweder bestreiten oder vertheidigen. —

Durch die Sophisten erhielt dieser Skepticismus die ausgedehnteste Anwendung und den schädlichsten Einfluß, sie mißbrauchten ihn, um alle religiösen, sittlichen und rechtlichen Ideen von Grund aus zu verkehren und jede höhere Wahrheit ohne Scheu und Schonung zu verletzen. Das große Ansehen der Sophisten verbreitete die skeptische Ansicht über alle Volksclassen der griechischen Welt; aber auch in der Philosophie fand er eine bleibende Stelle und wurde von großer Bedeutung, da er von ausgezeichneten Köpfen mit Verstand und Vorsicht vorgetragen, durch rhetorische Kraft und Schönheit im höchsten Grade angenehm gemacht, und durch sophistische Kunst gegen alle Angriffe wohl ausgerüstet und geschützt erschien, daher es den Bekennern der wahren Philosophie auch nicht wenig Mühe macht, diese skeptischen Sophisten zu widerlegen.

Weniger ausgebreitet, aber weit achtungswerther war in moralischer Hinsicht die Schule des Pyrrho. Pyrrho war nicht nur selbst ein Mann von dem unsträflichsten, tugendhaftesten Charakter und Wandel, sondern auch ein sehr strenger Moralist. Die bessere Moral hat er, wie die späteren Akademiker, wahrschainlich dadurch mit seiner skeptischen Ansicht vereinbart, daß er behauptete, man müsse diese nie ins wirkliche Leben einführen, sondern hier ganz zuversichtlich den Ansprüchen des gesunden Verstandes und natürlichen Gefühles folgen. So sehr diese Behauptung auch für den individuellen sittlichen Werth des Pyrrho selbst spricht, so ist sie in wissenschaftlicher Hinsicht doch von gar keinem Gewichte und würde, als philosophische Ansicht überhaupt genommen, auch zu den widersprechendsten und verkehrtesten Resultaten führen. Denn mit welchen Gründen würde man, wenn sie einmal als allgemein geltend anerkannt würde, wohl denjenigen bestreiten, der einzig und allein den Empirismus zum herrschenden Princip seiner Handlungen machte? Wahrheinlich stellte Pyrrho zuerst das Princip der Unentschiedenheit auf; so nannten die Griechen nämlich jenen Gemüthszustand, wo man sein Urtheil zurückhalten und bei den unauflösbaren Widersprüchen, die in allen Dingen seyen, weder für, noch gegen eine Meinung sich entscheide. Es ward diese Unentschiedenheit als ein Ideal aufgestellt, dem man desto mehr sich nähere, jemehr man an philosophischer Denkart und Einsicht gewinne.

Die dritte Classe der Skeptiker bildeten die Stifter und Anhänger der neuern Akademie. Die ältern Platoniker blieben den Lehren ihres Meisters getreu, sehr bald aber entstanden in seiner Schule andere Meinungen und Ansichten, zu denen Plato freilich durch die skeptische Form und Methode seiner Philosophie, die ihm als Angriffsmittel gegen die sophistische dreiste Entschiedenheit diente, den ersten Grund gelegt hatte. Die berühmtesten Skeptiker dieser akademischen Schule waren Krantor, Arkesilaos und Karneades. Auch sie wollten die skeptische Ansicht auf das wirkliche Leben nicht angewandt haben und stellten eine Moral auf, die nichts weniger als ganz verwerflich und größtentheils aus dem Plato und auch aus dem Aristoteles geschöpft war. Ueberhaupt beschränkten die Bessern unter ihnen ihren Skepticismus auf die Behauptung, daß es gar keine Gewißheit, sondern nur Wahrscheinlichkeit in verschiedenen Graden gebe; einige unter ihnen trieben aber auch den Skepticismus bis zu seiner äußersten Höhe, so daß vorzüglich in dieser Schule die seltsame Streitfrage aufgeworfen wurde: Ob man wissen könne, daß es kein Wissen gebe? oder ob auch hierüber nichts Bestimmtes sich aussagen, und also selbst der Hauptgrundsatz des Skepticismus, nämlich die Unmöglichkeit des Wissens und der Erkenntniß, sich nicht behaupten lasse. Alle jene Skeptiker aber kamen darin überein, als höchste Stufe der Vollkommenheit des philosophischen Denkens jenes Ideal der Unentschiedenheit und des Zweifels aufzustellen.

Den Gorgias und seine Schule kennen wir nur aus unzugänglichen Bruchstücken und aus seinen Widerlegern. Für den Skepticismus des Pyrrho und seiner Schule ist nur eine Hauptquelle vorhanden, aber freilich aus spätern Zeiten, das Werk des Sextus Empiricus. Für die dritte Classe ist Cicero die Hauptquelle.

Der griechische Skepticismus hat das Eigenthümliche, daß er ganz rein und unvermischt war, und daß hier der Zweifel und die Skepsis bis auf die äußerste Grenze der Möglichkeit verfolgt wurde; weder hat es im Mittelalter und in der neuern Zeit einen so reinen Skepticismus, noch auch einen Philosophen gegeben, der alle Wahrheit und Erkenntniß so durchaus geleugnet und verworfen hätte.

Wenn nun der griechische Skepticismus in einer Reinheit, Consequenz und Vollendung erscheint, wie er sonst nirgends

sich vorfindet, so kann man ihn als den vollkommensten Repräsentanten dieser Gattung ansehen, deren Grundwesen und Charakter sich auch an ihm am vollkommensten darstellen und beurtheilen läßt; wir fügen also der von ihm gegebenen historischen
Ansicht einige Hauptanmerkungen hinzu.

Die wahre Philosophie, weit entfernt, den Skepticismus
ganz unbedingt zu verwerfen, erkennt in ihm vielmehr eine
nothwendige Bedingung und Vorbereitung zur Philosophie selbst;
nur gegen den uneingeschränkten, übertriebenen Gebrauch, den
die eigentlichen Skeptiker von ihrer Skepsis machen, muß sie
sich setzen, um diesen gehörig zu mäßigen, zu beschränken und
auf seine ursprüngliche Bestimmung für den Zweck des Philo-
sophirens überhaupt zurückzuführen suchen.

Ist die Voraussetzung richtig und begründet, daß die Philosophie nicht nur eine negative, sondern auch eine positive Erkenntniß des Unendlichen enthalten solle, so wäre die Behauptung des Skeptikers, wenn sie sich blos darauf einschränkte,
die Mangelhaftigkeit und Unvollkommenheit aller philosophischen
Erkenntnisse, wie sie in der Wirklichkeit erscheinen, zu beweisen, keineswegs ganz irrig und grundlos, sondern müßte von
jedem, der mit dem Wesen der Philosophie, ihrem natürlichen
und nothwendigen Streben und der Geschichte ihrer Entwicklung gehörig bekannt ist, vollkommen zugegeben werden. Die
philosophische Erkenntniß kann, eben weil ihr Gegenstand ein
unendlicher ist, nie ganz erschöpft und vollendet werden. Es
gibt keine durchaus vollkommene Philosophie, sondern nur eine
stäts fortschreitende Annäherung zu derselben. Der Skeptiker
hat also insofern ganz Recht, alle irdische Erkenntniß mangelhaft und unzulänglich zu finden.

Nur darin verfällt er in einen groben Irrthum, wenn er
durch die Verschiedenheit und Meinung zu einer gänzlichen Unentschiedenheit im Denken und Urtheilen sich verführen läßt; es wäre
dies gerade so, als wenn wir, weil wir nicht allmächtig sind,
nun auch nicht handeln und wirken wollten. Auch muß man dem
Skeptiker zugeben, daß die Skepsis, als Fähigkeit und Macht des
Zweifels betrachtet, eine hohe und dabei sehr seltene Vortrefflich-

keit des menschlichen Geistes sey, er also im Ganzen Recht habe,
sie als ein Ideal und eine Vollkommenheit des menschlichen Verstandes anzupreisen.   Der Zweifel hängt mit der Wißbegier
innigst zusammen und ist insofern der Anfang aller Philosophie.
Wenige Menschen verstehen recht zu zweifeln; denn nur wenige
sind von jener allumfassenden, nicht leichtbefriedigten, immer weiter strebenden, rastlosen, beharrlichen Wißbegier ergriffen, die den wahren Philosophen charakterisirt. Unter diesen wenigen zweifeln aber die meisten wieder nur einmal in
ihrem Leben und beruhigen sich nachher, nicht weil sie volle
Belehrung und Beruhigung erhalten haben, sondern weil ihre
geistige Kraft ermattet und von dem Widerstand, den sie bei
der Lösung so mancher Schwierigkeit gefunden hat, ermüdet und
abgeschreckt in gänzliche Unthätigkeit versinkt. Bei dem wahren Philosophen dauert indessen der Zustand des Zweifels viel
länger und kehrt auf jeder höhern Stufe der Erkenntniß in einer andern Gestalt zurück, indem ja eine vollkommene Befriedigung für die irdische Wißbegier nicht möglich, und in der
irdischen Erkenntniß nicht erreichbar ist.   Der Skepticismus
aber als philosophisches System hat das Grundirrige und
Verwerfliche, daß er einen Zustand, der seiner Natur nach nur
ein vorübergehender und vorbereitender Gährungsproceß seyn
kann, festhält und firirt, und als die wahre Philosophie und
höchste Weisheit aufstellt. Auf diese Weise hebt der eigentliche
Skeptiker den Nutzen und Zweck des Zweifelns selbst völlig
auf, indem dieses beharrlich gemacht und dadurch alles weitere Fortdenken natürlich abgeschnitten wird, da es doch die
ursprüngliche wahre Bestimmung des Zweifels ist, das Denken
stäts wach zu erhalten, immer wieder von neuem zu beleben
und bei einem dauernden und steigenden Interesse zu unermü-
detem, rastlosem Forschen aufzufordern; denn was ist der
Zweifel wohl anders, als Bedürfniß einer sichern, fest begründeten, über allen Widerspruch erhabenen Erkenntniß, und Gefühl von dem Mangel und der Abwesenheit derselben.   Der
Skeptiker aber setzt an die Stelle des wahren, thätigen Zweifels, der zu immer weiter schreitendem Denken anreizt und zur

Lösung aller Räthsel, zur Erhellung der verborgensten Wahrheiten die geistigen Kräfte zur höchsten Anstrengung aufbietet,
eine vollkommene Verzweiflung an der Möglichkeit einer endlichen Befriedigung jener edlen Wißbegier, die so tief in der
menschlichen Natur gegründet ist. Diese Verzweiflung aber ist
p r a k t i s c h von dem schädlichsten Erfolge, indem sie den
menschlichen Geist in seinem Streben nach Erkenntniß aufhält,
ihm alle Hoffnung, allen Muth raubt, woraus doch nur allein
jene ausdauernde Kraft, jene unerschütterliche Beharrlichkeit
herkommen kann, ohne welche es unmöglich ist, auf dem be-
schwerlichen und gefahrvollen Wege zur höchsten Vollendung
durch alle Hindernisse sich durchzukämpfen.

Diese Verzweiflung ist aber auch t h e o r e t i s c h völlig unstatthaft. Die Unmöglichkeit der Erkenntniß hat noch kein
Skeptiker dargethan und kann auch keiner erweisen, weil es
etwas Widersprechendes ist, zu w i s s e n, daß es durchaus unmöglich ist, etwas zu wissen. Denn steht der Grundsatz des
Skepticismus fest: Es kann durchaus nichts gewußt und erkannt werden, so kann auch die Unmöglichkeit des Wissens nicht
gewußt und erkannt werden. Somit widerspricht also der erste
Grundsatz des Skepticismus sich selbst und hebt sich vollkommen auf.

Wenn aber der Skepticismus blos darauf eingeschränkt
wird, die vollendete Philosophie und Erkenntniß der unendlichen
Wahrheit als ein der irdischen Beschränktheit nie ganz erreich-
bares Ideal aufzustellen, so kann dies keinem gründlichen Widerspruch unterworfen seyn. Der gemäßigte und auf seine eigentliche Bestimmung zurückgeführte Skepticismus streitet gar
nicht mit der wahren Philosophie, sondern ist vielmehr als der
natürliche Anfang und ein integranter Theil derselben anzusehen.

Durchläuft man alle Perioden der philosophischen Geschichte, so findet man die wenigsten Skeptiker während des Mittelalters. Fast gar keine Spuren skeptischer Denkart finden sich
bei den Philosophen dieser Zeit, man müßte denn etwa die
Gewohnheit, über alle Gegenstände pro und contra zu disputiren,

für jede Behauptung vor der Entscheidung alle mögliche Gründe, Einwürfe, Zweifel und Gegengründe aufzusuchen, als eine
Art Skepsis in Form und Methode ansehen wollen. Diese skeptische Disputirmethode ward vorzüglich durch Abálart aufgestellt
und ist nachher während des ganzen Mittelalters üblich geblieben. Skeptiker von Profession aber und eine eigentliche skeptische Schule findet man nicht mehr im Mittelalter.

Nach dem Untergange der entarteten scholastischen Schule,
wo mehrere große Reformatoren daran arbeiteten, die Philosophie aus ihrem großen Verfall emporzuheben und wiederherzustellen, entstanden auch wieder Skeptiker, aber freilich von
einer ganz eigenen Art; denn ihr Zweck war nicht sowohl, wie
jener der ältern Skeptiker, die Nichtigkeit aller angeblichen Erkenntniß und die Unmöglichkeit alles Wissens zu zeigen, oder
eine gänzliche Unentschiedenheit im Urtheilen und Denken als
das höchste Ideal der Verstandesvollkommenheit anzupreisen,
sondern es waren diese Skeptiker vielmehr nur polemische Schriftsteller, d. h. solche, die gegen den schlechten, verderbten Zustand
der damaligen Philosophie, die zu einem leeren, nichtigen Formelwesen, zu einem bloßen Schulgezänke, einer eiteln, zweck-
losen Spielerei mit Worten und Begriffen und mancherlei künstlichen Spitzfindigkeiten herabgesunken war, ankämpften, diese
mit allen möglichen Waffen bestritten und ihre Fehlerhaftigkeit
und gänzliche Entartung klar und deutlich zu beweisen bemüht
waren. Manche aber auch, und zwar die besten und ausgezeich-
netsten, hatten noch den besondern Zweck, durch die Vorstellung
der Unvollkommenheit des menschlichen Wissens und der unzähligen Widersprüche und Verirrungen, worin jede aus der bloßen
Vernunft geschöpfte und auf diese begründete Philosophie sich
nothwendig verwickelt, den menschlichen Geist von der dunkeln,
betrügerischen, gefahrvollen Bahn irdischer Wißbegier zu dem
höheren Lichte des Glaubens und der Offenbarung zu leiten,
aus der Philosophie, der die Erkenntniß der höchsten Wahrheit
durchaus versagt ist, zu der Religion zurückzuführen, die über
alle Täuschung und allen Irrthum erhaben, im Besitze göttlicher
Weisheit fest und unerschütterlich begründet ist, die allein alle

Zweifel löfen, alle Ungewißheit verfcheuchen, die menfchliche Wißbegier über die nothwendigften und theuerften Gegenftände ihres Strebens vollkommen befriedigen, die verborgenften Tiefen ihres innern Wefens offenbaren und deffen Geheimniffe verkündigen kann. Diefer letzte Zweck zeigt fich auch unter den Neuern befonders in den Schriften Jacobi's. Skeptiker diefer Art gab es fehr viele von Anfange des fechszehnten Jahrhunderts an bis auf den eben genannten Schriftfteller. Da aber die angegebenen beiden Zwecke unter mancherlei Form und Modification auftraten, fo darf man nicht vergeffen, daß unter dem Namen Skeptiker in der neuern Philofophie Denker von den verfchiedenften Meinungen und Anfichten begriffen werden. —

Zu den berühmteften Skeptikern, die nur gegen die Vollkommenheit der Wiffenfchaften überhaupt polemifirten, gehören: Agrippa, Sanchez, Franz de la Mothe le Vayer; zu den religiöfen Skeptikern gehören: der fromme Bifchof Huet, auch ein Gegner gewiffermaßen der carteſiſchen Philofophie, Hieronymus von Hirnhaim und der fchon genannte Jacobi. Von diefen beiden Arten von Skeptikern müffen forgfältig diejenigen unterfchieden werden, die zugleich Empiriker find; der bedeutendfte unter diefen ift bei den Neuern David Hume. —

Dem Empirismus gemäß ift alle Wahrheit fubjectiv; der Empirismus ift daher nach feiner Natur felbft fkeptifch. Diefe fkeptifche Seite des Empirismus hat Hume vorzüglich ausgebildet, der auch eben deswegen mehr den Empirikern als den eigentlichen Skeptikern beizuzählen ift.

Kritik des Materialismus.

Der Materialismus unterfcheidet fich dadurch von dem Empirismus, daß er fich nicht auf die enge Sphäre der Erfahrung befchränkt, fondern die gefammte materielle Welt nach

ihrem ursprünglichen Zusammenhange und ihren Gesetzen zu begreifen und zu erklären sich getraut. Was also den Materialismus vor dem Empirismus auszeichnet, ist eine größere
Kühnheit der Denkart, eine weit umfassendere, höher sich erhebende Ansicht, die aber nie hinlänglich bewährt und begründet worden ist. Keine Art von Philosophie beruht auf so ganz
willkürlich ersonnenen, durchaus unerweislichen Hypothesen.

Der eigentlich sogenannte Materialismus gründet sich auf
die Lehre von den Atomen oder einfachen Grundkörperchen, woraus alle Dinge zusammengesetzt und gebildet seyn sollen. Atom
heißt wirklich ein untheilbares Körperchen. Der Erfinder dieses Systems war Leukippus, der Vollender desselben Demokritus, und derjenige, der es am meisten ausgebildet hat, Epikurus.

Es würde unnöthig seyn, gegen den Materialismus anzuführen, daß nach ihm weder Religion noch Sittlichkeit bestehen
kann, indem die Denkart, die ihm zum Grunde liegt, durchaus
unmoralisch und atheistisch ist; es bedarf auch dieser ernsthaften
und abschreckenden Darstellung der gefährlichen, verderblichen
Folgen dieses Systems nicht, um den besser Denkenden von
seiner Schlechtheit und Vernunftlosigkeit zu überzeugen, indem
schon die speculative Schwäche desselben vollkommen hinreicht,
seine philosophische Ungültigkeit und Nichtigkeit zu erweisen.

Nicht zu erwähnen, daß noch kein Materialist je im Stande
gewesen ist, den Geist aus den Körpern herzuleiten, so hat es
den Anhängern dieses Systems auch nicht einmal gelingen wollen, das Entstehen der materiellen Welt aus ihren Atomen begreiflich zu machen; sie haben sich im Gegentheile bei dem
Versuche, die Bildung der Körperwelt aus den Atomen zu erklären, jederzeit in die willkürlichsten, grundlosesten Erdichtun-
gen und Voraussetzungen verloren. Dieses gilt auch schon von
den ältesten Materialisten; sie nahmen neben den Atomen nichts
an, als den leeren Raum, worin sich diese bewegen.

Sie mußten sich dieser Ansicht zufolge diesen leeren Raum
als unendlich denken; daraus ergab sich nun eine höchst seltsame Folgerung: sie mochten nun nämlich unsere Welt auch noch
so groß annehmen, so war dies gegen den unendlichen Raum

doch immer nur ein höchst unbedeutender Punkt, und man mußte also, um jenen auszufüllen, eine unendliche Menge verschiedener, ganz abgesonderter, neben einander existirender, unter sich in gar keiner Gemeinschaft stehender Welten statuiren. Diese Lehre, die allen griechischen Materialisten gemeinschaftlich war, mag als Beweis dienen, zu welchen sonderbaren Hypothesen dieses System führt. — Daß mit dem Materialismus keine andere Moral, als die des Eigennutzes und des sinnlichen Vergnügens vereinbar sey, leuchtet von selbst ein, indem hier, wo alles auf die materielle Welt beschränkt wird, jede höhere Beziehung natürlich wegfallen muß.

Historisch aber ist zu bemerken, daß die moralische Lehre des Epikur von der des Aristipp noch beträchtlich verschieden war. Beide stellten das sinnliche Vergnügen als das höchste Gut und das letzte Ziel aller menschlichen Bestrebung dar, Aristipp aber verstand darunter das positive körperliche Vergnügen, die eigentliche Sinnenlust, in Reiz und Bewegung. — Epikur setzte das Ideal eines vollkommenen Lebens in jenen Zustand von Behaglichkeit und Ruhe, wo die Seele, weder durch Schmerz und Unlust zerrüttet und gestört, noch auch durch starke, dringende Affecte allzu heftig bewegt, in jenen Grad von Selbstgenügsamkeit versinkt, wo sie nichts mehr wünscht und begehrt, und also beglückt ist. Diese letzte Ansicht ist der Moral weit günstiger, als jene des Aristipp, indem sie sich mit einer strengen Beherrschung der Leidenschaften und Neigungen durch den Verstand und die höhere Selbstthätigkeit des Gemüthes gut verträgt. Aber freilich war der letzte Endzweck alles Denkens und Handels denn immer doch der eigene Vortheil — das Vergnügen. In der neuern Zeit hat es dem Materialismus nicht an Bekennern und Anhängern gefehlt. Dergleichen waren im siebenzehnten Jahrhundert Gassendi und Hobbes, besonders aber eine große Anzahl Physiker, vorzüglich in Frankreich.

Das oben erwähnte atomistische System ist der eigentliche Materialismus im strengsten Sinne; aber auch jede andere Naturphilosophie, in welcher die körperlichen Grundkräfte und Gesetze als unabhängig, für sich bestehend, als das Erste, als das Höchste, als die Urquelle alles Seyns und aller Thätigkeit angenommen werden, ist gleichfalls als materialistisch anzusehen, so wie die Behauptung, daß die Seele nur eine Wirkung körperlicher Organisation sei, durch das Zusammentreffen materieller Kräfte und Elemente einzig und allein erzeugt werde. Es trete nun diese Meinung unter einer Form und Gestalt auf, welche es immer seyn möge. Anhänger dieser Lehre finden sich unter den neuern Physikern eine große Anzahl; der berühmteste ist Priestley.

Von der höhern intellectuellen Philosophie.

Will man das Verhältniß der eben erwähnten Systeme zu der Philosophie überhaupt bestimmen und ihnen die Stelle anweisen, die sie in dem Ganzen des menschlichen Wissens einnehmen, so muß man sie als die untersten, niedrigsten Arten ansehen, indem sie sich doch einzig und allein auf das Gebiet der Erfahrung oder der Sinnenwelt beschränken und zu einer höhern geistigen Ansicht sich nicht erheben; da hingegen die intellectuelle Philosophie über den engen, niedern Kreis materieller Erscheinungen ihre Nachforschungen zu der übersinnlichen, geistigen Welt, zu dem erstem Urquell aller Dinge, dem unendlichen göttlichen Wesen selbst hinlenkt, und die unsern irdischen Augen verborgenen Tiefen und Geheimnisse zu enthüllen strebt.

Zwischen diesen zwei Arten der Philosophie, der niedrigen und höheren, intellectuellen, scheint der Skepticismus in der Mitte zu stehen; indem er eben so gut aus der einen, wie aus der andern entspringen kann. Insofern aber doch das Gebiet der Erfahrung und der sinnlichen Welt die Grundquelle aller Zweifel, Widersprüche und Irrthümer ist, und der Skepticismus auch leicht ohne jenen höhern Schwung des Geistes sich

denken läßt, der zur intellectuellen Philosophie erfordert wird,
so kann der Skepticismus mit größerem Rechte und Grund zu
der niederen Art von Philosophie gerechnet werden. —

Die intellectuelle Philosophie, die über die beschränkte
Sphäre der Erfahrung, der Sinnenwelt und der Endlichkeit
zur unsichtbaren, überirdischen, unendlichen Welt sich erhebt,
setzt natürlich eine ungewöhnliche Kraft und Stärke des Geistes
voraus.

Der allgemeine Gegensatz zwischen der intellectuellen, auf
die übersinnliche, geistige, und der niedern, auf die sinnliche, ma=
terielle Welt gerichteten Philosophie spricht sich selbst so bestimmt
und deutlich aus, daß es wohl keiner nähern Anführung und
Erklärung bedarf. — Weit wichtiger hingegen und nothwendi=
ger ist es, die bessern Arten, worin die höhere Philosophie zer=
fällt, sorgfältig zu unterscheiden und genauer zu characterisiren.
Dies wird um so mehr erfordert, da die Hauptsysteme der in=
tellectuellen Philosophie, ohngeachtet ihrer wesentlichen innern
Verschiedenheit, doch so viel Gemeinschaftliches und Aehnliches
haben, von der gemeinen Denkart gleichweit entfernt sind, und
dann auch, weil mehrere Philosophien, um die Unvollkommen=
heiten zu vermeiden, denen jedes einzelne System unterliegt,
mehrmals versucht haben, eine mittlere Ansicht aufzustellen, in der
alle andern sich auflösen, oder die wenigstens das Vortrefflichste
und Ausgemaltste aus ihnen auffassen sollte.

Die erste Art der höhern Philosophie, die der Gegenstand
unserer Untersuchung seyn wird, ist das System des Realismus.

Von dem System des Realismus.

Es beruht dieses System auf der Behauptung und Annah=
me eines einzigen, nothwendigen, allumfassenden, unveränderli=
chen, unendlichen Wesens, dessen Erkenntniß nicht in der Er=
fahrung, nicht aus sinnlichen Eindrücken und Wahrnehmungen

geschöpft, sondern einzig und allein durch die reine Vernunft erlangt werden könne, welche Erkenntniß durch die reine Vernunft das einzige unmittelbare und vollkommen Gewisse sey. — Es ist diese Denkart der empirischen und materialistischen schnurgrade entgegengesetzt.

Die große Mannichfaltigkeit, Verschiedenheit und Veränderlichkeit, die in den Erscheinungen der Außenwelt sich offenbart, ist nach dieser Ansicht nur leerer Schein, nur Täuschung und Irrthum, gemäß der Voraussetzung nämlich, daß Alles nur Eines sey, durchaus unveränderlich und nothwendig, ohne Wechsel in sich verharrend.

Durch seine Erhabenheit über die gemeine, beschränkte Vorstellungsart und das preiswürdige Streben nach der Ergreifung des höchsten, unendlichen Gegenstandes behauptet dieses System allerdings eine auszeichnende, ehrenvolle Stelle, allein es ist nichts desto weniger eine höchst verkehrte und gefährliche Denkart nicht nur in moralischer und religiöser, sondern auch in speculativer Hinsicht; denn sie ist vollkommen pantheistisch, d. h. der Unterschied zwischen der Gottheit und der Welt oder der Natur wird durch sie gänzlich aufgehoben; beides ist nach ihr nur Eins und dieses Eine ist Alles.

Unter den ältern Philosophen bekannten zu dieser Secte sich zuerst die eleatische Schule; Stifter von dieser war Xenophanes, — Vollender die beiden Freunde Parmenides und Zeno der ältere; sie trugen den Pantheismus in seiner höchsten Strenge vor und leugneten den leeren Raum und die Bewegung.

Parmenides, einer der größten Denker in dieser Schule, theilte seine Philosophie in zwei ganz verschiedene Theile, in die Philosophie nach der Wahrheit, welche sich auf die Anerkennung der absoluten Einheit und Unveränderlichkeit des Weltganzen gründete, und in die Philosophie nach der Meinung oder dem Schein, welchen die Mannichfaltigkeit und Verschiedenheit der äußern Erscheinungen annehme; eine Ansicht, die freilich nur durch Täuschung und Irrthum hervorgebracht werde, aber durch ihre Angemessenheit zu der beschränkten, menschlichen

Vorstellungsart so allgemein verbreitet und anerkannt, so sehr in das praktische Leben verwebt sey, daß es unmöglich werde, sich ganz von ihr loszureißen.

Zeno beeiferte sich diese Lehre, welche Parmenides poetisch vorgetragen hatte, gegen alle entgegenstehenden Meinungen polemisch zu begründen; er wählte dazu die dialogische Form. Durch diese Methode ward Zeno, da er alle Grundsätze der Erfahrung und allgemeinen Denkart umzustoßen bemüht war, eine große Stütze des Skepticismus, und wenn man ihn gleich mit Unrecht zu den eigentlichen Skeptikern zählen würde, so hat er doch allerdings dem Skepticismus die gehaltvollsten und scharfsinnigsten Gründe an die Hand gegeben und ihn mit den kräftigsten, treffendsten Waffen ausgerüstet.

Unter den späteren Schulen hat die megarische oder eristische, eine von den kleinern sokratischen Schulen, die eleatischen Grundsätze wieder erneuert, auch die Philosophie der Stoiker nähert sich dieser Denkart am meisten, doch darf man hier keine vollkommene Aehnlichkeit annehmen, indem die Stoiker mehr Synkretisten waren, die mit dem Pantheismus und Fatalismus im einzelnen viele den platonischen und aristotelischen ähnliche Lehren verbanden.

Fatalistisch ist das System des Realismus, weil es das eine Grundwesen als durchaus beharrlich und unveränderlich setzt, folglich alles in der Welt als nothwendig und unabänderlich begründet annimmt, wobei dann natürlich keine Freiheit statt finden kann.

Derjenige Philosoph unter den neuern, welcher das System des Realismus am strengsten und wissenschaftlichsten ausgeführt hat, ist Spinoza; er kann billig als der Repräsentant der ganzen Gattung angesehen werden, nicht nur in Hinsicht der systematischen Vollendung, der wissenschaftlichen Bestimmung und Klarheit, des großen Aufwandes von Tiefsinn und genialischer Kraft, sondern auch, weil er mit seinem System die vortrefflichste Moral verbunden hat, die nur immer mit ihm vereinbar ist. Aber auch unter den religiösen Secten, der asiatischen Nationen besonders, haben viele sich zu dem Pantheismus bekannt, und einige ihn bis zu seiner schärfsten Spitze, selbst in praktischer Hinsicht, hinaufgetrieben.

Spinoza ging zunächst von der Lehre des Descartes aus, welche Geist und Körper streng unterschied. Auf diese dualistische Ansicht gründete sich zuerst seine Philosophie, wenn er gleich oft beträchtlich davon abwich. Spinoza leugnete zwar diesen Unterschied, indem er behauptete, ein und dasselbe Wesen sei zugleich Idee und auch Körper, und erscheine nur verschieden nach dem Standpunkte, von welchem man es betrachte.

Aber ungeachtet dieses absoluten Leugnens ließ er diese Verschiedenheit denn doch bestehen, und nahm zwei ewige, sich stets parallellaufende Attribute der Gottheit an, erklärte jedoch die relative Verschiedenheit zwischen Idee und Körper, so wie ihre gegenseitige Wirkung gar nicht, sondern leugnete nur den Unterschied derselben. Auch gab er keine Gründe an, warum er der Gottheit nur zwei Attribute beilege, da ihr nach seinem Systeme eigentlich unendlich viele Attribute zukommen müßten.

Durch diesen inconsequenten Dualismus schließt seine Philosophie sich am nächsten an die empiristische Ansicht an; und dies ist ein Hauptgrund, warum das realistische System gerade in seiner Darstellung geeignet ist, viele Anhänger und Bekenner zu finden. — Unter den Anhängern Spinoza's in der neuern Zeit sind Lessing und Schelling besonders merkwürdig. — Mit großem Unrecht aber beschuldigt man Leibniz des Realismus wegen der scheinbaren Aehnlichkeit seiner Lehre von der prästabilirten Harmonie (d. i. der Lehre von der durch Gott vorherbestimmten, festen und innigen Harmonie zwischen Geist und Körper) mit jener spinozistischen von den beiden göttlichen Attributen. — Bei Leibniz aber ist diese Uebereinstimmung keine absolute Nothwendigkeit, sondern sie ist einzig und allein durch die Willkür der Gottheit zu Stande gekommen. Dann sind auch die Körper bei Leibniz nicht eigentlich wahre Körper, sondern ein Chaos unentwickelter, geistiger Kräfte oder Monaden, welches gerade durch diese Unvollkommenheit und Verworrenheit als körperlich erscheint.

Dieses allein ist hinreichend zu beweisen, daß Leibniz nicht

als Anhänger des Spinozismus zu betrachten ist, und daß die
prästabilirte Harmonie, die übrigens gar nicht zu Leibnitzens
glücklichsten Hypothesen gehört, mit Spinoza's Lehren nicht verwechselt werden kann. Das System des Realismus hat bei einigen religiösen Secten sich in einer ganz eigenthümlichen Gestalt offenbart und höchst sonderbare Erscheinungen hervorgebracht. Viele der asiatischen Büßer oder Asceten, besonders indischen Ursprungs, gingen in ihrem Streben nach Wiedervereinigung mit der Gottheit von dem Grundsatze aus, daß alles
außer diesem einen höchsten Wesen durchaus leer und nichtig
sey, daß nur in der Vereinigung mit ihm die höchste Realität
und das wahre Leben entstehen könne; der Mensch also, der
aus dem eiteln, trugvollen, nichtigen Schein-Daseyn dieses irdischen Lebens zu dem Urquell alles wahren Seyns nnd Lebens
sich erheben wolle, müsse damit anfangen, durch eine freiwillige, vollkommene Vernichtung des eigenen Selbst und aller individuellen, sowohl sinnlichen, als geistigen Eigenschaften und
Kräfte die Scheidewand zu zerstören, die ihn von der Gottheit
trennt und entfernt. Daher auch bei diesen Büßern die zügel-
lose Selbstzerstörungswuth, die zu der besonnensten Grausam-
keit in Erfindung mannichfaltiger Leibes- und Seelenqualen sie
hinreißt und einen Zustand veranlaßt, der nichts geringeres
als ein langsamer Selbstmord ist.

Auch auf die christliche Ascetik der ersten Jahrhunderte
scheint diese Ansicht großen Einfluß gehabt zu haben, der aber
endlich durch mehrere Väter der römischen Kirche, besonders
den h. Benedict, beschränkt und gemildert wurde, die an die
Stelle jenes selbstzerstörenden Büßungszustandes ein wahres
beschauliches Leben als Ideal des nach geistiger Vollkommenheit strebenden Christen aufstellten.

Wir haben dies blos in der Absicht angeführt, um zu zeigen, wie diese Art religiöser Schwärmerei meistens auf einem
bald deutlich, bald dunkel gedachten Pantheismus beruht, und
eigentlich muß man bekennen, daß es bei der realistischen oder
pantheistischen Ansicht weit consequenter ist, sich dieser religiösen Schwärmerei zu ergeben, als die Philosophie wissenschaft-

lich zu construiren. Denn nach jenem System ist ja alle Weisheit in dem einzigen Grundbegriffe des ewigen, unveränderlichen, unendlichen Wesens enthalten; dieser einzige Grundbegriff
umfaßt alles mögliche Wissen und Erkennen, und zwar so, daß
alles weitere Entwickeln, Ausbilden und Mittheilen dieser einen
Urwahrheit als zwecklos und überflüssig erkannt werden muß,
und aller Aufwand an Thätigkeit und Kraft, den der Mensch
in diesem nichtigen Bestreben verschwendet, weit eher der wirklichen praktischen Erreichung und Realisirung jenes höchsten
Zieles darzubringen wäre.

Der Realist trennt das Endliche und Unendliche durchaus,
leugnet aber die Realität des erstern. Tugend und Vollkommenheit ist für ihn nichts anders, als die höchste einzig wahre
Realität. Zu dieser kann der Mensch nur gelangen durch Vernichtung des täuschenden Scheins von Endlichkeit, der uns in
diesem Leben von allen Seiten umfängt, uns in einem ewigen
Kreise von Irrthümern herumführt und allem Denken und Thun
die verkehrte zwecklose Richtung gibt. — Unter jener Endlichkeit aber, deren Vernichtung der Realist fordert, ist auch unsere geistige Kraft und unser Verstand in seiner jetzigen
sinnlichen Form mit einbegriffen. Es ist sehr begreiflich,
wie eine Philosophie, die von dem Unendlichen und der höchsten
Realität nur einen negativen Begriff hat, die Wiedervereinigung mit diesem einzig wahren und wirklichen Wesen auch nur
auf eine negative Art zu bewerkstelligen suchen wird, ein
Wahn, dessen praktische Realisirung die schrecklichsten Folgen nach
sich ziehen und den Denker, der sich ihm hingibt, endlich in
einen bodenlosen Abgrund von Leerheit und Nichtigkeit führen
muß; daher man denn auch den äußersten Grad dieser philosophischen Verirrung mit Recht Nihilismus genannt hat; wie denn
wirklich eine Secte in China geradezu behauptet, der Ursprung
und das Ende aller Dinge sei das Nichts, — dieses sei das
höchste, vollkommenste Wesen. Ob man diese Irrlehre des
Atheismus beschuldigen könne, wäre noch in Zweifel zu ziehen.
Im wesentlichen ist sie freilich nicht davon verschieden, aber
streng genommen doch nur die schärfste Spitze pantheistischer

Verirrung. Es muß für die philosophische Betrachtung der Ge=
schichte des menschlichen Geistes höchst zweckmäßig und lehrreich
seyn, jene zahllosen, so gefährlichen und abschreckenden Irrthü=
mer kennen zu lernen, zu denen der Realismus nothwendig hin=
führt, und die wir auch überall, wo diese Ansicht als philo=
sophische Denkart herrschend erscheint, in ihrer scheußlichsten
Gestalt auftreten sehen. Leider! gab es in allen Zeitaltern
Philosophen und selbst Theologen, die das Gefährliche dieses
Systems bei weitem nicht in allen seinen Folgen und Wirkun=
gen einsahen und ihm in dem Gebiete der höhern Philosophie
nur allzuviel Spielraum gestatteten; so daß die realistischen
Ideen hier unter mancherlei Formen und Gestalten so allgemein
verbreitet, so tief und fest gewurzelt und in alle Ansichten ver=
wickelt und verwebt sind, daß man sie als das eigentliche Grund=
übel der höhern Philosophie ansehen kann.

Der Uebergang von dem gewöhnlichen, philosophischen
Realismus zu jenem gefährlichen Extrem pantheistischer Denk=
art ist sehr leicht zu zeigen; legt man nämlich dem Unendlichen
nur lauter negative Bestimmungen bei, so muß der ganze Be=
griff sich ja zuletzt in nichts auflösen. Das gänzlich negative
Ansehen des Unendlichen ist denn auch der nicht zu hebende
Grundfehler des Realismus.

Die Grundlosigkeit des Realismus, so wie wir ihn bisher
characterisirt haben, beruht übrigens auf der philosophischen An=
wendung des Begriffes der beharrlichen Substanz, welcher Be=
griff doch nur praktische Gültigkeit, aber durchaus keinen specu=
lativen Gehalt hat und auf der höchst willkürlichen, ungülti=
gen, absoluten Trennung des Endlichen und Unendlichen beruht.

Beide Voraussetzungen hat der Realist mit dem Empiriker
gemein, nur macht er einen andern Gebrauch davon, oder er=
greift vielmehr denselben Irrthum von der entgegengesetzten
Seite. Der Empiriker hält sich ganz und einzig an das End=
liche, leugnet das Unendliche, oder verwirft doch die Erfor=
schung desselben als unstatthaft und zwecklos. — Der Realist
glaubt das Unendliche in der höchsten Realität und Wahrheit
ergriffen zu haben, und verwirft nun eben so unbedingt alles

Endliche und Sinnliche als gehaltlosen, nichtigen Schein, als Irrthum und Betrug.

Die vollkommene Negativität der realistischen Ansicht ist denn auch der Grund, warum sie streng genommen nie zu einem Systeme sich entwickeln kann. Daß diese Behauptung gegründet sey, wird in der philosophischen Geschichte durch das Beispiel der strengsten und vollendetsten Realisten, des Parmenides und des ältern Zeno, hinlänglich bestättigt. Der erste, welcher die Hauptideen des Systems positiv darstellen wollte, versuchte es in einem allegorischen Lehrgedichte, verließ also ganz die philosophische Form und Methode. Zeno aber versuchte, wie schon früher bemerkt wurde, den Hauptgrundsatz der realistischen Denkart nur polemisch zu begründen, durch Widerlegung aller entgegenstehenden Meinungen und Begriffe, so daß seine Darstellung nichts weniger als systematisch war und seyn konnte, ja er selbst für einen Skeptiker gehalten wurde.

Ein System kann in der realistischen Denkart nur dadurch zu Stande kommen, daß man auf strenge Consequenz Verzicht thut, der Grundidee einigermaßen untreu wird und zu dem ganz negativen Begriffe der absoluten Einheit weitere positive Bestimmungen hinzufügt, die entweder aus andern philosophischen Systemen oder aus der gemeinen Ansicht entliehen sind; dadurch entsteht dann der Schein, als wenn die Mannichfaltigkeit und Fülle nicht ganz aufgehoben und ausgeschlossen, sondern als in der Einheit einbegriffen gesetzt würde; denn nichts wird der Realist weniger zugeben wollen, als daß sein Begriff des Unendlichen ein durchaus negativer sey. So lang aber sein Princip von der absoluten Einheit und Unveränderlichkeit des unendlichen Wesens stehen bleibt, werden auch die künstlichsten und scharfsinnigsten Versuche, jene Negativität zu heben, keinen befriedigenden Erfolg haben.

Diese Bemerkung trifft auch vorzüglich den Spinoza. Daß der Gottheit nur zwei Attribute — Geist und Körper — beigelegt werden, ist aus der gemeinen Denkart genommen und nach dieser vollkommen richtig, nach seinem eigenen Systeme aber durchaus inconsequent und unstatthaft. Denn wollte er sich streng an

diese binden, so müßte er der Gottheit eine unendliche Anzahl
solcher ewigen Attribute beilegen, und da er einmal dem Menschen die Fähigkeit zugesteht, die Gottheit zu erkennen, so müßte
in dem menschlichen Geiste eine, wenn gleich unvollkommene,
Vorstellung oder doch mindestens eine Ahndung vorgefunden
werden von noch ganz andern Attributen des göttlichen Wesens,
als den beiden genannten. Nun läßt sich aber im menschlichen
Verstande gar keine Spur einer andern Vorstellungsart antreffen, als eben jene der ideellen geistigen und der materiellen
sinnlichen Welt. Warum es aber nur diese beiden Welten
gibt, oder in Spinoza's Sprache zu reden, warum der Gottheit nur gerade diese beiden Attribute zukommen, das ist er
ganz unfähig, aus seinem Begriffe des unendlichen Wesens abzuleiten.

Was dem Realismus eine so verführerische Gewalt gibt
und einen so großen Anschein von speculativer Gewißheit, mag
folgende Bemerkung klar machen.

Der negative Begriff des Unendlichen führt eben darum,
weil er ein blos negativer Begriff ist, die höchste absoluteste
Evidenz, ja eine intensiv dem Grade nach unendliche Gewißheit mit sich. Durch eine leichte Täuschung wird nun diese
Evidenz und Gewißheit des negativen Grundbegriffs auch auf
die positiven Bestimmungen übertragen, die eigentlich nicht dazu
gehören, aber durch sophistische Kunst leicht damit verknüpft
werden können, indem es bei der ewigen Beweglichkeit des Geistes doch einmal unmöglich ist, daß man gar nichts anders
denken sollte, als diesen einen Gedanken der absoluten Einheit
des Unendlichen, und der Mensch, so lange nur irgend ein
Princip von höherem Leben sich äußert, sein Denken nicht auf
einen Punkt beharrlich beschränken kann, sondern durch die
Mannichfaltigkeit der Elemente seines Wesens selbst gezwungen
seyn wird, eine unendliche Fülle von Gedanken und Ideen zu
erzeugen und zu bilden und an jenen Urgedanken anzuschließen.
Wollte aber der consequente Realist seiner Ansicht ganz getreu
bleiben und diese bis zu ihrer äußersten Höhe verfolgen, so
würde jene leibliche und geistige Selbstvernichtung der indischen

Asceten das natürlichste Resultat seyn; indem durch diese alles Denken nur auf die einzige Vorstellung der unendlichen Einheit beschränkt, durch freiwillige Zerrüttung aller geistigen Kräfte und Thätigkeiten alle andern Gedanken unterdrückt und vertilgt würden. —

System der Emanation.

System der Emanation heißt die Lehre, daß alle Wesen aus dem Schooße der unendlichen Gottheit sich entwickelt haben, aus dieser ausgeflossen und nach bestimmten Perioden auch wieder in diese zurückzukehren fähig sind.

Man nennt diese Philosophie auch wohl die orientalische, weil sie vorzüglich bei den orientalischen Völkern geblüht hat, und ihr Ursprung in Indien war. Zwar erhielt sie, wie wir weiter sehen werden, auch bei den europäischen Nationen vielen Einfluß, aber erst aus Asien her ist sie zu diesen gekommen; dort war doch immer ihr Hauptsitz und ihre Urquelle.

Man nennt dieses System auch wohl Mysticismus; eine Benennung, welche den Geist desselben richtig bezeichnet, indem es ein Hauptmerkmal von ihm ist, alle Erkenntniß der Gottheit aus übernatürlicher Offenbarung oder übersinnlicher Anschauung herzuleiten; da hingegen der Realismus von solcher übernatürlichen Erkenntnißquelle nichts wissen will, und sich einzig und allein auf eine vorgebliche Vernunft-Erkenntniß gründet.

Nur muß man von dem wahrhaft speculativen Mysticismus mancherlei andere religiöse Schwärmerei unterscheiden, die blos subjectiv ist und nur auf das Gefühl sich bezieht, ohne allen speculativen Gehalt und Werth.

Diese letzte Art des gemeinen nicht speculativen Mysticismus könnte man durch den Namen Pietismus von jenem höhern unterscheiden. Das System der Emanation oder des speculativen Mysticismus hat also vorzüglich geblüht bei den In-

diern und andern orientalischen Nationen, also wahrscheinlich auch
bei den Aegyptern, Persern und endlich bei den Hebräern*). Auch
bei den Griechen fand es Eingang; hier ward es, obwohl
nicht ohne große Abänderung, zuerst in der Schule des Pythagoras aufgenommen; später offenbarte es auch in Plato's Lehre
seinen Einfluß, bis es zuletzt durch die alexandrinischen und
neuplatonischen Philosophen seine vorzüglichste Ausbildung und
Vollendung erhielt. Zu den letzten gehören, außer Philo und
Josephus, Porphyrius, Jamblichus und besonders Plotin. Auch
kann man noch die christlichen Gnostiker zu den Anhängern dieser
Denkart rechnen. Zwar werden unter dem Namen Gnostiker
Secten von sehr verschiedenen Ansichten und Meinungen zusammengefaßt, allein in der Hauptsache neigen sie sich doch mehr
oder weniger alle zu dem Emanationssysteme. Das Wort Gnostiker kommt her von dem griechischen γνῶσις, Erkenntniß. In
dem conventionellen Sinne der spätern griechischen Philosophen
aber heißt es lediglich übernatürliche Erkenntniß, entweder aus
Offenbarung oder übersinnlicher Anschauung.

Zu den Gnostikern besserer Art gehören Origenes, Clemens
von Alexandrien rc. rc. Manche Ausleger älterer und neuerer
Zeit haben wohl mit Unrecht geglaubt, diese Philosophie auch
in den Schriften des alten Testaments und namentlich in der
mosaischen Schöpfungsgeschichte zu finden, weswegen man ihnen
auch den Namen mosaische Philosophen gab. Reuchlin und
Picus von Mirandola gehören zu ihnen.

Es ist das Emanationssystem nicht eigentlich pantheistisch zu
nennen, denn obgleich die Dinge nach demselben nicht aus einem ursprünglich vorhandenen Stoffe von der Gottheit nur gebildet oder aus dem Nichts geschaffen, sondern aus ihr selbst,
ihrem Wesen nach, herflossen und ausgingen, so wird denn doch
die Gottheit und die Welt strenge unterschieden.

Fatalistisch aber ist diese Denkart durchaus, indem kein
hinlänglicher Grund oder Zweck angegeben wird, der das Aus-
fließen der Natur und aller erschaffenen Dinge aus Gott er-

---

*) Bei den Hebräern sind Philo und Josephus Philosophen dieser Art.

klären könnte, da die Welt so mangelhaft und unvollkommen ist, die Gottheit selbst aber als der Inbegriff aller Vollkommenheit ja nichts außer sich bedürfte. — Hier muß also das Daseyn überhaupt, die Natur und die Welt für ein Unglück gehalten werden, indem sie gar nichts anders, als ein Herabsinken von der göttlichen Vollkommenheit sind. — Darin offenbart sich also schon ein großer Unterschied des speculativen Mysticismus und des Realismus. Nach diesem gibt es durchaus nur ein einziges, absolut nothwendiges, reelles, allervollkommenstes Wesen, in dem alle Verschiedenheit, alle Absonderung und Trennung gänzlich wegfällt, alles in die eine höchste Realität sich auflöst und außer dem alleinigen göttlichen Seyn kein anderes möglich ist. Hier kann also auch weder Böses, noch Uebel, noch Unvollkommenheit statt finden, denn alles wahrhaft Wirkliche ist ja eines und dasselbe, gleich nothwendig und absolut, wie die Gottheit, von der es ja weder gesondert, noch verschieden, sondern mit ihr vollkommen eines, ja nichts anders wie sie selbst ist. Das Uebel und die Unvollkommenheit beruht nur auf dem sinnlichen Schein, auf Täuschung und Irrthum.

Ganz anders erklärt sich aber diesen Punkt der speculative Mysticismus. Er behauptet geradezu, die ganze geschaffene Welt, ihr Daseyn überhaupt, so wie jenes der in ihr existirenden Wesen sei ein Unglück und ein Uebel, und alles Seyn, was nicht in Gott, der Urquelle und dem Inbegriff aller Vollkommenheit und Seligkeit, sondern außer ihm, von ihm getrennt sich befinde, schon durch diese Entfernung in einem Zustande der höchsten Unvollkommenheit und Erniedrigung sey. Weil aber nun kein hinreichender Grund und Zweck angegeben werden kann für den Ursprung der Welt, welche weiter nichts ist, als eine Verschlimmerung, ein Herabsinken und Entarten der göttlichen Vollkommenheit, so ist unvermeidlich hier stillschweigend ein Schicksal, eine unabänderliche, unerklärbare, dunkle Nothwendigkeit vorauszusetzen, deren Macht die verständige, vollkommene Gottheit unterworfen und von ihr genöthigt wird, von ihrer ursprünglichen Vollkommenheit abzuweichen und herabzusinken.

Die unterscheidenden Merkmale des speculativen Mysticismus oder der ältern orientalischen Philosophie sind folgende:

a. Die schon erörterte Lehre von dem Ursprunge aller
Dinge aus Gott durch Emanation.

b. Die Lehre von der übernatürlichen Erkenntnißquelle
durch Offenbarung oder übersinnliche Anschauung; hiervon unterscheidet man noch besonders die Lehre von der übersinnlichen
Erinnerung, obgleich auch diese zu diesem Systeme gehört; waren nämlich alle Seelen ursprünglich mit der Gottheit vereinigt,
so kann diese Präexistenz für die mit Bewußtseyn begabten
Wesen nicht ganz verloren gehen. Sey nach dem Herausgehen
aus der Gottheit die Entfernung dieser vernünftigen Wesen von
ihrem Ursprunge auch noch so groß, mögen sie auch noch so
tief in Unvollkommenheit, Beschränktheit, Irrthum und Dunkelheit versunken seyn, — einige Spuren jenes ehemaligen Zustandes müssen denn doch zurückbleiben, deren Erinnerung wie-
dererwachen und erregt werden kann. Aus dergleichen Erinnerungen jenes nämlichen vollkommenen Zustandes werden nun
alle jene Begriffe und Ideen des Menschen befriedigend hergeleitet, welche aus den sinnlichen Eindrücken, Empfindungen und
Wahrnehmungen der gemeinen Wirklichkeit des gegenwärtigen
Lebens nicht zu erklären sind.

c. Eine dritte Grundlehre dieses Systems, oder doch eine
genau mit ihm zusammenhängende und natürlich aus ihm folgende ist die Metempsychose oder die Lehre von der Seelenwanderung, welche nicht nur bei allen indischen Secten, sondern auch in der Schule des Pythagoras, des Plato und der
Neuplatoniker adoptirt war.

Mit der Idee der Emanation oder des Ausfließens aller
Wesen aus der Gottheit ist die Idee von einer unendlichen
Rückkehr und Wiedervereinigung mit der Gottheit natürlich verbunden. Es betrachtet nämlich dieses System, wie schon gesagt
worden, das Daseyn der Welt, welches blos durch ein Heraus-
treten und Herabsinken aus der Gottheit entstand, allein seiner
Entfernung von der Urquelle und dem Inbegriffe aller Vollkom-
heit wegen, als ein großes Uebel, und das letzte, höchste Ziel

aller erschaffenen Wesen kann nur darin gesetzt werden, daß
sie als solche, d. h. als einzelne, besondere, für sich und von
dem Unendlichen getrennt existirende Wesen dazuseyn aufhören
und wieder in dieses zurückkehren, um an dem einzig wahren,
vollkommenen, göttlichen Seyn und Leben wieder Theil zu
nehmen. So wie nun aber die Emanation aus der Gottheit
durch periodische Entwicklung geschah, so muß dies auch bei
der Rückkehr wieder stattfinden; die Seele kann aus ihrem tiefen Verfall und jenem Zustand der Erniedrigung und Unvollkommenheit, worin sie herabgesunken ist, nicht auf einmal und
unmittelbar sich wieder mit der Gottheit vereinigen, sondern
sie kann nur durch eine steigende Läuterung und Veredlung,
von einer höhern Stufe zur andern, sich allmälig diesem Ziele
nähern, indem sie immer reinere Hüllen annimmt, in vollkommene Formen übergeht.

Da nach diesem Systeme alle Wesen aus der Gottheit hervorgegangen und ausgeschlossen sind, so enthält auch jedes von
ihnen das göttliche Wesen, aber freilich durch die äußerliche,
körperliche Hülle beschränkt, verdunkelt und entstellt. Wo aber
nun diese Hülle des göttlichen Wesens ganz unwürdig schien,
da erklärte man dies als einen Zustand von Strafe, indem die
an so niedrige, schlechte Formen gefesselten Seelen in einem
frühern Zustande durch eigenes Verschulden sich diese Herab-
würdigung zugezogen hatten.

Man muß überhaupt die Metempsychose nicht blos als eine
metaphysische, sondern so wie die Aeltern sie sich dachten, vielmehr als eine moralische Lehre ansehen; dieses steht auch genau
im Zusammenhange mit der vierten Grundlehre des Systems,
oder eigentlichen Ansicht desselben von dem moralischen Uebel.

Es war, wie schon mehrmal gedacht worden, die ganze
erschaffene sinnliche Welt ganz unvollkommen und moralisch bös.
Das letzte einzige Ziel aber für alle freie Wesen, sich aus dieser Erniedrigung wieder empor zu arbeiten, sich von dem moralischen Verderbnisse, womit sie überall umgeben sind, immer
mehr und mehr zu reinigen und so endlich in einen Zustand höherer Veredlung und Vollendung der Wiedervereinigung mit der

Gottheit würdig zu werden. Eine sehr strenge, erhabene Moral war nicht nur in der indischen und orientalischen, sondern auch in der pythagoräischen und platonischen Philosophie vorherrschend. Besonders zeichneten die Schulen der letzten sich dadurch bei den Griechen aus, deren Volksreligion so hohe intellectuelle Ansichten und Grundsätze sonst durchaus fremd waren. —

Bemerkungen über den Werth des speculativen Mysticismus.

Wir müssen zuerst die Erinnerung vorausschicken, daß der speculative Mysticismus durchaus gar keine verwerfliche Art von Philosophie, daß vielmehr der berichtigte Mysticismus, so wie der gemäßigte Skepticismus ein wesentlicher Bestandtheil der wahren, vollkommenen Philosophie sey; denn wie der auf seine wahre Bedeutung zurückgeführte Skepticismus der natürliche Anfang und das natürliche Princip der wahren Philosophie ist, so ist der berichtigte Mysticismus der göttliche Anfang und das göttliche Princip derselben.

Der nicht berichtigte Mysticismus aber ist nichts anders als mißverstandene Offenbarung. Es ist hier nicht die Rede von den heiligen Schriften, die uns Nachricht ertheilen von der ursprünglichen Offenbarung, sondern wir reden hier von dieser selbst.

Es läßt sich nämlich auch philosophisch darthun, daß der wahre Begriff der Gottheit dem Menschen nur durch Offenbarung mitgetheilt worden seyn kann, weil weder die Vernunft noch die Sinnenwelt im Stande ist, diesen Begriff in ihm zu erzeugen.

Was der Mensch, seiner eigenen Vernunft überlassen, aus der Betrachtung der Sinnenwelt über das unsichtbare, geistige, in ihr verborgen wirkende Wesen herleiten kann, das ist durchaus keine Erkenntniß des wahren Gottes, sondern es sind nur einzelne höchst schwankende, mangelhafte Züge des wahren Begriffes, oder es sind die bloßen Naturkräfte, die er als göttliche Wesen anerkennt.

Wenn aber Denker von religiösem Gefühl und Glauben bei ihrem Nachdenken über die Natur ihr Entstehen, ihre inneren Kräfte und Gesetze, so wie ihr Verhältniß zu einem höchsten, sie beherrschenden geistigen Princip der Gottheit gekommen zu seyn vorgeben, blos und einzig durch ihre Vernunft geleitet, so ist dies Täuschung und Selbstbetrug, indem ihre Vernunft schon früher durch das Licht der Offenbarung erleuchtet und in ihrem Denken und Forschen auf den Weg der Erkenntniß gekommen ist, sie also mit Unrecht den Begriff der Gottheit, der durch eben diese Offenbarung unter den Menschen verbreitet und so auch ihnen überliefert wurde, aus sich selbst oder der Beobachtung der Welt und Natur geschöpft zu haben wähnen.

Es würde den Gang unserer Untersuchung aber über seine Gränzen hinausführen, wenn wir dieses hier vollkommen erörtern wollten; wir können zur etwaigen Erklärung nur eine Hauptbemerkung hier anführen.

Der eigentliche Punkt, worauf es bei der Bestimmung des wahren Begriffes der Gottheit ankommt, ist, daß dieser außer der Idee der unendlichen Einheit vor allem die Idee der unendlichen Fülle in sich enthält. Diese Idee nun der unendlichen Fülle, der positiven göttlichen Allmacht und Liebe kann in dem Menschen weder durch die Vernunft allein, noch durch Erfahrung und sinnliche Wahrnehmungen erzeugt werden, wie sich dies philosophisch streng beweisen läßt. Es bleibt uns also nur übrig anzunehmen, was die Religion uns lehrt, was Geschichte und Tradition, so hoch wir diese immer verfolgen können, durch ihr Zeugniß bestätigen, daß die Bildung des menschlichen Geschlechts ihre erste Urquelle in einer höhern Offenbarung gehabt und daß der wahre Begriff des göttlichen Wesens dem Menschen unmittelbar von diesem selbst mitgetheilt worden sey.

Nehmen wir dieses nun an, so erklärt sich jenes System der Emanation oder jener ältesten orientalischen Philosophie ganz natürlich als mißverstandene Offenbarung und als erster und ältester Versuch, den offenbarten Begriff eines allmächtigen, allweisen göttlichen Wesens mit der Erscheinung der Welt in Uebereinstimmung zu bringen und sich beide begreiflich zu machen; ein Versuch, der aber freilich nicht gelungen ist.

Eine dritte, von dem speculativen Mysticismus wesentlich verschiedene und dem Realismus ganz entgegengesetzte Art von Philosophie ist der Idealismus, zu dem wir jetzt übergehen.

System des Idealismus.

Das Wesen des Idealismus besteht darin, das Geistige allein für wirklich und wahrhaft reell zu halten, Körper und Materie aber ihrem Daseyn und Realität nach gänzlich zu leugnen, für bloßen Schein und Irrthum zu erklären, oder sie doch ganz in Geist umzuwandeln und aufzulösen. In dieser Rücksicht ist der Idealismus schnurgrade entgegengesetzt dem Materialismus, der alles aus materiellen Kräften und Substanzen herleitet.

Wir dürfen uns aber mit dieser Definition des Idealismus noch gar nicht begnügen, sondern es entsteht hier gleich die Frage, was denn im Gegensatze der Materie das eigentliche Wesen des Geistes selbst sey? Wir antworten: Freiheit, Thätigkeit, lebendige Beweglichkeit; so wie substantielle Beharrlichkeit, Unveränderlichkeit und todte Ruhe das Wesen des körperlichen Materialismus sind.

Dieses ist nun der unterscheidende Punkt, wo der Idealismus sowohl dem Materialismus, als dem Realismus gerade widerspricht. —

Die Ansicht des Begriffes der Substanz ist es eigentlich, ob ein System idealistisch sey oder nicht; denn in dem wahren Idealismus wird dieser Begriff theoretisch ganz aufgehoben und vernichtet.

Eine Naturansicht kann idealistisch seyn, wenn nicht das grobe Körperliche, der bloße Mechanismus der Naturgesetze, sondern die in der Körperwelt unsichtbar wirkenden Kräfte und Thätigkeiten als das Erste, Ursprüngliche angesehen werden. Nun solche Naturansicht heißt dynamisch. Eben so kann auf der andern Seite eine Philosophie, die einzig von Ich, von Bewußtseyn ausgeht, doch ganz und gar nicht idealistisch seyn, wenn sie nicht in dem Ich eine freie, thätige Kraft, sondern einen blinden Mechanismus nothwendiger, beharrlicher Denkgesetze als das Erste, Höchste anerkennt.

Wer den Mechanismus, es sey nun des Bewußtseyns oder der Natur, an die Spitze seiner Philosophie stellt, der ist kein Idealist, sondern ein mechanischer Philosoph, und seine mechanische Philosophie ist nun entweder materialistisch oder pantheistisch oder ein Gemisch von beiden.

Zu den Idealisten des Alterthums gehören unter den Griechen gewissermaßen die jonischen Philosophen Thales, Heraklit, Anaximenes und Anaximander. Sie stellten entweder das eine oder das andre Element, das Feuer, das Wasser oder die Luft als thätige Grundkraft der Welt auf. — Die Philosophie dieser Männer ist uns indessen nur aus höchst mangelhaften, unzuverläßigen Bruchstücken bekannt; mit Gewißheit kann man jedoch von Heraklit behaupten, daß er ein Idealist war, da er ausdrücklich behauptete, es gebe durchaus nichts Festes, Ruhendes, Beharrliches, sondern alles sei in einem steten Flusse, in einer ewigen Bewegung und Veränderung, da er also auf diese Weise den Begriff von der Substanz durchaus leugnete und verwarf.

Daß diese ältesten Philosophen aber durchaus keine eigentlichen Materialisten waren, sondern unter den Urelementen, die sie als die Quelle aller Dinge und als göttliche Dinge ansahen, dem Wasser, dem Feuer und der Luft nur die unsichtbar wirkenden lebendigen Grundkräfte der Welt meinten, keineswegs die groben, irdischen Elemente, ist aus dem Zusammenhange ihrer Denkart vollkommen klar. Einer von ihnen, Anarimenes, nannte die Urquelle aller Dinge, welche die andern als Feuer, Wasser, Luft charakterisirten, das Unbestimmte, also das Unendliche. ·

Von Heraklit sind Aeußerungen genug da, welche beweisen, daß er das göttliche Wesen der Geistigkeit und des reinen Verstandes ganz vortrefflich, und zwar unter den Griechen der Erste anerkannt hat.

Die Philosophie dieser ältesten Griechen war freilich der Form nach mehr Naturphilosophie, die sich als solche hauptsächlich zu dem Physischen hinneigte, für die Entwicklung sittlicher und religiöser Ideen aber weniger bedeutende Resultate aufgestellt hat, und daher überhaupt sehr unvollkommen und unzureichend erscheinen mußte.

Das zweite eigentliche System des Idealismus bei den Griechen ist jenes des Aristoteles, welchen man oft mit Unrecht zu den Empirikern gezählt findet.

Sokrates hatte für die Philosophie eine ganz neue eigenthümliche Methode aufgestellt, in der das moralisch Praktische überall das Vorherrschende war. Dieser sokratischen Art zu philosophiren blieb selbst Plato getreu, wenn gleich seine Philosophie in speculativer Hinsicht sich mit allumfassender Genialität weit über jene des Sokrates erhob.

Aristoteles aber wich völlig davon ab, und kehrte wieder mehr zu der alten Naturphilosophie zurück. So wie jene die Elemente, nahm er einen allgemeinen Weltgeist (νοῦς) als Princip aller Dinge an, eine durch sich selbst thätige, in sich selbst vollendete Kraft oder Entelechie. Dieser Begriff der selbstthätigen, freien Kraft ist durchaus idealistisch, nach der vorhergegangenen Behauptung, daß Thätigkeit der charakteristische Grundbegriff des Idealismus sey. Daß eine solche absolut freie und nur durch sich selbst thätige Kraft nur geistiger Natur seyn kann, bedarf wohl keines Beweises. In dieser Hinsicht wäre die Entelechie des Aristoteles wohl genau dasselbe, was in der neuern Philosophie als Ichheit ist bezeichnet worden, wenn man diesen Begriff in seiner wahren vollkommenen Bedeutung nimmt.

In Hinsicht der Hauptprincipien befand sich die Philosophie der Aristoteles auf dem rechten Wege: daß seine Naturphilosophie aber wegen dem Zustande von Kindheit, worin sich die damalige Physik befand, höchst unvollkommen bleiben mußte, dies wäre in philosophischer Rücksicht kein so großer Mangel; denn da kommt es denn am Ende doch nur auf die ersten Grundprincipien und den Geist des Ganzen an.

Bedeutender aber ist der Fehler, daß seine Philosophie überhaupt nur Naturalismus und die moralisch-praktische Seite daran sehr vernachläßigt und hintangesetzt war. Der Grund davon lag vielleicht in dem Widerspruchsgeiste wider die sokratische und platonische Philosophie, oder in der systematischen Einseitigkeit des Aristoteles überhaupt.

Die höchsten Principien, welche Aristoteles seiner Welterklärung zum Grunde legte, waren Form, Materie und Privation. Die Formen des Aristoteles sind die mannichfaltigen Erscheinungen der selbstthätigen Kraft oder Entelechie. Die Materie ist dem Aristoteles etwas ganz anderes, als dieser Begriff in andern Systemen genommen wird; sie ist ihm nichts, als die bloße Möglichkeit. Vor und außer den Formen existirt sie gar nicht. Die Formen sind das einzige, wirklich Reelle und mit ihnen und durch sie allein hat auch die Materie nur Daseyn, Realität. Die Privation oder Beschränkung ist das, was die Formen bestimmt und unterscheidet.*)

Diese Principien: Form, Materie und Privation sind völlig dasselbe, was in der fichtischen Philosophie Ich, Nichtich und die natürlichen Schranken sind. Daher denn auch in den ersten Grundprincipien wenigstens die fichtische und aristotelische Ansicht vollkommen übereinstimmen.

Abgesehen von allen andern Unvollkommenheiten dieses Systems liegt der theoretische Fehler hauptsächlich darin, daß die Entstehung und das Vorhandenseyn der Privation oder der ur-

---

*) Man hat also den Aristoteles mit Unrecht für einen Materialisten gehalten.

sprünglichen Schranken auf keinerlei Art erklärt werden, kann, noch auch die Mannichfaltigkeit der Formen, oder, in Fichte's Sprache zu reden, das Entstehen der individuellen Ichheiten; denn daß die Beschränkung von der absolut freien, thätigen Grundkraft herkommen solle, dieses zu behaupten, wäre der vollkommenste Widerspruch. Denn warum und auf welche Weise kam diese denn wohl zu jener Selbstbeschränkung? Hat die Beschränkung nicht ihr Entstehen in der freien Thätigkeit des Welt-Ichs, sondern ist ursprünglich unabhängig von ihr vorhanden, so ist sie auch früher und höher wie diese und somit das erste Grundprincip.

Es drückt dieses System also eine durchaus nicht zu hebende Unbegreiflichkeit, die mit den ersten Grundsätzen beginnt und durch das Ganze fortläuft. Insofern aber die ihm zum Grunde liegende Ansicht vollkommen idealistisch ist, verdient es in Vergleich mit andern eine ausgezeichnete, ehrenvolle Stelle. Dieses Lob und jener Tadel sind nach unserer vorhergeschickten Erklärung von Idealismus überhaupt sehr gut vereinbar; denn wir behaupten, der Idealismus sey der Mittelpunkt der wahren Philosophie und im ganzen genommen die einzig richtige Art zu philosophiren. Allein unter allen in ihr gemachten Versuchen, die uns die Geschichte der Philosophie aufzeigt, finden wir auch nicht einen einzigen fehlerfrei und ohne große Unvollkommenheiten, ja mehrere sind als ganz verwerflich anzusehen; so sehr wir daher auch das edle, preiswürdige Streben der großen Männer, die auf diesem Wege der höchsten Erkenntniß sich zu versichern glaubten, achten und bewundern müssen, so groß auch immer der Aufwand von Kraft und Genialität ist, den sie diesem erhabenen Zwecke weihten, so hat doch keiner von ihnen das Ziel seiner Bemühungen erreicht, keiner ist bis zur Vollendung durchgedrungen. —

Wir haben bis jetzt zwei Arten des Idealismus kennen gelernt; die erste war die dynamische Naturansicht, welche der Natur überall unsichtbar wirkende geistige Kräfte und Thätigkeiten zum Grunde legt; und jene, welche von dem Begriffe der absolut freien thätigen Kraft, als dem Urprincip ausgeht. — Es bleibt nun noch eine dritte, ungleich ältere Art ideali-

ſtiſcher Philoſophie übrig, welche vorzüglich in religiöſer Hinſicht merkwürdig iſt, nämlich die Lehre von zwei die Welt
beherrſchenden Principien, wovon das eine abſolut
Gute, als die Quelle aller Vollkommenheiten, das andere als
das abſolut Böſe, als der Urſprung alles Schlechten, aller
Unvollkommenheit und alles Uebels in der moraliſchen, wie in
der phyſikaliſchen Weltordnung angeſehen wird.

Dieſe Anſicht finden wir in dem Religionsſyſteme des Zo-
roaſter und ſpäterhin in erneuerter, veränderter Geſtalt in
dem Syſteme der Manichäer.

Unſtreitig war ſie auch bei den orientaliſchen Völkern überhaupt ſehr verbreitet, und wenn wir nach einigen freilich ſehr
unvollſtändigen Bruchſtücken der pythagoräiſchen Philoſophie
ſchließen ſollten, ſo würde auch in ihr die Beziehung auf den
Gegenſatz guter und böſer Grundkräfte ſich leicht auffinden laſſen. Idealiſtiſch iſt die Lehre von den zwei Principien, weil
nach derſelben die Welt nicht erſcheint als ein todtes, bewe-
gungsloſes Ruhen und Seyn als ein beharrlicher Naturme-
chanismus, ſondern als ein ewiges Ringen und Kämpfen lebendiger Kräfte und Thätigkeiten, als ein ewiges Werden, eine
ununterbrochen fortgehende, ſich ſtäts erneuernde und verändernde
Entwicklung, die eben aus dieſer Gährung, dieſem regen, lebendigen Kampfe widerſtreitender Elemente hervorgeht.

Wenn man der Lehre von den zwei Principien Schuld
gibt, daß ſie dem böſen Weltweſen ſo viele Kraft und Würde
zuerkennt wie dem guten, ſo beruht dieſes wohl nur auf einem
Mißverſtändniſſe, da dies wenigſtens kein philoſophiſcher Anhänger des Syſtems behaupten kann. Dahingegen beruht das
eigentliche Fehlerhafte des Syſtems wohl in der Behauptung,
das böſe Princip würde ſich endlich ganz auflöſen und in Frieden und Harmonie mit dem guten ſich vereinigen. Dies iſt
denn ſo widerſinnig, als moraliſch verwerflich, indem der
ewige Unterſchied zwiſchen dem abſolut Guten und Böſen dadurch aufgehoben wird.

Die Lehre von den zwei Principien findet ſich in den Urkunden der Religion, wie in der Philoſophie; nur jene beiden

getadelten Nebenbestimmungen widersprechen eben so sehr dem Geiste der wahren Religion, als sie mit der höhern Ansicht der wahren Philosophie unvereinbar sind.

Wenden wir uns nun zu den idealistischen Philosophen unserer Zeit. Insofern die Philosophen des Mittelalters oder die Scholastiker dem Aristoteles folgten, ließe sich im allgemeinen schon voraussetzen, daß ihr System den Grundsätzen nach idealistisch gewesen sey. Doch findet dies nicht in dem Maaße statt, wie man zu glauben wohl Ursache hätte, indem sie einestheils dem Aristoteles nicht so ganz blindlings anhingen, und dann auch das System der christlichen Religion diesem Einflusse das Gleichgewicht hielt. Unter den Philosophen unserer Zeit, deren Denkart zum Idealismus sich neigt, ist Leibnitz ohne Zweifel der interessanteste und bedeutendste; allein er hat seine Philosophie nicht zu einem Systeme vollendet, sondern nur einzelne Bruchstücke und Hypothesen hinterlassen. Seinen vollkommenen Idealismus beweiset die Hypothese von den bewußtlosen Vorstellungen und von den Monaden; durch die ersten stellt er den Grundsatz auf, alles, was in dem Bewußtseyn vorkomme, müsse nur aus dem Bewußtseyn erklärt werden, und der Körper könne auf keine Art und Weise Einfluß auf das Bewußtseyn haben. Durch die Hypothese von den Monaden erklärt er den Körper selbst für eine Erscheinung einfacher, geistiger Grundkräfte, welche wir in den verworrenen, trüben, sinnlichen Wahrnehmungen nur nicht deutlich erkennen; eben so idealistisch ist seine Lehre von den angebornen Ideen, sein Naturprincip der Streitigkeit und andere dieser ähnliche Behauptungen. Nur in der realistischen Hypothese von der prästabilirten Harmonie ward er seiner idealistischen Ansicht und Denkart ungetreu.

Der Synkretismus.

Wir haben bis jetzt sechs verschiedene Arten der Philosophie abgehandelt. Drei davon — den Empirismus, Skepticismus und Materialismus, nannten wir wegen des niedern Standpunktes, von dem sie ausgehen, und wegen der engen Sphäre gemeiner Wirklichkeit, sinnlicher Wahrnehmung und des materiellen Seyns, worauf sie einzig und allein beschränkt sind, niedere Arten der Philosophie. Die drei andern aber, der Realismus, das System der Emanation und der Idealismus, wurden als höhere Arten dargestellt; indem sie über den Kreis sinnlicher Erfahrung hinaus zu der unsichtbaren, geistigen Urquelle aller Dinge sich zu erheben, das unendliche, göttliche Wesen selbst zu erfassen und zu ergründen streben, zu diesem letzten Ziele aller Erkenntniß aber nur auf dem Wege der höchsten, geistigen Speculation gelangen können.

Es gibt nun noch eine Art von Philosophie, welche durch Mischung und Zusammensetzung jener reinen und ursprünglichen Denkarten entsteht. Schon früher wurde bemerkt, wie z. B. Pythagoras und Plato sehr viele ihrer Lehren aus dem Emanationssysteme genommen haben, ohne daß man sie deswegen zu den Anhängern dieses Systems rechnen könnte, weil sie auch aus andern Systemen viele Vorstellungsarten entlehnten und ihrer Philosophie einverleibten.

Dergleichen Mischungen, Mittelstufen und Uebergänge weist uns die Geschichte der Philosophie sehr viele auf, welche alle zu charakterisiren ganz zwecklos und unstatthaft wäre. Wir werden zum Behufe unserer Untersuchung hier nur diejenigen herausheben, welche für die philosophische Geschichte und Kritik von entschiedenem Werthe und überwiegendem Interesse sind.

Das bedeutendste synkretistische System des Alterthums war jenes der Stoiker, bei den Neuern das kantische. Daß die Stoiker nicht sowohl eine neue Philosophie erfunden und aufgestellt, als vielmehr nur aus den Lehren der alten Denker ein

neues System zusammengesetzt haben, ist schon früher von uns
angeführt worden. In der Moral folgten sie meistens Sokrates
und Plato, deren Philosophie auf der Idee des absolut Wahren, Vollkommenen und Guten beruhete; dennoch borgten sie
auch hier einiges von Aristoteles.

In der Naturphilosophie nahmen sie fast ganz Heraklit's
Ansicht an, welcher das Feuer als die Urquelle aller Dinge und
die allgemeine Weltseele anerkannte. In Rücksicht der Logik,
d. h. der Theorie des Erkenntnißvermögens, neigten sie sich am
meisten zu der Erfahrung hin, die sie sowohl gegen den Skeptiker als atomistischen Materialisten eifrigst in Schutz nahmen.

Aus diesen verschiedenen Ansichten nun setzten die Stoiker
ihr System zusammen; daß aber zwischen so heterogenen Bestandtheilen eben keine innige und harmonische Uebereinstimmung
statt finden könne, ist leicht zu denken; auch ward den Stoikern
dieser Vorwurf von ihren Gegnern sehr häufig gemacht. Wir
sind zwar, aus Mangel an hinreichenden Original-Urkunden,
über die Sache nicht genug unterrichtet, um ein entscheidendes
Urtheil fällen zu können. Allein der Natur der Sache gemäß
wird dieser Vorwurf gewiß gegründet gewesen seyn. Unter den
neuern ist das wichtigste synkretistische System das kantische,
welches seiner mannichfaltigen und verschiedenartigen Zusammensetzung wegen mit dem stoischen auch die größte Aehnlichkeit hat.

Es besteht die kantische Philosophie aus mehreren ganz
von einander getrennten unabhängigen Stücken von sehr unglei-
chem Werthe: das erste ist die Theorie der Erfahrung,
zu der auch die skeptische Ansicht und Bestreitung aller übersinnlichen Erkenntniß gehört.

Diese Theorie der Erfahrung ist dem größten Theile nach
empirisch, indem sie die Realität aller Erkenntniß außerhalb
dem Gebiete der Erfahrung leugnet. Sie ist dabei äußerst verwickelt, ja sogar oft widersprechend und unverständlich, indem
nach dieser Ansicht durchaus nicht verständlich gemacht werden
kann, wie z. B. die Mathematik und überhaupt die dem menschlichen Verstande ursprünglich einwohnenden Denkgesetze und reinen

Begriffe oder Kategorien auf das Gebiet der Erfahrung anwendbar sind, weil es sich ja gar nicht einsehen läßt, wie die Erfahrung nach diesen Denkgesetzen des menschlichen Verstandes nothwendig bestimmt werde, auch nirgend Beweise und Gründe sich vorfinden, die das Entstehen dieser Denkgesetze selbst befriedigend erklärten und uns belehrten, zu welchem Zwecke und von wem diese Formen ursprünglich dem Bewußtseyn eingepflanzt worden.

Das zweite Hauptstück der kantischen Philosophie ist die Moral, beruhend auf den Ideen des Guten und Göttlichen, oder wie Kant es ausdrückt, auf dem Glauben an Freiheit und Pflicht; indem das sittlich Gute das einzige zuverläßige Gewisse und Haltbare sei in dem unermeßlichen Meere von Ungewißheit, Widerspruch und Zweifel, worin der menschliche Geist umhergetrieben werde; welches einzig Feste und Bleibende der Mensch auch mit aller Kraft und Anstrengung zu ergreifen und mit unerschütterlicher Beharrlichkeit und Zuversicht zu behaupten trachten müsse, gesetzt auch, daß alle andere Gewißheit und Erkenntniß völlig unterginge. Diese Ansicht stimmt sehr mit der Moral des Plato, der Stoiker und des Christenthums überein, aus welchen Lehren Kant auch mehrere einzelne Erkenntnisse hergenommen hat.

Die kantische Moral verdient in Rücksicht ihrer erhabenen Tendenz und der überall darin herrschenden streng sittlichen Gesinnung die vollkommenste Achtung. Die Ausführung im einzelnen aber ist äußerst mangelhaft, unzusammenhängend, voller Lücken und zahllosen Einwürfen und Schwierigkeiten bloßgestellt.

Der Hauptfehler in speculativer Rücksicht besteht in dem Mangel an Begründung des Ganzen, indem jener Glaube an Freiheit und Pflicht nirgends ursprünglich hergeleitet, erklärt und begreiflich gemacht wird, und endlich auch darin, daß zwischen dieser moralischen Ansicht und den übrigen Theilen der kantischen Philosophie durchaus keine nothwendige consequente Uebereinstimmung herrscht.

Der dritte Haupttheil der kantischen Philosophie besteht aus manchen idealistischen Aeußerungen und Ansichten, die für die

Philosophie zwar vieles Interesse haben, von denen der aufmerksame, unterrichtete Forscher aber gestehen muß, daß sie nur als Keime, als Anfänge des Idealismus zu betrachten, dabei noch höchst unausgebildet, unvollendet, voll zweideutiger Schwierigkeiten, Dunkelheiten und scheinbarer Widersprüche sind. Unter diese Rubrik gehören z. B. die Ansichten über das innerste Wesen der Reflection und das Bewußtseyn, welche eigentlich über seine Theorie der Erfahrung hinausgehen, ja sogar mit dieser im Widerstreit stehen. Ferner die dynamischen Naturansichten und manche andere Idee über Religion, Aesthetik und Geschichte.

Allgemeine Schlußanmerkung.

Kants Philosophie ist durchaus kein vollendetes System, aber bei dem unermeßlichen Reichthume höchst origineller, lichtvoller Ideen, bei dem philosophischen Scharfsinn und Tiefsinn, der moralischen Kraft und Würde dieses in jeder Hinsicht ausgezeichneten Denkers hat selbst die Unvollkommenheit des Ganzen, die unzähligen Schwierigkeiten, Dunkelheiten und Widersprüchen Spielraum gab, den philosophischen Geist, der in der schlechten, gemeinen, empirisch-materialistischen Denkart des Zeitalters versunken und erschlafft war, von neuem angereizt und zu ernsthaftem, gründlichem Forschen und Grübeln aufgeregt. So wie man Kant überhaupt das unvergängliche Verdienst zusprechen muß, durch sein ächt philosophisches Streben auf die Denkkraft seiner Zeitgenossen mit neu belebender und bildender Gewalt und Macht gewirkt, sie aus den niedern und beschränkten Regionen blos empirischer Betrachtung und Zergliederung wieder auf den Weg höherer Speculation zurückgebracht und in den Grundelementen aller Wissenschaften, die in die seichteste, gehaltloseste Popularität aufgelöst, von keinem philosophischen Geiste bewegt und belebt wurden, wahrhaft wissenschaftliches Streben wieder erweckt und entwickelt zu haben.

Zu den merkwürdigern synkretistischen Philosophien gehört auch jene des Descartes. Er vermaß sich, alle Erfindungen der Alten, alle ihre Meinungen und Ideen, ohne sie irgend einer Aufmerksamkeit zu würdigen (?), bei Seite setzen zu wollen, nur ganz unabhängig von äußerem Einflusse, aus eigentlichem selbstständigen Denken sein philosophisches Lehrgebäude, rein und unvermischt mit fremdartigen Bestandtheilen, von Grund auf neu aufzuführen und zu vollenden; er hat aber dennoch nichts neues hervorgebracht, als eine durchaus mechanische, materialistische Naturphilosophie, welche doch ganz unbegründet befunden worden ist.

In seiner speculativen Philosophie zeigt er trotz seines Vorgebens eben so wenig irgend eine originelle Ansicht; denn diese enthält nur gerade das Allgemeinste und dem Anscheine nach Wissenschaftlichste aus den Scholastikern, welche er doch übrigens so sehr verwarf.

Diese von den Scholastikern entliehenen speculativen Sätze nun waren größtentheils von der realistischen Art. Wie z. B. den Beweis von dem nothwendigen Daseyn eines höchsten Wesens aus dem bloßen Begriffe desselben herzuleiten, den er dem Anselmus abgeborgt hatte. In speculativer Philosophie also war Descartes Realist; in der Naturphilosophie Materialist; in der Philosophie aber Dualist, nach der Weise der Empiriker. — Keine unter allen Arten synkretistischer Philosophie ist übler zusammengesetzt, wie jene des Descartes; da nicht nur überhaupt in diese heterogene Mischung keine Uebereinstimmung gebracht, sondern sie auch aus denjenigen Arten der Philosophien zusammengesetzt ist, die an und für sich schon ganz verwerflich sind, dem Materialismus nämlich und der realistischen Ansicht, die unvermeidlich zum Pantheismus führt.

Dies gilt auch zum Theil von der neuern deutschen Philosophie; sie ist durchaus mechanisch, d. h. sie betrachtet den Mechanismus und seine Nothwendigkeit als das Erste und Höchste. In ihr offenbart sich dem unterrichteten Denker nichts anders, als eine vollkommene Vereinigung des pantheistischen Realismus und des materialistischen Mechanismus, also der beiden verwerflichsten Arten der Philosophie.

Unabhängig von allen bis jetzt charakterisirten Arten der

Philosophie gibt es noch eine ganz von ihnen unterschiedene, besonders für sich bestehende, die auch nicht einzig und allein aus Mischung und Zusammensetzungen bestehet, sondern auf einem eigenthümlichen Princip beruht, nämlich auf der Idee des sittlich Guten und Vollkommenen und auf dem Glauben an dessen höchste Realität, die fest und unerschütterlich begründet auch dann noch bestehen würde, wenn alle andere Gewißheit zu Grunde gehen würde.

Es ist schon gesagt worden, daß Kant und die Stoiker in dem moralischen Theile ihrer Philosophie zu dieser Ansicht sich bekannten. Derjenige unter den alten Philosophen aber, der sie zuerst aufstellte und begründete, war Sokrates und unter seinen Schülern, die mit Ausschluß des einzigen Aristipp alle dieser Lehre getreu blieben, vorzüglich Plato, welcher die moralische Ansicht seines Meisters aus dem niedern Kreise praktischer Lebensweisheit, worauf dieser sich willkürlich beschränkt hatte, auf den Standpunkt der Speculation erhob, und ihr dort die schönste Ausbildung und Vollendung gab. Aus dieser Quelle nun floß die Moral der Stoiker.

Ganz unabhängig von der sokratischen Lehre haben auch die ersten Lehrer des Christenthums, insofern sie Philosophen waren, den Glauben und das Festhalten an das sittlich Gute auf eine von der sokratischen ganz verschiedene Weise geprebigt, und es sind ihnen hierin sowohl die Kirchenväter, als die bessern Philosophen des Mittelalters gefolgt. Bei allen diesen herrscht die Philosophie, die man vorzüglich die moralische oder religiöse nennen kann. Denn darin besteht ihr entscheidender Charakter, daß das erste Princip, worauf sie sich gründet, nicht blos scientifisch und wissenschaftlich, sondern moralisch ist, nicht auf absoluten leeren Begriffen, sondern auf einem lebendigen, freien, selbstthätigen Glauben beruht.

Die Philosophie des Plato ist vorzüglich in seinen größern wissenschaftlichen Dialogen enthalten; die kleinern und auch mehrere der größern, aber populären Dialogen sind wahrscheinlich nicht von ihm selbst, aber von seinen Schülern, auf allen Fall aber für die Speculation nicht so von Bedeutung wie die ersteren.

In der Philosophie des Plato finden wir die sokratische Idee von dem sittlich Guten und Schönen überall herrschend, nur daß er sie, wie schon bemerkt worden, wissenschaftlich zu begründen, speculativer zu entwickeln, zu erweitern und auszubilden sucht.

Sein dialogischer Vertrag ist ein Muster kraftvoller, würdiger Beredsamkeit, wahren, dialektischen Scharfsinnes, immer unübertrefflichen künstlichen Zergliederungs- und Entwicklungsmethode, mit einem Wort, ein Ideal philosophischer Form und Darstellung. Und so kann man dem moralischen Geiste, wovon die platonischen Schriften überall beseelet und durchdrungen sind, die unbedingte Achtung nicht versagen; die Philosophie selbst aber ist gar nicht als ein fertiges, geschlossenes System anzusehen, vielmehr enthalten alle seine Werke nur angefangene Untersuchungen, die aber bis zur letzten Vollendung nicht durchgeführt sind.

In den meisten der wichtigern Dialogen ist Plato beschäftigt, das eleatische System der beharrlichen Einheit, des unwandelbaren, ewigen Seyns mit der heraklitischen Lehre des ewigen Werdens, der steten Bewegung und Veränderlichkeit, dem immer wechselnden Flusse aller Dinge zu vergleichen, stellt beide Ansichten einander entgegen, bestreitet bald die eine, bald die andere, neigt sich bald mehr auf diese, bald mehr auf jene Seite, verwirft aber eigentlich beide und scheint einzig darauf auszugehen, ein System aufzustellen, welches, in der Mitte von ihnen liegend, die Unvollkommenheiten und Fehler eines jeden einzelnen vermeide.

Unstreitig ist dieser Gegensatz das schwierige Hauptproblem der gesammten Philosophie, mit dessen befriedigender Auflösung auch die Philosophie selbst vollendet seyn würde. Plato aber hat gegen beide Ansichten überall nur polemisirt, und von dem neuen Systeme, das eine vermittelnde Denkart aufstellen sollte, enthalten seine Schriften höchstens nur unvollkommene Andeutungen. Daß unter den eigenthümlichen Philosophemen Plato's auch manche Idee aus dem ältern Systeme der Emanation vorkomme, z. B. die Lehre von der Seelenwanderung, der Erinnerung, ist schon gesagt worden.

Die wichtigste, unterschiedenste aller platonischen Lehren ist jene von den Ideen, oder den in dem göttlichen Verstande enthaltenen, vollkommenen Urbildern aller erschaffenen Wesen, von welchen die Erscheinungen der wirklichen Welt nur unvollkommene, durch die ursprüngliche Fehlerhaftigkeit der Materie getrübte und entstellte Nachbildungen seyen.

Diesen Urbildern der Vollkommenheit mit allen Kräften nachzustreben und soviel nur immer möglich ist, ihnen gemäß zu leben und sich auszubilden, sey das einzige höchste Ziel aller menschlichen Thätigkeit, die eigentliche Tugend, der wahre Charakter des Weisen oder des vollkommenen Philosophen.

So erhaben die Moral ist, die aus diesem Princip hervorgeht, so hat sie doch den Fehler, daß in ihr die Tugend gar zu sehr als Kunst erscheint. Bei Plato schadet dies zwar keineswegs der Strenge, wie bei andern ästhetischen Philosophen, wohl aber ist es ein Grund der geringeren praktischen Anwendbarkeit, denn man würde in wichtigen Fällen des menschlichen Lebens, wo es auf eine schnelle Entscheidung ankommt, in dieser Moral, welche die Tugend als eine Kunst ansieht, die nur durch eine langwierige, methodische Uebung zu Stande kommen kann, keine genügende Bestimmung finden.

Wir haben schon angeführt, daß auch die Moral und Philosophie der ältesten Lehrer des Christenthums, insofern diese nämlich Philosophen waren, auf der Idee des sittlich Guten und Vollkommenen beruhte. Die christliche Philosophie stimmte also im Allgemeinen recht wohl überein mit der sokratisch-platonischen. Die Ideal-Philosophie der Lehrer des Christenthumes hat sich nicht nur ganz unabhängig von der sokratischen, sondern auch ganz abweichend von ihr und ganz eigenthümlich entwickelt, wie dies der Natur der Sache gemäß auch wohl nicht anders seyn konnte, da das Lehrgebäude, welches sie aufstellte, sich hauptsächlich auf die Offenbarung, die heiligen Schriften und die Tradition der Väter gründete. Deswegen kann denn auch hier keine Charakteristik der christlichen Idealphilosophie im Gegensatze der sokratisch-platonischen gegeben werden, weil dies nur in dem ganzen Zusammenhange der Religionsgeschichte oder der theologischen Systeme statthaft und thunlich ist.

Das allgemeine Resultat nun der gesammten Kritik aller Hauptarten der Philosophie ließe sich im Allgemeinen in Folgendem kurz zusammenfassen.

Das System des Materialismus und des Pantheismus sind beide grundfalsch und irrig, und als höchst verkehrt und verderblich unbedingt zu verwerfen.

Die andern Arten der Philosophie aber sind entweder als wesentliche Bestandtheile der wahren und vollendeten Philosophie anzusehen, oder sie können doch unter gewissen Einschränkungen und Berichtigungen mit derselben in Harmonie gebracht werden, und innigst mit ihr verbunden bestehen.

Die ersten speculativen Principien können einzig und allein in dem Idealismus gefunden werden, damit aber ist der skeptische Geist sehr wohl vereinbar, wenn er als Princip eines unermüdeten Forschens und Prüfens, eines stets weiter schreitenden, immer höhere Begründung und Vollendung suchenden philosophischen Strebens die Philosophie auf ihrem Wege nach der höchsten Erkenntniß begleitet, nicht aber wenn er als Princip an und für sich und als herrschende Denkart aufgestellt wird.

Auch der höhere Mysticismus bedarf weniger einer gänzlichen Widerlegung und Verwerfung, als vielmehr einer durchgreifenden Berichtigung, um mit der wahren Philosophie in Uebereinstimmung gebracht zu werden.

Selbst der Empirismus, wenn er durch die Idealphilosophie die höhere Bedeutung bekommen hat, stellt die Wahrheit auf, daß alle Erkenntniß historisch und genetisch sey.

Diese drei Denkarten also — die skeptische, die empirische und die höhere mystische, sind Bestandtheile oder Bedingungen der einen wahren und vollendeten Philosophie. Die ersten Principien derselben enthalten den Idealismus, die Seele aber, die das Ganze durchdringt, belebt und zur höchsten, wahren Einheit und Realität verbindet, kann nur aus jenem moralischen Geiste und Glauben hervorgehen, der in der sokratisch-plato-

nischen, mehr aber noch in der christlichen Philosophie der herrschende war. Ohne diesen Führer, der sicher und unwandelbar
den menschlichen Geist durch alle entgegenstehenden Schwierigkeiten und Hindernisse, durch die ewig wechselnden und nie sich
gestaltenden Trugbilder, die dunkeln, verworrenen Irrsale irdischer Beschränkung zum lichtstrahlenden Ziele der Erkenntniß führt,
gibt es kein Heil weder im Denken, noch im Thun, weder im
Wissen, noch im Leben.

Einige Anmerkungen zur Logik.

(Vom Herausgeber.)

S. 3. a) Es heißt hier: die Logik ist die Wissenschaft von den Regeln des Denkens; der Verfasser hat nach I. §. 7. (S. 17) den Inbegriff der Regeln des Denkens als Richtschnur für die speciellen Wissenschaften im Auge, richtige Anordnung der wissen= schaftlichen Begriffe gemäß einem richtigen und in sich geordneten Denken; das Denken selbst, nach allen seinen Bestimmungen durch= geführt, ist ihm eine höhere Aufgabe, durch deren Lösung die Fest= setzung eines solchen Regulativs zuerst möglich und begründet wird, wie auch bei Aristoteles das Organon auf metaphysischen Unter= suchungen über das Denken und die eigentliche Wissenschaft der Be= griffe selbst beruht.

S. 33. b) Es ist hier nur eine Seite der sokratischen Ironie an= gegeben; sie hat aber mehrere und wird nach Umständen bald durch scherzhaft versteckte Zurechtweisungen, bald durch ein gleichsam väter= liches Belächeln und Mäßigen jugendlicher Uebertreibungen, bald durch freundlichen Spott, der jedoch gegen die Sophisten nicht selten sehr ernst wird und bis zur Beschämung, ja bis zur Vernichtung ihrer Anmaßungen steigt, charakterisirt. Sein Geständniß, nichts zu wissen, und sein angelegentlicher Eifer, auch in andern jedes falsche Wissen zu zerstören, beruht auf dem Gefühl und Bewußtseyn von der In= commensurabilität des menschlichen Wissens mit dem göttlich Wahren, Schönen und Guten. Dies ist der wesentliche Grund seiner Ironie und letztere daher nur in wenigen Fällen eigentliche Dissimulation.

S. 41. c) Was hier vom Verderben der scholastischen Dialektik gesagt wird, muß dahin beschränkt werden, daß 1) nur sehr we= nige Scholastiker eigentlich sophistisch verfahren sind, daß 2) ihr dialektisches Spiel, wenn es auch auf eitle Spitzfindigkeiten hin= auslief und manchmal selbst von einer gewissen Frivolität nicht freizusprechen ist, noch immer auf Uebung und Gewandtheit im Den= ken abzielte und der Wahrheit auf möglichst feine Art dienen sollte, wiewohl in manchen Fällen der Kitzel der Eitelkeit und Ruhmsucht

nicht zu verkennen ist. Es erhielt aber alles durch dasjenige, warum
es doch im Grunde zu thun war, durch den anvertrauten Schatz des
göttlichen Wortes und der kirchlichen Tradition bald wieder Zucht und
Maß; nur wenige gingen über alle Schranken hinaus. Außerdem ist
noch zu bedenken, daß dem scholastischen Scharfsinn und Tiefsinn
manche Probleme aufstießen, die einen Schein des Widerspruchs oder
wenigstens große Verwicklungen und Schwierigkeiten in die philosophische Behandlung theologischer Wahrheiten zu bringen schienen, deren Auflösung dann auf manchen vergeblichen Umwegen und mit viel-
facher, nicht selten höchst sinnreicher, jedoch verfehlter und vereitelter
Anstrengung gesucht wurde. Etwas dieser Art darf man selbst bei den
geistvollern Sophisten Griechenlands nicht übersehen: ihr Denken war
nicht selten in vorher unbekannte und auf gewöhnlichem Wege nicht
zu lösende Verwicklungen gerathen, aus denen sie sich nicht zu retten
wußten; und da ihnen die sichere Zuflucht mangelte, welche den Scholastikern offen stand, so verhinderte gar leicht der Stolz und die Eitelkeit, ihre Verlegenheiten einzugestehen, und sie thaten, als ob ihnen
alles ganz klar und leicht wäre, und wollten von ihrem erlangten Ansehen nicht gerne etwas fahren lassen.

S. 55. d) Der Verfasser versteht hier unter einem außer und
neben der Gottheit bestehenden Wesen, was er nicht zugesteht, ein
eben so selbstständiges, unbedingtes, wie die Gottheit selbst. Man
würde sehr voreilig seyn und ihm wahrhaftig unrechtthun, wenn man
aus seinen hier vorkommenden Aeußerungen sogleich auf Pantheismus
schließen wollte, den er in der Kritik der philosophischen Systeme (s.
auch S. 182) und insbesondere in der nun zunächst folgenden Einleitung zur Entwicklung der Philosophie selbst scharf und genau charakterisirt. Auch deutet schon der Ausdruck von: schaffenden Gedanken
(S. 56) hinlänglich an, wie er verstanden seyn will, und die Folge
der Vorlesungen bis zum Ziele hin wird obiges und jedes weitere
Bedenken überwinden und beseitigen.

S. 95. e) *) Der Sachkundige wird in diesem Abschnitte von der
Prüfung der logischen Grundsätze den kritischen Scharfblick
auf das unbedingte Geltenlassen und den oft so schiefen Gebrauch
dieser Grundsätze in der gewöhnlichen Logik nicht verkennen. Für den
Minderkundigen soll hier nur bemerkt werden, daß das Verfahren des
Verfassers in Betreff der Beschränkung derselben auf den praktischen
Gebrauch, und in Betreff der Forderung, für die Theorie des Deu-

---

*) Die Andeutung dieser Note am Schluß dieser Seite ist versäumt
worden.

fens noch ganz anderen, weit genaueren Ermittlungen nachzugehn und den Gang der Gedankenbestimmungen genetisch zu verfolgen, die vollkommenste Anerkennung verdient, denn es kann nur als nächste Vorbereitung und entschiedenster Uebergang zur speculativen Logik angesehen werden und hat wohl auch, wie aus mehreren uns zugekommenen Notizen erhellet, in solcher Art, freilich in engeren und vertrauteren Kreisen, dahin gewirkt. In den Fragmenten wird sich hiefür manche Bestättigung finden.

S. 107, f) Das Ens der Scholastiker wird hier gradezu als die starre Substanz, der beharrliche Träger der Erscheinungen genommen, was nicht durchaus richtig ist; denn obgleich dieser Begriff nach der unbestimmten Allgemeinheit, womit er ausgesprochen wird, in der Philosophie der Griechen, wie der Scholastiker, die ihn von diesen angenommen hatten, immer ein großes Hinderniß weitern Fortschrittes in der Gedankenentwicklung war, weil er ohne weitere Analyse und sichere Bestimmung seines Inhaltes gewöhnlich als der umfassendste und höchste galt; so fehlt es doch nicht an Denkern jener Zeit (z. B. Duns Scotus), die diesem Begriff genauer nachforschten und fanden, daß der Begriff des Quid d. h. des Ens in seiner nähern und schärfern Bestimmung und demzufolge der ganz und vollständig in sich bestimmte Begriff des summum genus sey. Die Quidditas ist es, worauf es ihnen ankommt, die Sache selbst und ihre Washeit oder Dasheit (Tattwa, wie es die indischen Metaphysiker genannt haben). In diesem Sinne betrachtet ist dann auch die Bedeutung, welche hier dem Quid gegeben wird, daß es nämlich in Beziehung zum Ens sich wie die Erscheinung zum Ding in sich verhalte, der Vorstellung jener Scholastiker nicht gemäß, welche vielmehr das bestimmteste, ganz zureichende und constitutive Princip der Erscheinung, wodurch die Erscheinung nothwendig bedingt ist, gleichsam das a priori der Erscheinung, darunter verstanden haben. Das Quid ist also auch nicht das bloße Etwas, sondern das Was des Etwas, wie das Ens, das, was das Ding und seine Erscheinung an und für sich ist, wogegen das Etwas im Reiche der Begriffe allerdings mehr nach der Seite der Erscheinung hinweist, das Ens oder Ding aber ein metaphysisch reicherer Begriff ist, welcher die Vollendung seiner Bestimmung nach Inhalt und Form schon dringender begehrt.

S. 108. g) Der Begriff des Ens, der beharrlichen Substanz des Dings, wird hier, wie auch im Fortgang dieser Vorlesungen, als Nichtbegriff bezeichnet, gleichsam als fixe Vorstellung, welche allem weitern Forschen, Denken und Begreifen Gränzen setzt. Er gilt dem Verfasser gleichsam als ein terminus tragicus et fatalis, über den der menschliche Geist nicht hinaus kann. Im praktischen Leben und Verkehr deutet man mit dem Ausdruck: Ding irgend eine annoch nicht hinlänglich bestimmte oder nicht sogleich anzugebende Washeit, ein näher zu bestimmendes Dieses oder Jenes an, welches man zum Behuf des praktischen Verständnisses und Gebrauchs selten in tiefere Untersuchung zu ziehen hat und sich bei den über die nähere Natur des Dings angenommenen Vorstellungen beruhigen kann. Aber es fällt keinem Verständigen ein, auch selbst auf diesem Standpunkte das Ding als Letztes und Höchstes anzusehen, vielmehr wird, wenn die Praxis erweitert und vollständiger werden, mithin auch das Ding, womit sie es zu thun hat, seiner Natur nach näher erkannt und geprüft werden soll, ein Fortgang über den abstrakten Begriff des Dings hinaus gefordert. Die Philosophie darf sich also um so weniger eine solche Schranke und fixe Vorstellung, welche als das Letzte anzusehen wäre, gefallen lassen, wenn sie zum Begriff und Verständniß der Sache gelangen soll, was doch ihr Ziel ist. Mit dem Ding an sich ist aber in der That ein solches Non plus ultra gesetzt, ein Letztes, Unbekanntes, was auch nicht weiter zu erkennen ist, ein leerer Raum gleichsam, der nur durch Phantasien zu bevölkern ist und, wo dies vermieden wird, ein todtes Abstractum und Gespenst, welches den im Denken Begriffenen und nach Erkenntniß Strebenden immer wieder zurückschreckt, so daß er die Rettung auf dem vermeintlich festen Boden der sinnlichen Erfahrung einzuschlagen sucht. Auf welche Art der Mensch zu dieser fixen Vorstellung, diesem terminus fatalis gekommen, wird sich noch näher erklären, es soll hier nur noch bemerkt werden, daß jenes Ding an sich, sofern es noch als eine Signatur des höchsten Wesens angesehen wird, freilich eine sehr bedeutende Signatur ist, nämlich die einer Scheidewand zwischen dem in sich gebannten und beschränkten Geist und dem lebendigen Gott, der durch den Eintritt und die Herrschaft dieser fixen Vorstellung der herabgesunkenen Philosophie zum Räthsel geworden ist. Uebrigens ist durch diese tragische Bedeutung des Dings und der Substanz die Untersuchung über diese Begriffe, sofern sie nicht als Letztes und Höchstes gelten sollen, sondern innerhalb des Kreises der logischen Gedankengenesis liegen, keineswegs abgeschnitten, sondern vielmehr eben für die nähere Entwicklung und Bestimmung gefordert, denn beide zeigen sich bei näherer Betrachtung keineswegs als fixirte Punkte und bloße Schranken, sondern als Anhaltspunkte, die aber zugleich bewegliche, lebendige Momente bei der Fertigung des Gedankens zum vollständigen Begriffe sind. Die genaue Beleuchtung dieses lebendigen Fortgangs. im Gedanken, wie er nämlich in jedem Momente seiner Bewegung sich darstellt und in der Art dieser Darstellung selbst seine weitere Entwicklung und Ausbildung verlangt, indem das ideale Ziel ihm keine Ruhe läßt, sondern immer genauere Bestimmung, höhere Vollkommenheit fordert, ist das Charakteristische der Philosophie unseres Freundes. Es ist die künstlerisch bildende Fassung und Ausführung des Gedankens bis zu dessen Vollendung in seiner idealen Natur, was ihn beschäftigt und was er als eigenthümliche Aufgabe der Philosophie behandelt, es ist zugleich überall das Bestreben zur tiefsten Speculation und auf jedem Punkte seines genetischen Weges eine Zusammenfassung und Darstellung aller Lebenselemente in der Tiefe des Gedankens. — Die folgende Entwicklung der Philosophie selbst wird hiervon Zeugniß geben.

Die Entwicklung

der

Philosophie.

In zwölf Büchern.

Erstes Buch.

Einleitung
und
historische Charakteristik der Philosophie
nach ihrer successiven Entwicklung.

1.
Von der Einleitung zur Philosophie selbst.

In den letztern Zeiten der neuern Philosophie hat man die Einleitung zur Philosophie vorzüglich auf zweierlei Art zu geben versucht: einerseits (z. B. in Fichte's Vorlesungen über die Bestimmung des Gelehrten) als Uebergang von der gewöhnlichen Lebensansicht zu der höhern speculativen Ansicht der Philosophie — Vergleichung des Lebens mit der Philosophie —, andrerseits (z. B. Fichte's kleine Schrift über das Wesen der Wissenschaftslehre) als eine Demonstration aus sämmtlichen Wissenschaften, daß Philosophie durchaus nothwendig sey, und zwar besonders um jenen Wissenschaften das erste Princip zu geben, sie zu begründen und zu bestimmen — eine Vergleichung der Wissenschaften mit der Philosophie, ihre Verhältnisse zu derselben und umgekehrt. — Erstere kann man, insofern darin die höhere philosophische Ansicht vor der gewöhnlichen Denkart des gemeinen Lebens angepriesen wird, die rhetorische, letztere aber die encyklopädische nennen, weil sie alle Wissenschaften in Rücksicht auf ihren Zusammenhang mit der Philosophie zu umfassen strebt.

Beide Arten sind aber zweckwidrig, denn wie soll eine reelle, fruchtbare Vergleichung der Philosophie mit dem Leben und mit den Wissenschaften statt haben können, ehe man mit der Philosophie selbst bekannt, und, was noch mehr sagen will, auf dem Reinen ist? Denn so lange sich die Philosophie immer noch in einem streitigen, unvollkommenen Zustand befindet, möchte es wohl schwer zu erweisen seyn, daß alle andere Wissenschaften ihre ersten Principien aus der Philosophie hernehmen sollen.

Eine dritte ältere, bei den Scholastikern gebräuchliche, Art philosophischer Einleitung ist die Logik. Sie ward immer der Metaphysik, der eigentlichen Philosophie vorangeschickt, war allgemein als eine zur Philosophie nothwendige Einleitung angenommen, und ist es größtentheils noch, und zwar enthält sie einen wissenschaftlichen Anspruch, will eine Wissenschaft seyn. Selbst Kant und Fichte lassen sie noch als solche bestehen, obschon sie freilich ihre Ansprüche sehr beschränken. Es wird also eine nähere Untersuchung erforderlich seyn, um zu beweisen, daß sie als eigentliche und zureichende Einleitung in das System der Philosophie selbst eben so verwerflich ist als die zwei erstern Gattungen, und gar nicht als Wissenschaft für sich, sondern nur als Organon bestehen kann.

Vorläufig mag es hinlänglich seyn zu bemerken, daß die Logik uns gar nicht lehren kann, was Wahrheit ist, uns eben so wenig das Grundprincip der Philosophie geben kann. Beides würde nothwendig zur Philosophie selbst gehören, so daß also auf jeden Fall Einleitungen, welche dergleichen Ansprüche machen, unstatthaft wären.

Den Anfangspunkt für die Philosophie provisorisch nachweisen zu wollen, mag eher angehen, als das Grundprincip (wenn es übrigens ein Grundprincip der Philosophie gibt?) von der Philosophie abgesondert angeben, wie das wirklich in einigen wissenschaftlichen Einleitungen ist versucht worden. Man kann zugeben, daß in einer vorläufigen Abhandlung der Punkt, von wo aus man zu philosophiren beginnen muß, aufgesucht und nachgewiesen werde.

Daſſelbe gilt von einer Definition der Philoſophie. Vorausgeſetzt, daß eine eigentliche Definition ein vollſtändiger Begriff der Philoſophie, eine reelle, charakteriſtiſche, den ganzen Gegenſtand umfaſſende Beſchreibung ſeyn müſſe, läßt ſie ſich nicht in einer Einleitung geben. Die Einleitung würde ſonſt Philoſophie ſeyn, man müßte dann die Philoſophie von der Philoſophie trennen oder einer fremden Disciplin unterwerfen wollen? wie dies bei denjenigen geſchieht, welche das Grundprincip der Philoſophie in einer Einleitung angeben.

Eine kurze, vorläufige, oberflächliche und vage Definition läßt ſich freilich leicht finden, und auch eben nicht mißbilligen.

Dann iſt ſie: Erkenntniß des innern Menſchen, der Urſachen der Natur, des Verhältniſſes des Menſchen zur Natur und ſeines Zuſammenhangs mit ihr; oder, wenn noch keine wirkliche vollendete Philoſophie vorhanden, ein Streben nach jener Erkenntniß.

Eine wohl eigentlich zweckmäßige Einleitung aber kann nur eine Kritik aller vorhergegangenen Philoſophien ſeyn, welche zugleich auch das Verhältniß der eigenen zu den andern ſchon beſtehenden Philoſophien aufſtellt.

Wie natürlich und nothwendig eine ſolche Einleitung iſt, beweiſt das Verfahren mehrerer Philoſophen, welche, wenn auch nicht in einer Einleitung zuſammengeſchrieben, doch hie und da in ihren Werken dieſelbe Art Kritik ausgeübt haben, z. B. Plato; auch Fichte.

Gänzlich von allen vorhergegangenen Syſtemen und Ideen abſtrahiren, und dieß alles verwerfen, wie Descartes verſucht hat, iſt durchaus unmöglich. Eine ſolche ganz neue Schöpfung aus dem eigenen Geiſt, ein gänzliches Vergeſſen alles Vorhergedachten hat freilich auch Fichte verſucht, iſt ihm aber eben ſo mißlungen.

Es iſt aber auch gar nicht nothwendig, ein ſolches zu bewerkſtelligen, da das einmal richtig Gedachte als ſolches immer befunden werden, und inſofern auch nicht allein von dem Nach folgenden sehr gut angenommen werden kann, sondern eigentlich angenommen werden muß.

Die Schwierigkeiten, die sich bei dem Versuch einer solchen Einleitung erheben, sind indessen sehr groß und mannichfaltig.

Denn will der Philosoph seine Ansicht über vorhergegangene Philosophien befriedigend verbreiten und interessante Charakteristiken fremder Systeme entwerfen, so muß er, außer seiner eigenen Philosophie, einen noch unverbrauchten Rest von Genie, einen Ueberschuß an Geist, einen Geist, der über sein eigenes System hinausgeht, besitzen; eine Sache, die äußerst selten ist. Daher dann auch dergleichen einleitende Ansichten der bisherigen Philosophien unzureichend und unbefriedigend sind. Sie halten sich durchgehends nur am Nächsten: entweder versuchen sie von allem Vorherigen zu abstrahiren, wobei dann aber doch immer, weil, wie schon gesagt, eine solche Abstraction unmöglich, Reminiscenzen oder Widerlegungen anderer Systeme vorkommen; oder sie suchen das zunächst vorhergehende System zu widerlegen, oder zu vernichten, oder sie läutern und kritisiren es, schließen sich zum Theil oder ganz daran an. — Dieses Verfahren ist durchaus unzureichend und unbefriedigend, weil ein philosophisches System sich auf das andere stützt, zur Verständigung des einen immer wieder die Kenntniß des andern vorhergehenden erforderlich ist, und die Philosophien eine zusammenhängende Kette bilden, wovon die Kenntniß eines Gliedes immer wieder zur Kenntniß des andern nöthigt.

Dies führt nun nothwendig zur Geschichte der gesammten Philosophie. Die meisten der bisherigen Historien der Philosophie sind aber ohne allen philosophischen Geist abgefaßt, und bestände auch eine solche gute und vollkommene Behandlung der Philosophie, so wäre sie doch als Einleitung zur Philosophie unzuläßig, denn streng genommen gibt es keine eigentliche Geschichte der Philosophie, sondern eine Kritik derselben.

Gegenstand der Geschichte kann nur das Lebendige seyn. Die Geschichte erzählt, und stellt Handlungen, Thaten und Begebenheiten dar: dies kann aber bei einer Geschichte der Philosophie nicht statt haben. Es kommt dabei auf die Ideen, Meinungen und Gedanken der verschiedenen Philosophen an, welche zu untersuchen, zu erklären und zu beurtheilen nicht Sache der Geschichte, sondern der Kritik ist.

2.
Von der Kritik der Philosophie.

Das anfänglich sehr ausgedehnt scheinende Feld dieser historischen Kritik wird dadurch sehr eingeschränkt, daß darin nur diejenigen Philosophen, von denen wir vollständige Werke besitzen, und dann auch nur vollkommen originelle Werke berücksichtigt werden können. Ein philosophisches System ist nur im Ganzen verständlich; daher muß man es in seinem ganzen Umfang übersehen können. Ein System, worin auch nur ein Theil fehlt, ist für die Kritik der Philosophie überhaupt von eben so geringem Werth, als ein bloßes Fragment aus einem ganzen System.

Auch können Philosophen, die blos die Meinungen eines anderen oder mehrerer wiederholt, oder ein früheres System von neuem dargestellt haben, gar nicht in Betracht kommen.

Diese Kritik läßt sich blos auf das Reinphilosophische ein, abstrahirt von allem Litterarischen, Biographischen, von allem was kein sicheres Denkmal eines bedeutenden Systems und zwar eines Selbstdenkers ist; eben so nimmt sie gar keine Notiz von den Gattungen der Philosophie, die ihre Bestimmungen blos von der besondern Form, worin sie vorgetragen, oder von den äußern Verhältnissen, worin sie gestanden, erhalten haben; sie läßt z. B. die scholastische Philosophie nicht als eigene Gattung bestehen; — sie hat es blos mit der Materie zu thun, denn die Kritik soll eine Charakteristik des Inhaltes eines Werks, dieses oder jenes philosophischen Systemes seyn.

Ferner liegt dieser Kritik als nothwendig zur Einleitung in die Philosophie die unläugbare Thatsache stillschweigend zum Grunde, daß die Philosophie als Wissenschaft noch mangelhaft und unvollkommen ist; denn wäre sie vollkommen und vollendet, so bedürfte es jener kritischen Einleitung ganz und gar nicht. Eben wegen diesem besondern Zustande der Philosophie können nun auch die partikulären moralischen Meinungen der Philosophie bei einer kritischen Uebersicht aller Philosophien gar nicht in Anschlag kommen. So lang als eine Philosophie noch mangelhaft, können blos die speculativen Principien und Meinungen derselben für den Kritiker Interesse haben; die Hauptgrundsätze der Moral, die eo ipso mit der speculativen Theorie zusammenfallen, sind auf allen Fall in die Kritik mit einbegriffen; Folgerungen aber aus den ersten Principien, angewandte Philosophie muß besonders in ihrem Detail ganz ausgeschlossen bleiben. Solche specielle Lehren und Meinungen sind bei einer Geschichte der Menschheit oder auch einzelner Nationen (z. B. in der römischen Geschichte der Stoicismus), da ihr Einfluß oft von der größten Wichtigkeit gewesen, allerdings sehr interessant, nicht aber bei einer Kritik der Philosophien; ihr Gebiet wird hieburch also noch enger begränzt. Dagegen hat sie aber nicht allein den genetischen und historischen Zusammenhang der Systeme (wo ein System Fortbildung eines frühern ist) oder ihre polemische Beziehung zu zeigen, sondern sie soll auch den Grund nachweisen, warum es bisher nicht gelungen, die Philosophie vollkommen zu vollenden? Es wird dies nothwendig zur Untersuchung des Ursprungs der Philosophie überhaupt und ihrer Möglichkeit, mithin auch ihrer Erkenntnißquellen, also zu einer Kritik des Erkenntniß-Vermögens führen.

Anmerk. Kant hat durch seine Kritik der reinen Vernunft eine Einleitung, wie die hier beschriebene, gegeben, nur hat sie noch manche Mängel. Ein Hauptfehler, woher auch die Schwierigkeit entspringt, das Werk zu verstehen, ist: daß es aus zwei vermischten Theilen besteht. Die Kritik der Philosophie ist durchaus mit der Kritik des Erkenntnißvermögens gemischt, und das eine von dem an-

bern nicht leicht zu scheiden, da es doch zwei für sich bestehende Theile ausmachen müßte.

Endlich soll sie gar die falsche von der wahren Philosophie
unterscheiden, und erstere von ihrer nähern Untersuchung ganz
ausschließen.

Wie kann aber die Kritik, ohne ein System zu haben oder
vorauszusetzen, welches sie doch besonders als Einleitung
zur Philosophie nicht thut, die wahre von der falschen unterscheiden?

Und wie kann sie den Widerstreit der verschiedenen Philosophien gegen einander zeigen, erklären und nachweisen, (wie
doch gesagt worden, daß sie thun müsse), wenn sie die falsche
Philosophie von ihrer Untersuchung entfernen soll?

Auf erstere Fragen ist zu antworten, daß die Kritik eben
so, wie die Poesie, Malerei und die übrigen Künste, ohne selbst
zu dichten, zu malen u. s. w., zu beurtheilen vermag, auch die
Philosophie, ohne selbst ein System zu haben oder gar für möglich zu halten, beurtheilen, und die falsche kritisch blos negativ unterscheiden kann, ja sie kann nach einigen negativen
Hauptbegriffen aus blos negativen Gründen beweisen, daß
diese oder jene Philosophie ihrer eigenen Absicht widerspreche, daß sie nichtig, unphilosophisch sey, d. h. sie eigentlich
vernichten.

Es läßt sich, ohne daß es eine vollendete Philosophie gibt,
ohne daß eine solche je zu erreichen wäre, doch wohl einsehen,
daß einige auch noch so sehr verschiedene Philosophien auf dem
rechten Weg, eigentlich philosophisch, andere hingegen auf dem
falschen Weg, unphilosophisch sind: das plus und minus unter
diesen Systemen, die geringere und größere Entfernung von
dem Wahren zu unterscheiden und deutlich anzugeben, erfordert
freilich einen noch höhern Grad von Kritik.

Daß man ohne eine eigene Philosophie einen vorläufigen
negativen Begriff dieser Wissenschaft haben könne, wird man
eben so leicht zugeben. —

Noch weniger wird man in Abrede stellen, daß die falsche
Philosophie, weil sie, einmal auf dem angegebenen Weg ver-

nichtet, kein Interesse mehr für uns haben kann, nicht Gegenstand der Kritik seyn könne.

Gegen den zweiten Einwurf ist zu bemerken: die Kritik
soll freilich den Widerstreit der verschiedenen Systeme, aber nur
insofern sie beide auf dem rechten Wege sind, nachweisen; denn
der Streit zwischen ganz ungleichen Theilen ist kein eigentlicher
Streit — bei ganz disparaten Theilen, wo einer den andern
ganz aufhebt, kann unmöglich ein Streit statt finden. Der
Widerstreit des Idealismus gegen den Materialismus, gegen
den Empirismus wird sich leicht zeigen lassen. Was wird aber
dabei gewonnen? Es ist eine Sache, die sich von selbst versteht. Schwerer ist es, den Streit verschiedener Systeme von
einer und derselben Art zu zeigen, zu erklären, wo möglich zu
lösen, oder, wenn blos ein Schein von Widerstreit vorhanden,
ihn zu heben; aber dies allein ist auch lehrreich und interessant.

Was endlich die wahre Philosophie betrifft, so kann die
Kritik auch diese nicht zum Gegenstand haben, sie ließe, wenn
sie wirklich existirte, keine Kritik zu, höbe das Bedürfniß einer
Kritik völlig auf.

Die Kritik kann also weder die falsche noch die wahre
Philosophie, sondern nur die Mischung beider, die unvollkommene, die auf dem Wege zum Wahren befindliche zum Gegenstand haben.

Anmerk. Nur ist zu bemerken, daß da diese Kritik nicht
die Philosophie selbst, sondern nur die Einleitung dazu ist,
man auch nicht die strengen Forderungen von systemati-
schem Zusammenhang und Consequenz, wie an das System
selbst, machen kann.

Insofern sie zum Geschäft hat, die falschen Systeme von
den wirklichen philosophischen zu unterscheiden, muß sie auch
ihre verschiedenen Arten zeigen und erklären, die wahrhaft philosophischen Systeme aber freilich näher beleuchten und untersuchen. Hieraus folgt eine dritte Abtheilung unserer Einleitung, nämlich eine Untersuchung sämmtlicher Arten
von Philosophie. Es soll dies keine historische Aufzählung

und Aneinanderreihung aller philosophischen Systeme, auch keine Deduction aller irgend möglichen Philosophien, oder Beweis der Nothwendigkeit der vorhandenen, sondern eine **wissenschaftliche Construction aller Philosophie** seyn.

Diese kritische Untersuchung sämmtlicher Arten von Philosophie geht füglich den beiden andern voraus, denn sie muß durch ihre Scheidung des Unphilosophischen von dem Philosophischen, und dadurch, daß sie die sämmtlichen Gattungen und Arten der Philosophie bestimmt, den folgenden Untersuchungen nicht allein den Weg bahnen, sondern auch besonders den historischen zur Richtschnur dienen.

3.
Charakteristik der verschiedenen Arten von Philosophie und ihrer Verhältnisse zu einander.

Alles, was wir von Philosophie, oder was sich dafür ausgibt, kennen, läßt sich in fünf Hauptarten eintheilen, in **Empirismus, Materialismus, Skepticismus, Pantheismus** und **Idealismus.**

Der **Empirismus** kennt nichts als die Erfahrung durch sinnliche Eindrücke, und leitet daher alles aus der Erfahrung ab.

Der **Materialismus** erklärt alles aus der Materie, nimmt die Materie als das Erste Ursprüngliche, als den Urquell aller Dinge an.

Der **Skepticismus** leugnet alles Wissen, alle Philosophie.

Der **Pantheismus** erklärt alle Dinge nur für eins und dasselbe, als eine unendliche Einheit ohne alle Verschiedenheit. Er hat nur eine Erkenntniß, nämlich die der höchsten Identität a=a; d. h. eine negative Erkenntniß des Unendlichen.

Der Idealismus leitet alles aus einem Geist, erklärt das Entstehen der Materie aus dem Geiste, oder ordnet
ihm doch die Materie unter.

Aus der Charakteristik der vier ersteren Arten wird sich ergeben, daß die letztere die einzige, welche auf wahrem Weg,
d. h. recht eigentlich philosophisch ist. Daher muß die Untersuchung der ersteren auch nothwendig jener der letzteren vorangehen.

Alle diese Arten: Empirismus, Materialismus, Skepticismus und reiner Pantheismus, die eigentlich keine Philosophie
zu nennen, weil sie ihre große Unvollkommenheit in sich selbst
tragen, hängen genau zusammen, gehen in einander über.

Von dem Empirismus

als der niedrigsten Stufe wird billig der Anfang ge-
macht. Er ist eigentlich kaum Philosophie zu nennen, und
man kann füglich sagen: Empirismus ist Resignation auf die
Philosophie, aus Mangel an Kraft dazu. Er bleibt bei
der Erfahrung stehen, erkennt die Wahrheit nur aus sinnlichen
Eindrücken, und läßt sich nicht im geringsten auf das innere
Wesen der Materie ein, worauf doch der Materialist sein
Hauptaugenmerk richtet. Diese Denkart ist also ein gänzliches
Stillstehen und so zu sagen völliges Enthalten von allem Philosophiren; daher denn auch ein denkender Empirist entweder
in den Materialismus oder in den Skepticismus gerathen muß.
Denn da diese Philosophen allen Unterschied zwischen dem Sinnlichen und Uebersinnlichen aufheben, von letzterem gar nichts
wissen, blos das sinnliche Materielle annehmen, so ist gar
keine Ursache vorhanden, warum sie nicht bis zum ersten Urgrund aller sinnlichen Eindrücke vorbringen, oder von den Er-

scheinungen zu der ersten Materie, den Atomen, dem Quelle aller Dinge zurückkehren?

Deswegen sind auch fast alle Empiriker geheime Materialisten; nur fürchten sie die Bekennung dieses kühnen, furchtbaren und gefährlichen Systems. Es ist dies besonders mit Rücksicht auf unsere Zeit gesagt, welcher vor allen andern die Empirie eigen ist. So rührt auch die Ansicht des Materialismus, als eines als Wissenschaft furchtbar consequenten, in moralischer Hinsicht sehr gefährlichen Systems, wodurch die Empiriker in ihrer empirischen Denkart zurückgehalten werden, blos und lediglich aus den besonderen Verhältnissen her, worin die Philosophie in neueren Zeiten gestanden hat und zum Theil noch steht. Dies ist nämlich der Streit der Theologie gegen den Materialismus, worin jene ihm eine Philosophie entgegengesetzt, die selbst nicht auf guten Füßen stehen mochte, dieser aber in seinen Aeußerungen und Angriffen sich viel zu stark und zu heftig bewiesen hat. Das gehört nun freilich nicht zum eigentlichen System, sondern ist nur der polemische Theil, konnte aber bei einer eben nicht zum besten gegründeten Gegenwehr die Widerstreitenden über die Gewißheit und Wahrheit ihres eigenen Systems beunruhigen und sie bewegen, den Materialismus lieber als gefährlich auszuschreien, als ihn vollkommen zu widerlegen.

Der zweite Fall, daß ein dem Empirismus ergebener, jedoch nicht unthätiger Denker, statt in den Materialismus auch in den Skepticismus gerathen könne, wird eintreten, wenn das Individuum mehr von einem furchtsamen als kühnen Charakter ist. Natürlich und leicht ist überdem dieser Uebergang genug. Die sinnlichen Eindrücke, worin der Empiriker allein die Wahrheit sieht, sind immer subjectiv, sehr schwankend und trügerisch, noch mehr die aber aus diesen ersten Eindrücken abgeleiteten Folgerungen; denn streng allgemeingeltend können sie nicht seyn, da es nach der empirischen Ansicht kein allgemeingeltendes Princip überhaupt, also auch kein solches Princip der Folgerungen gibt — es wäre dies ja ein Vernunftgesetz. Sie sind demnach zufällige Vermischungen von sinnlichen Eindrücken, und zwar, um je weiter sie von dem ersten Eindruck entfernt und abgeleitet, desto mehr sind sie geschwächt, zufällig und ungewiß. Was ist nun wohl leichter und natürlicher, als wegen dieser in die Augen fallenden Unbestimmtheit, wegen dem Täuschenden und Schwankenden der sinnlichen Eindrücke alles daraus abgeleitete Wissen selbst zu bezweifeln und gänzlich zu leugnen.

Man sieht aus dem bisherigen, daß der Empirismus keine reine bestimmte Denkart ist, indem er immer zwischen Materialismus und Skepticismus hin und herschwankt. Es wäre dies schon hinlänglich, ihn zu widerlegen; kräftiger geschieht dies aber durch das Princip des Pantheismus, den Satz der Identität a = a. Die hohe Evidenz und absolute Gewißheit dieses Princips aller negativen Erkenntniß annihilirt den Empirismus gänzlich. Er muß nothwendig zugeben, daß a = a; dies ist aber keine sinnliche, sondern eine Vernunft-Erkenntniß, er wird also gezwungen', eine solche höhere Erkenntniß anzunehmen, und ist somit, wenn es auch nur negative Vernunftkenntniß gäbe, völlig geschlagen und umgestoßen.

Endlich nimmt ihm der Idealismus, wenn er ihn auch nicht, wie der Pantheismus, ganz annihilirt, alle Waffen, und widerlegt ihn auf die befriedigendste Weise. Der Empirist weiß z. B. nur wieder durch die Sinne, wie viel Sinne er habe, und wie es damit beschaffen; er kann demnach nicht gewiß seyn, daß es nicht noch viele andere Sinne gäbe, wovon er bis dahin noch keine Erfahrung hat, und welche die verborgenen Quellen einer andern höheren Erkenntniß wären. Hierdurch gibt er dem Idealisten die gegründete Ursache einzuwenden: „es ist allerdings ein Sinn, den nicht alle Menschen haben, der Sinn der intellectuellen Anschauung, wodurch ich die intellectuelle Welt erkenne", und muß, wenn er consequent seyn will, die Möglichkeit solcher intellectuellen Anschauungen zugeben.

Ferner macht der Empirist selbst einen Unterschied zwischen äußeren und inneren Sinnen; er gelangt nie selbst zum Gegenstand außer ihm, hat immer nur ein Bild, Eindruck, Vorstellung davon —; woher weiß er nun, daß der innere Eindruck, von dem er freilich gewiß ist, von einem äußeren wirklichen Gegenstand herrühre und demselben entspreche? so kann

ihm ja von einem Geist inspirirt seyn, und das ist doch denk-
barer, als daß der äußere so fremde körperliche Gegenstand in
den Geist hineinsteige und eindringe.

Durch diese Möglichkeit eines geheimen, verborgenen, unbekannten Sinns, die er als eigentlicher consequenter Empirist
zugeben muß, eröffnet er zugleich der gröbsten materiellsten
Schwärmerei Thor und Thür. Der krasseste Aberglaube verträgt sich daher auch sehr gut mit dieser Denkart, wie wir das
denn auch nicht allein bei einzelnen Empirikern, sondern gar
bei ganzen Nationen, die recht in den tiefsten Empirismus versunken sind, und für speculativen Zweifel oder zweifelhafte
Speculation gar keinen Sinn und davon ganz abstrahirt haben, auffallend bestätigt finden.

Die Nichtigkeit dieser Gattung ist in dem bisherigen hinlänglich bewiesen, indem nämlich gezeigt worden, daß sie mit
sich selbst in Widerspruch steht; indessen wird sich auch noch
durch ihre größere Verwandtschaft mit andern nicht philosophischen Disciplinen darthun lassen, daß sie eine Aftergattung der
Philosophie sey.

Beim Empiristen gründet und beschränkt sich alles auf die
Erfahrung, gibt es kein Wissen der Vernunft; wo aber von
allem Wissen der Vernunft abstrahirt wird, bleibt kein anderes als ein h i s t o r i s c h e s übrig, und hat keine andere Wissenschaft als H i s t o r i e statt. Der Empirismus statuirt daher
n u r e i n e e i n z i g e g r o ß e Wissenschaft, die G e s c h i c h t e.
Wegen dem großen Umfang derselben würde es darin freilich
mehrere, wiewohl gar nicht streng wissenschaftliche Abtheilungen, sondern blos zum praktischen Gebrauch, geben müssen —
Abtheilungen, die ganz ohne allen Einfluß von Wissenschaftlichkeit entstehen. So würde sich z. B. fragen, ob man einen
sich verändernden fortschreitenden Gegenstand, (dann wäre es
eigentliche Historie), oder einen firirten, den man beschriebe
(dann Geographie), ob man äußere Begebenheiten oder innere
Beobachtungen vor Augen habe? Beispiele von letzterer Art
sind die bei so allgemein herrschendem Empirismus häufigen
(z. B. Rousseau) Confessionen u. s. w.

Es gibt aber doch auch für den Empirismus einen Standpunkt, wodurch er veredelt werden und mit dem Idealismus
in nähere Beziehung kommen kann. Dann ist er aber blos
Denkart, nicht System; er macht gar keinen Anspruch auf systematischen Zusammenhang und kann ihn nicht machen, denn
der strenge Empiriker .beschränkt sich eigentlich blos auf die
Kenntniß des innern Menschen, läßt sich auf die ersten Ursachen der Natur u. s. w. nicht ein, ist demnach durchaus subjectiv und individuell, und nicht Philosoph zu nennen, man müsse
denn so viele Philosophen gelten lassen, als Menschen im Stande
sind, sich selbst zu beobachten.

Die Gedanken eines Mannes, der, weil er mehr auf die
Praxis als auf die Speculation sein Bestreben richtet, für
sich auf alle ändere als Erfahrungskenntnisse resignirt, machen
sie gleich nicht ein System aus, — können doch der Denkart
des wahren Philosophen sehr analog und für ihn sehr interessant seyn. Ein solcher moralischer Lebensphilosoph kann es,
wenn auch nicht zu einem hohen Moralsystem, doch in der Ausbildung des moralischen Sinns und Gefühls sehr weit bringen.
Daher mögen sich diese Empiristen auch sehr wohl mit den Idealisten vertragen; diese können es wohl zugeben, daß der innere
moralische Sinn eines Sokrates von dem eines Ungebildeten
eben so verschieden sey, als das gebildete Auge eines Malers
gegen den vernachläßigten Sinn eines andern Menschen, —
und zwar werden die Resultate solcher Reflexionen über sich
selbst um so viel besser und vortrefflicher seyn, je vortrefflicher
der Philosoph. selbst und sein moralischer Sinn ist.

Um dieß alles deutlicher zu machen, ist hier besonders
S o k r a t e s anzuführen. Er hat wirklich nach den meisten
Zeugnissen auf die Erkenntniß der ersten Ursachen der Natur,
wie auf die skeptischen Spitzfindigkeiten und die höhere Speculation ganz freiwillig Verzicht geleistet, und sich blos auf die
Reflection des innern Menschen, auf die moralische Lebensphilosophie des gesunden Verstandes beschränkt. — Dabei finden
sich aber in seinen uns noch bekannten wenigen Aeußerungen,
so wie überhaupt bei den Meinungen aller edlen über sich selbst

und andere reflectirenden Menschen gewöhnlich der Fall zu seyn
pflegt, immer Voraussetzungen intellectueller Erkenntnisse und
Ideen, welche, da sich mit dem gewöhnlichen Empirismus Ideen
doch gar nicht vertragen können, von ihm als Schwärmerei an=
gesehen werden, wie dies auch die Urtheile der meisten Empi=
riker über Sokrates beweisen; sie loben ihn außerordentlich,
nur bedauern sie, daß er bei allen seinen Verdiensten dennoch
zum Theil ein Schwärmer gewesen. Es unterscheidet sich also
diese Denkart sehr vortheilhaft von dem gewöhnlichen systema=
tischen Empirismus, und ist mit Recht als die vernünftigste
Art Empirismus, als die beste Seite desselben zu betrachten,
besonders weil sie den Uebergang zum Idealismus macht. Sie
steht, im Gegensatz mit dem gewöhnlichen Empirismus, mit
dem Materialismus und Skepticismus in gar keiner Berührung,
noch weniger mit dem Pantheismus als der höchsten Abstraction
und tiefsten Tiefe der Speculation; wohl aber von Seiten der
Moral mit dem Idealismus.

Anmerk. Die Behauptung, daß Sokrates sich blos auf
die moralische Lebensphilosophie beschränkt habe, ist historisch
nicht ganz zu erweisen, wird aber hier als die wahrschein=
lichste vorausgesetzt. Es ist wohl nicht zu bezweifeln, daß
er mit der intellectuellen Philosophie sehr gut bekannt ge=
wesen, und nicht etwa aus Beschränktheit oder Armuth
des Geistes, sondern zum Behuf seines praktischen Zwecks
von der höheren Speculation abstrahirt habe.

Endlich könnte man noch anführen, daß einige Idealisten
zu den Empirikern zu zählen, sofern sie nämlich alles positive
Wissen von sinnlichen Eindrücken ableiten, wenigstens den Grund
und Anlaß dazu von der Erfahrung hernehmen; weiterhin wa=
gen sie sich als Idealisten freilich über das Gebiet der Erfah=
rung hinaus, z. B. Kant, und, nur noch in viel strengerem
Sinne auch Fichte. Ersterer leitet nun einmal ganz positiv
alles Wissen von den sinnlichen Erfahrungen, blos den Glauben
von den geistigen Anschauungen her.

Von dem Materialismus.

Wie leicht und natürlich der Uebergang von dem Empirismus zum Materialismus, ist in dem vorhergehenden gezeigt worden; es folgt demnach hier zunächst die Charakteristik dieser Gattung.

Der Materialismus ist, insofern er über das Gebiet der Erfahrung hinausgeht, und den Geist und alle Dinge aus der Materie abzuleiten und zu construiren wagt, viel freier und kühner als der Empirismus, eigentlich ein transcendenter Empirismus. Damit ist aber nur gesagt, daß er nicht gerade die schwächste, unhaltbarste, niedrigste Gattung, indessen doch nicht mehr als die zweite Stufe der philosophischen Entwicklung wäre, eine Gattung, die ebenfalls nicht als Philosophie bestehen kann, von der sich zeigen läßt, daß sie sich selbst widerspricht, und von andern höhern, wenn selbst noch nicht wahren Arten der Philosophie vernichtet wird.

Der Materialismus, und zwar der gröbste und gemeinste, sucht das Universum aus ursprünglichen Atomen zu construiren. Construiren heißt aber: eines aus dem andern nach Caufalität, Zweck und Ordnung systematisch in der strengsten Verbindung und Einheit ableiten und begründen. Wie ist dies aber möglich, ohne den Geist vorauszusetzen oder wieder in die Materie einzuführen? Denn woher sind diese Gesetze anders als aus dem Geist? Und wie ist anderseits ein System, das darauf Anspruch macht, ein wahrhaft philosophisches zu seyn, ohne Geist, d. h. ohne Gesetzmäßigkeit und Zweckmäßigkeit möglich? Da es ohne diese keine Consequenz, also kein System gibt. Es ist deshalb auch sehr natürlich, daß man in dieser Art von Philosophie noch kein regelmäßiges, zusammenhängend gedachtes System zu Stande gebracht, sondern daß im Gegentheil alle materialistische Philosophien ihre Inconsequenz am auffallendsten an der Stirn tragen.

Endlich ist die nothwendige, von allen Materialisten postulirte Hypothese von den ursprünglichen Atomen noch nie er-

wiesen, und die allerwillkürlichste, die es geben kann; ihr Sy=
stem beruht also auf nichts, und sie können nicht verhindern,
daß der Skeptiker es durch diese einzige Bemerkung nicht völlig
umstoße.

Der Materialismus kann es also 1. nicht zu einem Sy=
stem bringen, oder er müsse 2. sich selbst widersprechen, einen
Geist als Gesetzgeber annehmen, und 3. beruht sein ganzes
System auf einer willkürlichen Hypothese.

Freilich gibt es noch einen andern höhern Materialismus,
den dynamischen, eine Gattung, welche vorzüglich nur bei
den Griechen existirt hat.

Nach diesem System wird die Entstehung aller Dinge aus dem
Streit, Verbindung und Trennung unsichtbarer Elemente
erklärt — alle äußere Erscheinungen sahen sie als Producte des
wechselseitigen Aufeinanderwirkens mehrerer Elemente an; —
ein solcher sich immer wiederholender, unaufhörlicher Kampf ist
aber nicht ohne Bewegung, Veränderung, Thätigkeit und Le=
ben denkbar, — daher fanden sie denn darin auch die Quelle
eines ewigen innern Lebens und Werdens, welches sie der Na=
tur beilegten, sie sahen sie als ein lebendiges Wesen an, wo=
rin alles geistig und beseelt ist.   Hierdurch unterscheidet sich
nun jene Gattung sehr vortheilhaft von dem atomistischen Mate=
rialismus, der nicht mehrere Urkräfte, sondern nur ein einziges
Princip, ein Chaos von einer unendlichen Menge ursprüngli=
cher Atomen annimmt, und blos bei dem Aeußern der Körper
stehen bleibt, sich nicht auf das innere Wesen derselben einläßt,
so daß es dieser Vorstellungsart nach im Innern der Natur kei=
nen Geist, kein Leben gibt, nichts beseelt, sondern alles todt
ist, wohingegen der dynamische Materialismus keine Körper
sondern Kräfte, also etwas viel Höheres zum Urprincip
annimmt und erst aus dem Kampf derselben die Körper entste=
hen läßt, deren grobe äußerliche Erscheinung er gar als trüg=
lichen Schein betrachtet.   Er wird deshalb auch dynamischer —
genannt, von δύναμις, Kraft.   In philosophischer Rücksicht
kann man ihn auch füglich Dualismus nennen, da die dem
dynamischen Materialismus zu Grunde liegende Lehre der innern

Zwiefachheit und Gespaltenheit auch die Grundanschauung des Dualismus ist.

Er ist daher auch mit dem Idealismus und besonders mit demjenigen Theil desselben, den man vorzüglich Dualismus zu nennen pflegt, nicht eigentlich im Streit. Durch seine Ansicht der äußerlichen körperlichen Erscheinungen als bloßen trügerischen Scheins; der Natur, als belebt in einem ewigen Werden, in einer unaufhörlichen Entwicklung und Ausbildung; — und durch das Aufsuchen des Ursprungs aller Dinge in dem Conflict unsichtbarer Elemente verträgt er sich wenigstens ganz gut mit dem Idealismus.

Sollten einzelne particuläre Aeußerungen dynamischer Materialisten gegen den Idealismus, wenn nehmlich ein solcher Philosoph die wahre Philosophie leugnet oder ignorirt, dieser Behauptung widersprechen, so ist das nicht Schuld ihres Systems, sondern ihrer Individualität, ihrer subjectiven Ansicht beizumessen.

So sehr nun auch das Verfahren des dynamischen Materialismus dem Idealismus gemäß ist, indem er einverstanden mit demselben von der äußern Erscheinung materieller Dinge gänzlich abstrahirt, sich über den stupiden Glauben: die Körper kämen uns vor, wie sie wirklich sind, erhebt, das Reelle in den innern Kräften und ihren gesetzmäßigen Verhältnissen aufsucht, das Wesen aller Dinge auf wenige einfache innere Principien reducirt, und insofern, gerade wie der Idealismus, alles (gleichsam) in Geist auflöst; — so kann er dennoch nur als Physik, keineswegs als Philosophie bestehen. Als Physik steht er freilich der intellectuellen Philosophie sehr nahe, weil er bei seiner Ansicht der Natur ganz das Verfahren dieser Philosophie beobachtet, weshalb denn auch diese Art Physik die einzige ist, welche eine befriedigende Erklärung der Natur gewährt. Als Philosophie aber steht er sehr weit von dem Idealismus ab, da er nicht, wie dieser, das Ganze umfaßt, sondern von einer niedrigern Stufe, einem niedrigern Princip anhebt, als dieser und als die Philosophie überhaupt anheben muß. Er steigt nicht zu e i n e r ersten Ursache der Natur herauf, sondern nimmt

gleich in der ersten Construction des Universums zwei oder drei
Elemente an, und hierin kann ihn eben der Pantheismus, dem
er durch das Princip der ewigen Veränderlichkeit der Natur
gerade entgegengesetzt ist, vollkommen widerlegen, indem er ihm
die Nothwendigkeit und Evidenz eines e i n z i g e n ersten Princips der Beharrlichkeit, der rein geistigen Beharrlichkeit nämlich, welches er über seine Elemente hätte setzen müssen, beweist. ___

Endlich wird der Idealismus ihm immer vorwerfen, daß
es ihm, freilich noch weniger dem Atomistiker, je gelingen
könne, den Geist aus der Materie herzuleiten, ohne einen
Machtspruch zu thun. Beide sind am Ende immer zu diesem
Mittel gezwungen. Man kann wohl mit einem großen Anschein
von Wahrheit zeigen, daß, so wie man gewöhnlich Geist und
Körper annimmt, dieser einen großen Einfluß auf jenen habe;
ja es mag, vorausgesetzt, daß unser Geist b e d i n g t und der
Körper das B e d i n g e n d e ist, leicht der Fall seyn, daß der
Geist vom Körper beschränkt wird. Daraus folgt aber noch
gar nicht, daß ersteres aus letzterem entstanden, und somit muß
der Materialist bei den Elementen der Natur, bei der Physik
stehen bleiben, kann sich nicht höher schwingen, auch dem Idealisten, der allerdings höher steigen will, nichts entgegensetzen,
als den leeren unerwiesenen Machtspruch, daß es nicht gelingen könne; denn daß unser Geist ein Product des Körpers,
die höchste Blüthe der körperlichen Organisation sey, ist noch
nie bewiesen worden, und ein eben so großer, ja noch größerer
Machtspruch; — es wäre aber dieser Beweis zur Unterstützung
der ersten Behauptung durchaus erforderlich.

Es läßt sich höchstens darthun, daß die menschliche Organisation eine günstige und günstigere Disposition zu einem geistigen Princip habe, als irgend ein anderes organisches Wesen.
Dieß reduzirt sich indessen alles nur darauf: daß unser Körper
die Bedingung sey für unsern bedingten Geist. — Wie das
auch ganz natürlich, da nur das Gleichartige (nicht das Gleiche) sich verbinden, erzeugen und fortpflanzen kann, nicht aber
das Ungleichartige, völlig Heterogene. So wird man leichter
zeigen können, wie der Geist aus dem Geiste, der Körper aus

dem Körper entstehen können, als umgekehrt der Geist aus dem Körper oder der Körper aus dem Geist. — Letzteres versucht nun freilich der Idealismus, und es ist dies auch eine sehr schwierige, nie ganz befriedigend zu lösende Aufgabe. Jedoch ist es immer ein höherer, besser gegründeter, dem Wesen der wahren Philosophie angemessenerer Versuch, die e r s t e n m a t e r i e l l e n Grundkräfte aus einer höheren geistigen Grundkraft ableiten zu wollen, als aus der v e r w i c k e l - t e n, g r o b e n, körperlichen Organisation, aus ei- nem ganz speciellen Körper den eben so speci- ellen Geist.

Aus dem vorhergehenden muß nun hinlänglich klar seyn, daß der Materialismus nicht als Philosophie bestehen kann; er ist vom Skepticismus, Pantheismus und Idealismus widerlegt, dann auch gezeigt worden, daß er, so wie der Empirismus, sehr nahe mit der Historie verwandt, so auch dieser mehr mit einer andern wissenschaftlichen Disciplin, als mit der Philosophie selbst, und zwar mit der Physik verwandt ist. Dem ei- gentlichen Wesen des Materialismus nach gäbe es nur e i n e Wissenschaft: P h y s i k, denn alles gehört zur Natur.

Aber außerdem ist er auch noch mit einer andern Hervor- bringung des menschlichen Geistes näher verwandt als mit der Philosophie, und diese ist die P o e s i e. Das Wesen des Ma- terialismus, von allem Aeußerlichen gesondert, zerfällt über- haupt in zwei Theile, wodurch er sich besonders auszeichnet: 1. das Princip der Priorität des Animalischen vor allem In- tellectuellen und Uebersinnlichen, und 2. eine überaus kühne und reiche Phantasie, die es wagt, das ganze Universum beleben, die unendliche Fülle der Natur in ihrer Mannichfaltigkeit be- greifen, umspannen und umfassen zu wollen.

Eben durch diese große üppige Phantasie, und insofern er mit derselben Darstellungen erzeugt, die, wiewohl sehr anima- lisch und sinnlich, doch überaus poetisch sind, unterscheidet er sich fast allein vom Empirismus.

Die poetischen Darstellungen des Materialismus haben da- her auch, weil sie dem Wesen dieser Gattung viel angemesse-

ner find, durchaus den Vorzug vor den philosophischen; die
poetische Seite desselben steht weit über der philosophischen und
man kann dreist behaupten: der Materialismus neigt sich durchaus mehr zur Poesie als zur Philosophie; am besten und kräftigsten erscheint und spricht sich die ursprüngliche Denkart des
Materialismus in Poesie aus, weit besser als in allen Systemen; ein Beweis davon ist die griechische Poesie, der dies
Princip durchaus zu Grunde liegt.

Materialismus ist deshalb eigentlich auch nur als Poesie
zu dulden; wenn auch die Poesie, die er hervorbringt, nicht
gerade die wahre, so neigt er doch mehr zur wahren Poesie als
zur Philosophie, er ist überhaupt mit dem Wesen der Poesie
verträglicher.

Zunächst auf diese Charakteristik folgt der Abschnitt von
der dem Materialismus geradezu entgegengesetzten Gattung,
nämlich

Von dem Skepticismus.

Zeichnet sich der Materialismus durch eine kühne Phanta-
sie aus, so thut es der Skepticismus durch eine furchtsame
Nüchternheit (oder nüchterne Furchtsamkeit), und ist deshalb von
Poesie und Kunst am weitesten entfernt.

Wenn er eine negative Philosophie, ein Leugnen aller Philosophie ist, kann er nicht an sich, sondern blos im Gegensatz
mit andern Systemen charakterisirt werden. Ganz anders ist
der aus dem Empirismus, ganz anders der aus dem Materialismus (dem dynamischen) entstehende und sich denselben entge-
gensetzende Skepticismus.

Der aus dem Empirismus hervorgehende ist der gemeine,
ja der gemeinste Skepticismus.

Er entsteht sehr natürlich aus der Subjectivität, der Einseitigkeit und dem Mangel an Allgemeingültigkeit der vom Empirismus allein gekannten sinnlichen Wahrheit. Das Schwan-

fende und Unbestimmte der sinnlichen Eindrücke, so wie auch, daß die daraus gemachten Folgerungen subjectiv und täuschend bleiben, es eigentlich noch mehr sind, wie jene, da sie noch mehr dem Zufall unterworfen, als die Eindrücke selbst, läßt sich durch den gemeinen Skepticismus leicht und mit Erfolg beweisen. Insofern hat auch Hume allerdings gegen Locke recht, aber interessant ist dieser Streit nicht, da der Skeptiker ebenfalls von der blos sinnlichen Wahrheit ausgeht, freilich mit dem Unterschied, daß er sie leugnet; aber er kennt doch nichts anders, hat keinen andern Gegenstand als diese.

Eine höhere Art ist die aus dem dynamischen Materialismus entstehende, eine Art, die, so viel wir wissen, blos bei den Griechen statt gehabt, weil auch blos bei diesen jener Materialismus existirt hat.

Da die Dynamiker, um den eigentlichen ewigen Kampf ihrer ersten Elemente, durch den sie alle Dinge entstehen ließen, zu erklären, diesen Elementen und somit auch der ganzen Natur eine unbegränzte Veränderlichkeit beilegten, ohne sie jedoch einem höhern Princip der Beharrlichkeit unterzuordnen (wie dies in der Charakteristik der Materialisten ausführlich gezeigt worden), so müsse man in den Skepticismus gerathen; man brauche blos die Veränderlichkeit der Natur auf den menschlichen Geist überzutragen, und dies liegt doch sehr nahe, da der menschliche Geist ein Theil der Natur ist. Man behauptete: weil alles veränderlich und schwankend, so muß auch der menschliche Geist, folglich alle Erkenntniß schwankend und ewig veränderlich seyn.

Anmerk. Es gibt nichts Beharrliches in der Natur, also auch nicht im menschlichen Geist als Erkenntnißvermögen.

Das Denken und Erkennen, sagten sie, schwanke unaufhörlich wie das Daseyn selbst.

Es läßt sich aber dagegen einwenden:

1. Die negative Erkenntniß, daß es nichts Beharrliches, nichts Gewisses gebe, ist doch gewiß; sie können dies nicht leugnen, müssen doch immerhin das erste

Princip, worauf ſich ihre ganze Skepſis gründet, daß nämlich alles ewig veränderlich ſey, als w a h r a n n e h m e n; — etwas, das ſie ſich nicht erklären, noch weniger mit ihrem Syſtem vereinigen können.

Ueberhaupt laſſen ſich alle Arten von e i g e n t h ü m l i c h e r (poſitiver) Skepſis durch die Frage: w i e k a n n m a n w i ſ- f e n, d a ß m a n n i c h t s w i ſ f e n k a n n? in gänzliche Verwirrung bringen und recht eigentlich vernichten. Es wird immer neben dem Nichtwiſſen ein Wiſſen, immer noch etwas übrig bleiben, was man weiß, ſo daß man dieſe Frage in allen Potenzen bis ins Unendliche fortſetzen könnte.. Man wird kein anderes Reſultat herausbringen, als daß das Wiſſen immerhin das Nichtwiſſen, die Unwiſſenheit in ſich faßt: d. h. immer über die Unwiſſenheit hinaus geht.

Um aber zu unſrer ſpeciellen Art Skepſis zurückzukehren, ſo läßt ſich 2. dagegen einwenden: jene Veränderlichkeit iſt nicht als eine äußere ſichtbare Veränderung in der Natur, ſondern als eine langſame, allmälige, jedem äußern, alſo auch dem gewöhnlichen Auge unmerkliche Veränderung, Verwandelung, Entwicklung, Fort- und Ausbildung zu betrachten. Dahin gemildert hat die Denkart von der ewigen Veränderlichkeit allerdings etwas Wahres, und es folgt dann daraus auch zur Widerlegung jener Skepſis, daß man, ſo wie die Natur, auch den Geiſt nicht als ewig ſchwankend und ungewiß, ſondern als ſich nach und nach entwickelnd und bildend anzuſehen habe.

Kein Philoſoph darf leugnen, daß eine ſolche allmälige Entwicklung des menſchlichen Geiſtes ſtatt haben könne; nur convenirt dieſe Vorſtellungsart, welche vorzüglich den Idealiſten eigen, gar ſehr mit der Behauptung eines höhern Skepticismus: „daß keine in Worten ausgeſprochene, von einem Individuo andern Individuen vorgetragene Philoſophie die vollkommene ſeyn könne‟ — und inſofern muß in dem Streit gegen den Skepticismus überhaupt der Idealismus mehr nachgeben als der Pantheismus, welcher durch die abſolute Evidenz und Gewißheit ſeiner negativen Erkenntniß dem Skeptiker ſchnurſtracks entgegengeſetzt iſt und nicht um ein Haarbreit nachgibt.

In dieser Hinsicht muß also dem Pantheismus der Vorzug vor dem Idealismus zuerkannt werden.

Das Wesen und der eigentliche Zweck des Idealismus ist positive Erkenntniß der unendlichen Realität. Da diese Erkenntniß aber eine unendliche Fülle enthalten müßte, so kann sie immer nur unvollkommen seyn.

Mit dem Pantheismus verhält es sich ganz anders: er beruht auf der negativen Erkenntniß der unendlichen Realität; diese kann nur ein einziger klarer evidenter Gedanke, (d. h. eine durchaus vollkommene Erkenntniß) seyn, oder ist gar nichts, ist keine Erkenntniß. Daher ist er denn auch eben dem Skeptiker gerade entgegengesetzt, als die größte Evidenz und klarste Gewißheit gegen den größten Zweifel.

Trotz diesem Gegensatz gibt es doch einen Weg, auf welchem der Pantheismus sehr leicht zum Skepticismus führt: wenn man nämlich wie Zeno davon ausgeht, alle Vorstellungen von Bewegung, Veränderung, Mannichfaltigkeit u. s. w. als leeren Schein zu erklären, bis endlich nichts Wahres übrig bleibt, als die eine unbegreifliche (negative) Idee des Unendlichen, so ist eben kein besonderes Hinderniß vorhanden, so gut als man die Mannichfaltigkeit wegleugnet, auch die Einheit zu bezweifeln und diese eben so wie jene zu bestreiten.

Anmerk. Denn die unendliche Einheit ist, wenn man sie nicht poetisch, sondern mit der Vernunft auffaßt, ihr alle Prädikate absprechen muß, immer ein sehr leerer nichtiger Begriff.

Ein Beispiel davon ist, daß bei den Griechen aller höhere Skepticismus aus dem Pantheismus entstanden.

Unter höherem Skepticismus überhaupt versteht man die Art von Philosophie, welche die Möglichkeit einer vollkommenen Erkenntniß der unendlichen Realität leugnet; er behauptet, diese Erkenntniß sei ebenfalls unendlich; eine Behauptung, die eben nicht so sehr zu verachten, da jede positive Erkenntniß des Unendlichen, worauf der Idealismus ausgeht, immer unvollkommen bleiben muß. Nur darf dieser Skepticismus blos ein

vorübergehender, gleichsam vorbereitender Zustand seyn: inso=
fern die höhere Skepsis den Zweck hat, den Trieb zur absolu=
ten Philosophie zu befördern, ist sie zu loben; sie ist aber ganz
willkürlich, und, weil es doch nur ein vorübergehender Zu=
stand, kaum zur Philosophie zu rechnen.

Jedoch der eigentliche Skeptiker sucht sich in diesem Zu=
stand zu firiren, darin zu beharren, hält dieß gar für tugend=
haft, weil es ihm ein Zustand von Resignation, Enthaltsamkeit,
Ruhe und Selbstbeschränkung ist, den besonders viele griechi=
sche Philosophen für Tugend hielten.

Das, was aber überhaupt diese Philosophen bestimmt,
sich im Zweifel zu firiren und ihn als Philosophie anzuerkennen,
hat einen durchaus subjectiven individuellen Grund und ist in
dem Charakter des Individuums zu suchen. Man kann also
diese Gattung ebenfalls nicht und noch weniger als die zuerst
angeführte vorübergehende Skepsis als zur Philosophie gehörig
ansehen. Die vorübergehende Skepsis hebt nicht alle Annähe=
rung zum Ideal einer absoluten Philosophie auf, sondern mag
gar als erste Stufe derselben betrachtet werden; die firirte
Skepsis hingegen' hebt sie wirklich ganz auf, und man kann sa=
gen: der Idealismus im Verhältniß zur firirten Skepsis ist Ge=
gensatz des Ideals einer allgemein absoluten Philosophie gegen
die Philosophie eines Individuums, einer Schule oder Nation.
Die erstere Art strebt nach einer vollkommenen Aufstellung die=
ses höchsten Ideals absoluter Philosophie, die andere leugnet
aus subjectiven Gründen die Möglichkeit der Aufstellung. —
Der Forderung, die Unmöglichkeit positiv zu beweisen, kann
sie nie Genüge leisten.

Ueberhaupt aber kann der Idealismus nicht gegen den hö=
hern Skepticismus streiten, da er aus rein subjectiven Grün=
den und ganz willkürlich entsteht, denn gegen ganz willkürlich
subjective Gründe hat er nicht nöthig zu streiten.

Zum Schluß mag noch eine eigene Art Skepsis, die wir
bei den Neuern finden, angeführt werden. Es ist diejenige,
welche alle wissenschaftliche Erkenntniß der unendlichen Realität
als unmöglich leugnet, und sich deshalb dem Glauben und der

Ueberzeugung in die Arme wirft — daher aber nur ein gemischter Skepticismus, denn der eigentliche Skeptiker nimmt eben so wenig und noch weniger Glauben als Wissen an.

Das bisher Gesagte wird sich in kurzem dahin zusammenfassen lassen.

Es gibt 6 Arten von Skeptiker: 1) der aus dem Empirismus (auch aus dem atomistischen Materialismus?) hervorgehende und mit Recht der gemeinste genannt; 2) der aus dem dynamischen Materialismus entspringende, welcher vorzüglich nur bei den Griechen existirt hat; 3) der aus dem Pantheismus entstehende; 4) der aus dem Idealismus hervorgehende als vorübergehender Zustand; 5) derselbe als firirter Zustand; 6) und endlich der Jacobische vom Zweifel zum Glauben übergehende.

Von allen ist die Unstatthaftigkeit gezeigt worden; sie beruhen alle auf Subjectivität, und müssen, sobald sie dogmatisch seyn wollen, sich selbst widersprechen, müssen dann immer die Gewißheit und Allgemeingültigkeit ihrer Behauptung: daß man nichts wissen könne, annehmen, da sie doch alle Gewißheit zum Ziel ihres Zweifels machen und durchaus vernichten wollen.

Was jede einzelne Art anbetrifft, so ist ersterer (oder gemeine Skepticismus) schon durch das, was über den Empirismus gesagt worden, hinlänglich widerlegt — es ist genug, daß er nichts kennt, nichts bezweifelt als die Erfahrung, für ihn gar nichts anders vorhanden ist.

Die andern Arten, welche von dem aus dem dynamischen Materialismus entstehenden Skepticismus an alle mehr oder weniger zur höhern Skepsis gehören, sind theils durch den Pantheismus, theils durch den Idealismus widerlegt.

Die vorübergehende, gleichsam den Idealismus vorbereitende oder aus ihm hervorgehende und wieder zu ihm zurückkehrende Skepsis ist, da sie (wie dieß dem Geist des Skepticismus auch durchaus angemessen) blos Ansicht, nicht ein zusammenhängendes construirtes System seyn will, und daher auch eine Annäherung zum Ideal einer allgemeingültigen absoluten Philosophie nicht aufhebt, den andern vorgezogen, und als nicht unverträglich mit der intellectuellen Philosophie aufgestellt worden; sie ist nicht zu mißbilligen und kann oft sehr nützlich seyn, nur eine Philosophie ist sie nicht.

Ueberhaupt ist der Skeptiker, besonders der höhere, eben so wie die andern Aftergattungen, mehr mit irgend einer wissenschaftlichen Disciplin, seinem Wesen nach mehr mit der Polemik, als der Philosophie selbst verwandt, und zwar aus diesen Gründen.

Einestheils ließe sich die dem Skeptiker eigene Denkart, in ein Princip zusammengefaßt und dogmatisch aufgestellt, gar nicht durchführen, sie würde in sich selbst zerfallen, wenn man nur ihre Waffen gegen sie kehren wollte; anderntheils würde sie, dogmatisch aufgestellt, zu bald erschöpft, als negative Philosophie zu inhaltsleer seyn, wenn sie sich nicht auf bestehende positive Systeme und Meinungen bezöge. Der Skeptiker muß aus diesen Gründen, so lang es Dogmen und Dogmatiker gibt, nicht nur behaupten, daß es nichts Gewisses und Wahres gebe, sondern auch: alles was von den bisherigen Philosophen vorgebracht, sey falsch — und mithin liegt die größte Stärke des Skepticismus in der Anwendung auf andere Systeme, in der Polemik. Kurz, es ist der Natur des Skepticismus durchaus angemessener, sich auf die positiven Meinungen und Systeme anderer zu richten, dieselben zu bestreiten und zu bekämpfen, als die Construction eines eigenen zu versuchen.

Die Polemik muß aber, wie oben gezeigt, auf das partielle Einzelne eingehen, es müssen zum Behuf dieses Kampfs und Streits die Meinungen und Systeme anderer gründlich erforscht werden. Dieses ist aber nicht allein in Rücksicht auf Gelehrsamkeit nicht ohne Kritik möglich, sondern noch besonders in Rücksicht auf den kritischen Geist, die Gesetze, die auch für nichtphilosophische Arbeiten angenommen sind; es wird demnach an die Stelle (oder doch an die Seite) einer solchen ganz negativen Polemik eine ebenfalls sehr strenge Disciplin, die Kritik, treten.

Der Skepticismus, wofern er nicht der gemeine, sondern höhere und zwar angewandte, löst sich also in Polemik und Kritik auf, in eine Kritik aller bestehenden Systeme der gesammten vorhandenen bisherigen Philosophie.

Skepticismus ist, so lang er fruchtbar und reell seyn soll, Kritik, und zwar wäre diese dem eigentlichen Wesen des Skepticismus gemäß die Hauptwissenschaft, die Wissenschaft aller Wissenschaften, denn es würden in dieser die Gründe, Principien aller Wissenschaften der Prüfung unterworfen und untersucht. Die kantische Philosophie ist zum Theil eine solche Kritik.

Wir haben uns durch die Charakteristik des Skepticismus dem Gebiet der höhern Philosophie allmälig mehr genähert — er steht schon weit über dem Empirismus und Materialismus, kann von diesen nicht widerlegt werden, steht überhaupt auch schon in nähern Verhältnissen mit der intellectuellen Philosophie, verträgt, von einem gewissen Standpunkt aus betrachtet, sich mit ihr, und nimmt, da er als Kritik die Philosophie selbst zum Gegenstand hat, eine durchaus höhere Stufe ein, als jene Disciplinen, wovon die eine nur die Erfahrung, die andre die Natur zum Gegenstand hat.

Zunächst folgt nun der schon ganz auf dem Gebiete der Speculation liegende, der Skepsis diametral entgegengesetzte Pantheismus. Der Uebergang ist durch den Gegensatz natürlich, so wie die Folge, weil es die letzte Gattung vor der intellectuellen Philosophie, und als negative Philosophie dieser, welche nach positiver Erkenntniß strebt, vorangehen muß.

Von dem Pantheismus.

Der Pantheismus erklärt alles als schlechthin eins und unveränderlich, so daß aller Unterschied und alle Verschiedenheit aufgehoben, als Schein der Sinne angesehen wird. Er leugnet alles Endliche, erkennt nur das Unendliche; das Unendliche aber, ganz rein gedacht, schließt den Begriff des Unterschieds und der Verschiedenheit ganz aus, da beide Begriffe auf Bedingungen, also auf Endlichkeit beruhen.

Betrachtet man diese Philosophie in Rücksicht auf Form und Denkart im Verhältniß gegen andere Philosophien, so ist sie zuerst dem Empirismus und Materialismus entgegengesetzt. Diese gehen von einer Vielheit und Mannichfaltigkeit, der Pantheismus aber geht von einer absoluten Einheit der unendlichen Realität aus, und führt auf Fatalismus. — Der gewöhnliche Materialismus muß aber zur Bildung der Welt aus Atomen den Zufall zu Hülfe nehmen.

Nicht minder ist er dem dynamischen Materialismus entgegengesetzt, da dieser doch auch nicht nur ein, sondern mehrere, zwei oder drei Urprincipien annimmt.

Dem Skepticismus steht er nun gar schnurstracks entgegen, da er das allerdogmatischste, absoluteste, evidenteste aller philosophischen Systeme ist. Was kann mehr gegen den Skepticismus streiten, als der höchste Grad aller philosophischen Evidenz?

Dies gilt aber nur von Seiten der Denkart, in wissenschaftlicher Hinsicht; in Rücksicht auf wissenschaftliche Construction ist ihm das Wesen des Skepticismus gar nicht so sehr zuwider; ja die einzige befriedigende Manier, den reinen Pantheismus zu einem wissenschaftlichen System auszubilden, ist die negative skeptische, wo man davon ausgeht, alles für Schein und Trug zu erklären, bis endlich nur die eine negative Idee des Unendlichen ohne alle, selbst die geistigsten Prädicate (weil diese ihm immer noch Schranken setzen würden) als letztes Resultat, als Begriff einer höchsten Realität übrig bleibt.

Dieses negative (skeptische) Verfahren ist dem Pantheismus au durchaus angemessener, als das positive ihm innerlich widersprechende; es ist wirklich das consequenteste, wenn übrigens der reine Pantheismus zu einem System ausgebildet werden soll? Er hat und statuirt nur eine einzige Erkenntniß, eine

Einheit, die zugleich die Allheit in sich faßt, und zwar ist dies von der unumstößlichsten Gewißheit, es bedarf keines Beweises und es gibt auch keinen Beweis dafür — wozu also ein System? Der eine Satz ist das ganze System — es bleibt demnach, wenn man doch ein System haben will, nichts übrig, als zu zeigen, was der Pantheismus nicht ist, welche Erkenntnisse er nicht annimmt u. s. w. Wie er auf diesem Wege selbst in Skepticismus übergehen könne, ist in der Charakteristik des Skepticismus gezeigt worden.

Nun aber wieder auf die Vergleichung des Pantheismus mit andern Philosophien zurückzukommen, so ist er im Verhältniß zu der intellectuellen Philosophie, dem Idealismus, in so weit mit ihm einig, als er ebenfalls die unendliche Realität zum Gegenstand hat, wie das jede Philosophie, die sich auf ein erstes Princip begründen, oder durch eine Idee beleben und beseelen will, haben muß. Der Unterschied besteht aber darin, daß der Pantheismus auf die negative, der Idealismus hingegen auf die positive Erkenntniß der unendlichen Realität ausgeht. Letzterer muß ihm dadurch insofern nachstehen, als eine negative Erkenntniß, wenn sie einmal richtig, dann auch durchaus gewiß und evident ist, eine positive Erkenntniß der unendlichen Realität aber durchaus nur unvollkommen, nur in steter Approximation zur höchsten Vollkommenheit seyn kann, weil eben diese Vollkommenheit sich nur in der unendlichen Realität selbst, und nicht in dem bedingten endlichen Verstand finden könnte. Der Satz der Identität (worauf jede negative Erkenntniß beruht) a $=$ a (oder $+$ a ist nicht $-$ a) dieser Satz ist unendlich gewiß, aber ganz leer, er hat eine unendliche Intensität von Wahrheit, aber eben deshalb gar keine Extension, und mithin seinen Feind in sich selbst, denn er hat nichts Gewisses, als seine unendliche Einheit, als seine negative Idee der unendlichen Realität, woraus er gar nichts Positives folgern kann. Er kann der unendlichen Realität nur negative Prädicate beilegen und überhaupt gar nichts folgern ohne die größte Inconsequenz; es ist schon inconsequent, wenn der Pantheist von seinem einen und einzigen Prinzip spricht, es

gegen andere Philosophien behauptet, die er doch als nicht eri-
stirend ansieht.

Er kann es daher auch selbst zu keinem System bringen,
es sey denn auf jene negative skeptische Art, was man als
eine Reihe von puren Negationen doch kaum System nennen
kann. Dahingegen ist aber, wissenschaftlich genommen, eine
Philosophie, die, wie diese, nichts anerkennt als eine unendliche Realität, eher eine negative Theologie zu nennen.

Der reine Pantheist bleibt bei der ersten Idee — der höchsten, welcher der Mensch fähig ist, bei der Idee der G o t t -
h e i t stehen, er versenkt sich ganz darin, vor ihr verschwindet
ihm alles andere, er ist durchaus religiös — allein er hat die
Idee doch nur negativ aufgefaßt, daher die Religion, der sie
zu Grunde liegt, auch eine negative Religion, und was man eigentlich Mysticismus zu nennen pflegt. Die negative Idee der
Gottheit ist für alle leichter zu fassen, und hat ihrer intensiven
Gewißheit wegen unendlichen Reiz für wissenschaftliche und
speculative Geister, weshalb denn nicht zu leugnen, daß der
Pantheismus ein gefährliches System ist.

Daß übrigens der Pantheismus mehr zur Religion als zur
Philosophie geeignet ist, beweist die Geschichte, welche die Bemerkung liefert, daß er selten als Philosophie, meistens aber
und sehr oft in Religionen erscheint.

In Europa existirte nun freilich diese Denkart nie ganz
rein, weit mehr aber im Orient, ja sie hat sich eigentlich nur
in Asien und zwar bei mehreren Secten geäußert, die jedoch
alle aus Indien abstammen, von den indischen Büßern, den
Jogi's. Diese versenkten und verloren sich ganz in den negativen
Begriff der Gottheit, bestrebten sich zu diesem Behuf auf eine
absolute Abstraction von allem Positiven, nicht allein Sinnlichen, sondern auch Geistigen, auf eine gänzliche Annihilation
ihrer selbst in sinnlicher und geistiger Rücksicht; sie waren daher
eigentlich bessere Pantheisten, als Philosophen es je seyn können, da eine blos negative Idee der unendlichen Realität, worauf sich der Mensch ganz concentrirt, darin vertieft und verliert, besser zur Realität als Philosophie paßt.

Anmerk. Diese Denkart hat auch in den ersten Jahrhunderten einigen Einfluß auf das Christenthum gehabt — ein Beispiel ist Simon Stylites.

Mehrere jener Mystiker haben auch, da alle Prädicate und Qualitäten immerhin doch bestimmt und beschränkt sind, mithin der negativen Idee der Gottheit kein Prädicat, keine Qualität beigelegt werden kann, die Gottheit sehr consequent als das u n e n d l i ch e N i ch t s erklärt, und ihre Denkart N i h i l i s m u s genannt.

Trotz dem nun, wie man aus dem vorhergehenden gesehen, der Pantheismus es zu keinem positiven System bringen kann, hat man dennoch mehrmalen die Aufstellung eines wissenschaftlichen positiven Systems des Pantheismus versucht, zu dem Behuf das erste negative Grundprincip desselben positiv genommen, und, freilich sehr inconsequent, positive Erkenntnisse, ja viele positive und individuelle Meinungen daran angeknüpft.

Diese Verknüpfung ist übrigens sehr leicht möglich, weil die erste Grundidee ganz leer und negativ ist; eben ihrer Negativität und Inhaltslosigkeit wegen gibt es keine positive specielle Meinung, die sich nicht damit in Verbindung setzen, daran anschließen, oder aus ihr herleiten ließe, weil ja alles darin enthalten ist.

Nur ist auch die Täuschung: außer jenem ersten Princip noch positiv specielle Sätze zu statuiren, vollkommen einleuchtend, da doch, so wie der Pantheist alle Einzelnheiten und specielle Wesen leugnet, es eben so in seiner Erkenntniß seyn, darin alles vor dem einzigen Begriff der Gottheit verschwinden muß, einer Gottheit, die blos negativ ist, kein Prädicat, keine Qualität zuläßt, außer dem leeren Begriff der unbegreiflichen eigenschaftslosen Unendlichkeit sich also einestheils in Nichts auflöst, anderntheils in Unbegreiflichkeit verliert.

Indessen kann doch ein guter Systematiker den Schein und Trug durch künstliche Aneinandersetzung positiver specieller Meinungen, die er anderwärts hergenommen, selbst dem Auge eines strengen Kritikers fast unbemerkbar machen, wie S p i n o z a gethan, der es darin bis jetzt am weitesten gebracht hat. Es kommt solchen Systematikern sehr zu statten, daß die Evidenz und Gewißheit ihres erſten Grundſatzes auf die daran geknüpften Folgerungen, poſitiven Ideen und Meinungen übergeht, den Schein der Inconſequenz ganz aufhebt, und dann die Pantheiſten ſelbſt von der Gewißheit ihrer Folgerungen ſo überzeugt, daß ſie nicht eher, als bis ihre Gegner ſie mit einer eben ſo großen Evidenz beſtreiten können, eines andern zu überführen ſind.

Eben in der Negativität, in der abſolut-negativen Idee, in dem Begriff (wenn man noch ſo ſagen kann) eines unbegreiflichen Nichts liegt die reelle inkere Evidenz des Pantheismus, und in dieſer wieder die Schwierigkeit ihn zu bekämpfen, da es doch kein philoſophiſches Grundprincip von derſelben Evidenz gibt. NB. es verſteht ſich, zu bekämpfen, wenn er in einem poſitiven Syſtem aufgeſtellt iſt, wo die Gewißheit des Princips ſich den Folgerungen mittheilt.

Das Reſultat dieſer Unterſuchung über den Pantheismus fällt dahin aus, daß, ſo wie bei den andern Aftergattungen gezeigt worden — ſie neigten mehr zu irgend einer andern wiſſenſchaftlichen Diſciplin als zur Philoſophie ſelbſt — auch dieſer mehr mit einer andern Geiſtesbeſchäftigung als mit der Philoſophie verwandt iſt, nur mit dem Unterſchied, daß er, ſtatt in eine Wiſſenſchaft, in Religion übergeht. Dies bezeichnet aber eben die höhere Stelle, die er unter den Gattungen der falſchen Philoſophie einnimmt, ſo wie ſeine größere Annäherung zur wahren.

Außerdem daß der reine Pantheismus durchaus religiös iſt, in praktiſche Religioſität übergeht, iſt auch 2., noch gezeigt worden, daß der wiſſenſchaftliche zu einem poſitiven Syſtem ausgebildete Pantheismus — Realismus genannt — bei der größten Kunſt des Autors und der Schwierigkeit ihn mit derſelben Evidenz zu widerlegen, immer inconſequent iſt und ſeyn muß; man wird trotz dem ſcheinbaren ſtrengſten Zuſammenhang irgend an einer Stelle des Syſtems die Inconſequenz auffinden können.

Abſtrahirt von den myſtiſchen Pantheiſten, ſind die philo-

sophischen in neueren, ja selbst in alten Zeiten, sehr selten gewesen. Das relativ-consequenteste System des Pantheismus,
so consequent ein System des Pantheismus seyn kann, ist das
des Spinoza. Es enthält die wenigsten intellectuellen Beimischungen und Spuren vorhergegangener Systeme, die doch
alle wissenschaftliche Darstellungen des Pantheismus, welche
nicht, wie die des Zeno, skeptisch und dialektisch, sondern
positiv enthalten und enthalten müssen; es sey denn, daß an
den ersten Satz andere blos subjective und intellectuelle ganz
lose angeknüpft wurden, wie das bei einigen auch unter den
Philosophen der neuern Zeit der Fall gewesen ist.

Abgesehen von den andern Systemen des Realismus, welche verhältnißmäßig viel mehr Bestandtheile der intellectuellen
Philosophie enthalten, ist doch in dem reinsten wissenschaftlichen
Pantheismus, dem des Spinoza, noch eine starke Beimischung
von intellectueller Philosophie, nämlich aus der des Descartes.

Daß der Realismus blos Beimischungen und Bestandtheile
der intellectuellen Philosophie, oder Beziehungen auf dieselbe,
enthalten könne, geht aus dem Character dieser Denkart selbst
hervor.

Die ihm zu Grunde liegende Idee der unendlichen Realität setzt ihn nicht allein über und entgegen dem Empirismus und Materialismus, sondern außer aller Beziehung mit
diesen Arten; er verträgt sich durch dieselbe blos mit dem
Idealismus (dem Skeptiker ist er ohnehin durch seine Evidenz ganz diametral entgegengesetzt). — Soll es ihm also nicht
ganz an objectivem Stoff ermangeln, da ja der reine Pantheismus ganz inhaltsleer, gehalt- und eigenschaftslos ist, so muß
wohl die einzige mit ihm verträgliche Denkart in die positive
Darstellung desselben nothwendig übergehen.

Eine durch ihre viel größere Einmischung von intellectueller
Philosophie als gewöhnlich ausgezeichnete eigene Art von
Pantheismus mag hier noch erwähnt werden. Sie existirte bei
den letzten Griechen, den Neuplatonikern. Diese suchten
drei verschiedene Philosophien zu vereinigen, die des Pythagoras, Plato und Aristoteles (weshalb sie auch Syn-

kretiſten genannt wurden). Sie neigten ſehr zum Pantheis⸗
mus und in Plotin iſt es wirklicher Pantheismus d. h. Realis⸗
mus geworden, durch den Weg, auf dem ſie zum Pantheismus
gelangten; indem ſie nämlich von der intellectuellen Philoſophie
dazu übergingen, mußte wohl ihr Syſtem mehr als alle andere
mit Idealismus vermiſcht werden.

Plotin hat mit Spinoza denſelben Grundſatz: Geiſt
und Materie ſtammen beide aus einem höheren Weſen ab;
dieſes, die Gottheit, könne aber weder Geiſt noch
Materie ſeyn, eines von beiden von ihr zu denken, ihr
eines von dieſen Prädicaten beizulegen, iſt der Gottheit ganz
unwürdig.

Im übrigen iſt aber dies Syſtem ſo ſehr mit intellectueller
Philoſophie gemiſcht, daß es mit allen andern alexandriniſch⸗
pantheiſtiſchen Syſtemen, wovon es das conſequenteſte und rein⸗
ſte, zwiſchen den eigentlichen Pantheismus und Idealismus zu
ſetzen iſt.

Daß nun der Uebergang zur Charakteriſtik der intellectuel⸗
len Philoſophie gemacht werde, folgt ganz natürlich, da, eben
weil der Pantheismus einerſeits mit keiner der gemeineren Ar⸗
ten von Philoſophie, weder mit dem Empirismus noch dem ge⸗
wöhnlichen Materialismus, noch dem gemeinen Skepticismus in
irgend einer Gemeinſchaft ſtehen kann, andrerſeits ſelbſt aus
der höchſten Quelle der wahren intellectuellen Philoſophie ge⸗
floſſen, er der intellectuellen Philoſophie am nächſten zu ſetzen
iſt. Das einzige, was ihn von ihr unterſcheidet, iſt, daß er,
durch die Evidenz und Gewißheit der höchſten abſoluten Inten⸗
ſivität irre geleitet, ſtatt der poſitiven, die negative Erkenntniß
für die einzige wahre hält.

Von der intellectuellen Philosophie überhaupt.

Die intellectuelle Philosophie ist in Rücksicht auf ihre Verhältnisse zu den andern Arten am meisten entgegengesetzt dem **Empirismus**, indem nämlich ihr erster Anfang über das Gebiet, worauf dieser sich beschränkt, hinausgeht, sie überhaupt nicht ohne Voraussetzung unsichtbarer Geisteskräfte anfangen kann.

Ferner ist sie entgegengesetzt dem **Materialismus**: sie gibt dem Geist den Vorzug vor der Materie, wenn sie nicht gar als Idealismus das Daseyn derselben ganz leugnet, ihr ein ganz secondäres abgeleitetes Daseyn gibt und behauptet: die Materie käme aus dem Geist, habe blos Realität im Geist.

Die sich hier ergebende Unterscheidung zwischen Idealismus und Intellectual-Philosophie überhaupt mag zur bessern Verständigung des folgenden in etwas näher bestimmt werden.

Bisher ist Intellectual-Philosophie und Ideal-Philosophie in einer und derselben Bedeutung gebraucht worden. Die Intellectual-Philosophie theilt sich aber wieder in zwei verschiedene Arten; sie leugnet entweder alle Materie, erklärt sie nur für Schein, leitet alles aus einem geistigen Princip her: dann ist sie **Idealismus**, oder nimmt ursprünglich Materie neben dem Geist, also zwei Principien an, gibt aber dem Geist durchaus den Vorzug, läßt die Materie von ihm bilden, dann ist sie **Dualismus**, und zwar, zur Unterscheidung von dem materialistischen, **intellectueller Dualismus**. Diese Benennungen werden nun in folgender Charakteristik durchgehend in dieser Bedeutung gebraucht werden, welche sich dann auch daraus ausführlich und bestimmter ergeben wird.

Kehren wir nun zurück zur Vergleichung der Intellectual-Philosophie mit den andern Arten, so ist sie dem **Skepticismus** ebenfalls entgegengesetzt, denn sie ist, als ein Versuch, das Verhältniß des Geistes und der Materie zu einander zu erklären und im Universo nachzuweisen, insofern sie eine be-

stimmte Construction des Universums geben oder doch versuchen
soll, entweder wie die Materie aus dem Geist komme, wie der
Schein der Materie im Geist entstehe, oder wie sie dem Geist
untergeordnet sey, von ihm beherrscht und geordnet werde?
ganz dogmatisch.

Der Gegensatz wäre schon damit hinlänglich bewiesen, daß
sie ein Versuch ist, zur positiven Erkenntniß der höchsten Realität zu gelangen.

Eben dies setzt sie aber auch dem Pantheismus entgegen, welcher nur eine negative Erkenntniß der höchsten Realität zugibt.

Alle diese Gegensätze sind jedoch nicht absolut; es gibt
eine Seite der intellectuellen Philosophie, von welcher sie mit
jenen Systemen nicht gerade in Widerstreit ist, oder doch nicht
in Widerstreit zu seyn braucht. Auf eine gewisse Weise verträgt sie sich mit allen, wie wir das auch schon bey der Charakteristik jeder einzelnen Gattung gefunden haben. — Der höhere Empirismus, als Lebensphilosophie, der dynamische Materialismus, der höhere Skepticismus und der zum Realismus ausgebildete Pantheismus können füglich mit der intellectuellen
Philosophie bestehen.

Aber eben weil sie alle andere Gattungen in sich aufnehmen kann, und die universalste, umfassendste, reichste von allen
Philosophien ist, entstehen manche Widersprüche gegen dieselbe,
und geht aus ihr oft eine neue Skepsis hervor, wie z. B. eine
solche, die dem menschlichen Verstand nur eine theilweise Unwissenheit zuschreibt, und diese Behauptung mit einer Theorie
des Erkenntnißvermögens verknüpft, sie daraus zu erklären,
zu beweisen sucht. So war es bei Plato und neuerdings
bei Kant.

Daher ist denn auch eine Skepsis, wenn sie, wie jene von
höherer Art, nicht eine ganz dogmatische ist, gar nicht mit der
intellectuellen Philosophie so sehr unverträglich; im Gegentheil
ist der Zweifel an der Vollkommenheit des menschlichen Geistes
ganz natürlich und oft sehr fruchtbar. Zu welchen lohnenden
Resultaten führt er nicht? Es pflegen meist nach bedeutenden

Systemen der intellectuellen Philosophie mehrere solcher Skeptiker aufzutreten, die sehr interessant sind, zu neuen Hypothesen
führen u. s. w.

Anmerk. Die Griechen waren selbst von Plato ungewiß, ob sie ihn zu den Dogmatikern oder den Skeptikern
zählen sollten? Er drückte seinen Zweifel über die Unvollkommenheit des menschlichen Geistes so aus: „wir können
das Positive, Reelle und Höchste, blos negativ erkennen;
blos das Negative, Unreelle vermögen wir positiv zu erkennen." — Kant ist auch in dem theoretischen Theile des
Erkenntnißvermögens durchaus skeptisch; seine skeptische
Behauptung: „die einzige Gewißheit der Erkenntniß sei
blos durch sinnliche Eindrücke möglich u. s. w." muß,
ohne sich auf die Richtigkeit beider Meinungen einzulassen,
doch wohl der sinnreicheren des Plato nachstehen.

Uebrigens sind auch aus dieser Denkart die größten
merkwürdigsten Systeme hervorgegangen. Sie kann es von
allen am ersten und besten zu dem bringen, was die Philosophie sucht, nämlich zu einem System, sie ist weit fähiger dazu, als der Pantheismus und alle andern Arten.

Keine von den bisher characterisirten Gattungen der Philosophie hat es in moralischer Rücksicht zu so hohen und schönen
Resultaten und Ideen gebracht, als die intellectuelle Philosophie.

Selbst in formeller und ästhetischer Hinsicht, abgesehen von
der innern Wahrheit selbst, ist schon das, was bisher in der
intellectuellen Philosophie geschehen, bei weitem das Vorzüglichste und Befriedigendste.

Warum aber eben in dieser Denkart so viele verschie-
bene Systeme entstanden, die immer divergiren, so mangelhaft und unvollkommen sind, daß gegen das vollkommenste immer noch unzubeantwortende Einwürfe gemacht werden können,
dies Problem muß die folgende Charakteristik lösen. Die Auflösung desselben wird dann zugleich die Wege bestimmen, welche
man zur Vermeidung dieser Unvollkommenheiten einzuschlagen
hat, und somit auch den Standpunkt anweisen, von wo aus die
eigene Philosophie anzuheben hat.

Beide Gattungen der intellectuellen Philosophie laſſen ſich am beſten an einigen Philoſophen zeigen, die als Repräſentanten der einen oder andern Gattung gelten können. Durch die Charakteriſtik der ausgezeichnetſten vorzüglichſten exiſtirenden Syſteme werden zugleich auch der Dualismus und Idealismus überhaupt charakteriſirt.

Erſterer findet ſich durchgehends mehr und faſt ausſchließend bei den Alten, d. h. bei den Griechen; denn keine ältere Philoſophie als die griechiſche iſt uns hinlänglich bekannt, ja die Fülle der Erfindungen in dieſer Gattung iſt bei den Griechen ſo groß, daß ſich hiſtoriſch nachweiſen ließe, daß alles, was die Neueren von intellectuellem Dualismus vorbringen, meiſtentheils von den Alten entlehnt iſt.

Dahingegen iſt der Idealismus, als ein Product der künſtlichen, ſich in ſich ſelbſt reflectirenden Vernunft, faſt ausſchließend der neuern Zeit eigen; bei den Griechen finden ſich nur wenige einzelne Spuren davon.

Zur Charakteriſtik des intellectuellen Dualismus iſt nun vor allen andern die platoniſche Philoſophie geeignet. Die pythagoriſche und ariſtoteliſche iſt wohl eigentlich, in den Hauptprincipien wenigſtens, mit ihr eins; — die Zahlen des Pythagoras und die Formen des Ariſtoteles ſind wohl daſſelbe, was die Ideen Plato's —; aber von der pythagoriſchen Philoſophie ſind uns faſt gar keine, wenigſtens nicht zur Beurtheilung hinlängliche Urkunden übrig geblieben, und Ariſtoteles iſt, obſchon wir noch Werke genug von ihm beſitzen, bei den vielen Verfälſchungen, die mit denſelben vorgegangen, noch nicht gehörig unterſucht, kritiſirt und geläutert, um davon bei einer ſolchen Charakteriſtik Gebrauch machen zu können.

Vom intellectuellen Dualismus.

Plato nimmt an, daß alle Dinge, die wir sehen und vernehmen, nach geistigen Urbildern gebildet — alle Wesen aber doch nur unvollkommene Abbildungen jener vollkommenen Urbilder seyen — und daher wäre blos das Wahrheit, was sich in ihnen von den Urbildern finde. Diese erkenne der Mensch nur insofern, als er sie in einem frühern Zustand angeschaut: er habe nur eine dunkle Erinnerung davon, welche in ihm erwache, wenn er Dinge sehe, die den Urbildern gleichen, oder von ihnen etwas an sich tragen (d. h. etwas Wahres in sich haben.)

Es steht also auf diese Weise die Lehre von der Erinnerung mit der Lehre von den Ideen in Verbindung.

Aus dieser Erinnerung an die Ideen, welche zufällig durch Anschauung solcher Dinge entsteht, die einige Aehnlichkeit mit denselben an sich tragen, folgt nothwendig auch die Annahme einer intelligibeln Welt (als einer in Beziehung auf uns früheren) — im Gegensatz mit der jetzigen sinnlichen, gröberen, äußerlichen Welt.

Die Urbilder sind nicht einzeln, sondern machen eine verbundene Geisterwelt aus, in der wir vor unserer jetzigen Existenz in der Nähe der Götter die Urbilder anschauten; wir haben davon aber freilich nur eine dunkle Erinnerung, also auch nur eine schwankende, bedingte, unvollkommene Erkenntniß.

Aus allem diesem ist einleuchtend, daß Plato das Bewußtseyn höher als das Seyn, den Geist über den Körper setzte, so daß jene Vorstellung nothwendig darauf führen muß, sich die Gottheit als vollkommenste, unbegränzteste, allumfassendste Intelligenz — als höchsten, vollkommensten Verstand zu denken, aus dem alle Urbilder entsprungen sind, der sie hervorgebracht und alle Dinge danach gebildet hat; nur sind nach Plato die Welt und alle Dinge von der allvollkommenen Intelligenz aus einer ursprünglich vorhandenen Materie gebildet, und hierin liegt denn auch eigentlich die Unvollkommenheit dieses Systems, so wie meist aller Intellectual-Philosophien, d. h. dualistischen Systeme.

Daher kann Plato als Beispiel überhaupt dienen, warum die Intellectual-Philosophie immer unvollkommen geblieben; es läßt sich an ihm am besten zeigen, weil er von allen Intellectual-Philosophen der intellectuellste ist.

Dieses System verfehlt seinen ihm eigenthümlichen Zweck, dem Geist vor dem Körper den Vorrang zu geben — es erringt keine Einheit des Princips — der anfänglich scheinbare Idealismus verfällt in Dualismus, es werden ursprünglich zwei Principien angenommen, der Geist wird durch die Materie bedingt und ihr gar untergeordnet, die Materie als das erste und älteste angesehen — denn insofern sie der Gottheit ewige Schranken und Gränzen setzt, ist sie über den Geist, hat dann indirect den Vorrang.

Die Thätigkeit des göttlichen Verstandes ist durch die ursprüngliche Beschaffenheit dieser Materie immerhin bedingt, denn der Materie müssen ja ursprüngliche Gesetze beiwohnen, und so weit nimmt ein Fatum die Stelle über dem bildenden Verstand ein; — man preise die Kunst bei der Bildung, die Macht und Weisheit des Bildners noch so sehr, die Unvollkommenheit der Materie setzt ihm ewige unabänderliche Gränzen; — das erste unbedingt Herrschende ist die ewige ursprüngliche Materie. Daraus läßt sich nun leicht alles Böse erklären, wie denn auch Plato aus der Unvollkommenheit der Materie alles Uebel in der Welt erklärt hat. So wie die Gottheit die Quelle alles Guten, so sind die Schranken, welche die Unvollkommenheit der Materie der Gottheit setzt, die Quelle alles Uebels, es wird dadurch nicht allein die Welt, sondern selbst der bildende, kunstreiche, göttliche Weltverstand einem unerbittlichen, unabänderlichen, unausweichlichen Schicksal und Nothwendigkeit unterworfen; denn die Materie ist doch immer stärker als der göttliche Verstand, da er trotz aller Künstlichkeit und höchsten Weisheit jene Unvollkommenheit nicht zu heben vermag, noch das Uebel, das nothwendig aus ihr entspringt; ja sie schreibt ihm Gesetze vor, ist also in diesem System eigentlich zur Gottheit erhoben, während es doch darauf ausgeht, gerade umgekehrt den Geist über die Materie zu erheben. \—

Der Grund nun dieses Mißlingens, und warum alle Intellectual‑Philosophen, während sie sich bestreben, den Geist über die Materie zu erheben, doch immer zwei Principien neben einander aufstellen, liegt in der Natur der Intellectual‑Philosophie, ja schon in dem Namen derselben.

Eine Intelligenz ist nämlich durchaus nicht denkbar, kann unmöglich statt haben, active nicht ohne eine Materie, ein Object, das sie bilden möchte, oder passive nicht ohne ein Object, das sie anschauen möchte — das aber nicht sie selbst ist. Nun ist aber etwas, das außer ihr ist — vor ihr, daher über ihr, folglich dieser Fehler, wenn man einmal die Prämisse zugibt, „daß die Intelligenz, der Verstand das Höchste,“ ganz unvermeidlich.

Wie denn auch bisher alle Versuche, die Welt und Natur aus dem Verstand herzuleiten und zu bilden, mißlungen sind.

Indessen sind die Intellectual‑Philosophen, insofern sie überhaupt die Tendenz haben, etwas Geistiges über die Materie zu setzen und als das Höchste anzusehen, doch auf dem rechten Weg; nur ist damit nicht viel gegen den Materialismus gewonnen, da jener Dualismus doch nur eine Art geistiger Materialismus ist.

Wäre demnach das menschliche Bewußtseyn wirklich blos Verstand und Intelligenz, so würde man eben zu keiner höhern Philosophie als diesem Dualismus, d. h. blos zu einem höhern Materialismus gelangen können.

Man müßte also, wenn man übrigens annehmen kann, daß es in der Natur so beschaffen, wie in uns selbst, daß wir nach unseren Fähigkeiten, unserem Geist u. s. w. ein wiewohl unvollkommenes Ebenbild Gottes seyen, versuchen, ob das erste Princip der Philosophie, statt aus dem Erkenntnißvermögen, nicht besser aus einem andern menschlichen Vermögen, ob nicht aus dem Begehrungs‑ und Gefühlsvermögen, aus dem Vermögen zum Trieb abzuleiten, und so jene Unvollkommenheit zu vermeiden wäre.

Es fielen vielleicht, wenn man diesen einzig noch übrigen Weg einschlagen, die Quelle und Wurzel des Bewußtseyns und Gefühls- und Begehrungsvermögens suchen wollte, manche der bisherigen Schwierigkeiten ganz weg.

Der Verfasser würde, um es vorläufig kurz zu sagen, von dem der Intellectual-Philosophie entgegenstehenden, den ihr ganz entgegengesetzten Weg bezeichnenden e in e n Satz ausgehen müssen: G o t t i st d i e L i e b e.

Dies ist, wenn es ja den rechten Sinn haben soll, der Intellectual-Philosophie geradezu entgegengesetzt. Auf diese Weise wird nicht die Vernunft, der Verstand für das Höchste genommen, sondern die L i e b e; aus dieser wird der Verstand erst hergeleitet, nicht umgekehrt, wie bei Plato, die Liebe aus dem Verstand, wo sie denn auch etwas sehr Untergeordnetes ist.

Aus dem Vorhergehenden haben wir hinlänglich gesehen, daß die Intellectual-Philosophie ihren Zweck, den Geist über die Materie zu erheben, unmöglich erreichen kann, es sei denn, daß die Materie sich aus dem Geist ableiten lasse; soll sie ihm recht eigenthümlich untergeordnet seyn, so muß sie auch vom Geist erschaffen seyn. Bei der Vorstellung: der Verstand ist der höchste Geist, die Gottheit, ist aber das Problem nicht zu lösen; der Verstand kann nicht e r z e u g e n, s c h a f f e n, er kann nur b i l d e n. Daher haben sich denn auch alle Intellectual-Philosophen den Satz: G o t t h a t d i e W e l t a u s N i c h t s e r s c h a f f e n, bisher noch nicht recht erklären können.

Dahingegen wird es eher gelingen, zu zeigen, wie aus der Liebe Leben, und aus diesem eine körperliche Organisation hervorgehe, entstehe; wir brauchen heutzutage nicht einmal mehr die Philosophie, um dies zu wissen: schon die Physik hat uns gezeigt, daß Liebe Leben, und dieses körperliche Organisation hervorbringen könne. —

Obschon nun dieser neue Versuch, das Entstehen des Geistes und der Materie aus der Liebe, als ihrem gemeinschaftlichen Princip, zu erklären, noch nicht vollkommen befriedigend aufgestellt worden, und noch manche Einwürfe möchte leiden können, so ist denn doch diese Vorstellungsart verhältniß-

mäßig wahrscheinlicher und befriedigender, als jene, deren
Unzulänglichkeit sich gleich bei der ersten Betrachtung kund thut.

So wie nun die alten Intellectual-Philosophen
vor Plato. und dieser selbst ausgingen von einer übermäßigen
einseitigen Bewunderung und Verehrung des Verstandes, der
Intelligenz, der Idee, der intelligibeln Welt — der Idee eines unendlich erhabenen Verstandes, der sie nachzuforschen suchten, kurz von einer Bewunderung alles dessen, was vom Verstand ausgeht; so gingen die neueren von dem entgegengesetzten Punkt, von der Verachtung des Körpers und der körperlichen Eindrücke, als welche sich nur in Schein und Lauheit
auflösen, aus; der Einfluß des Christenthums mag wohl viel
dazu beigetragen haben, daß sie gerade diesen Weg ein-
schlugen.

Wiewohl nun beide ihre Philosophie von sehr verschiedenen
Punkten anheben, so treffen sie dennoch in dem eigentlichen
Hauptprincip zusammen. Jene nahmen freilich eine ursprüngliche Materie an, und diese leugnen sie gänzlich, aber darin
sind sie doch eins, daß der Verstand, die Intelligenz das
Höchste und Erste. Dies kann aber unmöglich durchgesetzt werden, wie früher gezeigt worden; eine Intelligenz kann nicht
statt haben ohne Materie; daher ist es denn auch den neueren,
den Idealisten, welche sich bestreben, die Materie ganz weg-
zuleugnen, nie gelungen, sie haben dieselbe, wenn auch unter
einer veränderten Gestalt, doch immer wieder in die Philosophie hereingeführt, konnten es, welches auch der eigentliche
Grund des Mißlingens aller intellectuellen Philosophie überhaupt ist, nie zur Einheit des Princips bringen, sahen sich am
Ende doch immer genöthigt, neben der Intelligenz noch ein anderes, also zwei Principien anzunehmen.

Anmerk. Im Einzelnen sind freilich, was aber hier
nicht einmal in Rücksicht zu kommen braucht, auch manche
Einwürfe gegen die Intellectual-Systeme gemacht worden.
So hat man z. B. gegen die Ideenlehre Plato's eingewen-
det: ob es auch für alles Mögliche Urbilder gebe?
Wollte man dies zugeben, so würden daraus wirklich Ab-

furbitäten folgen, indem es dann nicht nur eine Schön=
heit, Wahrheit u. s. w., sondern auch eine Tischheit und der=
gleichen geben müßte.

Weil nun im ersten Princip der Intellectual=Philoso=
phie ein Fehler liegt, müssen nicht nur alle Versuche darin un=
vollkommen bleiben, sondern es sind eben deswegen unbestimmt
viele Versuche darin möglich. Alle in dem Idealismus mögli=
che Systeme lassen sich nicht a priori bestimmen; es kann de=
ren immer so viele geben, als große originale Selbstdenker
entstehen — denn eine Stätigkeit der Entwicklung, die sich wohl
nachweisen läßt, ist noch keine vollständige Aufstellung aller
möglichen Fälle a priori.

Will man sich den Grund erklären, warum die intellectu=
ellen Philosophen von den verschiedenen Zweigen des Bewußt=
seyns gerade dem Verstand den Vorzug geben, so muß man ihn
in dem besondern Zustand des Philosophen überhaupt suchen.
Ist er blos Philosoph, so wird er von allen seinen Vermögen
das Erkenntnißvermögen am meisten brauchen und bilden u. s. w.
Dies ist seinem Geschäft angemessen, und mag auch so seyn,
aber es ist deswegen nicht zu leugnen, wie dadurch eine na=
türliche Partheilichkeit und Einseitigkeit für einen besondern
Theil des Bewußtseyns entsteht, für denjenigen, den er am
meisten übt, worin er am meisten bewandert ist, und zwar so,
daß er ihn über die andern setzt, dem Verstand, als der bei
ihm herrschenden und überwiegenden Kraft, durchaus den Vor=
zug gibt, das Vermögen der Triebe und Gefühle ganz herab=
setzt und höchstens nur als ein niederes Erkenntnißvermögen
gelten läßt.

Wir finden daher auch, daß die alten intellectuellen Phi=
losophen in der Psychologie jene Intellectualität auf das Höchste
getrieben, dagegen dem Begehrungs= und Gefühlsvermögen die
niedrigste Stufe angewiesen, dasselbe fast ganz verworfen, ja
oft als ein eigenes Vermögen geleugnet, und es auf das
Erkenntnißvermögen reduzirt haben. Wenn dies auch bei Plato
noch nicht völlig, so ist es doch desto mehr der Fall bei den
Stoikern, in deren Moral daher auch so viele Sonderbarkei=

ten vorkommen; sie ist durchaus streng, ganz aus dem Ver=
stand abgeleitet.

Wir kehren von dieser Excursion zurück zu dem schon vor=
hin vorbereiteten Uebergang zu der Charakteristik der zweiten
Gattung intellectueller Philosophie, dem Idealismus.

Es ist schon bemerkt worden, daß die alten und neuen
intellectuellen Philosophen, die Dualisten und Idealisten, im
Wesentlichen so sehr nicht von einander verschieden sind, nur
daß sie von verschiedenen Punkten ausgingen.

Die Idealisten fingen, freilich ganz verschieden von den Dua=
listen, damit an, die äußere Welt zu leugnen, oder sie nur
für Schein zu erklären; aber eben hierdurch wurden sie zur
Annahme einer intelligibeln Welt getrieben, wodurch sie sich
denn auch wieder den alten Intellectual=Philosophen näherten.

Von diesen erklärten (um dies beiläufig zu bemerken)
zwar auch einige oft die sinnliche Welt für eine Welt von
Schein und Täuschung, so daß sich bei ihnen mehrere idealisti=
sche Ideen finden; indessen ist denn doch diese Ansicht in der
alten intellectuellen Philosophie durchaus nur secundär, aber
in den neuern die erste und vorzüglichste; — um dieses näher
zu zeigen, folgt die Charakteristik des

Idealismus,

wozu wir uns auch hier historischer Beispiele, und zwar zu
besserer Einsicht seiner nach und nach erfolgten Entwicklung,
statt eines einzigen Systems, einer kurzen Uebersicht aller bis
hieher vorhandenen idealistischen Systeme der neuern Zeit be=
dienen.

Bei der Uebersicht der allmäligen Ausbildung und Ver=
vollkommnung der neueren Ideal=Philosophie ist es wichtig, zwei
Umstände zu bemerken, welche viel zu diesem Idealismus bei=
getragen haben.

1. War und wurde man besonders auch durch die Fort=
schritte der Physik immer mehr darauf geführt, daß alle sinnli=

che Vorstellungen subjectiv, individuell, voll Illusionen seyen und nicht die objective Beschaffenheit der Gegenstände zeigten.

2. War durch den Einfluß des Christenthums von der frühesten Zeit her eine fast allgemeine Verachtung der Sinnlichkeit verbreitet worden.

So war z. B. Berkeley blos durch Religiosität ein Idealist; bei Malebranche und Leibnitz ist der Einfluß der christlichen Kirchenväter sichtbar, sie haben ihr System meist aus diesen genommen.

Der neuere Idealismus nimmt seinen Anfang von Descartes; sein System ist, insofern er Geist und Materie neben einander bestehen läßt, eigentlich absoluter Dualismus und daher drehen sich auch alle Systeme der folgenden Idealisten um die Hypothese, wie zwei so disparate Dinge auf einander wirken, wie der edle Geist mit etwas so schlechtem, untergeordnetem, geringem, niederem als die Materie, in Verbindung, in Gemeinschaft treten könne.

Malebranche leugnete zwar noch nicht die Existenz der Körper, war darüber sehr ungewiß und bezweifelte sie; er suchte jenes Problem zu lösen, indem er alle Vorstellungen von körperlichen Dingen durch ein beständig fortwährendes Wunder Gottes entstehen und im Menschen erregen ließ, und zwar so daß sie demselben entsprächen und gemäß wären; der Mensch, oder besser der Geist, könne nie mit den Körpern in Berührung gerathen — beide stehen außer aller Connexion, er könne weiter nichts als die von der Gottheit in ihm erregten Vorstellungen von den Körpern haben.

Berkeley leugnet alles Körperliche ganz positiv; er läßt die Vorstellungen davon durch willkürliche Einwirkungen der Gottheit entstehen, aber er ist doch wie jene nur ein halber Idealist; sein System geht eigentlich vom Empirismus aus. Da der Empirist immer nur sinnliche Eindrücke hat, der Gegenstand selbst aber hinter dem Eindruck verborgen liegt, immer vor dem Auge des Beschauers flieht, sich nie erreichen läßt, so ist es sehr natürlich, daß er leicht auf die Meinung kommen könne: ein höherer Geist lasse diese Vorstellungen in uns entstehen, indem es doch viel begreiflicher, wie ein Geist auf den andern wirken, als wie ein so ganz fremder unbekannter Gegenstand in den Geist hineinkommen, hineinsteigen könne.

Die Vorstellung einer moralischen Gottheit liegt gar nicht in diesem System — sie muß anderwärts her dazu genommen werden. Berkeley hatte sie aus der christlichen Religion, und diese schützte ihn vor einer schrecklichen, furchtbaren, gränzenlosen Schwärmerei, wozu, wie man leicht einsieht, der Empirismus auf jene Art in dem Kopfe eines starken, geistreichen Menschen, wenn er nicht die Vorstellung einer moralischen Gottheit hat, ausarten kann. Ohne diese Vorstellung ist er nothwendig den willkürlichen Einwirkungen und Zaubereien unbekannter Geister und Gespenster, und dadurch der furchtsamsten schwankendsten Imagination ausgesetzt; je geist= und phantasiereicher der Mensch, desto gränzenloser die Schwärmerei, desto gefährlicher das System.

Leibnitz machte freilich den Versuch, alles in Geist aufzulösen, er nahm keine anderen als Vorstellungskräfte, nichts als Geistiges, keine Dinge außer dem Geiste an; nur war in diesen Vorstellungskräften — Monaden — eine unendliche Gradation; es gab tief schlummernde und im höchsten Grad wachende, lebendige Monaden, und vermöge dieser erklärte er das Wesen der Körper: das Substrat der Körper sey nämlich eine unendliche Anzahl von Monaden, in denen das Bewußtseyn noch schlummere, die auf der untersten Stufe des Bewußtseyns stünden (aber, wie alle Monaden, einer unendlichen Entwicklung fähig wären). Es läßt sich nun zwar nicht leicht begreifen, wie eine unendliche Anzahl schlummernder Geister uns z. B. die Vorstellung eines Tisches geben könnte? aber noch eine größere Schwierigkeit liegt darin, daß er jede Monade für ein abgeschlossenes Ganze, gleichsam für eine eigene, für sich bestehende Welt ansah, ganz und gar keine Gemeinschaft unter denselben bestehen ließ, somit durch die Trennung zwischen Monade und Monade in anderer Gestalt jene Descartische Spaltung zwischen Geist und Körper wieder einführte, und sich dadurch in die Nothwendigkeit versetzte, ebenfalls, wie feine Vorgänger, die Verbindung durch eine willkürliche Hypothese zu erklären — er nahm dazu auch ein Wunder; nur ist es bei ihm ein ursprüngliches bei Erschaffung der Welt, als habe Gott gleichsam zwei Uhren zugleich gestellt, beide in Harmonie gebracht.

Da Leibnitz überhaupt in der Darstellung seiner Philosophie ziemlich confus ist, so möchte man, da er meist von der Verbindung des Geistes mit dem Körper spricht, leicht glauben, er habe, was dem obigen widerspräche, eine absolute Verschiedenheit zwischen Geist und Materie angenommen. Dieses ist aber nicht der Fall, er redet nur nicht von der NichtExistenz der Materie, sie ist aber aus seiner ganzen Philosophie klar; — die Trennung (nicht die Verschiedenheit) besteht blos zwischen den Monaden, aber so, daß sich ohne die Hypothese von der prästabilirten Harmonie gar nicht einsehen läßt, was sie mit einander gemein haben, wie sie auf einander wirken u. s. w.

Anmerk. Spinoza hat seinem System gemäß die Schwierigkeit dadurch gehoben, daß er Materie und Geist eins und dasselbe seyn läßt, als eine Sache, die zwei Seiten hat, so daß also Materie und Geist nur relativ sind. Schelling, der den Spinoza zu ergänzen gesucht, steht gleichsam in der Mitte zwischen beiden.

Leibnitzens eigentliches System ist also eben nicht sehr vorzüglich, und besonders wenig befriedigend. Es beruht zuerst auf einer unhaltbaren Hypothese, deren Mangelhaftigkeit sich schon gleich dadurch kund thut, daß er sie selbst durch eine noch willkürlichere unterstützen muß; er trennt seine Geisterwelt so, daß kein Geist, keine Monade mit andern Zusammenhang hat, es sey denn daß er von Gott durch ein Wunder bestimmt worden!

Interessanter und idealistischer sind andere einzelne Ideen von ihm, wie die, welche schon vorhin berührt, von der unendlichen Gradation, der unendlichen Entwicklungsfähigkeit des Bewußtseyns. Dann auch das Princip, den Geist nur aus dem Geist, die Seele nur aus der Seele zu erklären, wie sich das bei seiner Idee von den unbewußten Vorstellungen äußert. So

wie in den Vorstellungen des menschlichen Geistes eine unauf=
hörliche Thätigkeit herrscht, der Mensch sogar im Schlaf Vor=
stellungen hat, so ist auch jede einzelne, ja die tiefst schlum=
mernde Monade nie ohne Thätigkeit, wenn auch unbewußt.
Bei den unbewußten Vorstellungen werden, wie bei der schnel=
len Execution einer Musik man sich nicht der Regeln und Ge=
setze erinnert, die man beobachtet, so auch die gesetzmäßigen
Functionen gleichsam in einer Geschwindigkeit verrichtet, ohne
daß man es bemerkt.

Ueberhaupt ist das in allen seinen Ideen sichtbare Princip
der unendlichen Fülle und Mannichfaltigkeit, d. i. das Princip
der Thätigkeit, dasjenige, was ihn am meisten zum Idealisten
macht, es ist wenigstens das am meisten Idealistische in seiner
Philosophie.

Kant kann eigentlich nicht ein Idealist genannt werden,
da er Gegenstände außer dem Ich annimmt, die den Stoff zu
den Vorstellungen liefern, wozu das Ich aber nur nach ur=
sprünglichen Gesetzen die Form gibt; — anfänglich schien er
auch die Materie aus dem Geist ableiten zu wollen, nachher
aber im Verfolg seiner Philosophie ist er bestimmt zu dem Ding
an sich und der Erfahrung zurückgekehrt. Sein Eigenthümli=
ches, — als Idealist, wenn er so heißen soll, ist, daß er die
subjective Vorstellungsart, den subjectiven Schein in den Vor=
stellungen, den er mit den übrigen Idealisten annimmt, in un=
serem Vorstellungsvermögen regelmäßig, d. h. nach den Grund=
gesetzen unseres Verstandes und aus der Natur unseres Geistes,
zu erklären sucht.

Unter allen diesen ist endlich Fichte der vollendetste, da
er nicht allein die Form, sondern auch den Stoff der Vorstel=
lung aus dem Ich herleitet, im ersten Grundprincip ein voll=
kommener Idealist ist. In der weitern Ausführung seines Sy=
stems hat er indessen das Ding an sich als ein Etwas
wieder in seine Philosophie eingeführt, als ein Etwas, das
dem Ich zu den Vorstellungen den ersten äußern Anstoß geben
muß, auf daß es nachher alles aus sich selbst produzire; hier=
durch wird aber der Anspruch auf vollkommenen Idealismus

wieder aufgehoben, da er nicht statt haben kann, so lang er noch etwas außer dem Ich annehmen muß.

Das Resultat dieser Uebersicht des Idealismus nach seiner allmäligen Entwicklung ist also: daß alle diese Systeme **nicht vollkommen idealistisch** sind, man müßte denn etwa Berkeley ausnehmen, der zwar alles in Geist auflöst, dessen System aber in philosophischer Hinsicht, in Hinsicht auf Begründung und consequenten Zusammenhang von allen am unvollkommensten ist. Warum es nun den Idealisten wie den Intellectual=Philosophen nicht gelungen, ihre Absicht zu erreichen, ist schon im Wesentlichen beim Schluß des Abschnittes von der Intellectual= Philosophie erwähnt worden, wird sich aber noch näher aus folgender Untersuchung ergeben.

Den Grund der Unvollkommenheit der idealistischen Systeme wird man finden in der Art, wie dieselben den Schein zu erklären gesucht; bei Berkeley ist es, so zu sagen, sein wilder, unordentlicher Schein ohne allen Zweck und Regel; bei Leibnitz wird er durch eine ganz willkürliche Hypothese erklärt, Kant und Fichte versuchen ihn auf die Gesetze unsres Verstandes zu reduziren, als regelmäßig, gesetzmäßig und nothwendig aus der Natur der Ichheit zu erklären; hier läßt sich aber fragen: wer bürgt für die Wahrheit der Gesetze? wer hat der **bedingten Ichheit** die Gesetze gegeben?

Dem absoluten Ich Gesetze geben zu lassen, ohne etwas **außer** demselben anzunehmen, das die Gesetze gibt, ist unmöglich.

Es ist nun wohl richtig, daß, so lang die Empfindung von dem äußern Gegenstand selbst immer noch verschieden, durch eine ungeheure Kluft von ihm getrennt ist, ganz und gar keine Aehnlichkeit mit ihm hat, — der Gegenstand, insofern als immer der Eindruck auf ihn übergetragen wird, nicht anders als Schein seyn kann, daß also die Voraussetzung äußerer Gegenstände durchaus willkürlich; — deswegen ist aber denn doch dieser Schein, worin die Idealisten das Nicht=Ich auflösen, kein so ganz leerer Schein. Es fragt sich, ob es ein so leerer Schein sey, daß er gar kein Seyn enthält, ihm gar kein Seyn zu Grunde

liege? Denn es gibt auch einen bedeutenden sinnha=
benden Schein, wie z. B. Bilder, Wörter u. s. w. Was
hat z. B. das Wort Sinnlichkeit mit der Sache selbst zu thun?
Das Bild oder Wort, das einen Geist mit dem andern ver=
bindet und in Gemeinschaft bringt, hat doch selbst gar nichts
gemein mit dem Begriff, den dadurch ein Geist dem andern
mittheilt, oder der Verbindung, in welche dadurch die beiden
Geister mit einander treten. Ein Wort oder Bild ist also, un=
geachtet es gar keine Aehnlichkeit hat mit dem Gegenstand, den
es bedeutet, doch kein leerer Schein.

Hat der Idealist Recht zu behaupten, und es ist ihm leicht
zu beweisen, daß die Menschen immer in ihrem Bewußtseyn
befangen, daher die Voraussetzung eines absoluten Nicht=Ichs
ganz irrig sey, und also nichts existire als Ichheit, so kann
er doch keinen ganz leeren Schein annehmen, denn der kann
ja nicht neben der unendlichen Realität bestehen, an die doch
alle Idealisten durchaus glauben, von der sie alle überzeugt
sind; er kann eben so wenig neben der unendlichen Realität,
als das Nicht=Ich neben dem Ich bestehen. Ein so mannichfaltiger
und weit ausgebildeter leerer Schein wäre eine ganze Welt
von Nichts; wie kann aber eine leere Welt von Nichts neben
der Gottheit in der unendlichen Realität, wie kann ein lee=
rer Schein in der unendlichen Realität existiren?

Wollte man daher der willkürlichen Erdichtung und Vor=
aussetzung in der Philosophie einmal so viel Spielraum geben,
als doch theilweise viele Idealisten zur Lösung des Räthsels
gethan, so sollte man die Eindrücke aller Naturerscheinungen
auf die vorhin angegebene Art als Worte ansehen, die auch
nicht der Gegenstand selbst sind, uns jedoch als ein Medium
mit demselben verständigen, als Ausdrücke also, als halbver=
ständliche halb unverständliche Worte verwandter aber gefessel=
ter Geister, die sich nicht verständlich machen können, uns
bald zu klagen, bald ihre innere Natur auszusprechen und zur
Freude oder Trauer aufzufordern scheinen u. s. w. So wie z. B.
der Gesang der Nachtigall jemanden, der ihn fühlt, wie die
halb verständliche halb unverständliche Sprache eines uns zwar

verwandten, aber von uns getrennten Wesens, wie die dunkle, unverständliche Sprache eines gefesselten Geistes, der uns ansprechen, sich deutlich machen will, vorkommen muß.

Alsdann wäre es ein bedeutender Schein, und alles wäre nur Ich, könnte sich daher auch mit der Idee einer unendlichen Realität besser vertragen, die denn doch das einzige ist, was den Idealismus zum Idealismus macht, da er, wenn man diese wegnähme, auf die Selbstbetrachtung des individuellen Ichs beschränkt würde, zu einem subjectiven Empirismus herabsänke.

Diese Denkart wäre verständlicher als die jener Idealisten, welche den Schein dadurch, daß sie ihn gesetzmäßig gemacht, so unendlich vervielfältigt und in eine Welt von Nichts verwandelt haben; es mag dies auch wohl der Grund seyn, warum man in dem Fichteschen System viel Aehnlichkeit mit dem Pantheismus gefunden, der uns in den bodenlosen Abgrund von Leerheit und Nichtigkeit stürzt.

Zur Erklärung eines solchen bedeutenden Scheins braucht nicht allein kein Nicht-Ich angenommen zu werden, wie wir das eben gezeigt haben, sondern es läßt sich auch, die Mehrheit bedingter Geister vorausgesetzt, im Ich selbst ein Grund von diesem bedeutenden Schein angeben. Ja man kann ihn selbst, vorausgesetzt daß dies möglich, als Gemeinschaft des unbedingten Geistes mit dem bedingten ansehen.

Soll hingegen der leere Schein erklärt und abgeleitet werden, so führt er nothwendig zur Annahme eines Nicht-Ichs; will man ihn, wie Kant und Fichte, gesetzmäßig beduziren, und nicht, wie Leibnitz und Berkeley, die größte Willkür zur Hülfe nehmen, so muß man nothwendig als Grund des leeren Scheins ein Nicht-Ich gelten lassen.

Auf jeden Fall kann der leere Schein nur als Schranke der Ichheit betrachtet werden, und zugegeben, daß dieses eine Selbstbeschränkung ist, so kann, wenn, wie schon gesagt worden, die Ichheit nicht wieder ganz der Willkür Preis gegeben, sondern alles durch Gesetzmäßigkeit aus der Ichheit selbst erklärt werden soll, zu dieser Selbstbeschränkung doch kein Grund in der Ichheit selbst liegen, wohl aber in etwas außer dem Ich, was dieses. bestimmt, sich selbst zu beschränken.

Kant erklärt diese Nothwendigkeit gar nicht, läßt sich gar nicht auf das Entstehen und die Veranlassung dieser Gesetzgebung durch ein Etwas ein, noch auch ob das Ich sie sich selbst gegeben?

Bei Fichte ist dies aber auf die schon zum Theil angegebene Weise ausführlich auseinandergesetzt. Bei ihm gibt das Ich sich selbst Gesetze; nur fragt sich, ob dies willkürlich oder nothwendig geschieht? Im ersten Fall fände die allerwildeste Willkür statt; sind die Gesetze aber nothwendig, so wird, indem der Grund dieser Nothwendigkeit nicht im Ich selbst liegen kann, dasselbe etwas fremdem unterworfen und subordinirt.

Das Etwas hat eben dadurch die Priorität, weil, da die ganze Gesetzgebung aus dem Anstoße des Etwas kommt, einestheils ohne Anstoß das Ich ewig ohne Gesetzgebung geblieben wäre, anderntheils aber durch den Anstoß die ganze Selbstgesetzgebung des Ichs nothwendig, alle Gesetze durch diesen Anstoß bestimmt, und insofern das Ich durch das Etwas regiert und begränzt wird.

Das Resultat fällt also dahin aus: die Idealisten werden zur Erklärung der Selbstbeschränkung oder Begränzung des Ichs, die durch Annahme eines leeren Scheins entsteht, zur Annahme eines unbekannten Etwas gezwungen, welches den ersten Anstoß, Anlaß zu einer Selbstgesetzgebung gibt, und dadurch eben so wie der leere Schein das Ich begränzt. Und so würde das eine immer wieder zu anderem führen, bis ins Unendliche, ohne dadurch die Aufgabe befriedigend lösen zu können, da ja der Fehler im ersten Satz liegt, und sich durch alle Subtilisirung und Potenzirung nicht wegbringen läßt; es wird auf diese Art immer noch etwas, wäre es auch das feinste Atömchen, außer, neben und über dem Ich bleiben.

Wir finden, daß der eigentliche Grund, die Veranlassung zu dieser Selbstbeschränkung bei allen vorhandenen Idealisten willkürlich ist, so daß man füglich behaupten kann:

Willkür in der Selbstbeschränkung ist der Natur des Idealismus gemäß, und macht zugleich einen Bestandtheil seines Systems aus. Durch eine nähere Untersuchung wird sich dies deutlicher ergeben. Jeder Idealist macht dem andern den Vorwurf, daß er auf halbem Wege stehen geblieben, und verfällt selbst in diesen Fehler. So finden wir diese Willkür in der Selbstbeschränkung bei Leibnitz sowohl als bei Kant, bei Fichte sowohl als bei Leibnitz.

Wir haben schon gesagt, daß dieser anfänglich sein System von den Monaden vorgetragen, und dann nachher zu der Hypothese von der prästabilirten Harmonie seine Zuflucht genommen hat.

Dieses Monaden-System ist, so atomistisch es auch scheinen mag, doch sehr idealistisch, insofern nämlich darin den Monaden eine unendliche, stufenweise und stetig sich entwickelnde Ausbildung, eine unendliche Gradation in der Perfectibilität beigelegt wird; und nun lassen sich hiebei zwei Fälle denken: entweder hat Leibnitz diese unendliche Entwicklungs- und Ausbildungsfähigkeit ganz willkürlich angenommen, als nun einmal von der Gottheit so beliebt — oder er hielt sie in der Natur des Bewußtseyns selbst gegründet, erklärte sie nothwendig aus der Natur des Bewußtseyns. Dieser letzte Sinn läßt sich wenigstens hineinlegen. Man kann ihm also, obschon er sich nicht deutlich darüber erklärt hat, diese (vor jener willkürlichen) höhere idealistische Meinung nicht absprechen; nur folgt daraus, daß er dann auch jenes Prädicat der Gottheit nothwendig hätte beilegen müssen, und dadurch zu der Idee einer werdenden Gottheit gekommen wäre, wodurch doch Fichte so viel Anstoß gegeben hat. Dies mag ihn nun auch vielleicht bestimmt haben, umzukehren und sich selbst Schranken zu setzen, um sich in seinen Speculationen nicht zu weit zu verlieren. So muß man sich wenigstens erklären, wie er sein Monadensystem unausgeführt stehen ließ und überging zu der Idee einer prästabilirten Harmonie. Gerade wie Leibnitz schritten die meisten Idealisten nicht muthig fort in ihren Versuchen, sondern hielten sich, wie dieser, auf halbem Weg willkürlich selbst auf und kehrten zurück. Bei Kant und bei Fichte besonders ist dies der Fall gewesen. Letzterer sah wohl ein, daß sein System, consequent durchgeführt, ihn zu der größten Schwärmerei führen würde.

Und was ist endlich der Glaube bei Kant und Fichte anders, als eine willkürliche Zerschneidung des Knotens, dessen Schlingung ihr System selbst herbeigeführt hat?

Diese Furcht, sich zu weit in Speculationen und Schwärmerei zu verlieren, dies willkürliche Stillstehen oder Zurückkehren, welches wir so fast bei allen Idealisten wahrnehmen, läßt sich auf folgende Art leicht erklären.

Was dem Menschen am meisten Furcht erregt, ist absolute Einsamkeit. Nun ist aber der Idealismus gerade das System, worin der Geist völlig isolirt, ihm alles, wodurch er mit der gewöhnlichen Welt verwandt ist, weggenommen wird, so daß er allein und völlig beraubt dasteht. Dieses ist als die eigentliche Ursache jenes Phänomens anzusehen, und wird zum Theil noch klarer werden durch den folgenden Abschnitt von den Verhältnissen der höhern Arten von Philosophie unter einander, worin unter andern der leichte Uebergang des Idealismus zum Pantheismus und Skepticismus gezeigt wird.

Nachdem wir nun zwei wesentliche Bestandtheile des Idealismus: die Auflösung aller körperlichen Erscheinungen in leeren Schein und die Willkür in der Selbstbeschränkung charakterisirt und kritisirt haben, bleibt uns noch eine dritte, zur vollständigen Charakteristik des Idealismus unentbehrliche Betrachtung übrig: die des Princips der Thätigkeit.

Indem der Idealist alle Gegenstände außer ihm, das Ding an sich, das Nicht=Ich, leugnet, kämpft er eigentlich gegen zwei Begriffe; denn der Begriff des Dinges an sich, des Nicht=Ichs, enthält zwei Bestandtheile: das Seyn und das Endliche.

Gegen das Endliche streitet er zwar nicht absolut, er spricht ihm nicht, wie der Pantheist, absolut alle Realität ab, er läßt ihm eine relative, abgeleitete, secundäre, nur gleichsam Realität; dem Seyn aber leugnet er alle Realität ab, erklärt es für bloßen Schein. Dieses ist ganz natürlich und seiner Denkart angemessen, da das Seyn der Idee der Ichheit gerade zu entgegengesetzt ist: der Geist ist thätigres Leben: Ichheit; Geist, Leben, Thätigkeit, Bewegung, Veränderung sind alle eins. — Das Seyn aber besteht in steter Ruhe, Stillstand, Unbeweglichkeit, Abwesenheit von aller Veränderung, Bewegung und Leben, d. h. im Tod.

Und hierin sind die Idealisten den alten griechischen Physikern und Skeptikern ähnlich, welche behaupteten: alles sey in einem steten Fluß, in unaufhörlicher Veränderung und Veränderlichkeit, denn wo Leben und Thätigkeit, wie sie als Grundprincip der Natur annehmen, ist auch Veränderung u. s. w.

Diese Seite ist auch in Fichte nicht allein mit Klarheit, sondern auch mit vieler Beredsamkeit gezeigt, und überhaupt wohl der vorzüglichste Theil seines Idealismus.

Mit dieser Charakteristik des Idealismus ist nun die Charakteristik sämmtlicher Arten von Philosophie vollständig geworden. Wir haben davon überhaupt sieben gefunden. Die vier ersten Gattungen zeigten sich durch Widerspruch und Nichtigkeit in ihren ersten Principien ganz verwerflich; sie sind ganz unphilosophisch, stimmen mit der Idee der Philosophie, die doch ihre Bekenner selbst annehmen müssen, gar nicht überein; die drei letztern aber: Intellectueller Dualismus, Idealismus und Realismus, sind auf dem Weg zur wahren Philosophie und verdienen deswegen vorzugsweise unsre Aufmerksamkeit; sie hängen auch, wie die untern Arten, zusammen, gehen in einander über, und da es eben ihrer gegenseitigen geringern oder größern Unvollkommenheit wegen sehr wichtig ist, ihre wechselseitigen Verhältnisse unter einander zu zeigen, widmen wir diesem Zweck einen eigenen Abschnitt.

4.

Von den wechselseitigen Verhälnissen des Realismus, intellectuellen Dualismus und Idealismus.

Die Verschiedenheit der intellectuellen Philosophie von dem Idealismus besteht nicht allein darin, daß erstere auf eine bloße Verherrlichung und positive Constitution des Verstandes als Weltbildner, als erstes Princip ausgeht, kurz, daß ihr Anfangspunkt positiv ist, dahingegen letzterer alle Materie leugnet, also auf eine negative Constitution des Verstandes ausgeht, sein Anfangspunkt negativ ist — denn dieses ließe doch auf eine große Uebereinstimmung schließen; — sondern es besteht auch noch trotz dieser scheinbaren Uebereinstimmung, worin sich jene Verschiedenheit auflösen dürfte, ein bedeutender Unterschied in den gegenseitigen Principien über Realität:

Der Idealismus leugnet die Realität aller Materie und nimmt nur die Denkgesetze des bedingten Ichs an.

Die Intellectual-Philosophie gibt hingegen theoretisch der Materie (freilich als Urgrund aller Beschränkung des Geistes und alles Uebels) völlige Realität, und erkennt die Denkgesetze des menschlichen Geistes als Gesetze des göttlichen Verstandes, gibt ihnen als solchen Realität.

Der Idealist leugnet die Realität der Ideen außer uns, da doch der Intellectual-Philosoph die Ideen außer uns als real, als Theile der intellectuellen Welt, als Theile der Gottheit annimmt.

Der Idealist betrachtet sie nur als subjectiv, als Gesetze der bedingten Ichheit, gibt ihnen nur eine relative Realität; der intellectuelle Philosoph aber eine objective Realität.

In so weit steht also der Idealismns auf einer höhern Stufe von Realität, seine Realität liegt auf einem Gebiet, auf das sich die Intellectual-Philosophie in der Speculation gar nicht einläßt, und scheint daher vor der Intellectual-Philosophie den Vorzug zu verdienen, wie sich denn auch in der Ge=

schichte der Philosophie nachweisen wird, daß die Intellectual-Philosophie vor dem Idealismus existirt hat.

Es gibt indessen noch eine ältere Art Idealismus, die lange vor der Intellectual-Philosophie existirt hat, dieser ist hier nicht gemeint. Es ist ein roher, natürlicher, formloser Idealismus, der, streng genommen, nicht zur Philosophie gerechnet werden kann, da er zu einer Zeit existirte, wo Philosophie noch nicht für sich bestehend, sondern noch Mythologie und Religion war.

Es war dieses eine Ansicht der Welt als voll von belebten Creaturen, als einer Welt, worin nichts unbelebt wäre; alles, was man nun einzeln als Individuum denken konnte, Pflanzen, Sterne, Gestein ꝛc. wurde als belebt gedacht, alles wurde personificirt, alle Wesen als empfindend und handelnd aufgestellt. Diese Denkart, Hylozoismus genannt, ist, so paradox der Idealismus in einer systematischen Form in einem System erscheint, bei allen ältesten rohen Völkern herrschend gewesen — immer früher als die Ansicht der Dinge als leblos und gedankenlos; ja wir finden, daß den ältesten Menschen die Vorstellung eines Dings ohne Leben ganz unmöglich gewesen, und also daher ein so ganz natürlicher ungekünstelter Idealismus (der Hylozoismus) entstanden ist. Der Begriff lebloser Dinge ist viel spätern Ursprungs. So merkwürdig es nun ist, daß der menschliche Verstand sich in den ältesten Zeiten immer zu jener Denkart bekannt, so nothwendig ist eben daher die Untersuchung, ob sie dem menschlichen Verstand wirklich natürlich oder zufällig ist? Wie ungefähr die Antwort ausfallen dürfte, läßt sich aus dem bisher Gesagten, besonders aus dem in Rücksicht des idealistischen Princips der Thätigkeit, zum Theil ahnen; indessen kann hierüber das Eigentliche erst späterhin vollständig erklärt werden.

Vergleichen wir diesen ursprünglichen Idealismus mit der Intellectual-Philosophie, so finden wir folgendes: der Hylozoismus liegt allen Mythologien zu Grunde; er ist in der Form roh, ohne Präzision (und strenge philosophische Consequenz). Kurz der Idealismus erscheint in seiner ersten Gestalt ganz als

Mythologie; es ist hier das Dichtungsvermögen, die Phantasie vorherrschend, und diese geht ins unbestimmte Allgemeine; der Idealismus hat hier einen productiven Verstand, ohne Rücksicht auf Urbilder, auf Tugend, Schönheit und Vollkommenheit.

Dahingegen neigt und führt der intellectuelle Dualismus durchaus mehr zur Kunst; in ihm verwandeln sich alle Zweige des menschlichen Lebens und Thuns in Kunst; sein Verstand ist ein unproductiver, ein Verstand, der blos auf Bildung des Einzelnen zur höchsten Vollkommenheit ausgeht, das heißt nach den Ideen des Guten, Schönen und Vollkommenen, deren Wesen aber eben wieder in der Bildung besteht. Nach dieser Denkart ist alles nach Urbildern geschaffen, alles bestrebt sich, diesen Urbildern ähnlich zu werden und dadurch an dem göttlichen Leben Theil zu nehmen, denn je größer die Annäherung zu den Urbildern, desto mehr hat der Mensch Antheil an dem ewigen, wahren, unveränderlichen Seyn; alles ist also in einem steten Bilden und Vervollkommnen begriffen. Bilden, Nachbilden nach wiewohl unerreichbaren Urbildern ist aber eben Kunst; denn Hervorbringung eines Werks (Kunstwerks) in einem gegebenen Stoff durch Nachbildung eines Urbildes, durch Herrschaft des Geistes sind, wo nicht das Wesen, doch die nothwendigen Bedingnisse der bildenden Kunst.

Dem Geist nach ist also der intellectuelle Dualismus der bildenden Kunst ähnlich, ihm liegt das Bildungsvermögen, der bildende Verstand zu Grunde.

Doch dies ist nur episodisch, und um dann zugleich auch zu zeigen, daß ebenfalls von dieser Seite die Verschiedenheit des Idealismus von der Intellectual‑Philosophie groß ist. Wir kehren nun wieder zu unsrer ersten Vergleichung des systematischen Idealismus mit der Intellectual‑Philosophie zurück.

Der Unterschied ist wie gesagt troß der scheinbaren Aehnlichkeit dennoch sehr groß. Was dem einen Realität ist, berührt der andere gar nicht, oder leugnet es.

Bei den Intellectual‑Philosophen kommen die nothwendigen Denkgesetze, die sich die bedingte Ichheit für die sinn‑

lichen Erscheinungen oder die sinnliche Welt überhaupt selbst setzt, (als Selbstbeschränkung) gar nicht vor: bei Plato ist dergleichen gar nicht zu finden.

Dagegen leugnen die Idealisten die Materie, welche jene annehmen, gänzlich, erklären die sinnlichen Erscheinungen, wofür das bedingte Ich sich die Denkgesetze setzt, für bloßen Schein, geben ihm nur relative Realität, und kennen nichts von Intelligenzen und Urbildern.

Insofern sind sie sich doch endlich wieder verwandt, als beide darauf ausgehen, den Verstand zu verherrlichen, ihn als das Urprincip von allem aufzustellen. Es lassen sich auch der Berührungspunkte mehrere nachweisen, und es ist sogar möglich zu zeigen, wo eins in das andre übergehen muß, wie sich weiterhin ausweisen wird.

Zuerst wollen wir darthun, wie der Idealismus, der immer nur durch einen skeptischen, sophistischen Sprung von der Theorie zur Praxis übergeht, eben zum Behuf der Praxis die Intellectual-Philosophie in sich aufnimmt.

Der natürliche Idealismus würde sich ohne das äußerste Streben nach System und Methode ganz in willkürliche Dichtungen verlieren, wie wir dies vorhin bei Anführung dieser Gattung gesehen haben; nun beruht aber das Systematische auf dem Begründen, und begründen läßt sich wieder nichts, ohne eins aus dem andern herzuleiten. Der Idealist, der nichts als Ichheit annimmt, kann also diese nicht als ein verkettetes Ganzes aufstellen, wenn er nicht das eine aus dem andern herleitet. Wie kann er aber dies, ohne den Geist zu scheiden in eine unbedingte und bedingte Ichheit?

· Will also der Idealismus nicht auf alle wissenschaftliche Form Verzicht thun, sollen Gesetze und Methode darin gebracht werden, so muß er, eben um systematisch zu seyn, eine bedingte Ichheit annehmen. Nun wäre Ableitung dieser bedingten Ichheit aus der unbedingten die natürlichste; es entstände dann Pantheismus und Realismus; diesen fürchten die Idealisten aber eben so wie den unendlichen Spielraum einer freyen, ja willkürlichen Phantasie, und eben diese Furcht einerseits vor dem Realismus, andrerseits vor jener Schwärmerei, welche der natürliche wissenschaftlose Idealismus herbeiführt, bestimmt sie immer, sich an irgend einem Ort ihres Systems, irgend auf einer gewissen Stufe ihres Denkens selbst Schranken zu setzen.

So retten sie sich nur durch die kühnste, gewagteste, willkürlichste Hypothese von dem Realismus, leiten das Wirkliche aus dem Möglichen, das Nothwendige, die Gesetze aus dem Nicht-Ich, aus dem Etwas außer dem Ich her; sie geben der bedingten Ichheit den Vorrang vor der unbedingten, nehmen sie als die höchste Realität an, die unbedingte Ichheit setzen sie blos als möglich voraus, sie ist ihnen blos Grund um Grund zu seyn, ist nicht wirklich, also an und für sich nichts. Dennach fällt denn auch die Möglichkeit der Erkenntniß Gottes weg, und entsteht aus moralischen Gründen die Nothwendigkeit oder vielmehr die Nöthigung, der theoretischen Philosophie noch eine eigene praktische anzuhängen, die man dann doch nie in Uebereinstimmung bringen konnte noch kann, denn bliebe man in dem Idealismus streng bei der Theorie, so müßte alle Praxis wegfallen. Eine solche Trennung der Speculation und des Lebens ist nicht philosophisch, ein Glaube, der vom Wissen getrennt und diesem entgegengesetzt wird, ist nicht mehr Philosophie.

Um aber wieder zurückzukommen auf die Aufnahme der Intellectual-Philosophie in den Idealismus, so ist schon gesagt worden, daß die Intellectual-Philosophie eben in moralischer Rücksicht die schönsten, besten und angemessensten Resultate liefert. Es ist also natürlich, daß sie deshalb und insofern von dem Idealismus in sich aufgenommen wird.

So finden wir bei Kant und Fichte in der Moral ein großes Zusammentreffen mit den Stoikern, welche sich ihres Theils in Rücksicht des Verhältnisses der Moral zu ihrer speculativen Philosophie auch fast ganz so verhalten wie jene; in speculativer Hinsicht waren sie durchaus skeptisch, und in moralischer nahmen sie die Idee des Plato auf.

Auch kann man kühn behaupten, daß ohne jenes freiwillige Aufhalten der Idealisten aus moralischen Gründen Fichte in den Pantheismus gerathen und Leibnitz nothwendig ein Atheist geworden seyn müßte; denn wozu bedarf es bei den Leibnitzischen von Ewigkeit her präformirten, jede für sich als eine abgesonderte Welt bestehenden Monaden einer Gottheit?

So wie der Idealismus durch Aufnahme der Intellectual=Philosophie in moralischer Rücksicht mit dieser Philosophie in Berührung steht, so auch durch den Uebergang der Intellectual=Philosophie zum Idealismus, welcher in der moralischen Weltbetrachtung entsteht, wenn die Theologie moralisch wird, in der Weltbetrachtung das Moralische die Oberhand behält.

Die Dualisten nehmen den bildenden Verstand als die Quelle alles Sittlichen, alles Guten an, den Grund alles Uebels aber setzen sie in die Unvollkommenheit und Unfähigkeit des Stoffs; das Uebel wird hierdurch auf bloße Unvollkommenheit, Beschränktheit reduzirt, mithin als ein Positives aufgehoben; da nun aber in der Intellectual=Philosophie selbst kein Grund vorhanden, die Unvollkommenheit der Materie als nothwendig aufzustellen, so kann man sich dieses Prädicat, die Nothwendigkeit, sehr gut davon wegdenken; dann wird sie aber frei, setzt einen Willen, eine Thätigkeit voraus, und führt somit zur Idee eines Geistes und zwar eines bösen Geistes, aus dessen Conflict mit dem guten Geiste alles, aber zugleich auch in der ganzen Schöpfung die Beschränktheit und Unvollkommenheit entstanden ist.

Ja um es auch noch mit andern Worten zu sagen: Wenn die unvollkommene Materie als ein Streben nach dem Schlechten, oder als ein Widerstreben gegen das Gute angenommen, und also mit dem Streben ihr zugleich auch ein Leben, also auch eine Seele, ein Geist zugeschrieben wird, so entsteht Idealismus, eigentlich ein idealistischer Dualismus, eine Denkart, der viele christliche Secten ergeben waren, z. B. die Gnostiker, die Manichäer, die aber auch schon früher (abstrahirt von dem was man von den Aegyptern vermuthet) bei den Persern statt gehabt hat, in die Lehre des Zoroaster oder vielmehr der Magier und Chaldäer und übrigens auch in die scholastische Philosophie mehrfach eingeflossen ist.

Was den Uebergang der Intellectual‑Philosophie und des Idealismus zum Realismus betrifft, so ist dieser vom Idealismus zum Theil schon vorhin beiläufig gezeigt worden; er bedarf nämlich zur Ableitung der bedingten Gottheit, selbst der nothwendigen beschränkenden Denkgesetze und der scheinbaren Realität, durchaus einer unbedingten Ichheit; er muß eine unbedingte Ichheit als Quelle unterlegen, und muß also, wenn er dieselbe nicht aus der größten Willkür, als blos hypothetisch betrachten will, nothwendig in den Pantheismus, den Realismus gerathen.

Von der Intellectual‑Philosophie ist der Uebergang nicht allein eben so leicht zu zeigen, sondern er erfolgt auch eben so nothwendig.

Zwei Principien aufstellen, wie die Intellectual‑Philosophie, widerspricht aller speculativen Vernunft und allem Streben nach System; wenn man also bei völliger Gleichsetzung des **Geistes und der Materie** beide wieder aus **einem** abzuleiten versuchte, das weder Geist noch Materie wäre, ginge man gerade zu dem Realismus über; der Dualismus würde dann nothwendig Realismus werden, wie uns davon Plotin ein Beyspiel gegeben.

Daß der intellectuelle Dualismus, wenn irgend eines von den beiden Principien den Vorzug, daß Uebergewicht hat, bei fortgesetzter Consequenz entweder zum Idealismus oder zum Materialismus werden müsse, wird auch jeder leicht einsehen. Wie denn auch bei Fortsetzung oder Ergänzung eines vorhergehenden Systems die Art von Philosophie, in welche es übergeht, durch das Uebergewicht bestimmt wird, welches das eine oder andere Princip in jenem System behauptet.

Ein Beyspiel ist Aristoteles, der sich, obschon er in vielen Stücken mit Plato in Widerspruch, doch an denselben, als an den Intellectual‑Philosophen, der sich dem Idealismus am meisten nähert, anschließt und anbauet.

Andrerseits ist aus dem Weg selbst, den der Idealist zur Erkenntniß der Ichheit einschlägt, der mögliche Uebergang zur Skepsis leicht zu erklären.

Die Auflösung dessen, was alle andere Philosophien für wahr halten, in leeren Schein führt natürlich sehr leicht zum Skepticismus.

Das Verhältniß der unbedingten Ichheit zur bedingten führt, wenn der Idealist sich vom Realismus zurückhalten will, (indem er dann von jeder Seite von Schein eingeschlossen, einerseits von den Erscheinungen, andrerseits von der Hypothese des absoluten Ichs) zu sehr künstlichen Verwikkelungen und Sophistereien, die sich leicht in Skepticismus auflösen.

Es bleibt uns jetzt nur noch übrig, den Realismus in seinen Verhältnissen zu den andern Arten zu betrachten.

Er verträgt sich durchaus nur mit der Intellectual = Philosophie und dem Idealismus, ist aber untergeordneter, und nimmt überhaupt von denen auf dem wahren Weg sich befindenden Arten von Philosophie die unterste Stufe ein.

Wie gut sich übrigens der Realismus mit jenen beiden andern Arten verträgt, zeigt, daß er sie gar zum Theil in sich aufnehmen muß; — es kömmt nur auf den Grad an, wie weit er darin geht. Er kann es als wirklicher Realismus, d. h. als systematischer Pantheismus, sobald er sich selbst einmal untreu geworden, ganz außerordentlich weit treiben. Der Unterschied dieser Gradation zeigt sich schon in einer Vergleichung des Plotin und Spinoza. Ersterer hat viel mehr Idealismus und Intellectual = Philosophie aufgenommen als letzterer. Aber übrigens ist die mögliche Verschiedenheit dieses Systems durch die Gradation der Aufnahme aus den andern beiden Arten bei weitem noch nicht durch die Versuche der Eklektiker erschöpft.

In Rücksicht der systematischen Einheit hat der Realismus durchaus vor der Intellectual = Philosophie den Vorzug; und insofern er consequenter und systematischer als der frühere unordentliche rohe Idealismus, der Hylozoismus, und dem Charakter aller wahren Philosophie, die doch darauf ausgeht, die ersten unbedingten Ursachen aufzusuchen, angemessener, als der systematische Idealismus, der blos bei der bedingten Ichheit stehen bleibt, verdient er von dieser Seite auch den Vorzug vor dem Idealismus.

Dagegen bleibt er aber nur so lange Realismus, als er seinem ersten Princip sowohl die Intelligenz als die Materialität abspricht; er kann freilich durch Inconsequenz viele idealistische und intellectuelle Ideen in sich aufnehmen, ohne dadurch aufzuhören, Realismus zu seyn; gibt er aber, weil er vielleicht seinen Irrthum einsieht, und sich ins leere Nichts zu verlieren fürchtet, irgend einem der untergeordneten Principien den Vorrang, so hört er auf, Realismus zu seyn, sein erstes Princip bekommt eine oder mehrere Qualitäten, hört auf prädicatenlos zu seyn; nur ist dann auch natürlich, daß er seines Systems der Einheit, Einfachheit wegen der Geistigkeit den Vorrang gibt vor der Materie.

Man bezeichnet noch viele Arten von Philosophie mit andern Namen, als unter welchen wir hier alle die möglich, wenigstens die bisher vorhanden sind, charakterisirt haben. Diese andern Benennungen werden aber nicht durch den Inhalt, sondern blos durch äußere Umstände und Verhältnisse und die daher entstandene eigene Form jener philosophischen Lehren bestimmt. Dem Wesentlichen nach lassen sie sich sammt und sonders auf eine oder die andere der von uns aufgestellten Grundarten zurückführen; es bedarf daher auch weiter nichts, als nur einige Beispiele zu erwähnen. Die vorzüglichsten, als eigene Gattungen gewöhnlich geltenden Philosophien sind die sophistische, die synkretistische, eklektische und scholastische.

Die Sophisten, bekanntlich griechischen Ursprungs, waren meist Skeptiker, doch konnte es in dieser Denkart allerdings auch Empiristen geben, wie dies bei den Franzosen der Fall ist.

Die Synkretisten, welche behaupteten, daß vor ihnen schon Philosophen auf dem rechten Weg gewesen, und die Lehren derselben nur in Harmonie zu bringen und zu verschmelzen suchten, waren durchgehends Intellectual = Philosophen und hingen vorzüglich dem Plato an.

Die Eklektiker haben viele Aehnlichkeit mit ihnen in Rücksicht ihres Strebens, sie wollten keine originalen Denker seyn, sondern begnügten sich, aus verschiedenen Systemen das beste

auszuwählen, nur läßt sich von ihnen nicht sagen, daß sie vorzugsweise zu einer philosophischen Denkart sich bekannt hätten.
Es herrscht darin eine große Verschiedenheit und sogar gibt es
viele unter ihnen, bei denen, mit der genauesten Untersuchung
ihrer Principien, man doch nicht bestimmen kann, daß sie zu
dieser oder jener Art gehören, sondern von denen man geradezu bekennen muß, daß sie ein durchaus gemischtes System haben, wie dies denn bei den Stoikern der Fall ist.

Wenn die Wahrheit sich so stückweise zusammentragen
ließe, und nicht auf einem eigenen originalen Weg aufgesucht
und construirt werden müßte, könnte die Absicht der Eklektiker
ganz zu billigen seyn; aber selbst die Möglichkeit einer solchen
probehaltenden Vermischung zugegeben, bedachten sie nicht genug, wie viel eigenes Selbstdenken dennoch nöthig ist, um aus
so verschiedenen Theilen ein geordnetes haltbares System zusammenzusetzen.

Die Scholastiker endlich, so genannt, weil bei ihnen die
Philosophie ganz vom Leben getrennt, blos auf die Schule beschränkt war, gehören durchgehend zu den Intellectual-Philosophen, wenn auch nicht immer der höchsten Art.

In der historischen Darstellung der philosophischen Systeme
wird alles dieses ausführlicher seine Stelle finden. Ehe wir
zu derselben übergehen, wird es dienlich seyn, eine Betrachtung des Entstehens der verschiedenen charakterisirten Arten der
Philosophie gleichsam als Einleitung vorauszuschicken, gegen-
wärtiges aber damit zu beschließen, weil sie noch mehr der
Charakteristik angehört als der Historie.

Wir beginnen mit dem Skepticismus und Materialismus,
weil diese Denkarten bei dem Menschen sehr natürlich entstehen;
einestheils ist es Schwäche des menschlichen Verstandes, der
immer in Zweifeln schwankt und sich nicht für irgend eine bestimmte Ansicht entscheiden kann, anderntheils sogar auch Stärke und Reichthum des menschlichen Geistes, der, um nichts auf
blinden Glauben anzunehmen, alle mögliche Einwürfe und Gegengründe aufsucht, überhaupt aber ein großer Hang zur Abstraction und innern Furchtsamkeit, wodurch der Skepticis-

mus und mit ihm so unendlich viele Streitigkeiten und Verwirrungen entspringen.

Den Materialismus kann man insofern natürlich nennen,
als bei einer überwiegenden Sinnlichkeit und einer regen, für
die Mannigfaltigkeit der Natur empfänglichen Phantasie der
Hang dazu ziemlich allgemein ist, aber auch noch aus dem bessern Grunde, weil die Größe der Natur dem Menschen so nah
und offen vor Augen liegt, ihn leicht so hinreißt und überwältigt, daß er darüber sein Ich ganz vergessen, sein Gefühl sich
einzig in Bewunderung dieser Kraft und Erhabenheit auflösen kann.

Anders verhält es sich mit dem Empirismus. Dieser geht
aus dem äußersten Verfall des menschlichen Geistes hervor; es
ist Resignation auf die Philosophie aus Unvermögen dazu, die
höchste Schwäche der Vernunft, die sich nicht über die Erfahrung und die sinnlichen Eindrücke zu höhern Begriffen und Ideen
zu erheben vermag; der ihm zu Grunde liegende Charakter besteht nicht sowohl in absoluter Sinnlichkeit, wie meist beim Materialismus, als in gänzlicher Unfähigkeit, sich zum Uebersinnlichen zu erheben, mit einer geringeren Furchtsamkeit wie beim
Skepticismus. Man könnte ihn gleichsam ein Mittelding zwischen diesen beiden Systemen nennen.

Der Pantheismus endlich hat seinen Ursprung lediglich aus
der reinen Vernunft, insofern nämlich der Satz der Identität,
der negative Begriff der Unendlichkeit sein erstes und einziges
Grundprincip ist? Will er sich zu einem wissenschaftlichen System ausdehnen, es wirklich zu einem Inhalt bringen, da er
seiner Natur nach eigentlich nicht anders als ganz inhaltsleer
seyn kann, so hört er auf, reiner Pantheismus zu seyn, indem
er alle positive Ideen, die er zu jenem Behuf an seinen negativen Satz anknüpft, von andern Systemen entlehnen muß.

Hier mag die Bemerkung an ihrer Stelle seyn, daß man
sich das unaufhörliche Wiederkehren der vier Aftergattungen der
Philosophie leicht erklären könne, wenn man nicht so sehr auf
ihre Principien als auf den zu Grunde liegenden Charakter und
auf die Denkarten, wie wir sie hier angegeben, achtet.

Der Ursprung der Intellectual-Philosophie, die in der Geschichte am höchsten hinaufsteigt, ruhet, so weit Geschichte und Tradition selbst führen, auf einer höheren göttlichen Offenbarung; sie ist nicht ganz das eigene Werk ihrer Lehrer, sondern gründet sich selbst deren Vorgeben gemäß, auf Offenbarung und höheren Anschauungen; sie behaupten mehr oder weniger sammt und sonders einen übernatürlichen Ursprung dieser Philosophie und berufen sich auf eine höhere Erkenntnißquelle.

Der Idealismus, besonders der systematische, ist dagegen ganz eigenes Product und Verdienst des Menschen, ein Versuch, was der menschliche Geist ohne fremde Beihülfe gegen alle Schwierigkeiten, die sich ihm entgegensetzen könnten, aus sich selbst hervorzubringen vermöchte, hat also, wie dies auch seine Urheber bekennen, seinen Grund in der Freiheit, ist durchaus ein Werk der Freiheit.

Nähere Bezeichnung des Uebergangs zur historischen Charakteristik.

(Aus des Verfassers Entwurf dieser Vorlesungen.)

Der Zweck der historischen Untersuchung ist: 1) das Primitive der Philosophie überhaupt aufzusuchen, 2) die genetische Erklärung der gegenwärtigen Philosophie; worauf also in der historischen Darstellung Rücksicht zu nehmen ist. Was sonst vielleicht nicht wichtig seyn würde, ist es eben in dieser Rücksicht.

Die Untersuchung ist demnach auf die Charakteristik der historisch gegebenen Philosophie, von der man einmal nicht abstrahiren kann, gerichtet, mit besonderer Aufmerksamkeit auf den vorworrenen Zustand derselben. Es ist daher das erste Bedürfniß, sie zu entwirren und zu ordnen. So erhält die Kritik eine historische Bekräftigung und immer mehr speculativen Charakter. In der bisherigen Kritik wurden die Hauptgesichtspunkte und die Principien hervorgehoben, in der Charakteristik ist vorzüglich auf Form und Ausbildung, mithin auf Methode zu sehen. Es dürfte sich dadurch an den Tag legen, daß unser philosophisches Streben einen ganz andern Zweck habe, als was man bis jetzt Philosophie nannte, oder daß alle bisherige Philosophie noch nicht zureiche. Dieses wird die Kritik nun auf einer, in solcher Art erweiterten, Basis um so einleuchtender darlegen können.

Historische Charakteristik der Philosophie nach ihrer successiven Entwicklung.

Jede wissenschaftlich historische Untersuchung hat es nicht allein mit der Charakteristik, Beschreibung, Darstellung eines Gegenstandes zu thun; sondern sie sucht zu dem Anfange, dem Ursprunge des Dinges durchzubringen, und sein Entstehen zu erklären; sie sagt uns nicht nur, was der Gegenstand ist, sondern wie er entstanden ist.

Der historischen Betrachtung der Philosophie nach ihrer successiven Entwicklung kann man die Untersuchung über das Entstehen der verschiedenen Arten der Philosophie aus der verschiedenen Denkart, die ihnen zum Grunde liegt, füglich voraus- schicken. Wir wiederholen dies kurz.

Zuerst sind Skepticismus und Materialismus ihrer Denkart nach ganz natürlich.

Der Skepticismus, sagten wir, entspringt einestheils aus Furchtsamkeit, Schwäche des menschlichen Verstandes, der sich immer mit Zweifeln herumschlägt, und keine Kraft hat, sich zur Erkenntniß des Höchsten emporzuheben; anderntheils aus Stärke, aus Reichthum des menschlichen Geistes, der, um sich nicht der Gefahr auszusetzen, irgend etwas aus blindem Glauben oder ohne die vollkommenste, gründlichste Untersuchung anzunehmen, gegen jede ihm vorkommende Meinung alle er- denklichen Einwürfe, Zweifel und Gegengründe vorbringt, und je erfinderischer er überhaupt ist, desto scharfsinniger und spitzfindiger dabei zu Werke geht, und auf die allerverwickel- testen Streitigkeiten in der Philosophie sowohl als in der Re- ligion führt. —

Den Hang zum Materialismus kann man wohl aus der überwiegenden Sinnlichkeit, verbunden mit einer Phantasie, die groß genug ist, die Mannichfaltigkeit und Fülle der Natur umfassen zu wollen, herleiten. Doch läßt sich noch ein besserer, befriedigenderer Entstehungsgrund auffinden.

Nichts liegt dem Menschen so nah und deutlich vor Augen, nichts spricht ihn so mächtig und erschütternd an, als die Größe der Natur; wer mit empfänglichem Gefühl und regsamer Phantasie sich in die Betrachtung der Schönheit, Pracht und Erhabenheit des Weltalls vertieft, kann sehr leicht davon so hingerissen und überwältigt werden, daß er sein eigenes Ich ganz darüber vergißt, seinen eigenen Geist im Gegensatz gegen diese unermeßliche Größe und Kraft nur für einen unbedeutenden, nichtigen Punkt hält, sich ganz in Bewunderung der Natur und ihrer allbelebenden, allwirkenden Kraft verliert, und den Geist nur als abhängig von ihr, und aus dem Zusammenwirken ihrer Elemente entstanden sich denkt.

Der Empirismus entspringt nur aus dem äußersten Verfalle des menschlichen Geistes, es ist Resignation auf die Philosophie, weil man keine Kraft dazu hat; es ist die höchste Schwäche, die sich nicht über die Erfahrung und die sinnlichen Eindrücke und Empfindungen zu höhern Vernunftideen und Begriffen erheben kann.

Der Pantheismus hat dem eignen Vorgeben nach seinen Ursprung aus der reinen Vernunft. Die Idee der Gottheit, der unendlichen Einheit, worauf der Pantheismus beruht, ist gewiß nicht aus der Erfahrung hergenommen; aber der erste Satz des Pantheismus, a=a (Gott ist Gott, — Alles ist Gott) ist unendlich gewiß, aber ganz leer; es läßt sich aus ihm nichts folgern. Der Pantheist kann seiner unendlichen Einheit keine Prädicate und Qualitäten beilegen; alles verschwindet bei ihm vor dem einzigen Begriff der Einheit (Gottheit), der aber blos negativ ist, durch kein positives Prädicat bestimmt wird (indem nicht gesagt wird, was die Gottheit denn eigentlich sey, sondern blos, daß Gott Alles und Alles Gott sey; der Pantheist hat nur den leeren Begriff der ganz unbe-

greiflichen, ganz eigenschaftslosen Unendlichkeit. Aus sei=
nem ersten ganz inhaltslosen Satze kann nun der Pantheist nichts
anders herleiten und folgern, es also nie zu einem System
bringen, und wo er dies zu thun bemüht ist, und wirklich als
wissenschaftliches System auftritt, da hat er seinen Stoff im=
mer andern Philosophien entlehnt, und an seinen er=
sten inhaltsleeren Satz, jene negative Idee der Gottheit, an=
dere mehr specielle, positive Sätze und Ideen aus fremden
Philosophien angeknüpft. Was also den Ursprung des Pan=
theismus betrifft — so entspringt die erste Idee desselben aus
der reinen Vernunft; da aber aus dieser blos negativen
Idee sich nichts anders herleiten läßt; — so ist jeder detaillirte
Inhalt, den man dem Pantheismus gibt, immer anderwärts her
entlehnt.

Der Idealismus, besonders der systematische, ist ein Ver=
such, alles aus sich selbst hervorzubringen, aus dem Geiste
herzuleiten, und diesen zum Schöpfer und Regierer aller Dinge
zu machen. Wenn dem Materialisten der menschliche Geist
vor der unendlichen Größe der Natur in leeres Nichts ver=
schwindet, so erhebt ihn der Idealist über die Natur und ihre
Kräfte, die seinem Willen dienen und gehorchen müssen. Ist
nach dem Materialisten der menschliche Geist selbst nur aus der
Materie, aus dem Zusammenwirken der Elemente entstanden,
und daher ganz von den Wirkungen der Naturkräfte abhängig
und gefesselt; — so hat nach dem Idealisten die Natur ihren Ur=
sprung nur aus dem Geiste, es gibt nichts außer dem menschli=
chen Geiste für sich Bestehendes, alles Nichtich ist nur Pro=
buct des Ich, die Körperwelt ist nichts wirkliches
außer uns Existirendes, sondern nur etwas von uns Ge=
dachtes, das eben nur in diesem Gedanken sein Daseyn hat;
sie ist der Abglanz unsres Ich, und ihre Gesetze sind die noth=
wendigen Denkgesetze unsres Geistes, alle körperlichen Dinge
außer uns erhalten nur insofern Realität, als der menschliche
Geist sie sich denkt, sich vorstellt, und sind selbst nichts als die
Gedanken und Vorstellungen des menschlichen Geistes,
äußerlich angeschaut; mit einem Worte, der Idealist leugnet

die Exiſtenz aller Körper, der äußern Welt, oder erklärt ſie nur als Schein — und löſt alles in Geiſt auf,
nimmt außer dem Geiſte keine andre Realität an.

Der Urſprung der Intellectual-Philoſophie, die in der Geſchichte am höchſten hinaufſteigt, liegt nach dem eignen Vorgeben ihrer Anhänger in einer höhern göttlichen Offenbarung; die meiſten Intellectual-Philoſophen behaupten dieſen höhern Urſprung ihrer Philoſophie und berufen ſich auf eine
übernatürliche Erkenntnißquelle.

Die hiſtoriſche Unterſuchung der Philoſophie
nach ihrer ſucceſſiven Entwicklung hat nun vorerſt zum
Zweck, den Urſprung der Philoſophie aufzuſuchen.

Die Philoſophie hängt durchaus zuſammen; ungeachtet
der verſchiedenen Arten von Philoſophieen findet doch unter
ihnen eine große Beziehung auf einander ſtatt.

Ein philoſophiſches Syſtem bezieht ſich immer auf ein anderes früheres, entweder, um es zu widerlegen, ſeine
Irrthümer aufzufinden und zu beſtreiten, oder um
es fortzubilden, ſeine allenfallſigen Mängel und Unvollkommenheiten zu heben, zu verbeſſern, es tiefer und feſter zu
begründen, zu vervollkommnen und zu vollenden.

Der Zweck der Philoſophie iſt die Erkenntniß der
höchſten Realität.

Die Philoſophie hat den nämlichen Gegenſtand, wie die
Poeſie, das Unendliche; aber ſie iſt in der äußern Form,
der Art und Weiſe, wie ſie den Gegenſtand auffaßt und behandelt, von ihr unterſchieden.

Die Philoſophie iſt Wiſſenſchaft, die Poeſie Darſtellung des Unendlichen. Die Poeſie begnügt ſich das Göttliche blos anzuſchauen, und dieſe Anſchauung darzuſtel-
len; die Philoſophie ſtrebt nach poſitiver Erkenntniß, nach
wiſſenſchaftlicher Beſtimmung und Erklärung des Göttlichen; ſie geht darauf aus, das Unendliche ſo in ihre Gewalt
zu bekommen, mit der Beſtimmtheit und Gewißheit zu behandeln, wie in dem praktiſchen Leben die Gegenſtände nach be-
ſtimmten Regeln behandelt werden; ſie ſucht das Höchſte nach

Begriffen zu erkennen und zu erklären, und diese Erkenntniß mit systematischer Strenge und Consequenz wissenschaftlich zu construiren. In der Poesie ist das Höchste nur angedeutet, sie läßt es nur ahnen, statt es wie die Philosophie in bestimmte Formeln zu bringen und erklären zu wollen.

Ist nun der Gegenstand der Philosophie die positive Erkenntniß der unendlichen Realität, so ist es leicht einzusehen, daß diese Aufgabe nie vollendet werden kann.

Das Höchste wird sich eben seiner Hoheit wegen nicht in einen Begriff zusammenfassen lassen. Die Erkenntniß eines unendlichen Gegenstandes ist, wie der Gegenstand selbst, unendlich, kann nie vollendet, nie in bestimmten Worten völlig ausgesprochen, nie in den engen Grenzen eines Systems eingeschlossen und zusammengefaßt werden. — Die Philosophie versucht also etwas mit der höchsten Vollständigkeit und Gewißheit zu erklären, was sich seiner Natur nach weder erklären noch bestimmen läßt.

Ist die Erkenntniß des Unendlichen selbst unendlich, also immer nur unvollendet, unvollkommen, so kann auch die Philosophie als Wissenschaft nie geendigt, geschlossen und vollkommen seyn, sie kann immer nur nach diesem hohen Ziele streben, und alle mögliche Wege versuchen, sich ihm mehr und mehr zu nähern. Sie ist überhaupt mehr ein Suchen, Streben nach Wissenschaft, als selbst eine Wissenschaft.

Es wird hieraus klar, wie alle bisherigen philosophischen Systeme, die wir in der Geschichte kennen, nur unvollkommne Versuche geblieben sind, und sich nur mehr oder minder der höchsten Wahrheit genähert haben, wenn sie nicht gar auf falsche Abwege geriethen, und sich gänzlich von ihr entfernten.

Ist nun aber einmal die Erkenntniß des Höchsten das heiligste Bedürfniß des menschlichen Geistes, und ist diese vollendete positive Erkenntniß das höchste Ideal der Philosophie, so ist hiermit dem Philosophen, bei dem es mit dem Aufsuchen der höchsten Wahrheit ernst gemeint ist, die Aufgabe gegeben, sich diesem absoluten Ideale der Philosophie auf alle mögliche Weise zu nähern, und nach seiner Erreichung aus allen Kräften zu trachten. — Dazu nun wird ihm nichts nothwendiger seyn, als die Meinungen und Philosopheme andrer zu kennen, die Mittel und Wege, welche seine Vorgänger gewählt haben, genau zu untersuchen, den Grund des Mißlingens aller bisherigen Versuche aufzufinden, die Fehler, Schwächen, Unvollkommenheiten der verschiedenen Systeme gründlich zu beleuchten, um so, durch die Geschichte der Philosophie belehrt, glücklichere Fortschritte zur bessern, vollkommneren Erkenntniß des Höchsten zu thun.

Jeder nach wissenschaftlicher Erkenntniß strebende Denker soll zuerst die wahre von der falschen Philosophie unterscheiden, er soll die Abwege und Verirrungen, in welche diese gerathen ist, aus der falschen Richtung, die sie gleich anfangs nahm, erklären, er soll den Standpunkt, die ersten Grundsätze, von denen sie ausging, genau untersuchen, um zu zeigen, wie sie auf diesem Wege nothwendig in die gröbsten Irrthümer sich verwickeln mußte, er soll die Denkart, die jedem Systeme zum Grunde liegt, mit kritischem Scharfsinne auffinden, um zu beweisen, wie aus dieser oft so falsche, schiefe Ideen sich erzeugen konnten.

Hat der philosophische Untersucher auf diese Art die falsche Philosophie, ihren charakteristischen Merkmalen nach, dargestellt, und gezeigt, wie sie sich selbst widerspreche, ihren eignen Zweck aufhebe, sich selbst vernichte, und in absolute Unphilosophie sich auflöse: — so wird er seine höchste Aufmerksamkeit auf jene Philosophie richten, welche, ob sie schon die rechte ist, und viel wahres und vortreffliches enthält, dennoch mangelhaft und unvollendet ist in der Construction ihrer Principien, — er soll den Grund dieser Unvollkommenheit aufsuchen, die Ursachen, warum das Streben dieser Philosophie nach wissenschaftlicher Vollendung bisher noch nicht mit einem befriedigendem Erfolge belohnt worden ist, und warum sie von dem höchsten Ziel ihrer Nachforschungen mehr oder minder entfernt bleibt.

Das schwierigste hierauf zu lösende Problem ist die große Verschiedenheit dieser Philosophieen unter sich selbst, das Widerspre-

chende in den philosophischen Systemen, die doch alle den nämlichen Zweck haben, nach dem nämlichen Ziele streben,
und ihrer Verschiedenheit ungeachtet auf dem rechten, wahren
Wege begriffen sind.

Der Widerstreit in den Principien dieser Philosophieen, die
ihrer Tendenz und ihrem Geiste nach die nämlichen sind,
soll, wenn er blos scheinbar ist, vertilgt und gänzlich aus
dem Wege geräumt, wenn er aber wirklich und real ist,
seinem innern Wesen nach angegeben, erklärt und aus seinen
ersten Grundursachen entwickelt werden.

Der philosophische Forscher wird bei dieser schwierigen Untersuchung den Gang der Philosophie durch alle Stufen ihrer
Entwicklung und Fortbildung, bis zu ihrem ersten Ursprung, so
weit dieser in der Geschichte sich auffinden läßt, verfolgen, er
wird nirgend einen Ruhepunkt finden, ein System wird ihn immer auf ein anderes früheres hinweisen, er wird die ganze
Kette von Meinungen und Ideen, die sich einander erzeugten,
sich wechselseitig bestimmten, bis zu ihrem ersten Gliede durchlaufen, und nur stille stehn, wo alle historische Data ihn verlassen, und der historische Anfang der Philosophie sich in un-
durchbringliches Dunkel verliert.

Es hat Philosophen gegeben, welche die freilich sehr richtige Behauptung, der Philosoph müsse Selbstdenker seyn,
so stark übertrieben, daß sie vorgaben, der Philosoph müsse sich
um die Meinungen und Ideen andrer gar nicht bekümmern,
diesen gar keinen Einfluß auf die eigne Denkart gestatten, ganz
unabhängig von fremdem Unterrichte, mit absoluter Selbstständigkeit, seine eigne Denkart bis zur höchsten Vollkommenheit
entwickeln und ausbilden, und seine Philosophie rein aus sich
selbst erschaffen. Zu diesem Zwecke müsse er alles früher Ge-
lernte gänzlich zu vergessen suchen. — Dieses Vergessen alles
früher Gehörten und Gelernten, wenn es auch schon an sich
nicht ganz unmöglich und der Natur des menschlichen Geistes entgegen wäre, würde den Philosophen nur einem blinden Einflusse fremder Meinungen auf seine Denkart aus-
setzen.

Einmal ist es denn doch nicht möglich, alle fremden Ideen und Begriffe, die man früher aufgefaßt, ganz aus dem Gedächtnisse zu verlieren und zu vertilgen; und gelänge dies auch, so haben sich doch **aus ihnen andere Ideen und Begriffe entwickelt**, die mit jenen frühern, es sei nun auf welche Weise es wolle, bald näher, bald entfernter zusammenhängen.

Nichts wird das eigne Selbstdenken kräftiger und wirksamer erregen und unterhalten, als die Bekanntschaft mit fremden Meinungen und Gedanken.

Es ist der Natur eines endlichen Geistes zuwider, daß ein Einzelner das ganze Reich der Philosophie, der Wissenschaft und Erfahrung völlig umfassen und beherrschen, und ohne allen fremden Einfluß, ohne Unterricht und Belehrung aus eigner Kraft und Fülle des Geistes eine absolut unabhängige, selbstständige, reine Denkart hervorrufe. Das Ganze der Litteratur ist einer unendlichen Vervollkommnung fähig, die größten Geister aller Nationen und Zeiten haben dieses große Ganze nur weiter fortgebildet, nur reicher und mannichfaltiger entwickelt, nur schöner, herrlicher gestaltet. Was jeder von ihnen aus dem Reichthum seiner Erfindungen der ursprünglichen Masse hinzugefügt, wie aus diesen so mannichfaltigen, so verschiedenen Producten des menschlichen Geistes das Ganze sich allmälig entwickelt und vervollkommnet habe, ist dem vorzüglich zu wissen nöthig, der die Geschichte des menschlichen Geistes durch alle Stufen seiner Bildung zu erforschen strebt. Auf diese Art wird er das Gebildetste, was der menschliche Geist je hervorgebracht hat, kennen lernen, er wird das successive Entstehen und Ausbilden jedes Zweiges, jeder Gattung von Kunst und Wissenschaft, in denen der menschliche Geist sich allmälig entfaltet, so weit ihn immer die Geschichte führt, verfolgen; er wird die Fortschritte, die man in ihnen gemacht, genau abmessen, die Hindernisse, die diesen in den Weg gelegt, sie gehemmt und oft zurückgedrängt haben, genau untersuchen und prüfen, und auf diese Art die Stelle, die er selbst in dem großen Ganzen einzunehmen, die Art und Weise, wie er zu seiner Fortbildung und Bereicherung mitzuwirken habe, leicht und sicher bestimmen können.

Was bei der Litteratur überhaupt, das ist in demselben Grade auch bei der Philosophie der Fall; auch sie ist ein eben so zusammenhängendes Ganzes; die neuere Philosophie ist doch nur Fortsetzung, Ergänzung, Verbesserung der alten, und es ließe sich in den meisten neuern Philosophieen wohl wenig ganz Neues, ganz Originelles, und was nicht auch schon von den Alten auf gewisse Art vorgebracht sey, auffinden.

Die Gegenstände, womit sich die Philosophie beschäftigt (die Existenz der Gottheit, die Natur der Dinge, der Ursprung der Welt, die Bestimmung des Menschen rc. rc.) sind so oft und von so verschiedenen Seiten beleuchtet, geprüft und behandelt; die Fragen, deren Beantwortung dem menschlichen Geiste so dringendes Bedürfniß ist, sind auf so vielfache Weise zu lösen versucht worden, der Formen und Methoden, das Höchste zu bestimmen und zu erklären, sind so viele und so verschiedenartige erfunden und ausgebildet, — daß der Philosoph, der alle diese Bemühungen und Versuche nicht genau kännte, nicht wissen würde, was in seiner Wissenschaft schon geleistet, wie weit sie fortgeschritten, welche Hindernisse sie angetroffen, ob sie diese aus dem Wege geräumt, oder von ihnen aufgehalten worden, wo sie stehen geblieben, oder wohl gar rückwärts gegangen sey, was also noch zu thun übrig, welche Fehler man zu vermeiden habe, welche Mittel und Wege zu versuchen, von welchem Punkte auszugehen, um sich einer größern Vollendung mehr und mehr zu nähern.

Der Philosoph, der sich um die Meinungen und Ideen seiner Vorgänger gar nicht bekümmern wollte, würde nie sicher seyn, daß die Gegenstände seiner Untersuchung nicht schon vor ihm gründlich und erschöpfend behandelt worden, er würde Dinge wiederholen, die schon andre, und vielleicht besser gesagt haben, er würde statt fortzuschreiten, wo andre stehen geblieben, ganz unnöthig von vorne anfangen, und statt, durch die Mängel und das Mißlingen früherer Versuche belehrt, sich gegen jeden möglichen Irrthum um so sorgfältiger zu hüten, vielleicht auf die nämlichen Abwege gerathen, worauf sich schon so viele verirrt und verloren haben.

Nichts kann dem Philosophen, dem die vollkommenste innere Ausbildung das heiligste Geschäft ist, zweckmäßiger und heilsamer seyn, als den Gang, die allmälige Entwicklung und Ausbildung seines eignen Geistes zu übersehen, den Einfluß fremder Meinungen auf sein eignes Gedankensystem gründlich zu untersuchen, die ersten Anfangspunkte seiner Ideen und Begriffe, ihre mitwirkenden fremden Veranlassungen, die Motive, die ihre fernere Richtung und Entfaltung bestimmten, so wie die ursprüngliche Einwirkung des Unterrichts, der Erziehung auf die spätere Tendenz seines Verstandes deutlich und klar zu erkennen. So wird er das eigne Gedachte von dem fremden unterscheiden, er wird sich von der Richtigkeit seiner eignen Ideen durch das Vergleichen und Zusammenhalten mit fremden genauer überzeugen, und das Entstehen der eignen, selbstständigen, nach höherer Vollkommenheit strebenden Philosophie aus der Unzufriedenheit mit der bisherigen und der sichern Kenntniß ihrer Mängel und Schwächen herleiten und erklären.

Der philosophische Forscher könnte sich nun bei dieser historisch-kritischen Untersuchung über die Philosophie zuerst auf die nächste, die herrschende Philosophie seines Zeitalters einlassen; allein ein oft sehr entferntes, und in Form und Methode sehr verschiedenes philosophisches System kann mit dem entweder neu aufgestellten, oder erst noch vollkommen zu begründenden dem Geiste nach weit mehr verwandt seyn, wie ein gleichzeitig existirendes; wie z. B. die Philosophie des Plato, ungeachtet des antiken Geistes und der große Unähnlichkeit der Form mit den neuern deutschen Philosophien, in Hinsicht ihres Strebens, der Denkart und der Hauptideen, die ihr zum Grunde liegen, weit mehr zusammenstimmt und harmonirt, wie der uns so nahe liegende, so allgemein gewordene Skepticismus und Empirismus.

Die alte Philosophie wird also zuerst die Aufmerksamkeit

des Forschers auf sich ziehen, und zwar soll er diese bis zu ihrem Ursprunge, so weit ihm immer die Geschichte hülfreiche Hand leistet, verfolgen.

Die Frage über den Ursprung der Philosophie überhaupt zerfällt in zwei andere Fragen.

1) In die Frage über den Ursprung aller Philosophie überhaupt, nach ihren Erkenntnißquellen und ihrer Möglichkeit.

2) In jene über den Ursprung der historisch gegebenen Philosophie (der platonischen, aristotelischen, der deutschen, französischen ꝛc.)

Die erste dieser Fragen ist mehr speculativ; es soll hier untersucht werden, ob eine philosophische Erkenntniß als Wissenschaft möglich sey, und wie sie zu Stande komme, wie sie aus dem menschlichen Geiste entspringe, aus welchen Vermögen und Kräften des menschlichen Geistes sie entstehe, auf welche Art und Weise sie aus diesen hervorgehe und sich entwickele.

Die zweite Frage ist historisch; hier soll untersucht werden, wie ein System mit dem andern zusammenhängt, aus dem andern entstand, und dieser successiven Entwickelung soll in ihrer ganzen Folge, wo möglich, bis zur ersten Quelle nachgespürt werden.

Diese zweite Frage wird die Beantwortung der erstern sehr erleichtern, wenigstens den Weg bestimmen, auf welchem man der Beantwortung jener höhern Frage näher kommt.

Wenn man einmal gründlich erforscht hat, wie der menschliche Verstand, so weit seine Geschichte uns bekannt ist, gestrebt hat, sich der Erkenntniß des Höchsten zu nähern, welche Formen und Methoden er gewählt hat, diese Erkenntniß zu umfassen und zu bestimmen, wie er von einer Idee zur andern fortgeschritten, sich nach und nach in den verschiedenen Gattungen der Philosophie entfaltet hat; — so wird die zweite Frage, wie die Philosophie überhaupt aus dem menschlichen Geiste entspringe, sich ohne Schwierigkeit lösen lassen.

Die Geschichte der Philosophie zerfällt in die der grie-

chifchen und neuern; warum man die erftere der leßtern
vorauszuschicken habe, ift schon erflärt worden.

Der hiftorischen Unterfuchung der griechischen Philofophie
fann noch die Frage vorausgehen, ob man durchaus mit der
griechischen anfangen, nicht höher fteigen, diefe aus der frühern orientalischen herleiten foll, und ob überhaupt die orientalische Philofophie nicht in die Geschichte der Philofophie aufzunehmen fey.

Zwei Fragen find bei diefer Unterfuchung zu beantworten.

1) Hängt die griechische Philofophie zusammen mit der
orientalischen, ift fie ein Theil von ihr, oder gar ganz
aus ihr herzuleiten?

2) Kann die orientalische Philofophie aufgenommen werden, find hinreichende Urkunden von ihr vorhanden, die zu
einer hiftorisch-fritischen Unterfuchung über den Geift, die Ent-
ftehung, die Entwicflung, den Zusammenhang, die Form und
Methode derfelben hinreichen?

Diefe beiden Fragen find bald bejahend, bald verneinend
beantwortet worden.

Die verneinenden Beantworter haben Recht, wenn fie behaupten, die Geschichte könne fich nur auf fichere Urkunden,
nicht auf unfichere Traditionen und Ueberlieferungen beziehen
und gründen. Sichere Urkunden find aber entweder ächte
Originalwerke, oder fo vollftändige und gute Charak-
teriftifen und Auszüge von fachkundigen Männern, die
der Quelle am nächften waren, daß fich aus ihnen die Lehren
und Meinungen jener älteften Philofophen ihrem ganzen Zufammenhange nach ausführlich erkennen und auffiellen
laffen.

Beides ift von der orientalischen Philofophie nicht vorhanden. — Man hat zwar aus den Zeiten der Alexandriner Ex-
cerpte aus ägyptischen, phönizischen, chaldäischen, magischen
Philofophemen, aber diefe find fo verworren, fo vermischt mit
griechischen Ideen, aus fo trüben Quellen, oft fo augenscheinlich verfälscht, daß fich gar kein hiftorischer Gebrauch davon machen läßt. — Jene fpätern griechischen Philofophen

glaubten ihrer Philosophie dadurch eine höhere Autorität zu ge= ben, daß sie sie den berühmten ältesten, h a l b f a b e l h a f t e n orientalischen Weisen zuschrieben.

Pythagoras und Plato hätten uns freilich bessere Auf= schlüsse über die orientalische Philosophie geben können, da beide sie gekannt haben, beide manche ihrer Ideen allem An= scheine nach aus ihr geschöpft haben. Plato war selbst in Aegypten, und erwähnt der ägyptischen Philosophie mit großem Ruhme, scheint dieser gar den Vorzug vor der griechischen zu geben; aber mehr sagt er auch nicht über sie, als daß er viel schönes und vortreffliches in ihr gefunden.

Daß es uns also bis jetzt an hinlänglichen Urkunden über die orientalische Philosophie fehle, ist außer allem Zweifel.

Auch behaupten die verneinenden Beantworter der ersten Frage (kann die griechische Philosophie aus der orientalischen hergeleitet werden): die griechische Philosophie müsse a u s s i c h s e l b st erklärt werden, weil sie es k ö n n e, weil sie aus sich selbst entstanden sey, weil die Gedanken der ältesten griechi= schen Philosophen sich durchaus als originelle, e r st e Gedanken ankündigten, und man gar keine Veranlassung habe, sie aus einer frühern, fremden Quelle herleiten zu wollen. — Bei den ältesten ionischen Physikern ist dies wirklich der Fall; ihre Leh= ren tragen wirklich das Gepräge ursprünglicher Selbstständigkeit und Originalität; auch findet sich in der orientalischen Philo= sophie, so weit wir sie bis jetzt kennen, gar nichts ihnen ähn= liches, vielmehr in den Grundideen die höchste Verschiedenheit und Abweichung. a)

Allein ganz anders verhält es sich mit Pythagoras und Plato; bei ihnen finden wir manche Lehren und Meinungen, welche zwar die ersten Principien ihrer Philosophie nicht sind, aber doch zu ihren bedeutendsten Philosophemen gehören, die bei den Griechen entweder g a n z u n b e k a n n t, oder gar völ= lig v e r w o r f e n sind, der allgemein herrschenden Denkart, den religiösen moralischen Ideen und Ueberzeugungen bestimmt widersprachen, — bei mehrern orientalischen Völkern aber a l l g e m e i n a n g e n o m m e n e r G l a u b e w a r e n.

Die Lehre von den Ideen, der Rückerinnerung, welche nicht nur den Neuern, sondern selbst den Griechen so fremd und paradox schien, und gar nicht in ihre Denkart paßte, war bei den Indiern herrschender Glaube, kommt nicht nur in allen Büchern, sondern in Schauspielen vor, die für das Volk bestimmt waren. Nun ist aber doch wohl natürlich, eine einzelne Paradoxie, die mit der übrigen Denkart der Griechen gar nicht zusammenhängt, aus der allgemeinen Lehre und religiösen Ueberzeugung der Aegypter, Indier ꝛc. herzuleiten, besonders, wenn der Philosoph, der diese Paradoxie in sein System aufgenommen hat, diesen Glauben kannte, wie das bei Plato der Fall war.

Von der Lehre über die Seelenwanderung läßt sich bestimmt nachweisen, daß sie von den Aegyptern hergenommen sey; ob diese sie früher von den Indiern überkommen hatten, müßte noch entschieden werden. Wenigstens ist sie so ganz mit ihren übrigen Meinungen und Ideen verwebt, erscheint für die indische Denkart so charakteristisch, daß in keinem alten Schriftsteller von den Indiern die Rede ist, wo nicht auch die Seelenwanderung vorkommt.

Die Frage über die Erklärung und Entstehung der griechischen Philosophie aus sich selbst ließe sich also dahin beantworten, daß dies zwar bei der ältesten ionischen, physischen, nicht aber bei der pythagoräischen, platonischen seyn kann.

Die verneinenden Beantworter der zweiten Frage, ob die orientalische Philosophie in die Geschichte aufzunehmen sey, sind aber offenbar zu weit gegangen, wenn sie leugneten, daß jene Völker wirklich eine Philosophie hatten. — Zwar gaben sie zu, daß die höchsten Vorstellungen über die Gottheit, die Natur der Dinge ꝛc. ihnen bekannt waren, aber sie leugnen, daß diese Materie der Philosophie bei ihnen eine philosophische Form gehabt, daß diese Ideen wissenschaftlich und systematisch wären zusammengefaßt und vorgetragen worden; nur als poetische oder religiöse Vorstellungen und Ideen, nur als allgemeiner Volksglaube hätten sie bei ihnen existirt, und fänden sich so in ihren Schriften aufgezeichnet.

Offenbar nahmen die Philosophen, welche diese Behaup=
tung aufstellten, nur Rücksicht auf das, was Griechen und Rö=
mer uns von der Philosophie dieser alten Völker gesagt haben,
welches aber, wie schon gezeigt worden, ganz unzulänglich,
falsch und verdreht ist, und woraus weder etwas für noch
gegen die Existenz einer Philosophie, als Wissenschaft, bei
ihnen geschlossen werden kann.

Dagegen haben sie die Entdeckungen der Neuern, welche
über diesen Theil der Geschichte der Philosophie ein viel größe=
res Licht verbreiten, und uns noch befriedigendere Resultate
versprechen, wenig oder gar nicht gekannt und geachtet.

Dem Franzosen Anquetil du Perron verdanken wir zuerst
die Bekanntschaft des Zend=Avesta. Wenn er sich überreden
ließ, daß diese Schriften von Zoroaster selbst herrührten, so
hat dieses auch nicht den geringsten Grund von Wahrscheinlich=
keit; — aber es ist eben so gewagt, sie für ganz untergescho=
ben zu halten, und zu behaupten, sie enthielten auch gar keine
Tradition, gar keine sichere Urkunde und Beziehung auf ältere
persische und indische Philosophie.

Es sind meistens liturgisch mystische, liturgisch religiöse
Schriften, Legenden, Liturgien für den priesterlichen Gebrauch;
aber diese sind von der Art, daß sie eine durchgängige
Beziehung auf philosophische Ideen enthalten, und zwar
auf sehr zusammenhängende, die sehr bestimmte Princi=
pien und ein wirklich philosophisches System verrathen.

Die Priesterkaste, die bei diesen Völkern ohnehin im Be=
sitz aller Wissenschaft war, kann ja neben dem religiösen
Vortrag dieser Ideen auch einen wissenschaftlichen
gehabt haben.

Von weit philosophischerm Gebrauch sind nach dem Zend=
Avesta einige von den Engländern übersetzte indische Werke,
die zu den religiösen und dichterischen gehören, wenn gleich
der Inhalt philosophisch ist.

Doch existiren auch in Europa Uebersetzungen von Schrif=
ten, die gar nicht poetisch sind, auch nicht zu dem religiösen
Cyklus von Schriften gehören, und vollkommen beweisen, daß

die Indier eine Philosophie auch der Form nach gehabt haben. Unter diesen kann vorzüglich eins als philosophische Urkunde betrachtet werden, der Bhagavadgita; es ist eine Episode eines großen Heldengedichts, aber nur die Einleitung ist poetisch, übrigens der Vortrag mehr scientifisch; die Sprache ist zwar versificirt, aber so einfach, daß sie sich von der Prosa fast gar nicht unterscheidet, und sich mit der subtilsten philosophischen Form sehr gut verträgt. Es ist dieses Lehrgedicht bei weitem strenger philosophisch in der Form, als jenes des Lucrez, dem man doch eine Stelle in der Philosophie gestattet. — Es trägt die sogenannte Vedanta Philosophie vor; Vedanta heißt so viel, als finis scientiae, finis vedae, wo scientia jene Bücher bezeichnet, die als Quelle alles Wissens angesehen werden; es ist die sich an die Vedas, den herrschenden Glauben, zunächst anschließende Philosophie, die orthodoxe Philosophie der Indier, ein philosophischer Commentar über die indische Religion.

Diese Philosophie ist nun in den wesentlichen Principien außerordentlich übereinstimmend mit der platonischen; was sich hieraus folgern läßt, ist schon gesagt worden.

Es werden im Ganzen vier Systeme indischer Philosophie angegeben:

1) die eben genannte Vedanta Philosophie.

2) Sankhya, dies heißt so viel als Zahl; der Engländer Jones findet in ihr große Aehnlichkeit mit der pythagoräischen.

3) Nyagya. Jones vergleicht sie mit der aristotelischen, sie legte sich besonders auf die Logik, und ließ sich in skeptische dialektische Fragen ein.

4) Mimansa; sie soll mehr moralisch seyn.

Aus diesen Untersuchungen geht nun zur Genüge hervor, daß die Indier eine wirkliche Philosophie auch der Form und Methode nach hatten, und daß es uns einstweilen nur noch an hinlänglichen Urkunden fehlt, um sie in die Geschichte der Philosophie selbst aufzunehmen. h)

Der Beantwortung dieser der Geschichte der Philosophie

vorangeschickten Fragen fügen wir noch die Untersuchung über die Verschiedenheit des griechischen und modernen Geistes der Philosophie in der Form und Methode sowohl, als in ihren äußern Verhältnissen zum Leben bei.

Die griechische Philosophie schloß sich in den ältesten Zeiten nah an die Poesie an, wurde zuerst in Gedichten ausgesprochen, später in dialogischer Form, in dialektischen Gesprächen entwickelt, und mitgetheilt. Diese zweite Form hat sie dem Wesen nach auch immer beibehalten, selbst in spätern Compendien ist die Form dialektisch und rhetorisch, und nähert sich dadurch der dialogischen. Dialektischer Scharfsinn und Entwicklungsgeist, rhetorische Ausbildung, Fülle, Harmonie und Schönheit ist auch bei dem wissenschaftlichen Vortrage nie von den Griechen vernachläßigt worden. Die Philosophie war den Griechen nicht nur Wissenschaft, sondern auch Kunst, auf deren vollkommnere Ausbildung immer ihr vorzüglichstes Augenmerk gerichtet war; so wie aus ihrer großen Neigung zur Dialektik und Rhetorik überhaupt die durchgängig mehr dialogische Form sich begründete und erhielt.

Die neuere Philosophie, deren Ursprung ganz scholastisch ist, hat auch die scholastische, trocken wissenschaftliche Schulform durchgängig beibehalten; selbst jene Philosophieen der neuern Zeit, die sich der scholastischen entgegenstellten, unterscheiden sich in Rücksicht der Form gar nicht von ihr.

Nun kann aber wohl nichts unähnlicheres gefunden werden, als die schöne, poetische und dialogische Deutlichkeit und Klarheit, Scharfsinn und Künstlichkeit der Gedankenentwicklung, Kraft und Lebendigkeit der Darstellung, Schönheit und Eleganz des Styls, mit wissenschaftlicher Gründlichkeit und Bestimmtheit verbundene philosophische Methode der Griechen,— und jene blos regelmäßige, trockne, durchaus abstracte, unlebendige Form der Scholastiker, die nur auf die strengste wissenschaftliche Consequenz sahen, ihre Gedanken und Ideen mit ängstlich systematischer Consequenz in einer geschraubten, übertrieben spitzfindigen, immer ungefälligen, todten, oft dunklen, verworrenen, barbarischen Sprache vortrugen.

Noch größer ist die Verschiedenheit der griechischen und modernen Philosophie in Rücksicht ihres Verhältnisses zum Leben, und die große politische Tendenz der erstern.

Will die Philosophie einmal, wie dies doch bei der griechischen der Fall war, praktisch werden, auf das Leben kräftig und wohlthätig einwirken, Denkart, Sitten und Gebräuche verbessern und vervollkommnen, so werden die Staatsverfassung und die herrschenden Gesetze zuerst ihre Aufmerksamkeit auf sich ziehen, und sie wird von diesen ihre Reform anfangen wollen, um durch eine verbesserte, weisere Gesetzgebung das Volk zum Guten zu leiten und vom Schlechten mit Gewalt zurückzuhalten. Dies wird nun im doppelten Maaße der Fall seyn, wenn die Philosophie in einer Zeit auftritt, wo die Staatsverfassung sehr schlecht und verdorben ist, und ihre Fehler und Gebrechen, so wie ihr schädlicher Einfluß auf Denkart und Sitten offenbar in die Augen fallen.

Schon von den ältesten Philosophen waren viele zugleich Herrscher, Gesetzgeber und Staatsmänner, und dieser beabsichtigte Einfluß der Philosophie auf Staatsverfassung und Gesetzgebung hat sich lange bei den Griechen erhalten. — Nicht nur nehmen Untersuchungen über moralische und politische Gegenstände eine große Rolle in ihren Systemen ein; sondern die Philosophie selbst ging sehr oft in praktische Politik über, hatte mehr moralisch politische, als rein philosophische Zwecke.

Pythagoras stiftete einen Bund, einen moralisch politischen Orden, dessen Zweck nicht nur die Gründung einer neuen Staatsverfassung war, sondern der überhaupt als ein religiöses Institut angesehen werden kann, das die Veredlung und Wiedervereinigung des Menschengeschlechtes mit dem göttlichen Wesen beabsichtigte, und nicht allein durch Lehre, sondern auch durch äußere Gebräuche, Sinnbilder und Zeichen zu wirken suchte.

Sokrates schränkte sich mehr auf die Moral ein, Lebensweisheit im edelsten, höchsten Sinne des Worts, und nicht nur eigne, sondern andern mitgetheilte praktische Lebensweisheit war das Hauptstreben seiner Philosophie; unter allen grie-

chischen Philosophen hat er am meisten auf die Gemüther
seiner Anhänger gewirkt, und die meisten und vortrefflichsten Schüler gebildet. Doch war dieser Einfluß auf die Erziehung nicht blos moralisch, nicht einzig auf die Erziehung des
Individuum beschränkt, sondern es lagen auch politische
Zwecke mit zum Grunde. Sokrates wollte von der Verbesserung der Einzelnen ausgehen, um dem Ganzen eine edlere
Gestalt zu geben, nach dem Grundsatze, man müsse erst die
Menschen bilden und dann die Verfassung.

Plato's politische Absichten und seine Reise zu dem Ty-
rannen von Syrakus sind aus der Geschichte bekannt.

In der stoischen Philosophie war, so viel es die äußern
Verhältnisse erlaubten, viel von dem politischen Geiste der alten griechischen Schulen.

Nach dem Mißlingen dieser politischen Versuche erhielt die
griechische Philosophie eine ganz entgegengesetzte Richtung;
diese hohe politische Denkart hatte sich der Gemeinheit, Schlechtigkeit und Verdorbenheit der Menschen wegen als ganz un-
ausführbar bewährt. Die erhabenen Ideen, die man als
Grundregeln alles menschlichen Wirkens und Strebens aufgestellt hatte, waren mißverstanden, verdreht, herabgewürdigt
oder gar als irrig, der Religion, wie dem Staate höchst gefährlich und verderblich verworfen und verfolgt worden; — es
wurde daher Grundsatz der Philosophen, sich ganz dem bisherigen Leben zu entziehen, die Philosophie vor der leeren Neu-
gier des großen Haufens und den frechen Angriffen der Unwissenheit in das Gebiet der höhern Speculation und den
engen geheimnißvollen Kreis weniger auserwählten Anhänger
und Verehrer zu flüchten, sie widmeten sich einzig der innern
Ausbildung ihrer selbst und ihrer Schüler, der Vervollkommnung
und Vollendung ihrer Ideen und Systeme, erlangten aber durch
diese Isolirung von allen bürgerlichen Zwecken und durch die
Beschränkung auf die eigne geistige Ausbildung dieses blos con-
templativen Lebens eine moralische Kraft, Virtuosität
und Kunst, wie dieses bei den frühern politischen Tendenzen,
wo man mehr nach außen zu wirken suchte, nicht möglich war.

Ganz verschieden von diesem moralisch politischen Geiste der frühern griechischen Philosophie ist die moderne in ihrem Ursprunge, ganz entfernt nicht nur vom bürgerlichen, sondern von allem Leben überhaupt, einzig auf die Schule und schulmäßige Form und Mittheilung beschränkt.

Ganz anfänglich war dies zwar nicht der Fall, der scholastischen Philosophie gingen die Kirchenväter voran; diese als Philosophen schlossen sich an die Form der griechischen und der nach ihr gebildeten römischen Philosophie an, und suchten den antiken schönen Styl beizubehalten und nachzubilden.

Auch mit dem Leben hingen sie näher wie die Scholastiker zusammen, sie waren Religionslehrer; ihre Philosophie als Theologie war Religionslehre, mithin praktisch gesetzgebend für die religiöse Denkart und den moralischen Charakter der Gläubigen.

Als aber späterhin die Philosophie, deren einziges Geschäft es war, die Lehren der Religion zu erklären und das, was diese als Wahrheit und Glaubenssätze aufstellte, zu bestätigen, zu begründen, anfing, sich der Religion entgegenzusetzen, ihre Glaubenslehren, die sie früher als unerschütterliche Wahrheit angenommen, oder als unbegreifliche Geheimnisse über alle Grübeleien erhaben gehalten hatte, zu untersuchen, ihrer Möglichkeit und Begreiflichkeit nachzuforschen, sie zu erklären, als sie sich mancherlei Mißbräuchen, die sich in der Kirche eingeschlichen hatten, kräftig entgegenstellte, fand man es für gut, sie gänzlich von der Religion zu trennen, als gefährlich und verführerisch für das Volk blos auf die Schule und den Schulgebrauch einzuschränken, und ihr als Wissenschaft für sich zwar die vollkommenste Freiheit der Speculation, aber weder moralischen noch religiösen Einfluß zu gestatten.

Aber es gibt noch eine Ursache, die mit dazu beitrug, die scholastische Philosophie von allem ausgebreiteten lebendigen Einflusse zu entfernen, und diese lag in der Sprache, die sie sich gewählt hatte, der lateinischen, die damals nur von wenigen Gelehrten gekannt war.

Die Philosophie, deren Wesen in einem abstracten, dem Menschen nicht natürlichen Kunstdenken besteht, muß sich zu diesem Zwecke auch eine eigne künstliche Sprache schaffen, sie muß diese willkürlich umändern und modificiren, für ihre Ideen und Begriffe sich neue passende Ausdrücke und Worte erfinden, um sich für die deutliche und bestimmte Erklärung und Entwicklung ihrer Lehren ein schickliches Organ zu bilden. Dergleichen Willkürlichkeiten aber lassen sich nur an einer todten Sprache gut ausüben; dies war nun mit der lateinischen der Fall, als die scholastische Philosophie auftrat. Eben dieser ausschließliche Gebrauch einer todten Sprache war schon ein großes Hinderniß mehr, sie ins Leben einzuführen.

Die Philosophie soll zwar als ein Mysterium behandelt, nur wenigen offenbart, der Menge aber vorenthalten werden, aber durch den einzigen Gebrauch der lateinischen Sprache wurde sie denn doch blos auf den gelehrten Stand eingeschränkt und viele Männer wurden karg davon ausgeschlossen, denen jene Sprache nicht bekannt war, welchen es aber übrigens zur philosophischen Untersuchung und Ergründung der höchsten Gegenstände des menschlichen Wissens weder an Beruf, noch an Talent und Genie fehlte.

So wie die scholastische Philosophie vom äußern Wirken sich zurückzog, gewann sie Muße und Kraft, sich mehr der innern Vollendung als Wissenschaft zu weihen, und hauptsächlich war es nun die höchste, zweckmäßigste Ausbildung der strengsten, consequentesten, subtilsten, systematischen Form, womit sie sich beschäftigte.

Doch eben wegen dieser Vollkommenheit der Form, auf die man die höchste Aufmerksamkeit wandte, gewann diese endlich das Uebergewicht; die Philosophie artete in Pedanterei, bloßes Formelwesen und leeres Schulgeschwätz aus, und verlor alle lebendige Kraft und Wirkung.

In Rücksicht des praktischen Einflusses, der moralischen Kraft, der künstlichen Form, der antiken Schönheit des Styls muß nun ausgemacht die neuere Philosophie der griechischen weit nachstehen; doch entsprang ihr hieraus auf der andern Seite

ein Vortheil, den die alte entbehrte: jene durchaus encyklopädische Tendenz, jenes durchgängige Streben nach einer streng
scientifischen Methode; 'eben die absolute Schulbeschränktheit
drückte ihr den Charakter der Wissenschaftlichkeit in einem den Alten unbekannten hohen Grade auf. Diese encyklopädische Tendenz der modernen Philosophen ging dahin, die
Philosophie zur Wissenschaft aller Wissenschaften zu machen,
alle Arten und Zweige des menschlichen Wissens aus ihr herzuleiten, alle Wissenschaften und Künste aus ihr zu beleben, durch
ihre Grundsätze und Ideen zu begründen, zu reformiren, zu
vervollkommnen und neu zu gestalten. Es ist eben nicht schwer
einzusehen, daß diese encyklopädische Tendenz in wissenschaftlicher Hinsicht viel bedeutender ist, wie die moralisch-
politische der Griechen. Dies waren denn doch Zwecke, welche
die Philosophie aus sich selbst herausführten; in dem Bestreben nach äußerm Wirken und Einfluß verlor sie sich oft unter
fremden Gegenständen, vertheilte und verschwendete ihre Kraft
an mißlungene, unnütze politische Versuche, vernachläßigte die
höhere Ausbildung ihrer selbst, und gerieth in Gefahr ganz
aufzuhören das zu seyn, was sie seyn soll — unabhängige,
selbstständige, frei ausgebildete Wissenschaft. — In dem unermüdeten Arbeiten an systematischer Vollendung liegt also der
Unterschied der neuern Philosophie von der alten. Zwar ist
hiermit nicht gesagt, daß unter den griechischen Philosophen
nicht welche waren, die sich eifrigst bemühten, ihrer Wissenschaft die höchste systematische Consequenz, Strenge und Vollendung in Form und Methode zu geben, und sie über alle andern Künste und Wissenschaften zu verbreiten, aber es war
bei ihnen nicht durchgängiger Charakter, und immer ist ein bedeutendes Uebergewicht in diesem Stücke auf Seiten der Neuern.

Wir haben also als unterscheidende Grundcharaktere der
alten und neuern Philosophie: Moralisch-politische Tendenz,
praktischer Einfluß, Schönheit, Künstlichkeit der Form und des
Styls der erstern.

Gänzliche Entfernung von allen praktischen, moralischen
Zwecken, Streben nach höchster wissenschaftlicher Vollendung,

encyklopädische Tendenz bei der neuern, und zwar durchgängig bis auf unsere Zeiten.

Eben so groß, wie in der Form und den Verhältnissen zum äußern Leben, ist auch die Verschiedenheit der griechischen Philosophie in den Arten und Gattungen, worin sie sich entfaltet hat.

Der Empirismus, der bei den Neuern so allgemein herrschend, so in alle Wissenschaften und Künste übergegangen ist, einen so mächtigen, allgemein verbreiteten Einfluß auf Meinungen, Sitten, Verfassungen und das Leben selbst verbreitet, daß er als charakteristisch für den Geist der Zeit und die allgemeine Denkart constituirend angesehen werden kann, — diese Unphilosophie war bei den Griechen gar nicht bekannt, und es finden sich bei ihnen nur wenige einzelne Spuren von eigentlichen Empirikern. Der griechische Geist war viel zu kräftig, originell und erfinderisch, um bei einer Denkart zu bleiben, die sich nicht über die Resultate gemeiner Erfahrung und sinnlicher Eindrücke und Empfindungen zu höhern Vernunftideen und Begriffen erheben kann. So wie die Griechen das Ganze des Weltalls in der Poesie zu beleben, zu beseelen, in harmonischer Einheit zu umfassen und poetisch zu gestalten und darzustellen strebten; so versuchten sie in der Philosophie den Ursprung, den Zusammenhang und die innere Natur der Dinge zu ergründen, die Welt aus ihren ersten Grundkräften und Ursachen zu construiren, das geistige Wesen des Menschen', sein Verhältniß zur materiellen Natur zu erforschen, und erhoben sich zu diesem Zwecke mit erfindungsreicher Kühnheit und Kraft zu den höchsten Ideen der Vernunft, um aus ihnen das Ganze zu erklären und zu bestimmen. Weit entfernt waren sie daher von jener niedern Denkart, die alle höhere Vernunftkenntniß leugnet, und am Ende die platteste Unphilosophie herbeiführen muß.

Die Gattungen der Philosophie, welche sich bei den Griechen am reichsten und mannichfaltigsten entwickelten, welche auf die verschiedenartigsten Weisen ausgebildet wurden, und mehr oder weniger in den meisten Systemen vorherrschten, sind vorzüglich der Materialismus und dann der Skepticismus. Beide

lagen der Denkart und dem Charakter dieses Volkes sehr
nahe.

Ein großer Hang zu sinnlicher Kraft und Lebendigkeit, die auch in ihrem poetischen Genie so stark hervorleuchtet,
eine so reich ausgestattete, mit ursprünglicher Schöpferkraft be-
gabte Phantasie, verbunden mit einer ungemessenen Bewunderung und Verehrung der Natur und ihrer Kräfte, führte sie natürlich auf den Materialismus, von dem die ältern Systeme
fast alle einen größern oder geringern Anstrich haben.

Noch natürlicher entsprang der Skepticismus aus dem Hange
der Griechen zur Rhetorik und Dialektik.

In einem Staate, wo jeder Bürger mitzusprechen hatte,
alle politischen sowohl, als gerichtlichen Verhandlungen öffentlich vor dem Volke statt hatten, mußte die Kunst, den Menschen
zu einer bestimmten Meinung zu überreden, jeden Satz mit allen
nur möglichen Scheingründen zu vertheidigen, das Gefühl und
den Verstand der Zuhörer durch die feinsten, scharfsinnigsten,
mit anscheinender Consequenz verwickelten und verwebten Trugschlüsse zu bestechen, durch rhetorischen Glanz zu blenden und
zu täuschen, den Gegner durch verfängliche Fragen irre zu
führen, gegen jede seiner Behauptungen allerlei Zweifel und
Gegengründe aufzufinden, natürlich eine große Leichtigkeit und
Gewandtheit herbeiführen, alles zu bestreiten und anzufeinden,
keinen Glauben, keine Ueberzeugung gelten zu lassen, und mit
dieser alles verwirrenden Streitsucht auch das Höchste nicht zu
verschonen. Dann sind aber dem Skepticismus Thür und Thor
geöffnet, dessen Wesen ja eben in dem positiven Widerstreit gegen alle Wahrheit und Gewißheit besteht.

Als bei den Griechen die Sophistik recht eigentlich ausgebildet, das Erfinden absichtlicher Trugschlüsse, das spitzfindige,
künstliche Durchführen irriger, falscher Meinungen, das willkürliche Verwirren und Verwerfen aller entgegengesetzten Ideen
und Begriffe als Grundsatz und System aufgestellt wurden:
entstand nothwendig die wildeste, zügelloseste Zweifel- und
Streitsucht, so wie auch eine bessere Skepsis, die sich gegen
die spitzfindigen Trugschlüsse, gegen die künstlich versteckten

Irrthümer der Sophisten zu verwahren suchte und ihren dreisten, willkürlichen Behauptungen die Waffen einer gründlichen Polemik entgegenstellte.

In der Philosophie ward bei den Griechen die rhetorisch-dialektische Form durchgängig beibehalten, sie war außer der Wissenschaft auch Kunst, und ward als solche vorzüglich ausgebildet. Nun kann aber bei dem Skepticismus die Philosophie sich am meisten als Kunst zeigen, der Skeptiker, dessen Hauptgeschäft es ist, alle Philosophieen zu bestreiten und zu widerlegen, kann eben weil er an dem Inhalte keines Systems Interesse nimmt, über alle Ideen und Meinungen sich gleichmäßig ausläßt, in der Form sein Talent am glänzendsten zeigen, er will blos alle positiv aufgestellte Erkenntniß bestreiten, und sein einziges Bestreben geht dahin, die Kunst alles zu bestreiten im höchsten Grade auszubilden.

Der Philosoph, dem es vor allem um die festeste Begründung, die leichteste, klarste Mittheilung zu thun ist, wird die Schönheit der Form ihrer Zweckmäßigkeit hintansetzen müssen, und diejenige vorzüglich wählen, die dem Inhalte seiner Philosophie am meisten angemessen ist, worin er seine Begriffe und Ideen am strengsten, consequentesten zusammenfassen, am vollständigsten entwickeln, und am deutlichsten, bestimmtesten andern vortragen und erklären kann.

Materialismus und Skepticismus finden wir bei den Griechen unter so mannichfaltiger, so verschiedenartiger Form und Gestalt, mit so viel Kunst und Talent, so großer Fruchtbarkeit der Erfindung ausgebildet, daß man ohne Anstand behaupten kann, sie hätten diese beiden Gattungen völlig erschöpft.

Jene höhere Arten der Philosophie: Realismus, Dualismus, Idealismus sind immer nur die Frucht der allerhöchsten Anstrengung aller Kräfte des menschlichen Geistes, und finden sich daher nur selten in der Geschichte der Philosophie, d. h. originelle Erfindung darin. Bloße Verehrer und Anhänger hat es in bessern Zeiten immer gegeben; doch ließe sich auch hier ein bedeutendes Uebergewicht bei den Griechen nachweisen. In der Intellectual-Philosophie haben Plato, seine

Vorgänger und Nachfolger eine solche Fülle von Erfindung, eine solche Mannichfaltigkeit ursprünglicher Ideen, daß es historisch gezeigt werden kann, wie bei den Neuern in dieser Gattung sich wenig auffinden lasse, was nicht von den Alten hergenommen sey.

Nur in dem Idealismus haben die Modernen den Vorzug; er findet sich bei den Griechen fast gar nicht. Der Idealismus des Aristoteles war kein entwickelter, auch stand er als eine einzelne Ausnahme da; da hingegen die Neuern ihn bis zur höchsten Vollkommenheit und systematischen Vollendung ausgebildet haben; selbst in den mannichfaltigen unvollkommnen Versuchen zeigt sich die durchgängige stärkere Hinneigung auf diese Seite.

Nach diesen vorläufigen Untersuchungen gehen wir zur eigentlichen Geschichte der griechischen Philosophie über.

Die Charakteristik der Philosophie kann einen doppelten Zweck haben.

1) Charakteristik einer bestimmten Philosophie (der pythagoräischen — sokratischen — platonischen — scholastischen — der heutigen empirischen ꝛc.) um den Geist, die Denkart eines gewissen Zeitalters zu erkennen und darzustellen — dies ist ein blos historischer Zweck, oder

2) Charakteristik einer bestimmten Philosophie — um dadurch zur Charakteristik der Philosophie überhaupt, ihres Geistes und Wesens zu gelangen.

Zu diesem Zwecke nun ist die Geschichte der ältesten griechischen Philosophie von dem höchsten Interesse; — sie ist ursprünglich darin merkwürdig, weil sie ganz das Gepräge trägt, durchaus selbstständig, in einem hohen Grade unabhängig, sowohl von der herrschenden Religion, als fremden, durch Tradition überkommenen Lehren, entstanden zu seyn. Die Gedanken der ältesten griechischen Philosophen kündigen sich bestimmt an als erste ursprüngliche Gedanken, wo gar kein Anschließen, kein Zusammenhang mit frühern, fremden merkbar ist, und wenn man auch versuchen wollte, sie aus einer frem-

den Quelle herzuleiten, würde doch dieser Untersuchung alle historische Gewißheit fehlen.

Ist die erste, älteste griechische Philosophie die freie Ge-
burt des sich selbst überlassenen menschlichen Geistes, und zwar
eines sehr scharfsinnigen, erfinderischen, kräftigen Geistes, der
ohne allen fremden Einfluß und äußere Einwirkung aus innerer Kraft, Fülle und Thätigkeit so mannichfaltige Systeme erzeugte und entwickelte; so wird sich schon allein hieran zeigen
lassen, wie der menschliche Geist überhaupt zur Philosophie
komme, welche Mittel und Wege er versuche, sich der Erkenntniß des Höchsten zu nähern, welches der natürliche Gang sey,
den er nehme, welche Formen und Methoden er seinem Wesen
nach am liebsten, am zweckmäßigsten erwähle, und auf welches
bestimmte System er am natürlichsten zuerst falle. —

So gering an Umfang, so unvollkommen diese ersten Systeme auch immerhin seyn mögen, so verdienen sie doch als ursprüngliche, freie Producte des menschlichen Geistes die höchste
Aufmerksamkeit, welche durch die folgenreiche Betrachtung noch
vermehrt wird, daß in diesen ersten Grundideen die
Keime aller spätern Systeme enthalten und mit
großer Kühnheit ausgesprochen sind.

Die gewöhnliche Abtheilung der griechischen Philosophie in
Schulen kann in mancher Rücksicht interessant seyn, für die
Speculation ist sie aber von keinem Nutzen; alle diese Schulen
gehen ineinander und sind nicht strenge geschieden; in jeder herr-
schen große Verschiedenheiten und Abweichungen, und nur die
Pythagoräer blieben bei einem System.

Alle ältern griechischen Philosophieen vor dem Pythagoras
und Plato neigen sich mehr oder weniger zum Materialismus; späterhin finden sich bei vielen Spuren von Skepticismus. Dies
ist nicht so zu verstehen, als wenn sie alle Materialismus oder
Skepticismus dem System nach gewesen wären, denn es fanden sich, wie schon gesagt, Grundideen von jeder Gattung
der Philosophie in ihnen, aber immer waren sie im ersten
Keime mit Materialismus oder späterhin mit Skepticismus
tingirt.

Die große Neigung zum Materialismus ist aus dem griechischen Geiste selbst zu erklären, und offenbart sich deutlich in ihrer Mythologie, deren vorherrschender Grundcharakter selbst Materialismus ist.

Schon Hesiodus enthält die Anlage zum Materialismus, er nahm das Chaos als das erste, ursprüngliche, und ließ aus ihm die Welt, Götter und Menschen entstehen; dieses Chaos dachte er sich nun als Mischung materieller Kräfte und Wesen, — diese Lehre des Hesiodus enthält den Keim von vielen spätern philosophischen Meinungen, die sich an sie anschlossen.

Weit stärker ist die Annäherung zum Materialismus in den Lehren, welche in den Mysterien vorgetragen wurden.

Die älteste griechische Mythologie war purer Anthropomorphismus, ihre Gottheiten waren nur kräftigere, größere, vollkommnere Menschen. Sie war auch ohne alle Beziehung auf die Natur und ihre Kräfte, ohne alle Symbolik des Universums, des Unendlichen; — Vielgötterei ohne allen Begriff der Einheit Gottes. — Die Mystiker suchten dieser Mythologie eine höhere symbolische Bedeutung zu geben, sie lösten die Vielheit auf in den Begriff der Einheit; — aber sie faßten dies Eine, Höchste nicht auf als Geist, sondern als unendliche Naturkraft, unendliche Lebens = und Zeugungskraft, und hierin liegt der zweite Keim vieler spätern philosophischen Systeme.

An die Spitze der ältesten griechischen Philosophen setzt man gewöhnlich den Thales; alles, was man von ihm weiß, reducirt sich auf den einzigen Satz: Alles sey aus Wasser entstanden, und löse sich darin auf; dieses konnte er sich gleichfalls nicht anders, als wie eine Mischung materieller Theile und Kräfte denken, und sein Grundprincip ist also von dem des Hesiodus wenig verschieden. Was Thales aus diesem ersten Grundsatze weiter gefolgert, wie er ihn entwickelt habe, läßt sich nicht mit Gewißheit angeben, da alles, was wir über die andern Philosopheme dieses Mannes wissen, auf sehr unsichern Behauptungen späterer Philosophen beruht.

Mit Anarimander fängt die Geschichte der eigentlichen Philosophie an; sein Princip ist ungleich philosophischer als alle

vorhergehenden; er ſetzte als den Urquell aller Dinge das Un=
endliche, oder beſſer das Unbeſtimmte — doch auch dieſes
dachte er ſich materiell; es ſey dünner als Erde, dichter als
Waſſer, nicht ſo dünn wie Luft, dichter als Feuer. — Dieſe
Urmaterie, woraus alles entſteht, muß der Größe nach unbe=
gränzt, der Form nach unbeſtimmt ſeyn. — Er nannte
es zugleich Göttliches und Menſchliches.

Dieſes iſt nun zwar ein materialiſtiſcher Verſuch; doch in=
ſofern hier ein Einziges, Allumfaſſendes geſetzt wird, ent=
hält es den Keim des Pantheismus. Denn der Pantheismus
beſteht ja in der Behauptung, daß das Ganze ſchlechthin Eins
ſey, und in der bloßen Annahme des Unendlichen.

Wenn Anaximander dieſes Princip nach der beſchränkten
Anſicht ſeines Zeitalters nicht philoſophiſcher entwickelte, ſo
ließe ſich doch dieſes ſehr gut thun, weil es, wie ſchon geſagt,
an ſich weit philoſophiſcher iſt, als alle vorhergehenden.

Daß aber die älteſte Philoſophie als Pantheismus auf=
tritt, muß ſeinen Grund haben in dem Charakter der Philoſo=
phie überhaupt, und kann nicht aus dem Charakter und der
herrſchenden Denkart der Griechen allein erklärt werden.

Materialismus war nirgends die älteſte Philoſophie, we=
nigſtens jene Art von Materialismus, die ſich bei den Grie=
chen zuerſt ausbildete, der dynamiſche konnte es nicht ſeyn.
— Der dynamiſche Materialismus nahm mehrere Elemente und
Kräfte an, aus deren wechſelſeitigem Aufeinanderwirken, Kampf
und Zwietracht, Trennung und Verbindung ſie die Welt und die
Mannichfaltigkeit ihrer Erſcheinungen herleiteten und erklärten.
Dies iſt aber ſchon ein ſehr complicirter Gedanke, und daher
gewiß ſpätern Urſprungs. — Denn weit leichter und natür=
licher iſt es, das Entſtehen aller Dinge aus einer einfachen
Grundurſache, als aus einem ſehr künſtlich verwickelten und
combinirten Verhältniſſe vieler Elemente und Kräfte herzuleiten.

Der Empirismus kann gar keine urſprüngliche Philoſophie
ſeyn, er entſpringt nur aus dem Verfall des menſchlichen Gei=
ſtes, und iſt gewiß da nicht zu ſuchen, wo dieſer noch mehr in
urſprünglicher Kraft und Blüthe prangt.

Auch zeigt uns die Geschichte, daß die Philosophie gleich anfangs den Weg höherer Speculation betrat; sie ging von der Idee eines Ganzen der Natur aus, und suchte aus ursprünglichen Principien das Weltall zu construiren, ein Verfahren, das unendlich entfernt ist von jenem des Empirismus, der bei dem Einzelnen der äußern Erscheinungen stehen bleibt, und dieses durch Beobachtungen erkennen will, alle höhere Erkenntniß durch Ideen und Begriffe aber verwirft, die einzige Erfahrung, die sinnlichen Eindrücke und Empfindungen für die Quelle alles Wissens hält.

Die höhern Arten der Philosophie sind viel zu hoch, zu künstlich, als daß sie die ältesten seyn könnten; so reich und künstlich ausgebildete und vollendete Systeme können nur die Frucht späterer Zeiten seyn; die ersten Versuche des menschlichen Geistes müssen nothwendig noch sehr unvollkommen seyn, können höchstens die ersten, einfachsten Grundideen enthalten, die dann später reicher und künstlicher entwickelt und vollendet werden.

Mit Pantheismus wird also die Philosophie anfangen; er ist das einfachste, leichteste System, und sein Grundprincip der Einheit ist eben das, wozu die Vernunft am meisten hinneigt, ja was ihr eigenes Wesen selbst ausmacht. —

Anaximenes, der Schüler des Anaximander, nahm dieses Unbestimmte als Luft, aus der durch Verdünnung oder Verdikkung alle Dinge entstehen, und worin sie sich wieder auflösen. Die Behauptung, daß sich alle festen Körper in Luftgestalt auflösen, worauf man jetzt durch Erfahrungswissenschaft gekommen ist, mußte natürlich die Behauptung herbeiführen, daß aus der Luft alle festen Körper niedergeschlagen sind.

Die ältesten ionischen Physiker nahmen überhaupt nicht an, daß die Körper an sich wirklich so grob und materiell seyen, wie sie uns vorkommen, sondern erklärten die dem groben Sinn erscheinende Festigkeit und Flüchtigkeit der Körper für wirklichen Schein; sie hielten für das einzige Reelle in der Materie die unsichtbaren, innern Elemente, von denen sie annahmen, daß eines sich in das andere verwandle; und aus

dieser Trennung und Verbindung, diesem wechselseitigen Aufeinanderwirken leiteten sie die Entstehung der Welt her.

Wir halten uns jetzt an der Chronologie.

Philosophie der Pythagoräer.

Von Pythagoras, dem Stifter der Schule, werden keine
Schriften angeführt; ob er, wie später Sokrates, nichts auf-
geschrieben habe, läßt sich nicht bestimmen. — Die Alten reden
in speculativer Rücksicht immer nur von den Pythagoräern.
Es ist sehr zu bedauren, daß wir von dieser so künstlichen, so
reichhaltigen Philosophie so wenig befriedigende Urkunden haben. Die einzelnen Pythagorder waren doch wohl merklich
verschieden, und es wäre gewiß interessant, zu wissen, wie jeder das System seiner Schule vorgetragen habe.

Alles, was wir jetzt von dem System des Pythagoras
kennen, reducirt sich blos auf die Lehre von den Zahlen, als
den Principien der Dinge. — Seine übrigen politisch-mora-
lisch-religiösen Ideen, seine Lehre von der Seelenwanderung,
dem Samensystem ꝛc. können hier nicht in Betrachtung gezogen
werden, da wir ihren Zusammenhang mit dem Hauptsystem
nicht auffinden können.

Diese Zahlenlehre des Pythagoras hat man auf mancherlei Weise zu deuten und zu erklären gesucht; aber so ganz und
gar unverständlich, wie man vorgab, ist sie denn doch wohl
nicht. Die Zahlen des Pythagoras sollten dasselbe seyn, wie
Plato's Ideen und Aristoteles Formen, er lehrte, alle Dinge
seyen aus Zahlen entstanden und ihrem innern Wesen nach
Zahlen. Pythagoras war philosophischer Realist.

Der Pantheismus, wenn er als System auftreten will,
muß sich nothwendig der höhern Philosophie annähern, er muß

von seiner Strenge nachlassen, aus seiner Einheit, die an und für sich eine ewig sich wiederholende Einerleiheit seyn würde, aus der sich nichts folgern, nichts herleiten, viel weniger also ein vollständiges System entwickeln läßt, heraus-gehen, auf das der Einheit entgegengesetzte, die Zweiheit, die Dreiheit. Nun läßt sich aber leicht einsehen, wie aus der Einheit, wenn die Verschiedenheit dazu genommen wird, sich viele andere Dinge herleiten lassen, — und wie dies mit den Zahlen coincidirt; — es war der erste Versuch einer wissenschaftlichen Construction der Welt.

Jenes Herausgehen aus der Einheit und die Annahme ei-ner Verschiedenheit und bestimmter Verhältnisse führte auf eine durchgängige Construction aller Gegenstände und aller Untersu-chungen. So behaupteten die Pythagorder, alle Principien seyen in Gegensätzen, wo mehrere Principien in ein bestimmtes Verhältniß gesetzt, nicht einzeln hingeworfen werden.

Einzelne Ideen blos poetisch dargestellt, oder als religiö-ser Glaube ausgesprochen, können noch keinen vollen Anspruch auf Philosophie machen.

Der unterscheidende Charakter von dieser besteht eben in der Methode, der Construction, wo nicht einzelne Lehren und Meinungen ohne allen consequenten Zusammenhang vorge-tragen, sondern in ein bestimmtes Verhältniß gesetzt, streng miteinander verbunden und eines aus dem andern hergeleitet werden, wo aus dem Verhältniß von zweien ein drittes folgt, und so eine ganze Reihe von streng verbundenen Folgerungen und Sätzen entsteht; — nicht Eines blos wird dargestellt, sondern eine bestimmte Mehrheit in ein bestimmtes Verhältniß von Gegensätzen oder von Ableitung gesetzt; — und so entsteht die wissenschaftliche Construction, — der wissenschaftliche Bau, wo mehrere einzelne Theile zu einem harmonischen Ganzen zu-sammengefügt werden.

Der Zusammenhang der Zahlenlehre mit einer philosophisch wissenschaftlichen Construction ist leicht bemerkbar, und durch dieses Princip übertraf die pythagoräische Philosophie an Wis-senschaftlichkeit alle bisherigen griechischen Philosophieen.

Noch behauptet man, die ältern Pythagoräer hätten die Einheit als das leidende, die Zweiheit als das thätige Princip gesetzt; die spätern aber umgekehrt. —

Die Behauptung, das Weltall sey entstanden aus einer leidenden Einheit und thätigen Zweiheit und umgekehrt, ist ungleich philosophischer, als alle vorhergehenden Meinungen und Ideen; da sie natürlich auf eine durchgängige wissenschaftliche Construction führen mußte, worin doch das Wesen der Philosophie besteht.

Pythagoras bildete, wie wir aus der Geschichte wissen, einen moralisch-politischen Orden, der auf Staatsverfassung und Religion großen Einfluß hatte. Seine Philosophie beschränkte sich nicht blos, wie die der Jonier, auf die Theorie, sondern sie suchte vorzüglich auf das Leben zu wirken, dieses besser und edler zu gestalten. Der pythagoräische Bund war ein religiöses Institut, das die Wiedervereinigung der Menschen mit dem göttlichen Wesen zum Zwecke hatte, und diese durch alle möglichen Mittel — Lehre — Beispiel — Erziehung — äußere Gebräuche — zu erreichen strebte.

Anmerk. Sie verwarfen daher die Mythologie, wie sie in den epischen Dichtern Homer, Hesiod behandelt ist, als unanständige, unsittliche Darstellungen der Götter.

Man hat nicht mit Unrecht in der Idee des pythagoräischen Bundes eine Aehnlichkeit mit der christlichen streitenden Kirche gefunden; es war eine Vereinigung von Geistern, zum höchsten, göttlichen Geiste durchzudringen, ein Versuch, die vollendete triumphirende Kirche, die im Reiche Gottes ist, herzustellen. Jedes Institut aber, das den Menschen zu heiligen, Gott ähnlich zu machen sucht, ist ächt religiös und eine Kirche zu nennen. Dies war aber mit dem pythagoräischen Bunde um so mehr der Fall, da er nicht allein durch Lehre, sondern auch durch äußere Zeichen, Sinnbilder und Gebräuche zu wirken suchte.

Ist die Religion das Bestreben, den gesunkenen Menschen zum ersten Princip seines Daseyns, zum göttlichen, unendlichen zurückzuführen, so muß dieses auf eine Art geschehen, die in das ganze Leben des Menschen eingreift; eben weil der Mensch durch seine endliche Natur so mächtig zum irdischen hingezogen wird, und in Gefahr geräth, immer tiefer zu sinken, weil die Bedürfnisse, Verhältnisse und Beschränkungen des gemeinen Lebens seinen Geist so von allen Seiten umstricken und einengen, daß jeder höhere Aufflug unendlich erschwert und gehemmt wird, soll die Religion ihn überall mit Andeutungen und Erinnerungen seines göttlichen Ursprungs ansprechen, sie soll ihm überall das Göttliche und sein Verhältniß zu ihm in Zeichen und Sinnbildern darstellen, damit er seiner hohen Abkunft, seiner erhabenen Bestimmung auch nicht einen Augenblick vergesse, von dem gemeinen Denken und Trachten zur Beschauung der Hoheit und Würde seiner geistigen Natur sich sammle, und diese kräftig von allen irdischen Fesseln und Banden los zu machen strebe. >

Es ist leicht einzusehen, wie sich durch diese äußerlichen religiösen Beziehungen und Gebräuche die pythagoräische Philosophie von der des Sokrates, die blos durch Lehre und Unterricht auf die Denkart und die moralischen Gesinnungen der Menschen zu wirken suchte, unterscheidet; hier also bloße Moral, dort Religion. —

Xenophanes, der Stifter der eleatischen Schule, gleichzeitig mit Pythagoras geboren, trug seine Lehre in einem Gedichte vor. — So näherte sich die griechische Philosophie mit Mühe der philosophischen Form, und kehrte sogar nach einigen Versuchen wieder zur poetischen Form zurück. — Von seinen speculativen Meinungen ist wenig bekannt; doch dieses wenige zeigt, das er ein Material-Pantheist war. Er behauptete die absolute Einheit des Weltganzen — Alles ist Eins, — das Eine ist Alles, — die Welt ist Gott, — Gott ist die Welt. — Er dachte sich indessen dieses ganz materiell, nannte es ein Thier, gab ihm bestimmte körperliche Eigenschaften, kugelrunde Gestalt, aber freilich ein geistiges Thier.

Bei ihm finden wir zuerst skeptische Klagen über die Dunkelheit und Unvollkommenheit des menschlichen Wissens. Wie der Pantheismus zum Skepticismus führe, ist schon früher gesagt worden.

Heraklit folgt der Zeit nach gleich auf Pythagoras. Da Pythagoras so hohe, originelle, den Griechen unbekannte Ideen vorgetragen hat, so ist es sehr zu bewundern, daß er so ganz allein stand, so wenig Einfluß auf die Philosophie hatte. Einzelne Spuren finden sich jedoch hiervon; besonders bei dem Heraklit sind, wo nicht in den Hauptideen, doch im einzelnen Beziehungen auf das pythagordische System merkbar. Heraklit setzte sein System dem Pantheismus entgegen, er leugnete alle Beharrlichkeit und Ruhe, alles Seyn, ließ nur ein Werden zu; Thätigkeit, Bewegung war sein Grundbegriff; alles sey in einem ewigen Wechsel von Veränderungen, in einem stäten Flusse.

Thätigkeit, Bewegung sind ohne Leben nicht denkbar; daß aber Heraklit dieses allgemeine Leben sich auch geistig dachte, erhellt daraus, daß er es allgemeine Vernunft (λόγος) nannte, aus der das Allgemeine in der menschlichen Vernunft herstamme. —

Doch zeigt sich auch bei ihm die Neigung aller ältern griechischen Philosophen zum Materialismus, daß er diesen allgemeinen Verstand zugleich auch als Feuer charakterisirt.

Zur Entwicklung aller Dinge aus dem Urprincip, dem Feuer, der allgemeinen Vernunft nahm er zwei Principien an: Freundschaft und Feindschaft. Durch Feindschaft entstehen alle Dinge, durch Freundschaft gehen sie alle unter; nach gewissen Perioden löst sich alles wieder in Feuer auf; diese Auflösung nannte er Freundschaft; er nahm eine periodische Weltentstehung und Verbrennung an, eine unendliche Reihe von periodisch entstehenden und sich zerstörenden Welten.

Anmerk. Hier eine große Aehnlichkeit mit der Zahlenlehre des Pythagoras; die Einheit ist Freundschaft, die Zweiheit ist Feindschaft.

Dem Wasser wies er die unterste Stelle an, als dem äußersten Zustand von Schwäche und Unthätigkeit. Daher seine Behauptung, die trocknen Seelen seyen die besten — wegen ihrer mehr feurigen Natur.

Sehen wir auf das Grundprincip dieses Systems, so muß es offenbar zum Idealismus gerechnet werden, wenigstens enthält es den Keim dazu.

Der Idealismus leugnet das Nicht ich, und setzt nur das Ich als das einzige Reale. Das Ich besteht aber eben in der freien Thätigkeit, so wie der Charakter der Beharrlichkeit, des Seyns dem Ding an sich zukommt. — Das Seyn drückt eine Abwesenheit von Bewegung, eine Ruhe, Stillstand aus, und ist daher dem Begriffe des Ichs und des Werdens gerade entgegen.

Freie Thätigkeit, Beweglichkeit und immerwährendes Werden ist ein sicheres Kriterium des Idealismus, und erscheint beim Heraklit als erster Keim davon. Merkwürdig ist es, wie dieser anfangende Idealismus mit dem neuesten vollendeten des Fichte (seiner werdenden Gottheit) zusammenstimmt. Daß sich Heraklit das erste Princip zugleich als Feuer und Vernunft dachte, ist dem Idealismus, der Geist und Körper identificirt, und den Unterschied zwischen beiden aufhebt, sehr angemessen.

Auch in der Ableitung aller Dinge aus der allgemeinen Vernunft durch Feindschaft liegt eine große Aehnlichkeit des heraklitischen mit dem neuern Idealismus, wo durch Gegensatz alles besondere aus der einen Grundthätigkeit hergeleitet wird.

Vergleicht man diesen Idealismus, wozu Heraklit den Keim legte, und den nachher Aristoteles weiter ausbildete, mit dem subjectiven des Fichte, so ist er ein objectiver Idealismus.

Der subjective geht aus von der reinen Anschauung des Ichs; der objective trägt gleichsam den Begriff der Ichheit hinaus in die Natur; jener tritt auf als Theorie des Bewußtseyns, dieser als Theorie der Natur, die er aber wie beim Aristoteles ganz idealistisch ausbildet. —

Leukipp legte den Grund des nachher von Demokrit und Epikur weiter ausgeführten Materialismus; er war der Erfinder des Atomensystems, worin eigentlich der reine, strenge Materialismus besteht.

Er setzte sein System dem eleatischen Pantheismus gerade entgegen.

Dieser eleatische Pantheismus lehrte ein Weltwesen, eine Seele, worin sich gar nichts verändere, nichts bewege, als nur dem Scheine nach, er leugnete das Nichtwirkliche, den leeren Raum.

Leukipp nahm an unendlich viele Körperchen. Damit diese sich bewegen könnten, setzte er den leeren Raum, diesen als das Nichtreale, jene als das den Raum erfüllende Reale.

Aus unendlich vielen ewig vorhandenen, untheilbaren kleinen Körperchen ließ er die Welt sich bilden.

Sein Grundprincip ist rein materiell und körperlich; er erklärte das Entstehen der Welt aus blos körperlichen Wesen und Kräften, ohne alle Einmischung irgend eines denkenden Wesens, ohne dem Geiste bei der Bildung der Welt irgend eine Macht, einen Einfluß zu geben.

Die ersten Principien sind ihm die Atome, die Elemente leitet er aus diesen ab, und der Geist ist eine Modification, eine Wirkung eines dieser Elemente, des Feuers. Das geistige Wesen erklärte er für feuriger Natur; — hier eine Beziehung auf Heraklit. — Im Gegensatz einer unendlichen Reihe auf einander folgender Welten, die das Feuer wechselweise producirt und absorbirt, nahm er an eine unendliche Menge von neben einander bestehenden Welten, die nebeneinander bestehen, ohne sich zu berühren, welches auch mit der Annahme der Unendlichkeit des leeren Raumes sehr gut zusammenhängt.

Wir sehen hier, wie der Materialismus im ersten Ursprunge nur Gegensatz des Pantheismus war; die pantheistische Denkart, die alle Verschiedenheit, Veränderung, Bewegung leugnet, widerspricht so sehr aller Erfahrung, daß dieser Gegensatz wohl natürlich zu erklären ist. In der Erfahrung bemerken wir in der uns umgebenden Sinnenwelt so viel Wechsel und Veränderung, so große Mannichfaltigkeit und Verschiedenartigkeit der Gegenstände, daß die Behauptung, alles sey

Eins, ein ewig unveränderliches, beharrliches Ganze, und alle unsern Sinnen vorkommende Verschiedenheit und Veränderlichkeit in der Erfahrungswelt nur Schein und Irrthum, nothwendig gegen die allgemeine Vorstellungsart zu sehr anstoßen, und so zum Widerspruch auffordern mußte.

Xenophanes, der Stifter der eleatischen Schule, behauptete die Einheit der Welt.

Parmenides und sein Schüler Zeno gaben diesem System die höhere Ausbildung und Schärfe.

Parmenides behauptete streng nicht nur die Ewigkeit, sondern auch die Unveränderlichkeit der Welt; leugnete durchaus alle Bewegung und den leeren Raum, diesen, weil er als das Nichtreale, Nichtige eine Lücke im Daseyn verursacht hätte.

Merkwürdig sind vorzüglich zwei Dinge bei ihm. Zuerst zeigte er die Quelle dieser Ansicht in der Vernunft; dann führte ihn dieses auf den Gegensatz von Vernunft und Meinung. Dieser Gegensatz war bei ihm so entschieden strenge, daß er zwei Philosophieen aufstellte.

Nach der Vernunft sei nur das Eine Wesen das absolut Reale, einzig wirkliche Wahre; alles andere aber Trug und Schein.

Nach der Meinung, die sich auf die Erfahrung stütze, gebe es in der Sinnenwelt eine große Mannichfaltigkeit und Verschiedenheit von Dingen, welche entstehen und vergehen, in immerwährender Thätigkeit und Bewegung wechselten und sich veränderten.

Diese Ansicht sei zwar nur Schein und trüglich; jedoch da man einmal so allgemein darin befangen wäre, sie auch immer wiederkehre und sich dem Menschen aufdränge, unter dieser Ansicht aber auch eine große Verschiedenheit statt finde, und eine vollkommener wie die andere sey; so müsse man die beste auswählen, die man dann für die Beobachtung der Sinnenwelt und ihrer Erscheinungen gelten lassen könne. Dies nannte er nun die Philosophie nach der Meinung; das erste Philosophie nach der Wahrheit.

Sehr merkwürdig ist dieser Gegensatz des Meinens (Glau-

bens) und Wissens, da er sich in Kant, jedoch auf eine entgegengesetzte Weise, wiederfindet.

Parmenides behauptet, in der Sinnenwelt gebe es nur
Glauben und Meinen; Wissen könne man nur das Eine
absolut Reale, Wahre. Daß Kant gerade das Gegentheil aufstellt, bedarf keiner Erklärung.

Man könnte darin, daß Parmenides die Vernunft so
sehr erhob, da er behauptete, daß man durch sie das Wahre
und Reale erkenne, die Sinne aber, da aus ihnen aller
Wahn und Schein entspringe, so weit herabsetzte — eine Annäherung zur Intellectual-Philosophie annehmen; allein es finden
sich keine bestimmte Spuren davon in seinem System.

Zeno, der Schüler des Parmenides, suchte das System
seines Meisters gegen die vielen Widersprüche, die es von allen Seiten gefunden hatte, zu vertheidigen; er suchte das Irrige, Falsche, Widersprechende in den Vorstellungen seiner
Gegner über den leeren Raum, die Bewegung, Veränderung,
Mannichfaltigkeit mit allem möglichen Scharfsinne aufzudecken,
ihre Einwürfe zu widerlegen, ihre Begriffe zu verkehren, zu verwirren, seine Gegner durch Widersprüche in die Enge zu treiben,
um so sein Princip der Einheit und Beharrlichkeit durchzuführen.

Viele wollen behaupten, Zeno habe am Ende die Einheit
selbst bestritten; — wahrscheinlich war er mehr Skeptiker als
Pantheist. — Indessen lassen sich immerhin die nämlichen Waffen, mit welchen Zeno gegen die Mannichfaltigkeit stritt, auch
gegen die Einheit kehren. Wie aber der Skepticismus aus dem
Pantheismus natürlich folge, ist schon gezeigt worden.

Empedokles gehört mehr unter die Dichter, als unter
die eigentlichen Philosophen; sollte er jedoch zu diesen gezählt
werden, so waren es die Materialisten. — In seinen Sätzen ist
nicht viel Eigenthümliches sichtbar. — Er verbindet alle Elemente untereinander, und läßt aus ihnen durch Freundschaft
und Feindschaft (Anziehungs- und Zurückstoßungskraft) das
Ganze entstehen.

Empedokles war mehr Gelehrter, Sammler und Kenner
philosophischer Hypothesen, als nach selbsterfundenen Principien

philosophirender Denker. Was zu seinem poetischen Zwecke am dienlichsten schien, wählte er sich aus andern Systemen, und suchte dieses zusammenzusetzen. — Als Dichter behauptet er eine hohe Stelle, diente wahrscheinlich dem Lucretius zum Vorbilde.

Anaragoras trug unter den griechischen Philosophen zuerst die Lehre von einer höchsten Intelligenz, einem Verstande, als einer die Welt nach Zwecken bildenden Kraft vor; — nahm aber neben dieser eine Materie an, die er sich atomistisch dachte; — er ist also Dualist.

In allen diesen philosophischen Systemen herrscht eine bewundernswürdige Fruchtbarkeit der Erfindung, eine ungemessene Kraft und Selbstständigkeit der sich selbst überlassenen Vernunft und eine ungewöhnliche Kühnheit der Ideen und Principien in ihrer Grundlage, aber eine beinahe eben so große Mangelhaftigkeit in der Ausführung und Vollendung.

Die Quelle dieser Unvollkommenheit lag theils in der großen Einseitigkeit des Standpunktes, da jeder dieser philosophischen Erfinder so consequent und strenge auf seinem Systeme beharrte, so einseitig Pantheist und Materialist war, daß er aus der einmal gefaßten Ansicht nie heraus ging; — anderntheils war aus Mangel an Hülfsmitteln und an Vorarbeiten über das Einzelne, an physikalischen und chemischen Kenntnissen eine richtige Kosmogonie, Construction der Natur und des Universums nicht möglich.

Anmerk. Die ältesten griechischen Philosophen, die ionischen Physiker, strebten nach wissenschaftlicher Kosmogonie, sie suchten die Natur im Ganzen zu erkennen, zu erklären. Fehlte es ihnen auch an genauerer Kenntniß der einzelnen Naturerscheinungen, welche die neuern Physiker sich durch Beobachtung, Erfahrung erworben haben; so hatten sie doch eine viel bessere, höhere Ansicht der Natur im Ganzen, da die Neuern von dem Ganzen der Natur nur unzusammenhängende, verworrene Begriffe aufstellen, und ihre Vorzüge blos in der genauern Kenntniß der einzelnen Phänomene bestehen, welches bei dem

vollkommneren Zustande aller Erfahrungswissen-
schaften, und der ganz empirischen Richtung des
modernen philosophischen Geistes auf Erfahrung, Beobachtung und Benutzung zu praktischen Zwecken — wohl leicht
zu erklären ist. Die Neuern haben den altionischen Physikern meistens den Vorwurf gemacht, daß sie den Weg
der Erfahrung verließen, und auf die höchsten Principien ausgingen, um aus ihnen die Natur der Dinge zu
erklären; — aber in eben diesem Bestreben nach wissenschaftlicher Construction des Universums besteht ihr größter
Vorzug, und hier nähern sich ihnen die neuern deutschen
Physiker, die sich Naturphilosophen nennen. Das
Wesen dieser neuern Naturphilosophie besteht nämlich in dem Versuch, von der Beobachtung, der Kenntniß
des Einzelnen zurückzukehren zur Anschauung des
Ganzen.

Die Alten suchten die Mannichfaltigkeit der Dinge und
Erscheinungen herzuleiten aus wenigen einfachen Urbestandthei-
len und Elementen; entweder dynamisch, aus innern Kräften und Verhältnissen, oder, wie später Leukipp, atomistisch, aus
ewig vorhandenen untheilbaren, gleichartigen Körperchen, die
durch äußern Anstoß verschiedenartig zusammengesetzt werden.
Dieser kühne Versuch nun, das Universum aus Urelementen
und Kräften zu construiren, so sehr er auch dem Wesen der
Philosophie entspricht, so sehr er uns auch die Kraft, Originalität und Größe des griechischen Geistes beweiset, konnte
doch eben aus Mangel an einzelnen Hülfsmitteln und Kenntnissen nicht vollkommen gelingen.

Diese Unvollkommenheit der Ausführung konnte allein schon
den Skepticismus herbeiführen, dem übrigens schon Zeno durch
die äußerst bialektisch-spitzfindige Art, wie er alle Erscheinung,
Erfahrung und die Grundbegriffe, worauf diese beruht, bestritt,
alle Waffen bereitet hatte.

Wie bei den Griechen aus der Neigung zur Rhetorik und
Dialektik der Skepticismus sich mehr entwickeln mußte, ist schon
vorher gezeigt worden. So wie der Skepticismus hier als

Kunst gebildet wurde, hing er sehr genau mit der Sophistik zusammen, der Kunst zu überreden, wozu man will, jeden willkürlich aufgestellten Satz durch die künstlichst verwebten Spitzfindigkeiten und Trugschlüsse durchführen, jede entgegenstehende Meinung durch verfängliche Scheingründe und absichtliche Verwirrung der Begriffe umstoßen, alles behaupten, alles widerlegen zu können.

Der erste unter den Sophisten ist Gorgias. Er behauptete, überall sei nichts, wäre etwas, so könne man es nicht erkennen, erkenne man es, so könne man es nicht mittheilen. Dieser Skepticismus war gewiß jedem andern an Kühnheit gleich, wo nicht überlegen.

Von jenem eleatischen Pantheismus und heraklitischen Idealismus ist der Uebergang zum Skepticismus nicht schwer.

Ist alles nur Eins, alle Mannichfaltigkeit, Bewegung und Veränderung nur Schein, so ist die Leugnung alles Wirklichen nicht mehr weit, — selbst jene unendliche Einheit ist, eben weil man ihr alle Prädicate und Qualitäten absprechen muß, ein leerer Begriff, etwas sehr Nichtiges, wenn man sie nicht poetisch, sondern mit der Vernunft auffaßt.

Gibt es, wie Heraklit behauptet, nichts Beharrliches in den Dingen der Natur, ist hier alles nur ewiger Wechsel und Veränderung; — so kann auch in der Erkenntniß der Dinge nichts Festes, Gewisses seyn, muß auch im menschlichen Geiste nur Schwanken, nur Meinen und Wähnen, nie Wissen statt haben.

Ein zweiter Sophist ist Protagoras; er nähert sich unter den Skeptikern am meisten dem Empirismus. Er lehrte, alle Erkenntniß entspringe aus Empfindung, sei subjectiv und relativ, es gebe nichts allgemein Wahres; wahr sey das, was jedem so scheine, der Mensch sey der Maaßstab der Dinge; was ihm scheint zu seyn, ist auch wirklich — ist Wahrheit; was ihm nicht zu seyn scheint, ist auch wirklich nicht, ist Unwahrheit.

Wir haben gesagt, zu den ältern griechischen Philosophen vor Sokrates gehöre noch Demokrit; er ist indessen in der Geschichte der Philosophie in speculativer Hinsicht für uns nicht merkwürdig; er nahm das Atomensystem des Leukipp ganz an, entwickte es nur weiter.

Diese Philosophen nun machen die Geschichte der ältesten griechischen Philosophie aus; in ihren Grundideen finden wir die Keime aller spätern Systeme mit großer Kühnheit ausgesprochen; eben dies macht sie so merkwürdig und für die Genesis jedes Systems so lehrreich.

Zuerst sahen wir, daß Pantheismus die älteste Philosophie war, die Mutter der Philosophie, und wenn wirklich die r e i n e Vernunft die Quelle dieser Ansicht ist, darf uns dies nicht befremden, da es alsdann wirklich der natürliche Ursprung der Philosophie ist, indem die sich selbst überlassene Vernunft ihrem eigentlichen Wesen, dem Streben nach E i n h e i t, gemäß auf den Pantheismus zuerst verfällt.

Der M a t e r i a l i s m u s entsprang aus dem Gegensatz gegen den Pantheismus, er war ein Versuch, die Bewegung, die Mannichfaltigkeit in der Sinnenwelt mit der Erfahrung übereinstimmig zu erklären.

Der heraklitische I d e a l i s m u s war ebenfalls dem Pantheismus entgegengesetzt; er nahm im Gegensatz des ewigen, unveränderlichen, beharrlichen S e y n s ein ewiges W e r d e n, Bewegen und Verändern, einen steten Wechsel aller Dinge an.

Die Intellectual-Philosophie entwickelte sich aus dem Pantheismus, nicht als absoluter, sondern als halb annehmender, halb verwerfender Widerspruch.

Plato suchte die Ansichten des Heraklit und Parmenides zu vereinigen; doch findet er die letztern viel würdiger, als die erstern; die Ideen sind ihm das Beharrliche, Unveränderliche.

Das System des Anaxagoras konnte aus Zusammensetzung entstanden seyn.

Die besondere Art des Empirismus des Protagoras entstand aus dem Skepticismus.

Der Skepticismus geht erst aus andern Philosophieen hervor, deren Mängel und Schwächen er bestreitet.

Die höchste Stelle unter allen diesen Systemen scheint das

pythagordische einzunehmen; auch diese Philosophie ließe sich als eine natürliche Folge des Pantheismus erklären, sobald man deffen Mangelhaftigkeit einsieht; ob aber das pythagoräische System wirklich so entstanden sey, läßt sich nicht entscheiden, da die Folge nicht durchaus nothwendig ist. Es muß da schon eine höhere Ansicht genommen werden, die Idee eines Systems, die dazu erforderliche wissenschaftliche Construction, und die Unfähigkeit des strengen Pantheismus zu dieser. Hat Pythagoras diese Idee aus sich selbst geschöpft, so erhöht dieses den Vorzug noch mehr, den er ohnehin durch die wissenschaftliche Construction vor den Aeltern behauptet.

Die älteste Philosophie der Griechen, durch keine ältere Lehre beschränkt, oder auf irgend eine Art vorher bestimmt, unabhängig von allem Einfluß der damals herrschenden Religion, trägt den Charakter der höchsten, unbedingten Originalität, der freiesten, selbstständigsten Entstehung und Entwicklung; auf sich selbst beschränkt durch den damaligen Zustand der Schriftstellerei, der die Mittheilung so sehr erschwerte, war diesen ältesten Selbstdenkern die eigne Geisteskraft und Fülle die Quelle, woraus sie die Grundideen ihrer Philosophieen schöpften, in denen doch schon die Keime aller folgenden Systeme lagen.

Wenn nun auch durch diese Beschränkung auf sich selbst, diesen durchgängigen Mangel an bedeutenden gelehrten Kenntnissen und Hülfsmitteln eine allzu große Einseitigkeit und Strenge der Ansichten und mit ihr Unvollkommenheit und Mangelhaftigkeit der Ausführung natürlich herbeigeführt wurde; so ist doch die ursprüngliche reine Schöpferkraft des sich selbst überlassenen philosophischen Sinnes, der Reichthum und die Fülle der höchsten Ideen, die er erzeugte, die Kühnheit, womit er sie aussprach, so überwiegend, und so merkwürdig für die Geschichte des menschlichen Verstandes selbst, daß er uns für alles andre entschädigt. Es sind diese Philosophieen das, was man in der Poesie naiv nennt; ganz die Frucht einer starken Natur; sie sind unbefangener, ursprünglicher, directer aus der Quelle geschöpft wie die neuern.

Es ist dies gleichsam noch ein Stand der Unschuld, in die wir uns nicht mehr zurück versetzen können, und wollte man dies versuchen, so könnte das nicht durch Enthaltung von der uns so nöthigen Gelehrsamkeit, sondern durch vermehrte innere Kraft und Productivität geschehen. Bei uns wird die Eigenthümlichkeit durch die Menge des fremden Stoffes beinahe überschwemmt und erdrückt; und wenn sie sich auch durcharbeitet durch alle von Jugend auf überkommene Meinungen und Ideen, so ist die Ansicht, zu der sie sich erhebt, weit complicirter, künstlicher, nicht so naiv, unbefangen und einfach, wie jene der ältesten griechischen Selbstdenker.

Sokrates.

Der immer mehr überhand nehmenden Sophistik, welche so viel Verwirrung über das ganze Gebiet des menschlichen Wissens verbreitete, die in den höchsten Problemen der Speculation, wie in politischen Meinungen oder gerichtlichen Debatten, über welche man in öffentlichen Versammlungen für und wider spricht, ihre Kunst und Geschicklichkeit zu zeigen, der Menge ihre absichtlich erfundenen Trugschlüsse als Wahrheit aufzubringen und sie durch Ueberredung willkürlich nach Absichten zu lenken suchte, — dieser heillosen Secte, welche die Philosophie zu einer eitlen, leeren Weisheitskrämerei, zu einer feilen, eigennützigen Zwecken dienenden, auf Sitten und Staatsverfassung höchst verderblich wirkenden Kunst herabgewürdigt hatte, setzte sich Sokrates mit Kraft und Erfolg entgegen.

Mit Nachdruck und Ernst bestritt er die überall ihre Weisheit zur Schau stellenden und feilbietenden Sophisten, zeigte die Leerheit und Nichtigkeit ihrer trügerischen Künsteleien; mit allen Waffen der strengern Prüfung und der Ironie verfolgte er sie und brachte es endlich dahin, sie wirklich auszurotten. — Aber vorzüglich strebte er dahin, dem schädlichen Einflusse, den die Sophisten als Lehrer der Jugend auf die Sittlichkeit überhaupt gehabt hatten, durch eine veredelte moralische Erziehung entgegen zu wirken, und an die Stelle jener durchaus nichtigen, falschen Weisheitskrämerei den Geist ächter philosophischer Nachforschung, vollendete innere Ausbildung und praktische Lebensweisheit zu setzen.

Als Lehrer behauptet er unter allen Philosophen der Griechen die eminenteste Stelle; keiner hat so viele Schüler gebildet, keiner so mächtig und so verschiedenartig auf den Charakter und die Denkungsart seiner Zuhörer gewirkt, wie er, und wirklich ist sein Vorzug hierin so groß, daß man ihn beinahe mit Christus verglichen hat.

Sokrates war kein Sectenstifter, kein Lehrer in dem damals gewöhnlichen Sinne des Wortes; er wollte seine Ueberzeugungen andern nicht als unbezweifelte Orakelsprüche aufbringen, kein System als absolut vollendete Erkenntniß aufstellen: sondern nur auf den Weg leiten, auf dem man durch ernstliches Forschen und Streben endlich zur Erkenntniß der höchsten Wahrheit gelange, er suchte nur den Geist seiner Schüler von innen heraus auf das freieste zu entwickeln, die Ideen, welche im Innern schlummerten, hervorzurufen und zum klaren Bewußtseyn zu bringen, das wahre geistige Leben kräftig zum Selbstdenken, Forschen und Prüfen aufzuregen.

Hiebei richtete er sich nun ganz nach den Fähigkeiten, dem Charakter und den Geisteskräften jedes Einzelnen, suchte in seine Individualität vollkommen einzugehen, und sich seiner Eigenthümlichkeit so enge, wie möglich, anzuschmiegen, um so die besondern Anlagen nach ihrem ganzen Umfange auszubilden, ohne der Originalität zu schaden, und die ursprüngliche Denkkraft durch Autorität zu beschränken und zu lähmen. Gemeinschaftlich mit seinen Schülern betrat er den Weg der Untersuchung; aber nur um sie auf die Spur des Rechten zu leiten, die weitern Fortschritte überließ er der nun einmal geregten

Thätigkeit, ohne dieser selbst Ziel und Gränzen setzen zu wollen; er setzte sich seinen Schülern gleich, schien mit ihnen das gleiche Bedürfniß der Belehrung zu haben, ließ sich ganz zu ihrer Ansicht herab, und suchte sie von dieser aus zur Erkenntniß des Höchsten, Wahren zu erheben. — Diese freie Ausbildung des Selbstdenkens ist der Grund, warum aus seiner Schule so ganz verschiedenartige, so mannichfaltig und vortrefflich ausgebildete Systeme hervorgegangen sind.

Sokrates hat nichts geschrieben, daher ist seine eigentliche Lehre, sein System nicht zu bestimmen; man könnte ihm also in dieser Hinsicht eine Stelle in der Geschichte der Philosophie absprechen. Doch der Umstand, daß er so nachdrücklich und heilsam auf die Entwicklung des philosophischen Geistes gewirkt, den Trieb zu ernstem, gründlichem Erforschen der Wahrheit so mächtig aufgeregt, beweist, daß er Philosoph in der edelsten Bedeutung des Wortes war.

Doch nun erhebt sich die Frage: was war denn die eigentliche Grundidee seines Systems, zu welcher Ansicht gehörte sie, wie ist seine Philosophie aus seiner Schule herauszufinden?

Um einer befriedigenden Antwort dieser Fragen näher zu kommen, darf man sich weder an die geniereichen noch, wie bisher öfters geschah, an die beschränktesten seiner Schüler wenden, sondern nach allen muß man sein System zu beurtheilen suchen. — Plato kann man nicht allein glauben, weil dieser ungleich gelehrter wie Sokrates war, und sich ein eignes, ganz verschiedenes System ausbildete; — aber eben so wenig kann man sich, wie bisher geschah, an Xenophon halten, weil dieser doch ein beschränkterer Geist, und also unfähig war, die Lehren seines Meisters mit Treue und Wahrheit wiederzugeben.

Nach Xenophon, auf den sich alle berufen, die Sokrates zu den Empirikern rechnen, hätte dieser alle höhern Speculationen als nichtig, zwecklos und betrüglich verworfen; man solle nur nach der Ergründung dessen streben, was zum Leben und zur Tugend nothwendig sey; höchst irreligiös wäre es, über die Götter und ihre Natur Untersuchungen anzustellen, und von dem Höchsten, Unbegreiflichen den Schleier des Geheim-

niſſes heben zu wollen; — wie denn überhaupt bei den Griechen die Vorſtellung herrſchte, die Götter erzürnten ſich, wenn
man ihr Weſen zu erforſchen ſtrebe.

Wäre dieſe Anſicht der ſokratiſchen Philoſophie die richtige, ſo müßte man ihn freilich den Empirikern gleich ſtellen, in
ſofern er alles menſchliche Denken einſchränkte auf die Sphäre
des praktiſchen, auf die Kenntniß des innern Menſchen, und
zwar nur inſofern dieſe zu praktiſch = moraliſchen Zwecken nöthig ſeyn.

Philoſophiſch genommen iſt dieſes eine Täuſchung; Sokrates gehört nicht in die niedere Kategorie der Empiriker.

Alle Schüler des Sokrates ſtimmen darin überein, daß
ſeine Philoſophie vorzüglich auf Moral gerichtet war, alles
andre ihn blos dieſer wegen intereſſirte. Er ging aus von dem
alten Spruche: Erkenne dich ſelbſt, und machte die innere
harmoniſche Ausbildung und Veredlung des Menſchen zur er
ſten, nothwendigſten Bedingung alles Philoſophirens.

Beſchränkt einzig auf dieſen Zweck würde die Philoſophie
blos praktiſch individuelles, aber inſofern vollendetes morali
ſches Wiſſen, ſie würde Weisheit und Wiſſenſchaft
ſeyn. — Dieſe praktiſche Lebensweisheit liegt außer der Philoſophie im Gebiete der Moral. Die Philoſophie, wie ſie ge
ſucht wird, ſoll denn doch Wiſſenſchaft, vollendete poſitive
Erkenntniß des Höchſten ſeyn, wiſſenſchaftlich aufgeſtellt und
erklärt.

Daß jemand blos praktiſch ſich für das Leben auszubilden
ſuche, und daher ganz von aller Speculation entferne, kann, be
ſonders wenn er ſeine eigne Beſchränktheit und Unfähigkeit zu
höhern Speculationen fühlt, ſehr lobenswürdig ſeyn; wenn die
ſer aber im Ganzen alle Speculation und Philoſophie als leer
und nichtig verwirft, ſo bedeutet das in wiſſenſchaftlicher Hinſicht gar nichts.

Die praktiſche Lebensweisheit des Sokrates bewährte ſich,
inſofern er fähig war, auch andre dazu auszubilden, als objectiv, er war wirklich fähig, auch andre auf dem Wege der
höhern Selbſterkenntniß zur Tugend und Weisheit zu führen,

und so einen moralischen Bund zu stiften. Man kann ihn daher mit Recht als das Ideal der Lebensweisheit ansehen.

Doch möchte man ihm wohl sehr Unrecht thun, wenn man
ihn nach Xenophon zu den Empirikern zählen wollte. Seine
religiösen sowohl als moralischen Ideen und Lehren stimmen
gar nicht mit dem Empirismus überein. Er war nicht nur
der strengste Tugendlehrer, sondern auch ein eben so aufrichti-
ger Verehrer der Götter; seine Lehren von einer verständigen, gütigen, die Welt beherrschenden
Gottheit — von dem absolut unbedingten, an und
für sich schlechthin Guten und Schönen sind durchaus unverträglich mit dem damals herrschenden Empirismus.—
In neuern Zeiten hat man versucht, diese Lehren mit dem Empirismus zu verbinden; in unsern Zeiten, wo alle Ideen und
Meinungen schon so sehr complicirt und gemischt sind, wäre dies
wohl eher möglich, als in jenen Zeiten, wo alle Ansichten so einseitig und strenge waren; — doch ist es den Neuern nie gelungen.

Um Xenophons Ansichten der sokratischen Philosophie befriedigend zu erklären, darf man nur überhaupt auf die Art
und Weise sehen, wie Sokrates bei der Ausbildung seiner
Schüler zu Werke ging, da er sich nach den Bedürfnissen und
Geisteskräften jedes Einzelnen richtete, um wirklich das aus
ihm zu machen, was er der ursprünglichen Anlage nach werden könne. Er ließ sich also vielleicht mit dem geistreichern,
scharfsinnigern Plato in das Gebiet der höhern Speculation
ein, — und gab der Beschränktheit des Xenophon nach, vielleicht weil er sah, daß dieser nur zum praktischen Leben tauge.

Sokrates ist durchaus nicht von dem Gebiete der Speculation auszuschließen; seine Beschränkung war willkürlich, keine
absolute Resignation auf alle Philosophie; — er bildete so
viele speculative Schüler, — kannte die Systeme andrer Philosophen, und mußte sich doch endlich, um die Sophisten zu
widerlegen, selbst in dialektische Spitzfindigkeiten und Grübeleien einlassen, des Hauptgrundes, daß seine Lehre von dem
absolut Guten und Schönen mit dem Empirismus gar nicht
übereinstimmt, nicht einmal zu erwähnen.

Sokrates schloß sich zunächst an die Philosophie des Anaxagoras an; auch er nahm einen göttlichen Verstand an, der die Welt gebildet habe und beherrsche, doch beschränkte er seine Untersuchungen mehr auf die Betrachtung der Zweckmäßigkeit der Welt und das Verhältniß dieses Begriffs zum Moralischen. — So wie in der Natur eine höhere Ordnung und Zweckmäßigkeit der Dinge sichtbar sey, und einen verständigen Urheber verrathe, so setzen auch im Menschen alle sittlichen Anlagen und die Gesetze, durch deren Erreichung er allein seiner hohen Bestimmung entsprechen könne, einen moralischen Gesetzgeber voraus.

Seine Lehre von dem göttlichen Verstande, der im Menschen wie in der Welt die höchste Kraft sey, setzte er in genaue Verbindung mit der Lehre vom absolut Guten und Schönen. Beide Principien, das absolut Gute und Schöne, und den nach Zwecken die Welt bildenden und beherrschenden (göttlichen) Verstand hielt er ohne Zweifel für identisch. Noch haben Viele Sokrates den Skeptikern beizählen wollen, weil er mehrmals gestanden habe, er wisse nichts; allein durch dieses Geständniß wollte er nur die alles wissenden Sophisten zwingen, ihn über ihre Orakelsprüche zu belehren, um so Gelegenheit zu finden, sie in ihren eignen Trugschlüssen zu verwirren, mit ihren eigenen Aussagen zu bestreiten, und so ihre Schwächen und Blößen aufzudecken.

Die Skepsis des Sokrates ist von der höchsten, durchaus nicht verwerflichen Art; sie unterscheidet sich von aller frühern der Griechen, und verdienet im vorzüglichsten Grade philosophische Skepsis genannt zu werden. Ist die Philosophie mehr ein Suchen der vollendeten Wissenschaft des Unendlichen, als diese Wissenschaft selbst, so wird auch dem Menschen ein ernstes Streben nach ihr eher zukommen, als die dreiste Behauptung, sie schon gefunden zu haben; auch zeigt sich Sokrates weise Bescheidenheit neben der voreiligen Kühnheit andrer Philosophen, besonders aber der Sophisten, im glänzendsten Lichte.

Bei dieser höhern Skepsis des Sokrates, die nicht wie die

gemeine in der Ableugnung aller Wahrheit und Gewißheit, sondern in ihrem ernsten Suchen besteht, muß etwas als gewiß, ein fester Punkt angenommen werden, von dem man ausgeht, um zu der höchsten Erkenntniß zu gelangen, ohne indessen dies eine Princip, von dem man ausgeht, zu einem Systeme zu entwickeln; statt dessen wird eine fortschreitende Ausbildung und Vervollkommnung des Geistes an die Stelle des Systems gesetzt. Die durchaus dialektische Form und Methode dieser sokratischen Skepsis ist für diesen Zweck die befriedigendste und fruchtbarste; sie vernichtete nicht nur die der Philosophie so unwürdige Sophistik, sondern rief auch das Selbstdenken in der Philosophie so kräftig und lebendig hervor, wie dies wohl nicht bei einem demonstrativ aufgestellten System der Fall gewesen seyn würde.

Sokrates, insofern er sich an die Philosophie des Anaxagoras anschließt, durch Verbindung seiner Lehre von dem absolut Guten und Schönen mit jener von dem göttlichen Verstande, welche Plato nachher so eigenthümlich entwickelte, und auf die höchste Spitze der Speculation erhob, kann zwischen beiden als Intellectual-Philosoph eine Stelle einnehmen; — da aber weder die erste Erfindung, noch die weitere, vollkommene Ausführung und Begründung dieses Princips ihm zukommt, so kann in einer Geschichte der Philosophie, wie die unsrige, keine bestimmte Stufe der Entwicklung und Ausbildung dieses Systems gegeben werden, sondern sie erscheint nur als Uebergangspunkt zwischen Anaxagoras und Plato.

Allein in der skeptischen Form und Methode seiner Philosophie liegt etwas, was ihn für diese Gattung der Philosophie merkwürdig macht, und gleichsam als Ideal der ganzen Gattung ächt philosophischer Skepsis aufstellt. —

Aus der sokratischen Schule gingen mehrere kleinere Secten hervor, die wir hier zuerst untersuchen wollen.

Die Cyrenaiker entfernten sich von der Grundlehre des absolut Schönen und Guten; sie beschränkten sich zwar auch auf das Praktische, doch nahmen sie hier eine ganz andre Richtung, und sind daher für unsere Geschichte merkwürdig.

In ihrer Moral, der einzigen, die mit dem Empirismus, streng genommen, verträglich ist, stellten sie den Grundsatz auf: das Vergnügen sey das höchste Gut.

Die Cyrenaiker stimmen mit dem Epikur darin überein, daß sie das Vergnügen als das höchste Gut des Menschen ansehen; allein in dem Begriffe des Vergnügens entfernen sie sich von einander. Epikur nahm das Vergnügen blos negativ, als einen Zustand der Ruhe, der Schmerzlosigkeit, wo das Gemüth durch nichts afficirt und gestört wird. Diese Lehre, so wenig sich auch eine strenge, richtige Moral darauf gründen läßt, steht denn doch mit dieser nicht in absolutem Widerspruche, da sich dies negative Vergnügen sehr gut mit einer großen Herrschaft über die Sinnlichkeit, mit der höchsten Selbstständigkeit, Freiheit und Unabhängigkeit des Gemüths von allen sinnlichen Eindrücken, allen störenden Einwirkungen der Neigungen und Leidenschaften verträgt.

Die Lehre der Cyrenaiker war weit schlimmer und verderblicher; sie machten das Positive, das Vergnügen in Bewegung zum höchsten Zweck des Menschen; nicht wie Epikur die behagliche Stimmung des Gemüths, welche das negative Resultat der einzelnen Gemüthsbewegungen ist; sondern die einzelne, angenehme Empfindung, den augenblicklichen Zustand des Genusses, den ganz gemeinen Sinnenkitzel.

Der Zustand des Gemüths, wo es weder angenehm noch unangenehm afficirt werde, sey nicht von dem Zustande des Schlafes verschieden, es finde dort weder reelle Lust noch Unlust statt. Das, was die Seele am lebhaftesten afficire und reize, sie in die angenehmste, stärkste Bewegung setze, sei als reelle Lust anzusehen.

Daher gaben sie auch den körperlichen Vergnügen, weil darin mehr Bewegung, ein größerer Grad von Reiz und Lebendigkeit sey, den Vorzug vor den geistigen, als worin nur eine mäßige Bewegung, ein sehr schwacher Reiz, nur ein negativer Genuß statt haben könne.

Noch eine Secte, die aus der sokratischen Schule entsprang, die Cyniker, verfielen im Gegensatz der Cyrenaiker in die übertriebenste Strenge; sie nahmen die Lehre vom absolut

Guten und Schönen so buchstäblich, daß sie alles andre außer diesem, verwarfen. Nur die Tugend allein müsse das höchste und einzige Ziel alles menschlichen Strebens seyn, alles andre außer ihr habe keinen Werth, sey unnütz, nichtig und verwerflich, nur tugendhaft solle der Mensch seyn und nichts weiter, und auf keinen andern als diesen Zweck auch nur die geringste Thätigkeit verwenden; jede Art von Wissenschaft und Kunst sey, weil sie nichts dazu beitrage, den Menschen tugendhaft zu machen, und ihn oft nur von dem höchsten, einzigen Ziele zurückhalte, für ihn eine zwecklose, leere, ja verderbliche Beschäftigung.

Es sey Bedingung des Philosophen, sich von allen irdischen Bedürfnissen, von allen Verhältnissen des Lebens, von allen fremden Meinungen und Vorurtheilen frei zu machen, in der höchsten Unabhängigkeit und Selbstständigkeit nur der Tugend zu leben.

Aus diesem Grundsatze folgte ihre übertriebene strenge Lebensart; unter den Philosophen, welche sich durch diese auszeichneten, gab es mehrere, welche durch ihre gerechte Denkungsart, ihren Haß gegen Sklaverei, ihre Verachtung aller Annehmlichkeiten und Freuden des Lebens, ihren Eifer für eine strenge Sittenverbesserung sowohl, als auch für manche Sonderbarkeiten wohl der Aufmerksamkeit werth sind. Der große Haufen der Cyniker aber verfiel auf eine so höchst platte, gemeine, schmutzige, alle höhere Schicklichkeit beleidigende, Abscheu und Ekel erregende Lebensweise, daß der Bund sehr bald die Verachtung aller besser Denkenden auf sich zog.

Von ihren speculativen Meinungen ist wenig bekannt, sie verwarfen alle Speculation, außer der Dialektik und Logik; über diese haben sich von einigen unter ihnen sehr sonderbare Sätze erhalten, z. B. die Behauptung des Antisthenes, daß es nur identische Sätze gebe.

Wenn man diese Behauptung mit der Lehre von dem Einen schlechthin Guten zusammennimmt, so wird sich eine starke Hinneigung zum Pantheismus finden, aber freilich zu einem ganz praktischen Pantheismus; — so wie auch von der Lebensart der Cyniker, ihrer strengen Enthaltsamkeit und absoluten Bedürfnißlosigkeit zu jener der orientalischen Büßer nur ein kleiner Schritt zu thun ist. —

Nach der Hinrichtung des Sokrates zogen einige seiner Schüler nach Megara; hier entstand nun die Secte der Megariker, auch die Schule von Elis und Erethria genannt.

Die Megariker, von den Alten auch wegen ihrer Vorliebe zu sophistischen Grübeleien und Spitzfindigkeit und ihrer großen Streitsucht Eristiker, Zankkünstler genannt, sind vorzüglich ihrer Paradoxieen in der Logik wegen merkwürdig, die selbst den Griechen äußerst auffallend waren, und sehr von ihnen bewundert wurden.

In der Moral waren sie strenge Sokratiker und näherten sich sehr der Denkungsart der Cyniker; auch sie nahmen an, daß nur das Eine schlechthin unbedingt Gute Realität und wahren Werth habe. Ihre Paradoxieen in der Logik verdienen wirklich eine Stelle in der Geschichte der Philosophie. Einige von ihnen leugneten, wie Antisthenes, die zusammengesetzten Sätze und ließen nur die identischen bestehen; andre gingen noch weiter, verwarfen alle hypothetischen, negativen Sätze, und ließen nichts übrig als bejahende, positive, kategorische Sätze, sie leugneten mit einem Worte die Logik; der Grund, der sie dazu bestimmte, wird deutlich, wenn man ihre logischen Paradoxieen zusammenhält mit ihrer Lehre von dem absolut Guten, — diese, streng vorgetragen, gränzt sehr nahe an den Pantheismus. Ist nur das unbedingte Gute, Vollkommne allein das Reale, Wirkliche, so ist der Pantheismus schon nicht fern.

Denn worin besteht mit einem andern Ausdruck der Pantheismus? Nicht darin, daß man das Unbedingte, Absolute als das Erste, sondern als das einzig Wirkliche annimmt, das Bedingte aber gänzlich leugnet. Mit Leugnen des Bedingten muß nun auch das Bedingen, mit dem Bedingen das Verbinden, Beziehen, damit aber die ganze Syllogistik aufgehoben werden.

Die Megariker waren also zu den Pantheisten zu zählen, mit dem Unterschiede von dem ältern Pantheismus, daß sie das

Unbedingte moralisch charakterisirten. Doch setzt man sie besser in die Klasse der Skeptiker; die Alten selbst erwähnen ihrer als großer Erfinder in der Skepsis und Sophistik, als ächter Streitkünstler, dahingegen für den Pantheismus aus ihrer Ansicht nichts neues folgt.

Es läßt sich leicht denken, was der griechische Scharfsinn aus jenen logischen Paradorieen, angewandt auf wissenschaftlichen Streit, für eine Menge dialektischer und sophistischer Spitzfindigkeiten hervorbringen mußte. Ihrer strengen Ansicht zufolge hätten sie der Logik ganz entsagen müssen, doch thaten sie das nicht, sondern ließen sich vielmehr recht eigentlich in sie ein, um sie durch sich selbst zu bestreiten, sie in ihren eignen Spitzfindigkeiten zu fangen, ersannen aus speculativer Verkehrtheit und Streitsucht allerhand selbst in der Form falsche und täuschende Trugschlüsse, wodurch sie den Namen Zankkünstler recht eigentlich verdienten.

Hier wäre eine episodische Bemerkung über das verschiedene Verhältniß der Logik zu der Philosophie der Alten nicht am unrechten Orte.

Viele der ältern griechischen Philosophen haben der Natur ihrer Philosophie gemäß nicht viel über die Logik vortragen können. Die Materialisten behaupteten, man müsse sich nur an das Reelle, Wirkliche halten, an subjective oder praktische Beobachtungsregeln. Die Logik sey eine leere, unnütze Spitzfindigkeit, an deren Stelle sie nun ihre eignen Principien über Erfahrung und Erkenntniß setzten.

Bei den Skeptikern ist die Logik keine Wissenschaft, weil sie diese überhaupt nicht statuiren; aber sie haben durch ihren dialektischen Scharfsinn zu den meisten Formeln und Begriffen der Logik die Veranlassung gegeben, ja selbst zu ihrem skeptischen Zwecke eine Menge künstlicher Spitzfindigkeiten und Sophismen erfunden; die ganze Dialektik der Griechen hat diesen Charakter einer mehr als scharfsinnigen, subtilen Streit- und Disputirsucht beibehalten; selbst in der dialektisch-dialogischen Form des Plato finden sich Spuren davon; es ist natürlich, daß man, um speculative Spitzfindigkeiten und Sophistereien zu bestreiten, sich selbst in diese einlassen, und die künstlichsten Formeln und Wendungen zu Hülfe rufen muß.

Die ganze Logik des Aristoteles ist durch die Entgegensetzung und Beziehung auf die Skeptiker und die Scheinlogik der Sophisten entstanden; sie ist ganz für die Griechen, wo die Disputirkunst so künstlich ausgebildet, so allgemein herrschend war. — Die Logik des Aristoteles ist in dieser Hinsicht, ihrer Beziehung und Entstehung nach historisch betrachtet, als subjectiv sogleich auffallend, auch folgen alle diese Künsteleien und Spitzfindigkeiten, diese so vielfach complicirten und verwickelten Begriffe gar nicht aus dem Wesen der Logik.

Dem Aristoteles ist die Logik eine abgesonderte Wissenschaft. Bei'm Plato hingegen ist sie kein getrennter Theil der Philosophie, sondern innigst mit dieser verschmolzen; Plato charakterisirt seine Philosophie weit edler und höher, wie alle seine Vorgänger, sie ist ihm als Wissenschaft vom höchsten Gute in dialektischer Form zugleich auch Logik, Moral und Theologie; die erstere war über die ganze Philosophie verbreitet.

Wie die Megariker die Logik behandelten, ist vorhin gesagt worden. Die Classe der eigentlichen Pantheisten ist schon charakterisirt. — Daß die Pythagoräer sich mit der Logik beschäftigt haben, ist historisch erwiesen; daß wir von dieser nichts mehr besitzen, ist für die Philosophie gewiß ein bedeutender Verlust. Den Grundprincipien der Pythagoräer gemäß muß auch ihre Logik weit lehrreicher, fruchtbarer und wissenschaftlicher gewesen seyn. Ihr Princip von der Herleitung der Vielheit aus der Einheit, Zweiheit, Dreiheit ist, wenn man auf den Inhalt sieht, Zahlenlehre; sieht man aber auf die Form, so ist es Lehre von der Construction, die Methode, welche in der neuern Philosophie die synthetische Construction genannt wird. — Die beste, objective, reellste Logik der Griechen hätten wir also auf diese Art verloren und dagegen die inhaltsleere, specielle, subjective, aristotelische erhalten, die durch beständige Beziehung auf sophistische Disputirkunst, durch eine ganz zwecklose Vervielfältigung, Subtilisirung und Verwickelung der Form und Begriffe beinahe an kindische Spielerei gränzt, den Verstand ermüdet, und in der Speculation um keinen Schritt weiter bringt.

Philosophie des Plato.

In der Reihe der griechischen Philosophen nimmt Plato die bedeutendste, glänzendste Stelle ein. Die unerschöpfliche Tiefe und Erfindungskraft seines so vollendet ausgebildeten philosophischen Geistes, der Reichthum, die Fülle, die Kühnheit und Erhabenheit seiner Ideen, die ungemeine Höhe, zu der sich seine Speculation erhob, mehr aber wie alles die ganz eigenthümlich ausgebildete Kunst und Schönheit der Darstellung, die ächt classische Vortrefflichkeit und Musterhaftigkeit des Styls zeichnen ihn vor allen seinen Vorgängern und Nachfolgern aus, und haben ihm die Bewunderung der ersten Denker aller Zeiten und Nationen erworben.

Die große Kunst, die Sokrates im Sprechen mag besessen haben, den ausgebreiteten, lebendigen Einfluß, den er dadurch auf die Gemüther erlangte, suchten alle seine Schüler in dem nämlichen Maaße zu erreichen, so wie sie auch in der Lebensart, in der Abgezogenheit von allen bürgerlichen und politischen Zwecken übereinstimmten.

Der mißlungene Versuch, die Philosophie im Leben zu realisiren, führte die Philosophen auf den Grundsatz, blos sich selbst, der Entwicklung und Ausbildung ihrer Ideen, der Vervollkommnung ihrer Wissenschaft zu leben; aber eben durch diese Beschränkung auf die eigne Geistesbildung erlangten sie jene hohe Virtuosität und Kunst in Darstellung und Mittheilung ihrer Ideen, die wir bei Plato auf dem höchsten Gipfel der Vollendung sehen. Eben so entfernt nach dem damaligen Zustand der Schriftstellerei waren die griechischen Philosophen von eigentlich gelehrten Beschäftigungen. Plato kannte nur wenig

Schriften, und so klein auch damals der Kreis der Litteratur und der im Umlauf existirenden Werke war, so hat er sie doch nicht alle gekannt, er hielt dies gar nicht für nothwendig, wollte blos Selbstdenker seyn, strebte nur das Gewebe seiner eignen Gedanken so reich und vollkommen, wie möglich, zu entfalten, seine Ideen in bestimmtem, harmonischem Zusammenhange kunstreich darzustellen, und durch klare und lebendige Mittheilung auch andre zur Erkenntniß des Wahren und Schönen zu führen. — Das vorzüglichste, wirksamste Beförderungsmittel der Belehrung und Ueberzeugung, so wie der lebendigsten Entwicklung des gemeinschaftlichen Selbstdenkens schien ihm das mündliche Gespräch, wovon wir auch in seinen Werken vollendete, unübertreffliche Muster finden.

Diese Form der platonischen Philosophie wird also wegen ihrer hohen Kunst und Vollendung und mehr noch wegen ihrer innigen Verschmelzung mit dem Geiste, dem Inhalte, den sie schon in der äußern Form vollkommen darstellt, und ausspricht, unsre Untersuchung zuerst auf sich ziehen.

Plato gibt uns selbst den Grundsatz an, aus dem die ganze Form seiner Philosophie natürlich fließt.

Vorausgesetzt, der Zweck der Philosophie sei die positive Erkenntniß des unendlichen Wesens, so muß zugegeben werden, daß diese nie vollendet werden kann, mithin auch die Philosophie als Wissenschaft nicht; obgleich die ersten sichern Principien sich festsetzen lassen, von denen die Untersuchung ausgehen soll; was aber aus diesen sich entwickeln läßt, ist unendlich, unbestimmbar.

Plato nimmt an, daß durch eigne, sonderbare Beschränktheit des menschlichen Geistes dieser das Positive nur negativ, das Negative hingegen positiv erkenne; — unter dem Positiven verstand er die Gottheit, die intellectuelle Welt, alles Bleibende, Ewige, Wahre, — unter dem Negativen die Sinnenwelt, alles Unsichere, Wandelbare, Vergängliche.

Die unendliche höchste Realität könne der Mensch seiner beschränkten, sinnlichen Natur wegen nur negativ, indirect und unvollkommen erkennen.

In der Sinnenwelt, der Natur, aber sei der stäten Wandel=
barkeit und Veränderlichkeit aller Dinge wegen kein strenges,
bleibendes, gewisses Wissen möglich, wir erkennen die Gegen=
stände der Natur zwar positiv, aber diese positive Erkenntniß
ist wie der Gegenstand selbst, worauf sie sich bezieht, dem
Wechsel, der Veränderung und mithin der Ungewißheit unter=
worfen.

Da Plato die Intellectualwelt und die Sinnenwelt so
weit von einander entfernt, der menschliche Verstand aber in
der Mitte steht, so läßt es sich leicht erklären, wie dieser, bei
seiner großen Entfernung von der erstern durch die Sinnlich=
keit herabgezogen, bedingt und beschränkt, nur eine unvollkomm=
ne Erkenntniß der Gottheit haben könne. Das dieses nun blos
eine negative Erkenntniß seyn könne, folgt freilich hieraus
nicht strenge, es könnte auch eine positive, aber verworrene, un=
vollkomme seyn. Daß die sinnlichen Triebe, Neigungen und
Leidenschaften in dem Streben nach Erkenntniß Verwirrungen
hervorbringen, nahm Plato zwar auch an, aber diese, behaup=
tete er, müsse man durch Philosophie zu heben suchen; aber
die Negativität der Erkenntniß des Höchsten ließe sich dadurch
nicht heben, diese sey in der ursprünglichen Beschränktheit des
Menschen als Sinnenwesens gegründet.

Nach Plato gibt es von der N a t u r nur ein wandelba=
res, kein strenges, bleibendes Wissen, — von der G o t t h e i t
zwar eine reine, aber nur negative Erkenntniß. — Nun wäre
also noch das Verhältniß v o n b e i d e n übrig. Da es aber
weder von dem ersten, noch von dem zweiten ein System geben
kann, so ist dies auch bei dem dritten, als dem Mittelgliede
von beiden, nicht möglich. — Von dem Verhältniß der Gottheit
zu der Natur gibt es nur eine b i l d l i c h e a l l e g o r i s c h e Er=
kenntniß.

Nach dieser Ansicht nun, welche kein e i g e n t l i c h e s S y=
s t e m der Philosophie zuläßt, muß der Geist und die Form
der platonischen Werke aufgefaßt und charakterisirt werden.

Plato hatte nur eine Philosophie, aber kein System; und
wie die Philosophie selbst mehr ein Streben nach Wissenschaft,

als eine vollendete Wissenschaft ist, findet sich dieses auch bei
ihm in einem vorzüglichen Grade. Er ist nie mit seinem Den=
ken fertig geworden, immer beschäftigt, seine Ansichten zu be=
richtigen, zu ergänzen, zu vervollkommnen, und in diesem im=
mer weiter strebenden Gang seines Geistes nach vollendetem
Wissen und Erkennen, diesem ewigen Werden, Entwickeln und
Bilden seiner Ideen, das er in Gesprächen künstlich darzustel=
len suchte, muß das Charakteristische seiner Philosophie gesucht
werden, wenn man nicht in Gefahr gerathen will, ihren Geist
ganz zu verkennen, und auf dem Wege einer irrigen Untersu=
chung zu ganz schiefen und falschen Resultaten zu gelangen.

Die Philosophie eines Menschen ist die Geschichte eines
Geistes, das allmälige Entstehen, Bilden, Fortschreiten seiner
Ideen. Erst wenn er mit seinem Denken fertig und zu einem
bestimmten Resultate gekommen ist, entsteht ein System; hat
der Philosoph eine bestimmte Anzahl von fertigen Resultaten
und Wahrheiten vorzutragen, so mag er immerhin die Form
eines geschlossenen Systems wählen; hat er aber mehr zu sa=
gen, als in diese Form sich bringen läßt, kann er den Reich=
thum, die Mannichfaltigkeit seiner Ideen nicht in diese Grän=
zen einschließen, oder erlaubt ihm die immer höher steigende
Ausbildung und Vervollkommnung seiner Ansichten nicht, die
Reihe seiner philosophischen Untersuchungen mit einem Endre=
sultate zu schließen, so kann er nur suchen, in den Gang, die
Entwicklung und Darstellung seiner Ideen jenen innern Zusam=
menhang, jene eigenthümliche Einheit zu bringen, worin wir
den hohen objectiven Werth der platonischen Werke zu suchen
haben. Nur in dem bestimmten, planmäßigen Fortschreiten sei=
ner philosophischen Untersuchungen, nicht aber einem fertigen
Satze und Resultate, das sich am Ende ergebe, finden wir die
große Einheit, welche die Form seiner Philosophie charakterisirt.

Plato geht in seinen Dialogen nie von einem bestimmten
Lehrsatze aus, meistens fängt er mit einer indirecten Behaup=
tung, oder mit dem Widerspruch gegen einen angenommenen
Satz an, den er zu heben sucht. Nun geht es von Glied zu
Glied die ganze Reihe von Folgerungen hindurch bis zur un=

bestimmten Hindeutung auf das, was seiner Meinung nach das Höchste ist. Der Anfang in den Dialogen ist immer indirect und unbestimmt; ganz einfach, prunklos, leise hebt die Untersuchung an, entfaltet nur allmälig das äußerst spitzfindige, künstliche Gedankengewebe, das bei steigendem Interesse mit bewunderungswürdiger Genauigkeit, mit tief eindringendem, allumfassendem Scharfsinn sich entwickelt und zergliedert, sich in der reichsten Fülle und Mannichfaltigkeit ausbreitet, und endlich nach der vollendetsten, erschöpfendsten Behandlung des Einzelnen (wo eher ein Ueberfluß von Subtilität zu tadeln wäre) das Ganze nicht mit einem bestimmten Satze oder Resultate sich schließt, sondern mit einer Andeutung des Unendlichen und mit einer Aussicht in dasselbe. Ganz dem Geiste der Philosophie gemäß ist dieser Gang der platonischen Dialogen, sie gehen bis an die Pforte des Höchsten, und begnügen sich, das Unendliche, Göttliche, was philosophisch sich nicht bezeichnen und erklären läßt, unbestimmt nur anzudeuten.

Plato's Gespräche sind Darstellungen des gemeinschaftlichen Selbstdenkens. Ein philosophisches Gespräch aber kann nicht systematisch seyn, weil es dann nicht mehr Gespräch, sondern nur eine anders modificirte systematische Abhandlung wäre, und systematisch sprechen überhaupt widersinnig und pedantisch erscheinen müßte. Da nun durch diese unsystematische Behandlung der Dialog unwissenschaftlich wird, so muß dieser Mangel durch streng philosophische, kunstreiche Ausführung, durch innern Zusammenhang des Ganzen ersetzt werden, der Charakter der Sprechenden muß durchaus philosophisch aufgefaßt und dargestellt werden, damit durch höhere Kunstform der philosophische Dialog sich vom gemeinen Gespräch unterscheide.

Plato's Werke, obschon jedes einzelne ein vollendetes Kunstwerk ist, können in Rücksicht auf den Gang seines Geistes, die Entwicklung und Verbindung seiner Ideen nur im Zusammenhange verstanden werden; ein so innig verbundenes, subtiles Gedankengewebe läßt sich nur im Ganzen durch innerliches Mitdenken und Nachdenken dem Geiste nach ergreifen, da sich ein System leicht in Gedanken auffassen und erlernen läßt.

Von Plato's Werken sind hinlänglich auf uns gekommen, um den Geist seiner Philosophie kennen lernen zu können. Enthalten diese gleich kein System, so läßt sich doch aus ihnen eine äußerst vollständig zusammenhängende Philosophie aufstellen, die man in ihrem Fortschreiten und allmäligen Ausbilden durch alle Stufen ihrer Entwicklung sehr gut verfolgen kann; geben sie gleich nichts absolut Vollendetes, entweder weil Plato als durchaus progressiver Denker mit seiner Philosophie oder mit ihrer Darstellung nicht fertig ward; so zeigen sie uns doch die ganze Tendenz seines Geistes in der schönsten, kräftigsten Fülle, und man kann gewiß keinen seiner Dialogen lesen, ohne auf das stärkste zum Nachdenken angereizt zu werden.

Man hat bisher die Behauptung aufgestellt, daß Plato's Dialogen nicht seine ganze Philosophie enthielten, daß wir nur seine exoterische Philosophie besäßen, daß er aber außer dieser noch eine geheime Lehre gehabt habe, die er in seinen Schriften nicht aufstellte. Die Gründe, womit man diese Behauptung unterstützt, sind 1) die Zurückhaltung, womit er über religiöse Gegenstände spricht, 2) die dialogische Form seiner Philosophie, hinter welcher er seine wahre Meinung zu verstecken gesucht habe, und welche denn doch gar nicht systematisch sey, und endlich beruft man sich 3) auf ein verloren gegangenes Werk, ungeschriebene Lehren betitelt, welches vermuthlich diese geheime Philosophie enthalte.

Was die Zurückhaltung betrifft, mit der Plato über religiöse Gegenstände sich geäußert haben soll, so ist diese wirklich nicht sehr groß. Oft greift er die Priester, Volkslehrer und Dichter ohne Scheu und Hülle an, auch hat er im Gegensatz gegen die Mythologie die Einheit Gottes überall bestimmt behauptet.

Daß Plato außer der in seinen Dialogen aufgestellten Philosophie noch eine geheime, esoterische, ein eigentliches System gehabt habe, wird durch unsre oben gemachte Bemerkung, daß der Begriff eines Systems nicht einmal vereinbar sey mit dem Begriffe, den Plato von der Form und Methode der Philosophie aufstellt, hinlänglich widerlegt; nur eine grobe Verkennung der höhern Einheit des innern Zusammenhanges, des immer weiter schreitenden, fortbildenden, entwickelnden Geistes der platonischen Dialogen konnte an ihnen den strengen Zusammenhang eines Systems vermissen lassen, das für die werdende Philosophie Plato's eine allzu strenge, beschränkende Gränze gewesen wäre.

Was endlich jenes verloren gegangene Buch betrifft, worauf sich die Behauptung, daß wir nur die exoterische Philosophie des Plato besitzen, vorzüglich stützt, so war es nicht von Plato selbst, sondern allenfalls von seinen treusten Schülern Speusippus und Xenokrates; es mag wohl aus Erinnerungen von mündlichen Vorträgen bestanden haben, und darum ungeschriebene Lehren genannt worden seyn. — Sein Verlust scheint gar nicht von der Bedeutung zu seyn, die man vermuthet. So weit wir Speusippus und Xenokrates kennen, haben diese ihren Meister wenig verstanden, und ihr Werk würde also über seine Philosophie wenig neue und interessante Aufschlüsse geben.

Wir haben daher Gründe genug anzunehmen, daß wir Plato's eigentliche, wahre Philosophie in seinen Schriften besitzen; daß aber die Dialogen nichts absolut Vollendetes liefern, liegt in der Natur der Sache, da Plato als durchaus progressiver Denker entweder mit seiner Philosophie, oder mit ihrer Darstellung nicht fertig geworden ist. Gegen das dogmatische, zum System eilende Streben ist gewiß der skeptische, allmälig bildende, vollendende Geist seiner Dialogen der fruchtbarste, lehrreichste Gegensatz.

Daß übrigens in den platonischen Dialogen Mängel und Lücken sind, läßt sich aus ihnen selbst darthun; ob diese aber durch wirklichen Verlust entstanden sind, läßt sich nicht bestimmen, vielleicht hat Plato diese Werke nicht vollendet oder ihre Vollendung aufgegeben.

Unvollendet ist der Parmenides, wohl das mittelmäßigste seiner Producte, ziemlich verworren gedacht; wahrscheinlich hat er es willkürlich unvollendet gelassen. c)

Verloren ist aber wohl der dritte Theil eines Werks,

wovon der erste Theil die Definition eines Sophisten, der zweite die des Politikers aufstellt, und der dritte dann jene des Philosophen enthalten sollte. — Der Verlust dieses letzten Theiles ist sehr zu beklagen, da er wahrscheinlich sehr interessante und wichtige Resultate gegeben hätte, und die beiden ersten Theile zu dem Vortrefflichsten gehören, was Plato geschrieben hat.

Sein Tod endlich unterbrach zweier Dialogen Vollendung, des Timäus und des Kritias. — Auf diese Art sind also Plato's Werke, wie seine Philosophie, unvollendet geblieben.

Eine vorzügliche Aufmerksamkeit verdient die Untersuchung über die Aechtheit aller dem Plato zugeschriebenen Dialogen; hier ist wirklich das größte Mißtrauen nicht genug zu empfehlen. Es war in der damaligen Zeit kein seltener Fall, daß Schüler zu den hinterlassenen Werken des Meisters Zusätze machten, die in seinem Geiste geschrieben, oder ihnen wenigstens so schienen. Die Kritik erwachte erst spät; früher interessirte man sich zu viel für den Inhalt, und nahm daher manches, was mit diesem in den Hauptideen übereinstimmt, ohne Bedenken an.

An der Spitze von den unächten Werken stehen die zwölf Bücher von den Gesetzen; sie sind offenbar nicht von Plato, enthalten eine Menge Ideen, die mit seiner Philosophie gar nicht übereinstimmen.

Was die kleinern moralischen Dialogen betrifft, so ließe sich die Unächtheit von mehrern unter ihnen aus historischen und andern speciellen Gründen beweisen; doch ist dies für die Geschichte der platonischen Philosophie eben von keinem bedeutenden Interesse. Der Kratylus z. B. könnte wegfallen, ohne daß in dem Zusammenhange des Ganzen eine störende Lücke entstände; auch das Gastmahl gehört unter diejenigen, deren Aechtheit schon bezweifelt wurde, da es Lehren enthält, die mit den platonischen nicht ganz übereinstimmen, so vortrefflich es auch übrigens geschrieben ist; — endlich der Dialog Meno, der ebenfalls von den ächt platonischen Werken abweicht, und viel gemeiner ist.

Am wichtigsten aber für die Charakteristik der platonischen Philosophie ist die Prüfung der Aechtheit des Timäus, da man aus diesem Werke bisher die platonische Philosophie vollständig aufstellte und vortrug. Hier ist entschieden der größte Theil unächt, nur der Eingang ist von Plato, und vielleicht außer diesem noch andre kleinere Bruchstücke, zu denen man aber nachher Zusätze machte, bis das Werk zu seiner jetzigen Größe gedieh. Waren Speusipp und Xenocrates die ersten Ergänzer, so läßt sich ihre Absicht wohl errathen; sie wollten die Philosophie des Plato vollenden, weiter entwickeln und fortbilden, sie der populären Ansicht näher bringen. — Die spätern Zusätze aber enthalten mehr das neuplatonische System, sind ihrem innern Princip nach realistisch, pantheistisch; es finden sich Sätze aus der epikuräischen Moral, orientalische Beziehungen, wie diese bei den Neuplatonikern vorkommen, ja sogar die Quintessenz des Aristoteles darin. — Auch in der Sprache ist die Unächtheit unverkennbar.

Wir gehen nach dieser kurzen Untersuchung die ächten Werke in der theils historisch, theils durch wechselseitige Beziehung begründeten Folge durch. — Da bei einer so durchaus progressiven Philosophie die allmälige Entwicklung und Ausbildung des Gedankensystems die Hauptsache ist, so muß man, um den Zusammenhang des Ganzen zu übersehen, die Ordnung, wie die Dialogen aufeinander folgen, gefunden haben, da die einzelnen uns oft sehr im Dunkeln lassen, und nur eine vollständige Uebersicht des Ganzen das richtige Verstehen erleichtern kann.

Die Dialogen also, wie sie aufeinander folgen, sind: Phädrus — Parmenides — Protagoras (im Fall er ächt ist) — Gorgias — Kratylus (wenn er von Plato ist) — Theätetus — Sophista — Politikus — Phädon — Philebus — Republik — Fragment des Timäus — Fragment des Kritias. —

Aus diesen Dialogen läßt sich der Geist und die Geschichte der platonischen Philosophie befriedigend aufstellen und erklären, und es bedarf wohl keiner weitern Lobpreisung ihrer hohen Vortrefflichkeit in Behandlung, Styl und Sprache, wovon

fie als unübertroffene Mufter für alle Zeiten und Nationen da=
ftehen. — Nur noch einige Worte über die Terminologie der
platonifchen Philofophie find zu fagen übrig, um die Unterfu=
chung über ihre Form zu fchließen.

Jede Wiffenfchaft und Kunft hat ihren beftimmten Um=
fang von eigenthümlichen Begriffen, einen Cyklus, ein Sy=
ftem von eignen technifchen Worten, Ausdrücken, Formeln und
Bildern, ihre Terminologie.

Die Philofophie, ganz rein gedacht, hat keine eigne Form
und Sprache; das reine Denken und Erkennen des Höchften,
Unendlichen kann nie adäquat dargeftellt werden. Soll die
Philofophie fich aber mittheilen, fo muß fie Form und Sprache
annehmen, fie muß alle möglichen Mittel verfuchen, die Dar=
ftellung und Erklärung des Unendlichen fo beftimmt, klar und
deutlich zu machen, als nur immer gefchehen kann; fie wird in
diefer Hinficht das Gebiet jeder Wiffenfchaft und Kunft durch=
fchweifen, um alle Hülfsmittel, die zu ihrem Zwecke dienen kön=
nen, fich auszuwählen. Die Philofophie, infofern fie alle Arten
des menfchlichen Wiffens in der Kunft umfaßt, kann fich die
Form, die Sprache und Terminologie jeder andern Wiffenfchaft
und der Kunft aneignen, ja es ift fogar nicht einmal nöthig,
daß es eine der Form nach vollendete Wiffenfchaft fey, welche
der Philofophie ihre Terminologie hergebe; auch das gemeine,
praktifche Leben hat feine beftimmte Sprache, die Philofophie
kann diefe höher potenziren, eine würdigere Bedeutung, einen
höhern Sinn hineinlegen, und fie dann zu ihrem Zwecke ge=
brauchen. So wie aber die Philofophie als Wiffenfchaft felbft
noch nicht vollendet ift, fo ift es auch ihre Sprache nicht; auch
diefer liegt ein fortgehendes Streben zum Grunde, das Unend=
liche in immer beftimmtern, fchicklichern, klarern Worten, Aus=
brücken und Formeln aufzufaffen, darzuftellen und zu erklären.

Auf diefem Princip der relativen Undarftellbarkeit des
Höchften beruht nun die ganze Form der platonifchen Werke.
Das Höchfte läßt fich nur darftellen, indem man es in ein an=
dres Gewand einkleidet, und es fo der menfchlichen Faffungs=
kraft näher bringt; — dies verfuchte nun Plato auf alle mög=

liche Weise; jede damals bestehende Kunst und Wissenschaft benutzte er zu diesem Zwecke; von allen Gattungen und Zweigen des menschlichen Wissens holte er Ausdrücke, Wendungen und Worte her; ja sogar aus den Mysterien schöpfte er vieles für seine philosophische Sprache. Die Mysterien hatten bei den Griechen mit der Philosophie einen und denselben Zweck: die Nation, die in eine gar zu oberflächliche Mythologie und Religion versunken war, auf den ersten, reinen Urquell aller Wahrheit und Schönheit zurückzuführen d); in ihnen suchte also Plato auch zweckmäßige Hülfsmittel für seine Darstellung.

Im Phädon bediente er sich ganz der Sprache, des Ge= wandes der Mysterien; im Phädrus, worin er seine Ideen über die Liebe, die Erinnerung freilich mehr mythisch, poetisch als scharf philosophisch untersuchend vorträgt, herrscht die rhetorische Form; im Parmenides ist sie mehr rein dialektisch; im Theätetus mathematisch; in der Republik politisch; in dem Timäus endlich, wo er sich mit der Kosmogonie beschäftigt, ist die Behandlung poetisch = phy= sikalisch.

Nach dieser Untersuchung über die Form der platonischen Philosophie wenden wir uns nun zu der Beurtheilung ihres Inhalts. —

Der Punkt, von welchem die platonische Philosophie aus= ging, war die weitere speculative Entwicklung und Begründung der sokratischen Lehre vom absolut Guten und Schönen, des Princips des Anaxagoras vom göttlichen Verstande, und eine versuchte Verbindung der Philosophie des Heraklits und Parmenides.

In fast allen seinen Dialogen beschäftigt er sich mit diesen beiden Ansichten, setzt sie sich immer entgegen, bestreitet sie, sucht die Extreme beider zu vermeiden, zwischen ihnen einen Mittelweg zu finden, der seiner Ueberzeugung nach zur wahren Philosophie führe.

Heraklit leugnete alle Beharrlichkeit, und behauptete ein unendliches Erzeugen, Wechseln, Verändern, Neugestalten, Werden aller Dinge.

Parmenides nahm an, die ewige, allvollkommne Welt, das Eine, alleinige Ding und Seyn verharre unwandelbar in beständiger Ruhe, — alle Bewegung, Veränderung sey Schein und Irrthum, das einzig Wahre, Reelle sey nur diese ewig unveränderliche, ewig sich selbst gleiche Einheit aller Dinge.

Nun ist Plato überall bemüht, eine Mittelphilosophie zu finden, welche beide Ansichten verbinde. Bei diesem Versuche geht er von dem Lehrsatze des Anaragoras aus, und suchte die Anschauung des ewigen Wechselns und Werdens zu vereinigen mit dem Glauben an die vollkommne Ruhe und ewige Harmonie einer unendlichen Intelligenz.

Plato's Lehre von den Ideen fließt aus der Annahme des anaragorischen Lehrsatzes von einem göttlichen, die Welt beherrschenden Verstande; er dachte sich die Herrschaft der göttlichen Intelligenz über die Welt wie das Verhältniß des bildenden Künstlers zu dem von ihm gebildeten Stoffe.

Nach ewigen, unveränderlichen, in ihm vorhandenen Urbildern habe der göttliche Verstand alle natürlichen Dinge gebildet.

In dieser Nachbildung muß nun nothwendig ein Stoff vorhanden seyn, der aber, weil der Verstand wohl bilden und formen, aber nicht schaffen und erzeugen kann, nicht aus ihm hergeleitet, sondern als neben und außer ihm ewig existirend angenommen werden muß.

Diese Materie habe durch ihre ursprüngliche Beschaffenheit und Unvollkommenheit dem göttlichen Verstande bei der Weltbildung Grenzen gesetzt, und sey die Urquelle alles Uebels, aller Mangelhaftigkeit und Unordnung in der Einrichtung der Welt, so wie Gott die Quelle alles Guten, aller Vollkommenheit und Schönheit.

Nach dieser Ansicht nun nahm Plato statt einer einzigen, untheilbaren gleichsam zwei voneinander getrennte Welten an, die Welt der Ideen und die sinnliche Welt der Erscheinungen.

Die erste sey das ewig unveränderliche, beharrliche, vollkommne Wahre.

In der Welt der natürlichen, jenen Urbildern nur unvoll-

kommen nachgebildeten Dinge, entspringe aus der ursprüngli=
chen, durch den göttlichen Verstand nicht zu hebenden Fehler=
haftigkeit des Stoffes nur Veränderlichkeit und Schwanken,
nur Beschränkung, Täuschung und Irrthum.

Nun scheint Plato wirklich seinen Zweck, die Philosophie
des Anaxagoras zu begründen, und jene des Heraklit und Par=
menides zu vereinigen, zum Theil erreicht zu haben, da er
beide Principien annahm, die ewige Unveränderlich=
keit und Beharrlichkeit für die Ideen, die Ver=
änderlichkeit, den Wechsel, die Wandelbarkeit für die
Erscheinungen der Sinnenwelt.

Aber gerade in diesem Streben, die Extreme entgegenge=
setzter Systeme zu vermeiden, und eine Mittelphilosophie auf=
zufinden, liegt ein Grund, warum Plato nicht bis zur Vollen=
dung durchgedrungen sey.

Eine Ansicht, die zwei entgegengesetzte Systeme umfassen
soll, muß nothwendig in der Mitte von beiden liegen; sucht
man aber blos einen Mittelweg, der die Fehler beider vermei=
de, so ist man zu sehr mit diesen beschäftigt, modificirt so lan=
ge, schneidet so viel von der einen und der andern ab, bis
endlich nur etwas halbes zurückbleibt.

Die wahre Mitte müßte, wo nicht eine gänzliche innere
harmonische Vereinigung zweier entgegengesetzter Ansichten, doch
eine Hinweisung auf ihre gemeinschaftliche Quelle enthalten;
bringt man bis zu dieser durch, so wird es leicht, beide zu um=
fassen und zu vereinigen, eine Ansicht zu finden, die beide
harmonisch in sich aufnimmt.

Plato suchte den Mittelweg zwar auf der rechten Stelle,
im Idealismus; aber sein Idealismus blieb unvollendet; der
Grund davon lag nicht allein in dem blos negativen Streben,
die Fehler zweier entgegengesetzten Systeme zu vermeiden, son=
dern auch darin, daß er von vorne an den Charakter des höch=
sten Bewußtseyns zu einseitig, nicht in der ersten, ursprüngli=
chen Form auffaßte.

Plato hatte ganz Recht, dem Geist, der Intelligenz den
Vorrang vor dem Körper zu geben, ihn zum ersten Princip zu

erheben, die Quelle alles Daseyns im Bewußtseyn zu suchen; aber er faßte dies Bewußtseyn blos als Verstand, als Vernunft auf; Verstand und Vernunft sind aber schon sehr abgeleitete, verwickelte, künstliche Formen des Bewußtseyns, keineswegs aber die Wurzel, die Urquelle.

Der vollendete Idealismus soll alles aus dem Geiste herleiten und entstehen lassen. Geht man aber, wie Plato, von dem Verstande als erstem Princip aus, so ist man gezwungen, außer diesem noch eine Materie anzunehmen, die sich nun nicht aus ihm erklären läßt.

Denkt man sich die Herrschaft des Geistes über den Stoff, das Verhältniß der Welt zu ihrem ersten Ursprunge, wie das Verhältniß des bildenden Künstlers zu dem von ihm gebildeten Kunstwerke, des Nachgebildeten zum Urbilde, so muß ja doch ein Stoff vorausgesetzt werden, auf den der Verstand habe wirken, den er nach den ewig in ihm vorhandenen Urbildern habe bilden und gestalten können, den der Verstand nicht ursprünglich erzeugen und erschaffen kann.

Mit dieser außer dem Geiste ursprünglich vorhandenen Materie sind aber zugleich zwei Principien angenommen worden, und die Intellectual-Philosophie verfällt in den Dualismus, und verfehlt ihren Zweck, den Geist zum ersten, höchsten, einzigen Princip zu machen. Auch werden sich dann Mängel und Widersprüche genug auffinden lassen. — Ist der göttliche Verstand bei der Weltbildung durch die ursprüngliche Beschaffenheit, Formlosigkeit und Rohheit der Materie beschränkt und bedingt gewesen, hat er diese Unvollkommenheit, die die Quelle alles Uebels ist, nicht heben können, so war er ja durch eine höhere Nothwendigkeit, ein unabänderliches Fatum gebunden, das in dieser Hinsicht die Stelle über ihm einnimmt. Und preise man dann auch die Macht und Weisheit des göttlichen Bildners noch so hoch, so hat sie doch, durch die ursprünglichen Gesetze der Materie gebunden, aus dieser nur ein unvollkommnes Kunstwerk hervorbringen können.

Diesen Grundfehler zu vermeiden, hätte Plato das Bewußtseyn nicht einseitig als Vernunft, als Verstand, sondern in der höchsten, ursprünglichsten Form auffassen sollen. Kann gezeigt werden, daß dies in der **Natur** wie im **Menschen** ist, so ist der einzige Weg, alle Schwierigkeit zu heben, gefunden. In uns gibt es aber außer dem Verstande, der **Vernunft** ein **Begehrungsvermögen**; fände sich in diesem die Quelle, der Anfang, die Wurzel des Bewußtseyns, welches in dieser ursprünglichen Form als ein Sehnen, als ein Streben, als **Liebe** aufgefaßt würde, so wäre alle Schwierigkeit in Rücksicht des Stoffes gehoben. Denn wie aus dem Streben der Liebe — **Leben**, aus dem Leben aber der **Stoff** gleichsam **niederschlagen**, und körperliche Organisation hervorgehen kann, dies zeigt uns schon die Physik sehr deutlich.

Wäre Plato bis zu dieser Ansicht des vollendeten Idealismus durchgedrungen, hätte er das Bewußtseyn bis zur ersten Quelle verfolgt, als Sehnen, als Liebe aufgefaßt, so wäre er auch im Stande gewesen, den Stoff, die Materie daraus entstehen zu lassen, und nicht genöthigt gewesen, neben dem höchsten, göttlichen Verstande auch eine ewige Materie anzunehmen, die zwar durch diesen gebildet wird, aber durch die ihr eignen Gesetze den göttlichen Künstler bei dieser Bildung beschränkte und bedingte.

Plato ging aus von der versuchten Vereinigung des Systems des Heraklit mit dem des Parmenides; aber offenbar neigt er sich auf die Seite des letztern. Auch in diesem Einfluß des eleatischen Pantheismus liegt ein Hauptgrund, der seine Philosophie hinderte, zur Vollendung fortzuschreiten. — Der Begriff der **Beharrlichkeit**, übergetragen auf den göttlichen Verstand, entfernt jeden Gedanken an eine lebendige Gottheit, die aus ewig thätiger, wirksamer Fülle und Kraft alle Dinge erzeugt und entwickelt; daher muß denn neben ihr eine Materie als ewig vorhanden angenommen werden, aus der die Welt gebildet wird. Plato, insofern er dem Beharrlichen ein Primat vor dem Veränderlichen, dem **Seyn** vor der Thätigkeit, dem **Werden** entschieden zuschreibt, konnte nicht zum vollendeten Idealismus durchdringen.

Der Punkt, wo Plato stehen blieb, ist die Lehre von den Ideen, von der Herrschaft des Verstandes über den Stoff, und der Bildung aller natürlichen Dinge, nach den Urbildern einer ewigen Vernunft; die höchsten Punkte zwischen beiden, wo er bis zum Idealismus durchdrang, ist die Lehre von der Erinnerung, und seine Ideen über die Liebe.

Plato lehrte, die wahre Erkenntniß entspringe im Menschen aus der Erinnerung. Der Mensch habe ehedem in einer nähern Verbindung mit der Gottheit gestanden, in der intellectuellen Welt habe der menschliche Geist die Urbilder des göttlichen Verstandes in der Wahrheit angeschaut, wovon in der sinnlichen Welt nur unvollkommne, schwache Abbildungen, nur Schatten seyen; so wie der Mensch diese erblicke, erwache in ihm die Rückerinnerung an jene ehemalige Anschauung, die freilich der sinnlichen Beschränkung und der großen Entfernung von jenem bessern Zustande gemäß nur verworren und undeutlich seyn könne.

Diese Lehre sollte die sonderbare Lage des Menschen zwischen Vollkommenheit und Unvollkommenheit, Wahrheit und Irrthum erklären. Der Charakter der Unvollkommenheit der menschlichen Erkenntniß wird sehr gut erklärt durch das Anfangen eines Wiedererkennens von etwas, was halb erloschen, halb vergessen ist, und das Erwachen aus einem dunkeln, verworrenen Zustande. Auch macht jene Lehre das Entstehen jener erhabenen Gedanken und Ideen begreiflich, die aus den Anschauungen und Empfindungen der sinnlichen Welt nicht zu erklären sind, und in dem Geiste des Menschen wie Fremdlinge aus einer höhern, bessern Sphäre dastehen. — Der Mensch gelangt zur Wahrheit nur durch Erinnerung an jenen ehemaligen Zustand.

Die Philosophie war also nach dieser Voraussetzung dem Plato die Kunst, jene Erinnerung in dem Geiste vollkommner zu entwickeln, das verlorne Bewußtseyn des Unendlichen wieder hervorzurufen, und ihn so zur Urquelle der Wahrheit wieder zurückzuführen. ——

Die Ableitung des einzelnen, beschränkten, endlichen Bewußtseyns aus dem höchsten, unendlichen ist vollkommen philosophisch, und würde Plato zum vollendeten Idealismus geführt haben, wenn er das Bewußtseyn in der ursprünglichsten Form, als Liebe aufgefaßt und aus dieser den Verstand, die Vernunft hergeleitet hätte.

Plato dachte sich das Ideal des Bewußtseyns als Verstand, und bezieht also auch hierauf die Erinnerung; aus dieser leitet er denn auch die Liebe her, sie ist ihm die vollkommne Erkenntniß der ewigen Schönheit. Es ist die Frage, ob er nicht einen bessern Weg eingeschlagen hätte, die Erinnerung auf die Liebe zu beziehen, als einzig auf das Wissen und Erkennen?

Ein reines Sehnen, reine Liebe kann nur aus der Erinnerung erklärt werden, das reine Sehnen ist immer ein Streben nach einem bekannten, aber unbestimmten Etwas, also nach einem Etwas, das man schon vorher gekannt, einem Gute, einer Herrlichkeit, die man schon einmal genossen hat; es ist ein dunkles Vorgefühl eines unbekannten Gegenstandes, das Streben in eine unermeßliche, dunkle Ferne.

Ist jeder endliche Geist nur Ausfluß aus dem Unendlichen: dann ist auch nothwendig das, was in jedem endlichen Geiste das höchste ist, abgeleitet aus dem Unendlichen, ist göttlichen Ursprungs. Das reine Sehnen, die Liebe des endlichen Wesens kann daher auch nur aus dem Urquell aller Liebe, der göttlichen herfließen; das einzelne Wesen, welches die Liebe in sich erfunden hätte, würde zugleich die Welt erschaffen haben, selbst Gott seyn.

Plato leitet die Liebe zwar auch aus der Erinnerung her, aber diese bezieht er blos auf den Verstand. Die Liebe, wie er sie darstellt, ist nur die undeutliche Erkenntniß der ewigen Schönheit, die Bewunderung des von dem höchsten Verstande entworfenen Urbildes.

Die Lehre von der Rückerinnerung setzt die Präexistenz der Seele nothwendig voraus; an diese schließt sich nun die Lehre von der Seelenwanderung. In der intellectuellen Welt konnte der Mensch nicht unsern unvollkommenen Körper haben, ohne allen Körper konnte er nicht anschauen; dies ist ja aber schon eine Art Seelenwanderung, aus einem vollkommnern in einen schlechtern Körper, aus der vergangenen folgt die künftige nun ziemlich von selbst.

Der Grad der Annäherung des Menschen in diesem Leben zur höchsten Vollkommenheit, oder, im entgegengesetzten Falle, seine Entfernung von dem höchsten Gute und seine Hinneigung zum Schlechten bestimmen den Weg, den die Seele in ihrer Wanderung zu nehmen hat. Die schlechten sinken herab zu Thierseelen, die bessern nähern sich der Wiedervereinigung mit der vollkommenen Welt.

Die Unsterblichkeit der Seele liegt ohnehin in dem Charakter des Systems; obwohl ein Anfang der Weltbildung angenommen ist, wird doch nichts absolut geschaffen, also auch nichts absolut vernichtet, da aller Stoff und alle Grundkräfte ewig sind.

Ueber das Entstehen der Seele läßt sich Plato nirgend aus; kommt den Geistern wie den Ideen die Einheit und Beharrlichkeit zu, so sind sie nicht erschaffen, und er nahm dann drei Principien an, den göttlichen Verstand, die Seelen und die Materie.

Wäre der Timäus ächt, so sind die Seelen Emanation aus der Gottheit; beides aber verträgt sich sehr gut mit seinem Systeme. Entweder hält er sie identisch mit der Gottheit, oder von der Gottheit geschieden; in beiden Fällen sind sie ewig, da, wie gesagt, aller Stoff und alle Grundkräfte ewig sind.

Viele haben geglaubt, Plato habe sich die Seele, wie mehrere ältere griechische Philosophen, als Complexion, als Harmonie, als Resultat des Organismus gedacht, wie z. B. der Laut in der Leyer; allein er verwirft diese Vorstellungsart allzu bestimmt, als das man sie für die seinige halten könnte.

Die Voraussetzung von der Präexistenz der Seele, wenn gleich sehr einfach, befriedigend und erklärend, ist doch immer sehr willkürlich. Es ist schon früher bemerkt worden, daß historisch nachgewiesen werden kann, daß manche der vorerwähnten platonischen Lehren fremden Ursprungs sind. — Die Art, wie Plato sie näher charakterisirt, die nicht nothwendig in dem Grundprincip liegt, die große Uebereinstimmung des Details seines Systems mit den einzelnen, nicht strenge aus dessen Prä-

miſſen folgenden Ideen, mit der indiſchen Philoſophie iſt es
es grade, was eine fremde Mittheilung ſo wahrſcheinlich macht;
denn ungeachtet des Zuſammenhangs, der ihnen in dem plato=
niſchen Syſtem nicht abgeſprochen werden kann, iſt es doch un=
läugbar, daß ſie aus der indiſchen Philoſophie viel beſſer und
ſtrenger herfließen, und da ihr vollſtändiger Zuſammenhang
ganz klar einleuchtet.

Die indiſche Philoſophie geht aus von dem Begriffe der
Gottheit, als eines einigen, allverſtändigen, allmächtigen We=
ſens, aus deſſen Fülle und Kraft alle Dinge hervorgegangen
ſeyen. — Hier iſt die Gottheit nicht nur ein lebendiges Thier,
wie bei den älteſten griechiſchen Philoſophen, ſondern ein Geiſt,
ein Ich, wo das geiſtige das vorherrſchende iſt. Aber auch
nicht blos ein vollkommener Verſtand wie bei Plato, ſondern
zugleich der Inbegriff aller materiellen Kräfte und Weſen, die
Quelle alles Lebendigen, aus deren Fülle und Kraft alle Dinge
ſich entwicklen und entſtehen.

Hier wird nun der Grundfehler, eine Materie neben der
Gottheit anzunehmen, vermieden; auch dieſe Idee der Vernunft,
dem Gefühl entſprechender, und eine viel würdigere Vorſtel=
lungsart, als die des göttlichen Künſtlers bei Plato, der durch
die urſprüngliche Unvollkommenheit und Schlechtigkeit des Stof=
fes bei der Weltbildung beſchränkt, aller Macht und Weisheit
ungeachtet, doch nur ein halbverpfuſchtes Werk zu Stande
bringen konnte.

In dieſem Syſteme ſind alle Geiſter, alle Weſen und
Dinge nur eine Reihe von Entwicklungen und Ausflüſſen
aus der allvollkommnen Urkraft, und zwar iſt dieſer Ausfluß
aus der Gottheit ein Herabſinken auf eine niedrigere Stufe
des Daſeyns, in einen Zuſtand der Unvollkommenheit und Be=
ſchränkung. Die Welt iſt nach dieſer Anſicht ein Unglück, ein
Uebel, und das bedingte Daſeyn ein Abfall von dem urſprüng=
lichen Vollkommenſeyn, etwas höchſt tragiſches, welches jedoch
durch die troſtreiche Ausſicht gemildert wird, der angeſtrengten
Bemühung des geſunkenen Weſens ſey eine erhebende Rückkehr
zur Gottheit möglich.

Anmerk. Auch gegen diese indische Vorstellungsart lassen sich mit Recht die Fragen aufwerfen: Was ist der Grund jener Emanation? Was ist der Zweck der Welt? Warum blieb die Gottheit nicht ruhig in sich selbst? Diese Fragen werden auch hier nicht befriedigt beantwortet, wenn gleich besser, wie bei Plato.

Aus diesem System nun folgen die früher erwähnten Lehren des Plato ganz streng und unvermeidlich.

Sind alle Geister Ausfluß aus der Gottheit, so ist es schlechthin Folge, daß, so tief sie auch immer sinken mögen, in Unvollkommenheit, Beschränktheit und Finsterniß, doch immer ein Funke dunkler Erinnerung ihres ehemaligen Daseyns in Gott ihnen bleiben muß; diejenigen Begriffe nun von göttlicher Vollkommenheit, die in dieser unvollkommenen Welt im menschlichen Geiste erwachen, sind das, was Plato seine Ideen nennt.

Da jene Emanationen aus der Gottheit der Zahl nach unendlich sind, wie ihr Urheber, so folgt die physikalische Metempsychose, das Verändern, das Wechseln der Hülle und Umgebung, einer unendlichen Reihe von Entwicklungen von selbst.

Daß nun jene Metempsychose auch eine moralische sey, ist eben so begreiflich, indem nach der Weisheit des höchsten Urhebers sich wohl kein andres als ein moralisches Verhältniß für diese Seelenwanderung denken läßt; die schlechten sinken immer tiefer in Unvollkommenheit, in dunklere Umhüllungen, die bessern steigen immer höher zur lichten Urquelle hinauf.

Es versteht sich, daß im indischen System Geist und Körper als identisch gedacht werden; auch den Pflanzen werden Seelen zugeschrieben, aber in ein noch viel tieferes, düstereres Dunkel gehüllt. Der Gedanke, daß alles beseelt sey, hängt viel besser mit der Seelenwanderung zusammen, und diese fließt aus dem System der Emanation weit natürlicher, als bei Plato, wo sie sich doch wegen der großen Trennung zwischen Geist und Körper nicht recht erklären läßt.

Die Wahrnehmung der vielen Leiden und Plagen, denen die Menschheit unterworfen ist, führte natürlich auf die

Frage, warum viele Menschen so ausgezeichnet unglücklich wären. Die Antwort ist hier sehr einfach. Man darf nur annehmen, der Grund aller Uebel liege in Verschuldungen, die man in einem frühern Leben sich zugezogen habe. Dieselbe Antwort gibt auch Plato, doch fließt sie nicht nothwendig aus seinen Grundprincipien.

Ueber das Verhältniß der Gottheit zur Welt erklärt sich Plato in einem unbezweifelt ächten Dialoge; Gott bilde anfangs die Welt, dann aber überlasse er sie sich selbst, wo sie aus eigner Kraft sich ganz verkehrt und rückgängig bewege, bis sie sich wieder in das Chaos auflöse, wo dann die Gottheit dieselbe Operation noch einmal vornehmen muß.

In der indischen Philosophie wird angenommen, daß die Gottheit abwechselnd schlummere und wache; wacht die Gottheit, so entsteht und bildet sich die Welt, schlummert Brahma, so vergeht, versinkt alles. Diese Vergleichung der einzelnen platonischen Philosopheme, die nicht nothwendig aus den Prämissen seines Systems folgen, mit der indischen Philosophie, wo sie aus dem Grundprincip ganz einfach, natürlich und strenge folgen, führen uns billig auf die Vermuthung, daß wohl Plato sie aus dieser Quelle geschöpft haben könnte. Alle diese Ideen waren mit der griechischen Denkart so wenig vereinbar, der herrschenden religiösen Ueberzeugung so widersprechend, daß die Annahme eines fremden Ursprungs sehr begründet wird; keineswegs aber soll Plato mit dieser Behauptung das Verdienst der Originalität abgesprochen werden; er hat jene Ideen, wenn sie auch ursprünglich aus einer frühern Quelle geschöpft waren, doch eigenthümlich entwickelt, gestaltet und ausgebildet, und sie dadurch sich ganz angeeignet; nur von ihrem ersten Ursprunge ist hier die Rede, der aller Eigenthümlichkeit des Plato unbeschadet wohl in der orientalischen Philosophie liegen dürfte.

Die Lehre Plato's von den Ideen, die der menschliche Geist nicht aus der Sinnenwelt geschöpft hat, sondern die aus der Rückerinnerung an eine ehemalige Anschauung entspringen, war immer eine willkürliche Voraussetzung: diese zu begründen,

muß die Erinnerung eben so willkürlich angenommen werden, an die sich dann die Seelenwanderung anschließt,
doch hangen diese Lehren nicht nothwendig mit dem Grundprincip seiner Philosophie zusammen, wie dies in der indischen der
Fall ist. —

In der Lehre von den Ideen finden überhaupt große Streitfragen statt, die sich aus ihm selbst nicht leicht befriedigend erklären lassen; besonders über das Verhältniß der Ideen zur
Gottheit, ihrer Urquelle, bleiben noch manche Fragen zurück,
die nicht ohne Schwierigkeit zu beantworten sind. Ueber das
Verhältniß der Ideen zu den Geistern sucht man eben so wenig eine genügende Auskunft. Aber der schwierigste und gar
nicht zu lösende Punkt ist das Verhältniß der Ideen untereinander; das Verhältniß der Ideen zu den Gattungen, und dieser zu den Individuen; wie viel solcher Ideen es dann gäbe;
gibt es welche für jede Gattung? jedes Individuum? und welches sind die ursprünglichen wahren Gattungen, die im Universum existiren? gäb es Ideen, Urbilder und alles Mögliche,
so müßte außer der Wahrheit, Schönheit auch z. B. eine
Tischheit ꝛc. existiren.

Indessen führt diese Lehre von den Ideen, übertragen auf
die Natur, die Kunst und die Moral, zu den schönsten und an-
nehmlichsten Resultaten.

Alle Dinge sind nach den vollkommenen Urbildern des göttlichen Verstandes gebildet; doch konnte diese Nachbildung wegen
der ursprünglichen Mangelhaftigkeit des Stoffes nur unvollkommen gerathen. Diese Unvollkommenheit nun so viel wie
möglich zu heben, dem göttlichen Urbilde so ähnlich wie möglich zu werden, ist die höchste Bestimmung jedes endlichen Wesens. Trägt man diese Idee, alle Dinge seyen nur Nachstre-
bungen nach den vom göttlichen Verstande entworfenen Urbildern, über auf die Ansicht der Natur, so erscheint alle Entwicklung und Bildung in ihr auch nicht anders, als ein Streben
nach der höchsten Aehnlichkeit mit jenen vollkommenen Urbildern;
aber auch hier, wie in der Kunst, gibt es Abweichungen vom
Urbilde, mißlungene Versuche, Mißgeburten.

Wie diese platonische Ideenlehre, Intellectual‑Philosophie mit der Kunst verwandt sey, ist schon früher gezeigt worden. — Angewandt auf die Moral, ergibt sich aus ihr das Princip, daß der Mensch sich jenen Urbildern des Schönen, Guten, Wahren 2c. mit allen Kräften zu nähern suchen soll, und daß er desto mehr Antheil an dem ewigen, wahren, vollkommenen göttlichen Seyn und Leben haben wird, je größer diese Annäherung war.

Indessen zeigt sich hier in der Moral auch vorzüglich der Grundfehler, der die ganze platonische Philosophie drückt.

Geht man wie Plato aus von einem höchsten Verstande, und denkt sich die Herrschaft dieses Verstandes über den Stoff, wie das Verhältniß des Urbildes zum Nachgebildeten, so wird der praktische Theil einer solchen Philosophie nothwendig sehr unvollkommen seyn. Das Gute erscheint dann als Forderung, als Pflicht, als Gesetz, mit einem Worte, als Ideal; gleich von vorne wird dann schon zugegeben, das wirkliche Leben werde diesem nie entsprechen; und demnach ist das Ideal ewig schön, die Pflicht ewig geboten; so wie die Wirklichkeit ewig unbesiegbar widerstrebt, — so wird nun der Mensch mit sich selbst in Zwiespalt gesetzt, denn wer diesen trostlosen Glauben hat, wird sich bald der Wirklichkeit hingeben, bald mit furchtsamem, unthätigem Bewundern das Ideal anstaunen, und sich mit dem Gedanken trösten, daß man es nie erreichen, ihm nie in der Wirklichkeit entsprechen könne. — Aber auch in speculativer Rücksicht führt diese Philosophie zu keiner ächten Moral. Die reine Philosophie hat mit dem Leben nichts zu thun, die Moral aber soll in dieses bestimmt und wirksam eingreifen, sie soll die Philosophie in das Leben einführen, dieses idealisiren, sich selbst aber realisiren, sich ganz mit ihm identificiren; sie soll nicht blos unfruchtbar lehren, sondern selbst Thaten und Leben erzeugen; dies ist aber nicht möglich, wenn Idee und Leben so absolut getrennt sind, das Ideal so sehr erhoben, die Wirklichkeit so sehr herabgesetzt wird, daß an eine Realisirung des erstern in der letztern nicht zu denken ist.

Eine Philosophie, die wie jene des J. Boehme das Ur‑

princip als Sehnen, als Streben, als Liebe auffaßt, wird selbst
Leben hervorbringen, wird mit productiver, magischer Kraft
neue Kräfte im Bewußtseyn hervorrufen, da sie das Bewußtseyn selbst in der höchsten, lebendigsten Kraft aufgefaßt hat.

Ein andrer bedeutender Fehler, auf den diese Philosophie
durch die zu große Entgegensetzung von Idee und Wirklichkeit
führt, ist, daß man dann auf der einen Seite der Idee nur
eine Art von Schattenwirklichkeit zugesteht, während auf der
andern Seite die Wirklichkeit durch das Gefühl ihre Rechte behauptet, ohnerachtet man sie theoretisch für bloßen Schein erklärt, und zu vernichten strebt; dies führt nun natürlich zu dem
Resultate, daß man die Wirklichkeit, als dem Ideale nicht
entsprechend, zu sehr verachtet, während man an die Idee als
bloßes Schattenwerk nicht glaubt, man mag auch theoretisch
davon lehren, was man will.

Ungeachtet dieser Mängel, deren Grund wir angegeben
haben, behauptet Plato unter den Selbstdenkern aller Zeiten
und Nationen den ersten Rang; er ist uns Quelle zugleich und
Urbild, dieses wegen der hohen Vortrefflichkeit des Styls und
der Form, jenes, weil er uns mehr, wie alle andere, in den
Geist der Philosopheme seiner Vorgänger führt. Das Verhältniß, in dem er zu diesen steht, ist schon früher angegeben
worden.

Er ging aus von dem Gegensatze der Systeme des Heraklits und des Parmenides. Die Philosophie, worauf er sich
als mit ihr übereinstimmend bezieht, ist jene des Anaxagoras.
Mit seinem Princip ist er sehr wohl zufrieden, aber er befrie-
digte ihn nicht; er behauptete, Anaxagoras habe sein Princip
nicht weit genug geführt, sey nicht consequent und treu dabei
geblieben, habe nicht alles aus diesem Einen Princip hergeleitet, sondern späterhin zur Erklärung aller natürlichen Dinge
noch andere Principien angenommen. Daß Plato selbst in den
nämlichen Fehler fiel, ist schon gezeigt worden.

Zu einem ähnlichen Verhältniß, wie zum Anaxagoras, stand
er auch zum Sokrates. Die Lehre des absolut Guten und
Schönen nahm er von diesem an, er wollte nur die speculative

Begründung und Entwicklung hinzufügen. Man hat mehrmals die Beschränktheit des Sokrates mit Plato's hohem speculativem Geiste in Gegensatz bringen wollen, allein dieser ist nicht so groß, wie man gewöhnlich annimmt. Sokrates war nicht so ganz von aller Speculation entfernt, seine Beschränkung war willkürlich. Daß Plato seinem speculativen Geiste gemäß bei dieser nicht stehen blieb, ist leicht erklärlich. Ein Haupt-charakter der sokratischen Beschränktheit, daß er sich in die Phy-sik nicht einließ, findet sich bei Plato in einem noch höhern Grade; er leugnete ausdrücklich, was Sokrates nur unentschie-den ließ, daß es eine Physik als W i s s e n s c h a f t geben könne; weil der Gegenstand der Physik, die äußere Natur, durchaus veränderlich und wandelbar sey, lasse er auch kein strenges, bleibendes Wissen, sondern nur ein M e i n e n zu; er beschränkte seine Philosophie blos auf D i a l e k t i k; diese war ihm, als Wissenschaft vom höchsten Gute, zugleich Logik, Moral und Theologie. —

Der Pythagoräer erwähnt Plato mit der höchsten Achtung; aber er gibt uns keine Auskunft, was in seiner Philosophie wohl von ihnen hergenommen seyn möchte, welches doch wohl der Fall war. Auffallend ist es immer, daß, ungeachtet er des pythagoräischen Systems mit so großem Ruhme erwähnt, auch mit der politischen Tendenz dieser Philosophie ganz ein-verstanden war, doch die Principien seiner Philosophie mit je-ner, so weit wir sie kennen, nicht so genau verwandt sind.

Indessen ließen sich doch durch Vergleichung wohl mancher-lei Beziehungen und Aehnlichkeiten auffinden; — so könnte man wohl annehmen, Plato habe seine I d e e n an die Stelle der pythagoräischen Zahlen setzen wollen; beide nehmen wenigstens intellectuelle Principien an, und sind nur in den Bestimmungen von diesen verschieden. Ueberhaupt wäre es nicht unwahr-scheinlich, daß Plato mehrere seiner Philosopheme andern py-thagoräischen entgegengesetzt habe, nicht um sie zu bestreiten, sondern bessere an ihre Stelle zu setzen.

Plato's Lehre von der Einheit und Vielheit kann mit der Lehre der spätern Pythagoräer in Beziehung gesetzt werden; die

Gottheit ist ihm die Einheit, das Beharrliche; die Materie die
Vielheit, das Wandelbare. Die Einheit ist bei ihm das bildende
Princip, die Vielheit das leidende, wenn gleich nicht ganz im
Sinne der Pythagoräer. Auch setzt er der Einheit nicht die
Zweiheit, sondern die Mannichfaltigkeit entgegen, und läßt sich
nicht ein in Zahlenconstructionen.

Aristoteles.

Da sich um Plato und Aristoteles die Philosophie der spätern
Zeit gleichsam wie um ihre Pole gedreht hat, so verdient auch
der letztere in der Geschichte der Philosophie eine ausführlichere
Erwähnung, als ihm sonst in Vergleichung mit andern wohl zukommen möchte. — Unstreitig aber gehört er unter die größten
Männer Griechenlands. Form und Styl sind bei ihm, wenn
gleich nicht von der hohen Schönheit wie bei Plato, doch
äußerst elegant, gewählt, sorgfältig, bestimmt, freilich etwas
trocken und streng, aber doch durch die vielen Beispiele, Mannichfaltigkeit, Präcision und Klarheit so anmuthig, wie möglich. — Was ihn aber vor allen andern auszeichnete, ist seine
große Gelehrsamkeit und Kritik; er umfaßte alle wissenschaftlichen und gelehrten Kenntnisse der damaligen Zeit, verband den
Reichthum und die Fülle seiner Gelehrsamkeit mit dem Geiste
der Philosophie und Kritik, weswegen ihn die Griechen den
Vater der Kritik nannten. Offenbar war er der erste unter den
griechischen Gelehrten.

Aristoteles entfernt sich nicht nur von Plato, sondern bestreitet ihn, und zwar oft mit einer Heftigkeit, die vermuthen
läßt, daß er ihn nicht ganz verstanden habe.

Bei ihm findet sich schon die Eintheilung der Philosophie
in Logik — Moral — und Physik. — Die Neuern haben in
der Voraussetzung, daß die Logik ein Organon der Philosophie

sey und ihre Grundprincipien enthalte, diese der Physik und Moral vorhergehen lassen. Dies ist wohl sehr unrichtig: der Gang, den Aristoteles selbst scheint bezweckt zu haben, ist zuerst Physik — dann Logik — dann Moral. — Seine metaphysischen Schriften, die aber theilweise sehr unächt scheinen, können den Uebergang machen von der Logik zur Moral. —

Aristoteles Philosophie mußte wohl, als der platonischen entgegengesetzt, natürlich von dem Punkte ausgehen, wo diese am mangelhaftesten war, der Physik, die Plato fast unbearbeitet gelassen hatte. Zu diesem äußern Grunde kommt noch, daß die Physik des Aristoteles die Principien seiner Philosophie überhaupt enthalte, angenommen, daß die Bücher der Metaphysik unächt sind.

In der großen Zahl der dem Aristoteles zugeschriebenen Werke sind wohl viele unächt; dies scheint besonders von der Schrift über die Kategorien zu gelten, aus der man bisher sein System vorgetragen und beurtheilt hat; die obenerwähnten Bücher über die Metaphysik sind ebenfalls sehr zweifelhaft.

Was die allgemeinen Principien seiner Philosophie betrifft, so ist das wesentliche darüber schon gesagt worden, sie ist ein objectiver Idealismus.

Die ersten Principien aller Dinge sind die Materie — die Form — die Privation. Seine Materie ist gar nicht körperlich, ist nichts, als die bloße Möglichkeit an und für sich, durchaus unbestimmt, ohne alle Qualität, die blos gedachte Grundlage des Wirklichen. Die Formen setzt er entgegen den platonischen Ideen, sie sind ihm das wirkliche, wesentliche, nothwendige. — Das was die Formen näher bestimmt, — oder durch Beschränkung des unbestimmten, Beschränkung der Materie und Möglichkeit die Bestimmung der Formen veranlaßt, ist die Privation.

Die Form und reine Actuosität ist Fichte's absolutes Ich; die Bestimmungen durch die Privation sind die Denkgesetze, die das Ich sich selbst gibt, die Materie das Etwas, durch dessen Anstoß diese Selbstbeschränkung, Selbstgesetzgebung des Ichs veranlaßt wird.

Wenn Aristoteles sagt, die Seele sey der Ort der Formen,

so ist dies ganz idealistisch, da die Formen alles wirkliche und nothwendige umfassen; die Materie aber keine Realität und kein Daseyn für sich hat.

Auch seine Erklärung der Natur der Seele ist ganz idealistisch. Er setzt diese in die Selbstthätigkeit, oder die Kraft der Selbstbestimmung. Dies ist nun nichts anders, als die Selbstthätigkeit des Ichs der neuern Idealisten.

Die weitere Ausführung dieser Untersuchung kann hier nicht statt haben; wir bemerken nur noch, daß im Gegensatze des neuern, von der reinen Anschauung des Ichs ausgehenden subjectiven — der aristotelische Idealismus, der nicht als Theorie des Bewußtseyns, sondern der Natur auftritt, aber diese ganz idealistisch bis zum absolut thätigen Verstand (νοῦς) ausbildet, der objective genannt werden könnte. —

Bei einer ausführlichen Charakterisirung des aristotelischen Systems ist seine Physik allerdings wohl das wichtigste; doch können wir zu unserm Zwecke darauf nicht Rücksicht nehmen.

Von seiner Logik (ist schon gesprochen und) wird später bei der Untersuchung über die Logik überhaupt die Rede seyn, da diese doch von Aristoteles an als eine für sich bestehende Wissenschaft behandelt worden ist. —

Wir erwähnen hier nur noch des allgemeinen Princips der Moral des Aristoteles, als merkwürdig wegen seines idealistischen Charakters. Immer geht Aristoteles darauf aus, die Wahrheit in der Mitte zwischen zwei sich widersprechenden Gegensätzen zu suchen. — Die Beobachtung des Mittelmaaßes zwischen dem Zuviel und Zuwenig macht ihm also auch das Wesen der Tugend aus; so ist z. B. die Tapferkeit das Mittel zwischen der Zaghaftigkeit und Verwegenheit. — Dies ist der idealistischen Ansicht sehr gemäß: das Kriterium des Idealismus ist unbegränzte Thätigkeit; diese ist aber ohne Wechsel, ohne Streit und Gegensatz nicht denkbar.

Hätten Kant und Fichte in ihrer Moral sich mehr der aristotelischen, als der stoischen angeschlossen, so würde sie sicher weit consequenter seyn; nicht als wäre des Aristoteles Moral so durchaus idealistisch; sie ist im Gegentheile sehr unvollkommen, und nur in ihrem ersten Principe dem Wesen des Idealismus sehr angemessen und treu. Dem negativen Geiste der kantischen und fichtischen Moral würde es indessen viel gemäßer seyn, wenn beide nach Aufstellung des negativen Begriffs von Pflicht das Materiale der P. Ticht, wie Aristoteles, bestimmt hätten als Vermeidung aller Extreme.

Von dem Hauptgrunde der Mangelhaftigkeit des aristotelischen Idealismus wird später die Rede seyn, wo die gemeinschaftliche Quelle der Unvollkommenheit aller bisherigen Systeme des Idealismus aufgesucht werden soll.

Akademiker.

Nach Plato's Tode empfing seine Schule von dem Orte, wo er gelehrt hatte, den Namen Akademie, diese theilt sich nun in die ältere und neuere Akademie; die ältere entfernte sich zwar schon in einzelnen Lehren von Plato, die neuere aber wich gänzlich von ihm ab, und ging zum Skepticismus über. — Diesen neuern Skeptikern ging noch ein andrer von Bedeutung, nämlich Pyrrho, — voran. Von seinem Skepticismus ist soviel bekannt, daß er ganz empirisch war, gegründet auf die Ungewißheit der sinnlichen Eindrücke, die blos relativ und subjectiv seyen; auf das Unsichere, Schwankende aller aus diesen gezogenen Urtheile und Schlüsse, und endlich auf den historisch erwiesenen Widerstreit aller menschlichen Meinungen, Wissenschaften, und besonders der Philosophie selbst. — Alles Unheil und Elend des menschlichen Lebens entspringe aus der Entschiedenheit, mit der die Menschen über Wahres und Falsches, über Gutes und Böses, als in der Natur selbst gegründet, absprechen, und der damit nothwendig verbundenen Unruhe, welche jene Entschiedenheit in ihre Bestrebungen bringt; man müsse zwar immer nach der Wahrheit forschen, ohne zu entscheiden, daß sie gar nicht gefunden werden könne, aber nie glauben, daß man sie schon gefunden hätte, daher immer seinen Beifall zurückhalten, und bei der Unentschiedenheit beharren.

In der Moral schloß er sich an die strenge sokratische an; hiebei muß er natürlich sehr inconsequent verfahren seyn; denn es läßt sich gar nicht einsehen, wie jene strenge Tugendlehre mit seiner skeptischen Ansicht habe zusammenhängen können.

Daß der Skepticismus auf das Leben keinen Einfluß haben könne und solle, nahmen alle spätern Skeptiker an, und trennten daher Theorie und Praxis.

Die Akademiker schöpften ihren Skepticismus aus dieser Quelle; er enthält durchaus nichts Neues; sie suchten nur die skeptischen Ansichten aller andern zu vereinigen, trieben den Skepticismus bis zu der Höhe des Gorgias, und stellten ihn durch die Behauptung: man könne auch nicht einmal wissen, daß man nichts wisse, auf die äußerste, zerbrechlichste Spitze.

Das Abschreckende für das gemeine Leben suchten sie dem Skepticismus durch die Behauptung zu benehmen; im Leben müsse man sich den angenommenen Gesetzen und Meinungen, wie andere tugendhafte Menschen, anschließen. Auf diese Weise suchten sie Moral und Praxis neben dem Skepticismus zu retten, freilich sehr inconsequent, da der wirkliche Skepticismus gewiß auf das Leben Einfluß haben kann.

Den firirten Skepticismus priesen diese spätern Skeptiker als die letzte, schönste Frucht des menschlichen Geistes, als das höchste Gut, und nannten diesen Zustand, wo man weder durch Behauptungen noch Zweifel, weder durch Begebenheiten noch Leiden beunruhigt werden kann, — die Unerschütterlichkeit, wo man Vergnügen und Schmerzen, die die Naturnothwendigkeit uns auflegt, annimmt, ohne sich durch die Entscheidung, daß etwas von Natur unbedingt gut oder übel sey, beunruhigen zu lassen; wo man den Gesetzen seines Vaterlandes, den Sitten und Gebräuchen seiner Mitbürger, den Ueberlieferungen der Wissenschaften und Künste folgt, ohne durch eine bestimmte Entscheidung über ihren absoluten Werth oder Unwerth sich stören zu lassen.

Einige der spätern Akademiker entfernten sich von dem strengen Skepticismus dadurch, daß sie eine Wahrscheinlichkeit annahmen. Mit der Annahme des Wahrscheinlichen, wo man nur die unbedingte Gewißheit wegräumt, das, was andere dafür ausgeben, blos als wahrscheinlich annimmt, die Wahrheit überhaupt aber nicht leugnet, verliert sich der Skepticismus endlich ganz und gar, und schließt sich mehr oder weniger an andere Philosophieen an.

Epikuräer und Stoiker.

Epikur ging von dem atomistischen Systeme des Leukippus und Demokritus aus, beide ließen Geister höherer Art, Götter in menschenähnlicher Gestalt zu, und schlossen sich hierin dem crassen Polytheismus der Griechen völlig an. Die Ansicht, die Epikur von den Göttern hatte, hat das Eigne, daß er sie außer aller Thätigkeit, ohne allen Einfluß auf die Welt setzte, und den Glauben an eine göttliche Weltregierung für den gröbsten, schädlichsten Irrthum der Menschheit ansah.

Die Götter wirken nicht außer sich, sie sind von aller Thätigkeit und der damit verbundenen Sorge, Mühe und Beschwerde, die eine Weltregierung nothwendig herbeiführen würde, gänzlich frei; in dem ungestörten Genusse alles Guten, in der absolutesten Ruhe besteht ihre Seligkeit.

In dem System des Epikur ist der Punkt, wo diese Behauptung sich anschließt, leicht zu finden. Epikur sah das Vergnügen als das höchste Gut des Menschen an; das Vergnügen bestimmte er aber blos negativ, als einen Zustand der Ruhe, der Schmerzlosigkeit, wo das Gemüth durch nichts afficirt und bewegt wird, wo nach der Befriedigung aller Neigungen und Triebe jedes unruhige Streben und Begehren aufhört, und das Gemüth in vollkommener Ruhe verharrt, nichts mehr wünscht, und also vollkommen beglückt ist. — Die Aehnlichkeit und Verschiedenheit dieser Lehre mit der kyrenäischen ist schon erwähnt worden. —

Wäre in dem System des Epikur überhaupt nur die geringste Consequenz, so könnte diese Ansicht wohl als ein Keim zur Rückkehr zum Pantheismus angesehen werden. —

Die letzte noch übrige Schule der griechischen Philosophie ist die der Stoiker. Was überhaupt von den letztern Griechen gilt, daß mit der zunehmenden Gelehrsamkeit auch die Abnahme der Erfindungskraft und des Selbstdenkens sichtbar wird, läßt sich auch auf die Stoiker vollkommen anwenden.

Schon Aristoteles war ungleich gelehrter wie Plato, stand ihm aber an Originalität und Erfindungskraft weit nach. — Der Skepticismus der Akademiker stellt gar keine neuen Resultate auf, ist nur eine Vernichtung der ältern dogmatischen Lehren. — Das System des Epikur konnte nur durch seine Annehmlichkeit für ein gesunkenes, kraftloses, verdorbenes Zeitalter Aufsehen erregen.

In allen diesen aber vermissen wir durchaus jene ursprüngliche Kühnheit und Kraft; jene hohe Originalität, Freiheit und Selbstständigkeit des philosophischen Geistes, der in den frühern Systemen der griechischen Philosophie sich so reich und mannichfaltig entwickelte. Man ging einzig darauf aus, die ältern Lehren zusammenzutragen, zu modificiren, neu zu gestalten, verschiedene Ansichten zu verschmelzen und zu vereinigen, und aus ihnen neue Systeme zu entwickeln, wozu natürlich die mit der steigenden Gelehrsamkeit zunehmende Kenntniß fremder Grundsätze und Systeme, und der immer mehr sich entwickelnde kritische Prüfungsgeist sehr hülfreiche Hand leisteten. — Alles dieses gilt von den Stoikern; ungeachtet sie ihre Lehren in neue Worte und Formeln einkleideten, errichteten sie ihr philosophisches Gebäude doch blos aus ältern Materialien; man kann sie also mit Recht zu den Eklektikern zählen, deren Fehler sich auch bei ihnen vorfinden, daß nämlich eine aus verschiedenartigen Theilen zusammengesetzte Philosophie unmöglich innern, harmonischen Zusammenhang haben kann, sondern die einzel-

nen Theile nur nothdürftig und oft höchst inconsequent aneinandergereiht sind.

Originale Quellen über die stoische Philosophie fehlen uns
fast gänzlich; durch Cicero und Seneca erhalten wir das System
zu sehr mit eignen Meinungen gemischt, bei ihnen ist die moralische Tendenz vorherrschend, und doch wird auch die Moral
nicht rein und präcis vorgetragen.

Wir wissen wenig von ihren ersten speculativen Principien;
nach diesen fielen sie unter die Kategorie des Idealismus.
Daß sie zu den Intellectual-Philosophen gehörten und das Ganze
zu umfassen strebten, ist keinem Zweifel unterworfen.

Sie theilten die Philosophie in Physik, Moral und Logik.
— In der Physik folgten sie ganz dem Heraklit. Gleich ihm
nahmen sie das Feuer als die erste wesentliche Grundkraft der
Natur, die allgemeine Weltseele an, die sie auch allgemeine
Vernunft nannten, und aus ihr die einzelnen Denkkräfte ab-
leiteten; auch sie behaupteten eine periodische Weltentstehung
und Verbrennung; periodisch in großen Zeiträumen kehrt alles
wieder durch allgemeine Verbrennung in das Urfeuer zu Gott
zurück, um wiederentstehend einen neuen Lauf zu beginnen. —
Sie identificirten die geistige und körperliche Natur. —

Der interessanteste Theil ihrer Philosophie, die Moral,
die durch innere Würde und Erhabenheit, durch den ausge-
breitesten Einfluß auf die Welt, sich in der Geschichte so sehr
auszeichnet, kann für unsere Untersuchung nur in Rücksicht ihrer
Grundprincipien wichtig seyn. Ihre Moral, worin sie am meisten eignes Verdienst und Erfindung hatten, zeigt die größte
Aehnlichkeit mit dem neuesten, consequentesten Idealismus.

Ihre Moral war nicht nur ganz unabhängig von ihrer
Theologie, ganz auf sich selbst beruhend, sondern in offenbarem
Widerspruch mit ihrer Physik.

Ihre Moral forderte und erwartete die Erreichung des
Ideals von absoluter Vollkommenheit in dieser Welt, womit
die Idee der absolutesten Unabhängigkeit, der freiesten, strengsten Selbstbestimmung nothwendig verbunden war; — während
ihre Naturlehre zum gränzenlosesten Fatalismus führte. Diesen

offenbaren Widerspruch, der ihnen auch von den Alten schon vorgeworfen wurde, leugneten sie nicht, und suchten ihn auch nicht zu lösen.

Die Freiheit, die durch ihre Physik ganz aufgehoben wurde, ließen sie für die Moral bestehen. Wir finden also hier den nämlichen Widerspruch, dasselbe Dilemma von Freiheit und Nothwendigkeit, das Kant durch die Annahme von zwei verschiedenen Welten, der speculativen und moralischen, deren jede ihre eignen Gesetze hat, und durch den moralischen Glauben zu heben suchte.

Die Aehnlichkeit des stoischen Systems mit Kant und Fichte würde noch größer seyn, wenn beide nicht ihre Moral durch Annahme fremder Ansichten modificirt hätten. Kant suchte seine Moral durch Anschließung an die christliche annehmlicher zu machen; Fichte stimmt in der Moral im Ganzen mit Kant überein, im Naturrecht aber mehr mit Rousseau; überhaupt hatte das damals existirende Naturrecht auf die Moral beider großen Einfluß.

Der Zwiespalt zwischen Nothwendigkeit und Freiheit drückt beide Systeme. Versucht man diese zu vereinigen, so fällt man natürlich in die allersonderbarsten, künstlichsten Hypothesen, ohne jedoch die nothwendige Inconsequenz heben zu können.

Wichtig ist in der Logik der Stoiker, die im Ganzen wohl wenig ausgezeichnetes mag gehabt haben, wahrscheinlich aus der Aristotelischen und andren zusammengesetzt war, — die Lehre von der Gewißheit, weil sich diese kaum anders erklären läßt, als durch Analogie mit dem Idealismus. — Sie nahmen nur eine subjective Gewißheit an, reducirten alles auf das innere Gefühl der Gewißheit, auf die absolute Evidenz des subjectiven Gefühls der Gewißheit und Nothwendigkeit. Der Idealist wie der Empiriker nehmen beide nur subjective Gewißheit an; der Idealist eine absolute, der Empiriker hingegen nur eine relative. — Alle Erkenntniß entspringe nur aus Empfindung, Erfahrung, sey nur die Mischung des durch Erfahrung gegebenen Stoffes. — Diese Lehre würde sie durchaus als Empiriker

erscheinen laffen, was doch nicht die Tendenz ihres Syste=
mes ist. Sie stellten den Skeptikern, die ihnen mit dieser Sub=
jectivität der Erkenntniß stark zusetzten, manche Stufen der aus
Erfahrung geschöpften Vorstellungen nach dem Grade ihrer Ge=
wißheit entgegen. An die Spitze von diesen stellten sie das,
was sie den begreiflichen Gedanken nannten; sie müssen wohl
darunter verstanden haben, der in sich selbst evident sey, abso=
lute Gewißheit mit sich führe. Die Gewißheit dieses ersten ist
schlechthin unmittelbar; die Gewißheit der andern Sätze und Be=
griffe ist aus diesem abgeleitet, sie sind an diesen ersten Ring
angeknüpft.

Da die Stoiker keine angebornen Begriffe statuirten,
auch keine von außen gegebne, sondern nur subjectiv innere
Gewißheit annahmen, so kann auch dieser erste Gedanke nur
ein innerer gewesen seyn, eine innere Anschauung von unmittel=
barer, schlechthin nothwendiger Gewißheit; — also mit der rei=
nen Anschauung der neuern Idealisten, welche ihnen die
Quelle aller Gewißheit ist, große Aehnlichkeit haben.

In ihrer Physik ist noch ein Gedanke merkwürdig. Da sie
die Centralkraft der Natur im Feuer suchten, dieses aber auch
als Vernunft oder als Quelle der Vernunft sich dachten; — so ka=
men sie auf den Begriff von zeugenden Gedanken, productiven
Begriffen, die eine zeugende Kraft haben. Diese sind sehr zu
unterscheiden von den angebornen des Plato; es scheint zwar,
daß sie im menschlichen Verstande etwas ähnliches annahmen,
da sie sich häufig beriefen auf die allgemein geltenden Grund=
sätze der Menschen, die sie auch allgemeine Vorurtheile nannten,
Urtheile, wozu die Anlage im Menschen da ist, — die also
nothwendig erfolgen; — damit hatten sie nun in dem menschli=
chen Verstande allgemein geltende Denkgesetze, verschieden von
angebornen Begriffen, angenommen, bloße Dispositionen, For=
men, die erst durch Anschauung, Empfindung zur Wirklichkeit
kommen, vorhin blos möglich waren.

Wie die verschiedenen Theile der stoischen Philosophie zu=
sammenhingen, läßt sich nicht bestimmen; wahrscheinlich war eben
kein großer Zusammenhang da; den Widerspruch ihrer Moral

und Theologie läugneten sie gar nicht, und die Art und Weise, wie sie ihn zu heben und zu beschönigen suchten, ist äußerst schwach und unvollkommen. Mit den Stoikern ist die Geschichte der ältern griechischen Philosophie geschlossen; die nachfolgenden Alexandriner entfernen sich in Geist und Form ganz von dem Charakter der alten Griechen.

Die ältern griechischen Philosophen von Thales bis zu den Stoikern bilden eine ununterbrochne Kette fortschreitender Selbstdenker, deren Geschichte gewiß in jeder Rücksicht zu den merkwürdigsten Erscheinungen des menschlichen Geistes gehört, nicht nur in Rücksicht der Strenge und Erhabenheit ihrer Tugend und Lebensweise, der bewunderungswürdigen Höhe ihres speculativen Genies, sondern vorzüglich wegen des ganz eignen Phänomens der reinsten Originalität, und bei dieser der höchsten Fruchtbarkeit, Fülle und Mannichfaltigkeit. Die griechische Philosophie, vom Anfange an sich selbst überlassen, ohne allen Einfluß fremder Ideen und Meinungen, bewährte sich in dieser Selbstbeschränktheit eben so kühn als glücklich. Jene ersten Selbstdenker, ungeachtet ihnen so viele Hülfsmittel und Kenntnisse fehlten, hatten über das innere Wesen der Natur so glückliche Gedanken, wie sie sich bei ihren Nachfolgern nur selten vorfinden, und wie sie der menschliche Geist nur in seiner höchsten Kraft und Fülle erzeugen kann. Größere Selbstdenker an Kraft, Umfang und Tiefe des philosophischen Geistes mit schöner Form so glücklich vereinigt, wie bei Plato und Aristoteles, finden wir in keinem Zeitalter.

Gleich bei der ersten Entwicklung der griechischen Philosophie finden sich schon Keime und Spuren von fast allen Systemen und Denkarten, und zwar jede dieser Ansichten mit dem größten Enthusiasmus aufgefaßt, und mit der strengsten Einseitigkeit durchgesetzt. Wenn dies nun gleich mancherlei Mängel und Unvollkommenheiten herbeiführen mußte, wenn gleich die griechische Philosophie schon frühe auf alle der philosophirenden Vernunft so gefährliche Abwege gerieth, jeden von diesen mit dem Feuer der ersten Erfindung kühn und entschieden betrat, wenn gleich jene die Philosophie so sehr herunterwürdigende und

verkehrende Sophistik bei den Griechen so förmlich ausgebildet
wurde, die Philosophie endlich, nachdem sie alle Stufen der Entwicklung, Bildung und Verbildung durchgegangen war, in sich
selbst erlosch; so sind dies Grundfehler und Gebrechen, die sich
bei jeder noch so schönen und reichen, aber ganz freien Entwickelung der menschlichen Natur und Geisteskräfte in allen Arten
ihrer Hervorbringungen zeigen werden; wenn der menschliche
Geist nicht auf eine andere Art durch ein sicheres Mittel ausdrücklich auf dem rechten Wege erhalten, und gegen alle Verirrung gesichert wird.

Wenn man diese Periode der ältesten griechischen Philosophie im ganzen charakterisiren wollte, so wäre es die Epoche der
ursprünglichen Entstehung, Erfindung, der freiesten Entwicklung
des sich selbst überlassenen philosophischen Geistes, der wilden,
durch kein beschränkendes Gesetz zurückgehaltenen Vernunft, bei
der also bei all dem Schönen und Vortrefflichen auch alle Ausschweifungen und Verirrungen sich vorfinden.

In dem folgenden Zeitalter herrscht ein ganz verschiedener
Charakter, indem dort die Philosophie an etwas Bestimmtes ge-
heftet wurde, was die freie Entwicklung wo nicht ganz verhinderte doch wenigstens sehr erschwerte. —

Die Alexandriner.

So wie in der Poesie erscheint auch in der Philosophie der
Charakter des alexandrinischen Zeitalters. Die Sphäre der Erfindungen schien erschöpft, die griechische Philosophie schritt nicht
weiter fort, sondern schränkte sich auf Bewahrung, Sichtung
und Anwendung des Vorhandenen ein. Die steigende Gelehrsamkeit, der kritische Forschungsgeist, die ausgebreitetern historischen Kenntnisse, die größere Bekanntschaft mit den Meinungen

und Ideen anderer Zeiten und Nationen, zusammengenommen mit
dem Mangel eigner Erfindungskraft mußte nothwendig der Philosophie dieser Zeit einen von der ältern ganz verschiedenen
Charakter geben. Die Alexandriner suchten blos die alten Systeme wiederherzustellen, ihre Einseitigkeit durch Verschmelzung
entgegengesetzter Ansichten zu heben, und durch Verschmelzung
des Ausgewähltesten eine vollkommene Philosophie aufzustellen;
sie waren durchaus Synkretisten; ihre Philosophie eine Mischung
platonischer, aristotelischer, stoischer, angeblich pythagoräischer,
orientalischer Philosopheme; sie selbst geben mancherlei Quelle
ihrer Philosophie an, berufen sich auf alte Mysterien, auf Mo-
ses, die Kabbalah, eine Tradition geheimer Philosophie, die
einige Juden zu besitzen vorgaben, auf indische, ägyptische
Philosophie; da in Aegypten das Alte nicht ganz verdrängt werden konnte, so mischten sich hier die griechischen und ägyptischen
Meinungen und Ideen. Also originelle Erfindung und Ausbildung der Grundprinzipien in der Philosophie findet sich
bei den Alexandrinern nicht; ihre Philosophie ist bloßer Synkretismus.

Wenn es wirklich möglich wäre, durch Verschmelzung des
Ausgewähltesten, gleichsam wie mechanisch und chemisch, eine
neue Philosophie hervorzubringen, so wäre der Synkretismus
gar nicht zu verwerfen; allein dies ist nicht der Fall. Das
blos mechanische Zusammenschmelzen verschiedenartiger Principien
kann nicht zur Wahrheit führen; jede der drei höhern Arten der
Philosophie hat ihre innere Fehler und Mängel; diese könnten
nur wegfallen, wenn eine harmonische, innere Vereinigung möglich wäre. Eine solche ist aber der Synkretismus nicht; er ist
eine bloß mechanische Zusammensetzung verschiedenartiger Theile.
Die Schwierigkeiten, welche andere Systeme drücken, finden ge-
doppelt statt bei allen, welche entgegengesetzte Ansichten vereinigen wollen, und dadurch die Widersprüche beider vereinigen;
aus der willkürlichen Zusammensetzung entstehen neue Verwirrungen, aus diesen wieder andre, und so ins Unendliche fort. —
In Rücksicht der ersten Entstehung, der originellen Erfindung und vollendeten Ausbildung der Grundprincipien ist also

die alexandrinische Philosophie keineswegs merkwürdig, wohl aber, weil sie den Uebergang macht von der alten zu der neuen Zeit und den Kampf des alten und neuen Glaubens bezeichnet, wo die größten, ältesten Ideen des Orients mit denen der Griechen in verworrener Gährung durcheinander gemischt waren. ‒

Was der alexandrinischen Philosophie noch ausserdem die größte Wichtigkeit für uns gibt, ist, daß nicht allein die Philosophie, sondern fast alle Einrichtungen der neuern Zeit aus diesem Kampfe der größten bekannten philosophischen Ideen abzuleiten sind; die Keime mancher noch bestehenden Lehren, Ansichten und Einrichtungen müssen einzig in der alexandrinischen Zeit aufgesucht werden.

Wir haben zwar hiebei nicht, wie bei der altgriechischen Philosophie, den Verlust so vieler Werke zu beklagen, es fehlt uns gar nicht an den nöthigen Quellen und Materialien, aber sie sind fast noch ganz unbearbeitet; was die Sache schwierig macht, ist, daß ein scharfsichtiger, mit der orientalischen und griechischen Philosophie zugleich vollkommen bekannter kritischer Geist dazu gehörte; er müßte alles, was in diesem Streite nur einzeln erschien, in dem ganzen Umfange der Quelle nach kennen. Doch dies ist nicht die einzige Schwierigkeit; auch die Nähe des Gegenstandes, die Verflechtung mit unserm lebendigen Interesse für das zum Theil noch Bestehende, verrückt schon einigermaßen den Gesichtspunkt; endlich gehört auch noch eine genaue Kenntniß der Kirchengeschichte zu einer gehörigen Beurtheilung und Kritik der Alexandriner, indem bei ihnen fast alle ältern christlichen Lehren und Ideen vorkommen, und umgekehrt eine genaue Kenntniß der alexandrinischen Philosophie zu einer vollkommnen Darstellung der Kirchengeschichte. Und nun findet sich auch hier wieder ein großes Hinderniß, da die meisten von der orthodoxen Lehre abweichenden Systeme als ketzerisch verbannt worden, und dadurch viele (wie das manichäische) zu Grunde gegangen sind, während man doch gerade diese zur Geschichte der alexandrinischen Philosophie durchaus kennen müßte. ‒

In zwei Stücken stimmen die Alexandriner überein, in

der Lehre von der göttlichen Trias und in dem System der
Emanation. Zu diesem, welches wohl unstreitig als orientalischen Ursprungs erklärt werden darf, da sich bei den
Altgriechen, wie wir gesehn, keine Spur davon nachweisen
läßt, ohne daß auf den Orient hingedeutet wird, bekennen sie
sich alle mehr oder weniger. Das Princip der Trias aber
ist ihnen, wenn sie auch sonst auf das weiteste voneinander
verschieden sind, Heiden, Christen und Juden, neben den größten Irrthümern, mit einigen Modificationen allen gemein, und
dies ist auch offenbar ihre eigenthümliche Lehre, da alle übrigen doch nur neue Anwendungen alter Ideen und Systeme waren. Wo sie am klarsten dargestellt wird, lautet sie also: die
göttliche Urkraft ist schlechthin über alle Prädicamente und Qualitäten erhaben; also durchaus unbegreiflich; es muß daher eine
göttliche Entwicklung in dem göttlichen Verstande angenommen werden, und diese erste Wirkung der Gottheit ist der
Logos; weil aber auch dieser von der Sinnenwelt noch zu weit
entfernt steht, muß es noch ein drittes, einen Weltgeist, eine
Centralkraft der sinnlichen Natur geben, die von jenen beiden
obern Kräften ausgeht. Insofern hier nicht mehr der Verstand
als das Höchste und Erste wie bei Plato, sondern die göttliche
Urkraft über den Verstand wie über den Körper weit erhaben gesetzt wird, ohne alle Qualität und Begriff, wovon sich weiter nichts
erkennen läßt, als daß es ein Einziges, schlechthin Eines ist,
— kann also dies System, wo es consequent ist, nichts anders
als Realismus seyn. — Bei der Idee eines einigen, alleinigen,
einzigen, absolut vollkommenen Wesens — von dem nichts verschieden, sondern alles in ihm und durch dasselbe ist, — wo
alles in Gott, alles nur ein Ausfluß aus Gott, alles nur durch
Gott ist, — kann man dem Pantheismus nicht entgehen. —
Doch hierunter verstehen wir nicht den reinen strengen Pantheismus, zu diesem kann man das alexandrinische System nicht
zählen, sondern den angewandten Pantheismus, oder Realismus, dessen wesentlichen Unterschied wir bei Pythagoras, als
in der Construction bestehend, angegeben haben. Wissenschaftlich ausgedrückt, ist auch die alexandrinische Lehre von der

Trias nichts anders, als Construction der Gottheit, — nach wissenschaftlicher Construction strebender Pantheismus, — auf diese Lehre beschränkt sich aber auch alles, was die Alexandriner in systematischer Form vorgetragen haben, es ist so ziemlich das Einzige, was in ihrem Systeme wissenschaftlichen Werth hat; alles übrige ist eine Mischung besonders von platonischen und orientalischen, aber auch aristotelischen, stoischen und andern Ideen ohne strengen Zusammenhang untereinander, noch mit jenem erstem Princip; und allein dadurch könnte doch diese Philosophie als ein Fortschreiten der Wissenschaft interessant seyn, wenn alle die entliehenen, fremden Ideen durch eine fortgesetzte Construction an das erste Princip angeknüpft, und so das Ganze in einer systematischen, wissenschaftlichen Form aufgestellt wäre.

Plotin hat noch den meisten Zusammenhang in die alexandrinische Lehre gebracht, er verräth auch unter allen Alexandrinern am meisten Genie, und bewährt sich am fruchtbarsten. Wir finden bei ihm viele Ideen, die mit dem neuen Idealismus übereinstimmen. Sein Grundprincip ist freilich realistisch; aber gerade der Realismus kann die andern Systeme in sich aufnehmen und zu ihnen fortschreiten; denn die allgemeine Lehre des Pantheismus ist eben, weil sie durch ihre Unbegreiflichkeit so isolirt da steht, am meisten mit andern Ideen vereinbar. Sie widerstreitet ihnen nicht, so daß, wenn man einmal auf die Methode Verzicht thun will, es leicht wird, sie mit ihnen in einen gewissen, wenigstens scheinbaren Zusammenhang zu bringen.

Was den Plotin am meisten auszeichnet und äußerst merkwürdig macht, ist seine Lehre von der Ekstase (einer intellectuellen Anschauung der Gottheit); er charakterisirt diesen Act der übernatürlichen Erkenntniß streng philosophisch als einen Zustand der Entzückung, der nicht so grob ist als Empfindung, sondern, wie man sich in der neuern philosophischen Sprache ausdrücken könnte, als ein Act des Herausgehens aus sich selbst gedacht werden muß; er nennt es Vereinfachung der Seele, — Vernichtung aller Mannichfaltigkeit und Verschieden-

heit in derselben. Auf diese Vereinfachung der Seele beruft
sich nun Plotin als auf die höhere Erkenntnißquelle seiner Philosophie; und dies Berufen auf solch eine übernatürliche Erkenntnißquelle, außer für den Glauben, wofür es die Offenbarung ist, auch für die Philosophie haben fast alle Alexandriner
mit ihm gemein, sowohl seine Vorgänger als seine Nachfolger,
sowohl Heiden, Juden als Christen und unter diesen orthodoxe, wie der h. Augustin; als Ketzer, wie die Gnostiker,
Manichäer 2c.; nur freilich wird diese übernatürliche Erkenntnißquelle verschiedenartig bestimmt, so wie dies auch der Fall
bei der Dreieinheitslehre ist.

Die Offenbarung, sagten sie, sey die Quelle der Wahrheit, die Philosophie nur die Auslegung derselben, aber auch
zu dieser bedürfe es einer höhern Erleuchtung.

Noch sind nächst den Alexandrinern die Manichäer durch
ihren moralischen Dualismus merkwürdig; sie nahmen zwei geistige Principien und eine belebte Materie an; daher wird denn
dies System wohl mit Recht aus dem des Zoroaster und der
persischen Magier abgeleitet.

Am meisten zeichnet sich neben Plotin in philosophischer Rücksicht der h. Augustinus aus, nicht nur wegen seines
großen Einflusses auf die christliche Religion, sondern auch wegen der Bestimmtheit seines Stand- und Gesichtspunkts, der
streng philosophischen Consequenz seiner Ansicht.

Er war kein Realist; er verwarf das System der Emanation und ließ Geist und Materie ausdrücklich neben einander
bestehen. Er scheint sich überhaupt von allen Philosophen dieser Epoche am bestimmtesten an die dualistische Intellectual-Philosophie anzuschließen; er nahm auch Plato's Ideenlehre auf
und überhaupt neigte er sich diesem, wenn er auch in der Form
von ihm abwich, und in der Logik dem Aristoteles folgte, doch
am meisten an; die Manichäer aber bestritt er.

Unter den vielen religiösen Streitigkeiten der alexandrinischen Zeit ist jene über die Schöpfung der Welt für die Geschichte der Philosophie die interessanteste. Die heidnischen Alexandriner hatten nämlich, als durchgehends zum Realismus ge-

neigt, von Aristoteles die Ewigkeit der Welt angenommen; diesen setzten die christlichen Philosophen die Weltschöpfung entgegen, indem sie in der Bibel ganz bestimmt vorgetrag n ist. Augustin erklärte diese Weltschöpfung in der Zeit als eine Schöpfung aus Nichts. Wie lange der Streit eigentlich ge- bauert und wie er sich aufgelöst hat, läßt sich nicht ganz ge- nau angeben; doch scheinen manche christliche Philosophen z. B. der sogenannte Areopagit endlich mehr nachgegeben, und ihre Meinung allmälig so modificirt zu haben, daß der Unterschied beinah wegfiel; mehrere Kirchenväter hatten überhaupt zu viel von dem Realismus der Alexandriner angenommen, um einen Weltanfang in der Zeit behaupten zu können, sie erfanden da- her, um ihre Sache einigermaaßen zu retten, die Schöpfung der Welt von Ewigkeit her.

Augustin war unter den Alexandrinern der bestimmteste Dualist; wie Plotin der strengste Realist; aber nicht allein durch die Bestimmtheit der ersten Principien, sondern auch durch die consequente Ausführung ihres Systems machen beide eine Ausnahme; denn im Ganzen sind die Philosophieen dieser Zeit nichts anders als ein confuses Gemisch von Dualismus, Idea- lismus und Realismus, worin freilich meist der letzte vorherrscht, aber äußerst selten auch nur der erste Gesichtspunkt, die ersten Principien consequent und streng bestimmt sind, von der wei- tern Ausführung des Systems gar nicht zu reden.

Das Resultat unsrer Untersuchung der alexandrinischen Phi- losophie ist also in kurzem folgendes: das System der Emana- tion war allen Alexandrinern, selbst einigen ältern Kirchenvä- tern gemein, die spätern verwarfen es. Ein Princip, das aber alle ohne Ausnahme, auch jene, die nach Augustin die Emanation verwarfen, gemeinschaftlich haben, ist das der Dreieinheit; ein Princip, welches sich meistens dem Rea- lismus mehr als dem Idealismus annähert, wie denn über- haupt die meisten Alexandriner Realisten waren. Die bedeutendste Ausnahme machen im irrigen Sinne die Mani- chäer und im richtigen Augustinus; dieser zeichnet sich als Dualist, so wie Plotin als Realist am meisten unter ihnen aus;

eben so allgemein endlich, wie das Princip der Dreieinheit, ist den Alexandrinern auch die Berufung auf eine höhere übernatürliche Erkenntnißquelle eigen.

Wir gehen jetzt zu einer neuen Periode über, zu der der Scholastiker.

Obwohl die Scholastiker in der Logik dem Aristoteles folgten, so schlossen sie sich doch (besonders die frühern) im Ganzen an die Alexandriner oder Neuplatoniker an, die, wie wir wissen, durchaus mehr von Plato als von Aristoteles annahmen, und erklärten demnach, auch wie die Alexandriner, das eigentliche Wesen der Philosophie als Dialektik. Die scholastische Philosophie gründet sich wirklich vollkommen auf die christlich-alexandrinische. In Rücksicht ihres Inhalts enthält sie gar nicht viel Neues, sie ist eine Fortsetzung der christlich-alexandrinischen Philosophie und wie diese ganz Theologie, ein Synkretismus fast aller bestehenden, intellectuellen Systeme und Ideen. Der Commentar des Aristoteles, der bei den Scholastikern eben so geehrt wurde wie Aristoteles selbst, schreibt sich aus der alexandrinischen Epoche her und enthält sehr viele platonische Ideen.

Nach allem diesem scheint nun gar kein Grund vorhanden, die Scholastiker in einer eigenen Periode von den Alexandrinern zu sondern; indessen gibt es dennoch mehrere Umstände, die einen außerordentlichen Unterschied zwischen beiden constituiren; diese sind vorzüglich die nicht nur politische, sondern auch litterarische Trennung des Occidentes von dem Orient und den Griechen durch das Eindringen der Deutschen in Italien und die Ausbildung der lateinischen Kirche; — die griechische Philosophie und selbst die Sprache ging nach und nach verloren und die lateinische Sprache bildete sich mit der lateinischen Kirche immer mehr zu einem für sich abgeschlossenen Ganzen. Die lateinischen Kirchenväter kannten wohl noch die griechische Philosophie, wie Augustin, der wenigstens mit der zu seiner Zeit bestehenden griechischen Philosophie vollkommen bekannt war; — die eigentlichen Scholastiker hingegen kannten die Griechen zuerst fast gar nicht.

Dann unterscheiden sich auch die Scholastiker dadurch, daß sie blos auf die Schule beschränkt, und nicht wie die ältesten Kirchenväter — Religionslehrer waren und auf den Glauben und das Leben einzuwirken suchten. Obschon ihre Philosophie blos theologisch war, so war sie doch von dem eigentlich lebendigen, praktischen Vortrage der Religionslehre entfernt, und dies ist selbst in der Form derselben sichtbar. — Was aber die Philosophie der Scholastiker einerseits gegen die der ältern Kirchenväter an Kraft und Leben verlor, das gewann sie auf der andern Seite durch ihre Beschränkung auf die Schule wieder an Speculation und speculativem Geiste.

Ein anderer Umstand, der noch in Betracht kommen muß, ist, daß die lateinische Sprache, die zur Zeit der Kirchenväter doch noch gesprochen wurde, durch die Entstehung der Vulgar-Sprachen verdrängt, zur Zeit der Scholastiker eine todte Sprache war; sie hätten sonst auch nicht das Lateinische, das, wie wir bei den alten Römern sehen, nicht so geschickt zur Philosophie als das Griechische war, so willkürlich verändern und gestalten, und zu den größten Spitzfindigkeiten geschickt machen können. Daß die große Willkür, die sich über eine todte Sprache ausüben läßt, auch für den innern Charakter einer Philosophie von vielen wichtigen Folgen seyn muß, wird bei einigem Nachdenken jeder einsehen.

Der wichtigste und bedeutendste Unterschied der alexandrinischen und scholastischen Periode liegt aber darin: die alexandrinische ist die einer großer Gährung, eines heftigen Kampfes und Streites — des größten, den uns die Geschichte aufzuweisen hat; — das Christenthum fand vielen Widerstand, veranlaßte bei der durch die mancherlei in Umlauf gekommenen Ideen ohnehin entstandenen philosophischen Gährung viele Ketzereien und mußte sich seinen Sieg erst durch lange hartnäckige Kämpfe erkaufen. —

Die scholastische Periode ist dagegen die des durchdrungenen, siegreichen, allgemeinherrschenden, festgegründeten Glaubens. Nicht allein das Volk, sondern auch alle Philosophen waren mit der größten Gewißheit überzeugt, daß die Wahr-

heit gefunden sey; dies allein gibt uns den richtigen Standpunkt, die scholastische Philosophie zu beurtheilen und zu verstehen.

Alle Philosophieen, die wir bis daher betrachtet haben,
sind uns als ein ernsthaftes, verlangenvolles Streben und Ringen nach der Wahrheit erschienen.

Die scholastische Philosophie aber geht von dem Gefunden-
seyn der von jedem unbezweifelten, allgemeinen, angenommenen, festen Wahrheit aus. Ist man einmal überzeugt, daß die
Wahrheit gefunden ist, es also keinen Zustand des Suchens
mehr gibt, so bleibt nichts mehr übrig, als die Wahrheit zu
erhalten und zu erklären. Wenn dies hinreichend geschehen, so
wird der philosophische Geist mehr in eine spielende Beschäftigung mit allgemeinen Begriffen und Lehren übergehen, an denen niemand zweifelt; indem dann ein mühsam zu erreichender,
eigenthümlicher Zweck für die Philosophie nicht mehr vorhanden ist. ——

Hier mag die Angabe unserer Eintheilung der Geschichte
der Philosophie in Epochen nach dem Charakter und dem Verhältniß der Philosophie in Hinsicht auf die Erkenntnißquellen
und das Fundament derselben — nicht an unrechter Stelle seyn.

Wir unterscheiden fünf Epochen. Drei davon sind schon
angegeben: 1. die griechische — die Epoche der ersten Erfindung, der freiesten Selbstständigkeit und Entwicklung — der
wilden, natürlichen, sich selbst überlassenen Vernunft; daher neben den vortrefflichsten, musterhaftesten Productionen auch alle
Ausschweifungen derselben. —

2. Die alexandrinische — die Epoche der größten, hef-
tigsten Gährung aller bekannten höhern Ideen, des Suchens und
Streitens nach Offenbarung und um Offenbarung, über ihre
Aechtheit, und wie sie zu erklären. — Es ist die Zeit des Hin-
und Herschwankens zwischen den verschiedenen, sich für Offenbarungen ausgebenden Traditionen, des Kampfes der alten
und neuen Lehre, — kurz, die Zeit der philosophisch-religiösen
Revolution, wo eine neue Welt sich gestaltete.

3. Die scholastische, als die Epoche des erkämpften,
festen, unerschütterlichen Glaubens; statt des vorhergehenden

ernſthaften Kampfes und Streites nur Gedankenſpiel und gym=
naſtiſche Verſtandesübung, wo die Säule des Glaubens in ſiche=
rer, unangefochtener Ruhe feſtgegründet ſtand.

Die Philoſophie dieſes Zeitalters iſt ihrem innern Weſen
nach ein geiſtiges Hin= und Herſtreiten über die allgemein aner=
kannten, unbezweifelten Wahrheiten, wegen der weitern Be=
gründung der Principien unbeſorgt, blos um den Scharfſinn zu
üben; und inſofern die ſinnreichen Spitzfindigkeiten des ſpielen=
den, ſpeculativen Geiſtes Witz ſind, könnte man dieſes Philoſo=
phiren über den feſten, unangefochtenen Glauben auch gewiſſer=
maaßen die Philoſophie des Witzes nennen.

Wir können nun die Epochen der Philoſophie auch ſo be=
zeichnen:

Die erſte umfaßt den Zeitraum von Thales und den älte=
ſten Philoſophen bis zu den Stoikern.

Die zweite von den Alexandrinern und Neuplatonikern bis
zu dem h. Auguſtin und den übrigen lateiniſchen Kirchenvätern.

Die dritte von dem Entſtehen der Vulgärſprachen und vom
Scotus Erigena *) bis zu der neuen Denkrevolution und dem
Wiederaufleben der griechiſchen Litteratur im 15ten Jahrhun=
dert.

Die vierte — von dieſem Zeitpunkt bis zu Descartes.

Die fünfte — von Descartes bis auf unſere Zeit.

Die vierte Periode nennen wir die myſtiſche, es iſt die
Zeit der gegen die allzuſtrenge Herrſchaft der Scholaſtik nach
Freiheit ſtrebenden Myſtik, die ſchon in der vorigen Epoche
ihren Anfang genommen, aber bisher immer nur im Dunkeln
exiſtirt hatte, nun offen auftrat, und die ausgeartete Philoſo=
phie der Scholaſtiker bekämpfte, eine Zeit der Revolution, des
Kampfes und des Streites, durchaus der alexandriniſchen ähn=
lich, ſowohl durch dieſen polemiſchen als durch ihren myſtiſchen
Charakter. Die Philoſophen dieſer Zeit waren in ihren Mei=

---

*) Gewöhnlich wird der Anfang der ſcholaſtiſchen Philoſophie mit
Carl d. Gr. geſetzt, es iſt aber viel richtiger, wie wir, von dem
Aufhören der lateiniſchen Sprache im gemeinen Leben anzufangen.

nungen so verschieden, wie die alten Griechen, sie bildeten aber
weniger eigentliche Schulen, sondern waren fast durch ganz Europa zerstreut. Daher, und weil sie von den Neuern durch die
Bekämpfung der Scholastiker so viel vorgearbeitet, scheinen sie
sich von diesen nicht zu unterscheiden; indessen ist die Gränze
doch deutlich genug gezogen, wenn man nur auf das innere
Wesen beider sehen will; auch schließt sich Descartes ganz und
gar nicht an die Mystiker an, sondern entstand ganz für sich
allein und aus sich selbst.

Die fünfte Epoche, die wir die moderne nennen, bedarf keiner nähern Charakteristik.

Die Scholastiker.

Die Geschichte der scholastischen Philosophie ist mit
vielen Schwierigkeiten verknüpft; die Quellen sind hier zwar
sehr gut erhalten; aber der Ueberfluß derselben ist selbst ein
Hinderniß, da die Kritik noch gar nicht darauf gewandt worden. Noch fast gar nichts ist dafür geschehen, alles noch in der
größten Unordnung. Manche Theologen könnten füglicher als
viele Scholastiker selbst zu den Philosophen dieser Zeit gezählt
werden. Meist werden auch in den wenigen historischen Be-
handlungen der Scholastiker die neuern, weniger bedeutenden
Männer erwähnt; gerade die Lehren derjenigen, die am meisten
Eigenthümliches hatten, sind sehr bald und nach und nach immer mehr in Vergessenheit gerathen, so daß gerade die wichtigsten und merkwürdigsten für die Geschichte der Philosophie uns
am wenigsten bekannt zu seyn scheinen. Der gewöhnliche Begriff, den man von der scholastischen Philosophie hat, ist offenbar nur nach dem letztern Zustande derselben gebildet, als sie
schon sehr in Verfall gerathen war. — Auch trifft blos die
Spätern der Vorwurf der unermeßlichen, das Studium dersel-

ben gar zu ſehr erſchwerenden Weitſchweifigkeit; die ältern haben nicht mehr und nicht weitläufiger als andere nicht ſcholaſtiſche Philoſophen geſchrieben.

Daß die ſcholaſtiſche Philoſophie wie die alexandriniſche
eine ſynkretiſtiſche war, haben wir ſchon geſagt; doch war hier,
wie bei den letzten chriſtlichen Alexandrinern und lateiniſchen
Kirchenvätern, woran ſie ſich anſchloß, die intellectuelle Tendenz vorherrſchend.

Bei einer ſynkretiſtiſchen Philoſophie kommt es übrigens
ſehr darauf an, was für Werke und Elemente der alten Syſteme bei ihrer Bildung im Umlauf waren; und da iſt es allerdings ein ſchlimmer Umſtand für die Scholaſtiker, daß ſie
die Quellen nicht in ihrer Aechtheit und Vollſtändigkeit kannten, wie das, wenn auch nicht vollkommen, doch zum Theil noch
bei den Alexandrinern der Fall war.

Die ältern Scholaſtiker, die, wie wir geſehen, überhaupt
den Vorzug zu verdienen ſcheinen, hatten trotz dem herrſchenden
Synkretismus beſtimmtere Anſichten wie die ſpätern. Ein ſpeculativer Geiſt von vorzüglicher Kraft wird ſich auch durch den
Synkretismus durcharbeiten und eine beſtimmte einſeitige Anſicht
auffaſſen. Bei den beiden älteſten bekannten Scholaſtikern iſt
dies deutlich ſichtbar.

Der erſte, Scotus Erigena, lebte kurz nach Carl d.
Großen. Das was von ihm angeführt wird, reicht hin,
zu beurtheilen, von welcher Art ſeine Philoſophie war. Er behauptete nicht nur die Unkörperlichkeit und Geiſtigkeit der Materie, indem er ſie in eine Abſtraction auflöſte, ſondern er
ſcheint ſelbſt alles Seyn in Thätigkeit und Handeln aufzulöſen; auch iſt die Idee eines productiven Denkens ganz deutlich
bei ihm.

Der folgende, Anſelmus, löſt nicht, wie Erigena,
alles in Thätigkeit, ſondern in ein unendliches, unveränderliches, nothwendiges Seyn auf; mit einiger Hintenanſetzung mo-
raliſch-geiſtiger Prädicate, die er jedoch als chriſtlicher Philoſoph mehr beſtehen ließ, als Spinoza — gab er der Gottheit
die Prädicate der Ewigkeit und Unendlichkeit, des unveränder-

lichen, beharrlichen Seyns. — Dieser Versuch bedeutet nichts anders, als die nothwendige, wahre, unendliche Gottheit sey unmittelbar durch sich selbst gewiß und erkennbar. Faßt man die Gottheit von der Seite der Unendlichkeit auf, und diese als ein ewiges, unwandelbares Seyn, woraus folgt, daß alles in und durch Gott ist, so hat man einen vollkommenen Realismus. Die strenge Consequenz desselben ist aber bei christlichen Philosophen nicht zu erwarten; bei diesen findet man nur etwa eine Vorliebe und Hinneigung zu dem einen oder andern System, nicht eine Consequenz, wie bei den Griechen, wo mit der größten Einseitigkeit alle dem Glauben oder der Vernunft auch noch so anstößige Folgerungen frei und unbekümmert gezogen wurden.

Eine Annäherung zum Realismus liegt aber nun in Anselm offenbar; außerdem, daß sich dies aus dem Princip selbst ergibt, zeigt es sich auch noch darin, daß er, wie Spinoza, seine Erklärung des Daseyns des unendlichen, nothwendigen Wesens aus dem bloßen Begriffe desselben an die Spitze seines Systems gesetzt hat; daß Anselm nicht die ärgerlichen, auffallenden Schlüsse daraus ziehen konnte, wie Spinoza gethan hat, versteht sich von selbst; eine solche Consequenz war, wie gesagt, bei den Scholastikern überhaupt der festen religiösen Ueberzeugung wegen nicht möglich.

Eine so entschiedene Vorliebe und Tendenz für irgend eine bestimmte philosophische Denkart, wie bei Erigena für den Idealismus, und bei Anselm für den Realismus, ist zwar noch sehr selten; jedoch finden sich unter den ältesten Scholastikern einige entschiedene Ketzer — bestimmte Materialisten oder Pantheisten, welches immerhin ein merkwürdiges Beispiel der größern Freiheit der damaligen Zeit ist.

Zu den wenigen Scholastikern, die sich durch Hinneigung zu einem bestimmten System auszeichnen, müssen wir auch noch den h. Bonaventura rechnen, der zunächst an den Anselm gränzt; er schloß sich vorzüglich an das platonische System an; seine Ansicht von der Kunst und von der Liebe athmet durchaus den Geist eines über Schönheit und Liebe philosophirenden Platonifers, und dabei herrscht in dieser Philosophie die reinste, gläubigste Frömmigkeit.

Von den andern Scholastikern läßt sich, wie gesagt, gar nicht bestimmen, zu welchem System sie neigen; die Philosophie scheint ihnen nur Mittel gewesen zu seyn, in der Disputirkunst zu glänzen. Als eine Ausnahme könnte jedoch allenfalls noch Johann von Salisbury betrachtet werden, indem seine Kritik der scholastischen Philosophie, vorzüglich der nominalistischen und realistischen Partey, ganz bestimmt skeptisch zu seyn scheint und zwar in der ernsten polemischen Absicht, die Philosophie zu reformiren.

Eine gewisse Art von Skepticismus ist freilich mit der scholastischen Philosophie sehr verträglich, und war auch von früh her mit derselben verbunden, dieser ist aber von ganz andrer Natur, er hat seinen Grund blos in dem spielenden Character dieser Philosophie.

Wenn man über die Wahrheit nicht mehr uneins, sondern fest überzeugt ist, sie gefunden zu haben, der Philosophie also weiter nichts als eine spielende Beschäftigung mit der unbezweifelten Wahrheit übrig bleibt, so kann eine Art Skepticismus, eine Kunst über alle Materien und Meinungen für und wider zu streiten, nicht als ob man von der Sache ungewiß wäre, sondern zur eignen Uebung und Andern zum Schauspiel — sich sehr gut mit der Philosophie vertragen; daher sehen wir auch, daß die Scholastiker der Form und den Mitteln nach viel von den Skeptikern und Sophisten angenommen haben. Deswegen kann man sie aber doch nicht zu den Skeptikern rechnen; einige vergleichen ihre Disputirübungen sehr richtig mit den Turnierspielen. Ward die Vernunft durch die aufgetriebenen Spitzfindigkeiten in Verlegenheit gesetzt, so entschied man den Streit durch Autorität, d. h. durch Berufung auf den Glauben. — Läßt sich nun freilich unter der Voraussetzung, daß die Wahrheit gefunden, annehmen, daß solche Disputirspiele sehr geist- und sinnreich, eine Uebung der edelsten Kräfte des Geistes und der Form nach philosophisch gewesen: — so ist denn doch nicht zu leugnen, die Geschichte zeigt es unverkennbar, daß gerade

dieses am meisten zur Ausartung der scholastischen Philosophie
beigetragen hat.

Die Streitigkeiten der Scholastiker, die in Rücksicht auf
die Philosophie überhaupt, als auf die Geschichte derselben
eine nähere Betrachtung verdienen, sind die über Nominalismus, Realismus und über die Individuation.

Die Streitfragen über die ersten Punkte waren die: Ob
die Allgemeinheiten (Universalia) der Dinge außer dem menschlichen Verstande wirklich existirten, und Realität hätten, oder
ob sie nur in dem Verstande, und blos dem Namen, nicht der
Sache nach existirten.

Die Nominalisten behaupteten, die Allgemeinheiten
seyen nur Begriffe und Worte, hätten blos in dem menschlichen
Verstande, außer demselben aber keine Realität. — Die Realisten: die Allgemeinheiten seien nur außer dem menschlichen
Verstande reell und geltend.

Dies ist auch im Allgemeinen das Wesentliche, worauf es
bei den beiden Partheien im Gegensatz ankommt, die Modificationen etc. kommen hier nicht in Betrachtung.

Der Streit betrifft gerade den Punkt, den wir als den
Sitz der Hauptschwierigkeit des platonischen Systems angegeben haben, indem wir sagten, daß, so einleuchtend für den
Verstand und so annehmlich für Moral und Kunst die platonische Ideenlehre auch sey, das Verhältniß der Ideen zu den allgemeinen Begriffen und dieser zu den Realitäten zu bestimmen,
eine sehr große Schwierigkeit wäre.

Wie der Streit eigentlich entschieden worden, läßt sich nicht
genau bestimmen, die spätern Scholastiker suchten, um ihn zu
beschönigen, immer nur ein Mittelverhältniß auf, wodurch beide
Fragen scheinbar vereinigt wurden.

In Rücksicht auf die Nominalisten läßt sich sagen: da sie
den abstracten Begriffen nur ideelle, keine äußerliche Realität
geben, die ideelle Welt von der sinnlichen, reellen ganz trennen,
scheinen sie zu den intellectuellen Dualisten zu gehören.

Ja, insofern sie jene Begriffe nur als Sammelbegriffe der
einzelnen, reellen Individuen ansahen, und ihnen selbst alle

Realität absprachen, könnten sie auch Empiriker zu seyn scheinen.

Die Realisten dürften Idealisten genannt werden, weil sie den abstracten Begriffen auch außerideelle Realität und Allgemeinheit an und für sich beimaßen; zudem ist diese Lehre mit dem Prinzip der productiven Denkgesetze verwandt, wie es Aristoteles und die Stoiker, nur unter verschiedenen Ausdrücken, jener als F o r m e n, diese als z e u g e n d e B e g r i f f e vorgetragen — indem jene Begriffe ja nichts anders sind als Allgemeinheiten, die zugleich Realitäten sind.

Doch je nachdem die Streitfrage über Realität genommen wird, könnte man hier auch wohl eine Annäherung zum Pantheismus finden.

Die andere Streitfrage über das Prinzip der I n d i v i d u a t i o n, was es sey, das das Ding zum Ding mache? ist auch vom größten Interesse und gehört gewiß zu den schwierigsten der ganzen Philosophie. Selbst in dem aristotelischen Systeme, wonach sich doch die Individualität noch am besten erklären ließ, macht es die größten Schwierigkeiten. Er setzt, wie wir wissen, die Natur der Dinge in Form, Materie und Privation; die Materie ist ihm nichts, als Möglichkeit, die Privation das, wodurch die Schranken des Wirklichen bestehen, wodurch das Wirkliche bestimmt wird — das Wirkliche selbst aber besteht in den substantiellen F o r m e n. Nach dieser Ansicht wäre also die bestimmte Wesenheit eines Dinges eigentlich immer in der Privation zu suchen, demnach die Quelle der Individualität etwas Negatives. Dadurch entstände nun aber der größte und wohl unauflösbare Widerspruch mit der gewöhnlichen Lebensansicht, gemäß der das Individuum als etwas Positives, ja als das Positivste betrachtet wird. Doch die Scholastiker bemühten sich nicht einmal die Individualität rein aristotelisch zu erklären, sie setzten das Prinzip der Individuation bald in die Materie, bald in die Form, bald in beide, daher finden wir hier gar die höchste Verwirrung und Verschiedenheit. —

Der Hauptgrund, warum die Streitigkeiten über die Individuation sowohl als über Nominalismus und Realismus bei

den Scholaſtikern nicht entſchieden wurden und werden konnten,
liegt in dem Charakter der ſcholaſtiſchen Philoſophie überhaupt,
deshalb ſind uns auch dieſe Streitigkeiten zur Charakteriſtik der
Scholaſtik von der größten Wichtigkeit. —

Dieſer Charakter beſteht aber mit Rückſicht auf den Inhalt
in den beiden Streitfragen, ſowie in der ſcholaſtiſchen Philoſophie überhaupt, in dem höchſten Grade von Abſtraction. — Schon den Griechen (d. h. den ſpätern) kann man
vorwerfen, daß ihre Philoſophie zu abſtract war, und gar zu
wenig ins Leben eingriff; bei den Scholaſtikern aber war dies
in einem unvergleichbar ſtärkern Grade der Fall; ihre Philoſophie war hauptſächlich Ontologie, Lehre vom Weſen des
Dings. Mit dem Begriffe des Dings (ens) ſteht und fällt die
ganze ſcholaſtiſche Philoſophie. Eben wegen dieſem ihrem Haupt-
und Grundbegriff war es den Scholaſtikern unmöglich, mit ihrer Philoſophie in ſpeculativer Rückſicht aufs Reine zu kommen.
Die Unſtatthaftigkeit dieſes Begriffs als ſpeculativen Princips
haben wir ſchon gezeigt und werden ſie ſpäterhin noch ausführlicher zeigen. Die Veranlaſſung, daß die Scholaſtiker ihn an
die Spitze ihrer Philoſophie ſetzten, war nicht allein ihre Neigung zur Abſtraction überhaupt, ſondern auch noch der beſondere
Umſtand, daß ſie von der ariſtoteliſchen Logik ausgingen. Daher kann man eigentlich ſagen, ſie haben ihn von den Griechen
geerbt; bei dieſen war er bei Seite geſetzt geblieben oder vorausgeſetzt worden; die Scholaſtiker hoben ihn erſt recht heraus
und bildeten ihn zu den ungeheuerſten, verderblichſten Spitzfin-
bigkeiten aus.

Die ariſtoteliſche Logik trug überhaupt zu der eigenthüml-
chen Entwicklung der ſcholaſtiſchen Philoſophie außerordentlich
viel bei, vorzüglich durch die Sätze des Grundes und des
Widerſpruchs, die beide auf dem Begriffe des Dings beruhen.

Den Begriff des Dings hatten die Scholaſtiker nicht allein
auf das feinſte ſubtiliſirt und bis zur höchſten Abſtraction erhoben, ſondern er iſt auch ſchon an und für ſich eine über alle
Maaßen abſtracter Begriff; gleichſam wie der Begriff des Lebendigen, wenn man den Begriff Leben davon wegdenkt. Aber eben

in der Abstraction von allem Individuellen suchten die Scholastiker das erste und höchste ihrer Philosophie, darum erhoben sie
auch die drei Begriffe: Etwas (Ding), Eins und Nichts
zu den Grundprincipien derselben; nur wechseln sie freilich darin, wie sie das eine dieser Abstracte über das andere setzen;
Einige behaupteten Eins sei ein höherer Begriff als Ding,
andre anders.

Die Scholastiker hatten einen ganz falschen Begriff von
den Individuen; sie verstanden darunter die Einzelnheiten im
Gegensatze der Gattungen und Abstracte; was einem Gattungsbegriff, einem Abstractum untergeordnet ist, war ihnen ein Individuum.

Nach dem wahren Begriffe des Individuums, den wir hier
postuliren müssen, ist es aber ein organisches Wesen; alles
was Individuum genannt werden mag, ist eine organische Einheit und jede organische Einheit ein Individuum.

Aus dieser Voraussetzung, daß Individuum ein lebendes,
organisches, zur Einheit verbundenes Wesen bedeutet, folgt nun
auch, daß die wahren, nicht willkürlich gemachten Allgemeinheiten und Gattungsbegriffe, d. h. die der Mensch nicht zu praktischem Zwecke, oder nach Eindrücken gemacht hat, sondern die
in der Natur begründet sind, eben so gut Individuen genannt
werden können, als die Einzelnheiten; es ist da alles individuell und Individuum, nur daß das größere das kleinere enthält
und einschließt.

Um die Frage von der Gültigkeit der abstracten Gattungsbegriffe in Rücksicht auf die Realitäten befriedigend zu beantworten, hätte man nur universelle und abstracte Begriffe unterscheiden müssen; beide sind allgemeine, aber die ersten positive,
(durch Verbindung) die andern negative, (durch Hinwegdenken
entstanden) — die abstracten Begriffe der Scholastiker sind, eben
weil sie abstracte Begriffe sind, durchaus inhaltsleer, ohne alle
Gradation, und dies ist es eben, worum sich das Wesen der
scholastischen Philosophie immer gedreht hat; da ihr Begriff des
Dings, wie gesagt, die allerhöchste Abstraction, schlechterdings
ohne Inhalt ist. Deswegen haben sie denn auch den Streit nie

auf eine befriedigende Weise zu schlichten vermocht. Nimmt man aber universelle, positive, wirklich in der Natur begründete Begriffe, so wird die Schwierigkeit bald aufgehoben seyn, indem man diesen ohne den geringsten Anstand auch außer dem menschlichen Geiste Realität zugestehen muß.

Mit der so über alle Maaßen abstracten Ontologie der Scholastiker hing auch ihre T h e o l o g i e zusammen; ihre dialectische Ontologie war zugleich speculative Theologie, ihre Theorie des Dings überhaupt zugleich die des v o l l k o m m e n s t e n D i n g s, der Gottheit. Hier entstand aber auch die Frage, ob das vollkommenste Ding unter die Gattung des Dings überhaupt gehöre? eine große Schwierigkeit, weil dies der Würde der Gottheit allzu sehr widersprach; daher stritt man auch heftig dagegen. — Uebrigens konnte ihre Theologie als a u s g e h e n d von dem Begriff des vollkommensten Dings sehr gut mit ihrer Ontologie verbunden seyn: denn wie diese, auf durchaus abstracten, negativen Principien beruhend, eine negative Theorie war, so war auch ihre Theologie nach jener Prämisse eine bloß negative Theologie; denn der Begriff des Dings, verbunden mit dem des Unendlichen, giebt immer nur einen ganz negativen Begriff.

Es kann gar nicht fehlen, wenn der Begriff des Dings leer und inhaltlos ist, wie wir dies noch näher zu zeigen haben, so müssen auch alle daraus abgeleiteten Begriffe leer und inhaltlos seyn. Ist der ganze Inhalt der scholastischen Philosophie nichts als leere Abstraction, und setzt sie die höchste Vollkommenheit in den höchsten Grad seiner Abstraction und Leerheit; so folgt nothwendig, daß auch ihr Begriff der Gottheit durchaus leer und ohne allen reellen Inhalt ist, wodurch denn die Verirrung dieser Philosophie ins klarste Licht gesetzt wird e).

Aber nicht allein dadurch, daß die scholastische Philosophie sowohl in Form und Methode, als selbst im Inhalt über alle Maaßen abstract und leer war, mußte sie die größten Streitigkeiten veranlassen, sondern wenn wir sie auch nur historisch betrachten nach den Materialien, woraus sie entstanden, wie sie aus so verschiedenen Systemen und Meinungen in scheinbarer Ruhe und Frieden zusammengesetzt war, durch welche Zusammenstellung aber die Widersprüche nicht nur nicht gehoben, sondern nur noch vervielfältigt wurden, — so ist einleuchtend, daß sie in speculativer Rücksicht nie zur Beruhigung führen konnte, sondern einen unerschöpflichen Stoff zu endlosen Streitigkeiten in sich trug. Eine solche in ihren ersten Gründen auf einer falschen Verschmelzung wesentlich verschiedener, widersprechender Systeme beruhende, — dabei blos von Abstractionen ausgehende, blos Abstractionen suchende Philosophie mußte unvermeidlich bald ausarten.

Was äußerlich zu dem schnellen Verfall der scholastischen Philosophie beigetragen, war erstens die großartige Politik der Päpste selbst, die fast alle Anfechtungen der Religion duldete. Schon von den ältesten Scholastikern kommt, obschon sie die aufrichtigsten Christen waren, manches der Art vor; alle, die von einer eignen, abweichenden Ansicht ergriffen wurden, traten zugleich als Lehrer der Religion auf, daher das Merkwürdigste hiervon wohl in der Ketzergeschichte zu finden ist. Diese anfangs so große Freiheit wurde nachher, als sie viele Mißbräuche veranlaßt hatte, immer mehr und mehr beschränkt, und durch eine manchmal übertriebene Strenge ersetzt; — überhaupt schadete die spätere allzuweltliche Politik der Päpste sehr.

Was zweitens zu der Ausartung der scholastischen Philosophie sehr viel beitrug, war, daß sie ihren Sitz vorzüglich in Paris hatte, hier die Disputirkunst gebildet und am meisten ausgeübt wurde; Paris hat wirklich mehr Einfluß auf diese scholastischen Turnierspiele gehabt als das ganze übrige Europa. Es scheint schon damals gerade derselbe Parthei- und Sektengeist, dieselbe Modesucht geherrscht zu haben, wie sie den Franzosen eigen ist, und wie man es in den neuern Zeiten an den Encyclopädisten bemerkt hat, vielleicht damals noch in einem höhern Grade. Das Streben nach etwas Neuem, Auffallenden, Glänzenden in der Disputirkunst, blos um Aufsehen dadurch zu erregen, war allgemein, und zugleich mehr oder weniger mit demselben Hochmuth und Despotismus verbunden, wie er bei den Neuern herrscht.

Der dritte schädliche Umstand war endlich die Bekanntschaft mit der arabischen Philosophie. Hiemit soll jedoch der arabischen Philosophie der Stab nicht gebrochen werden; was das Bedeutendste davon zu seyn scheint, ihre Mystik kannten die Scholastiker so wenig, vielleicht noch weniger wie wir *). Es ist hier blos die Rede von dem durch arabische Aerzte commentirten Aristoteles. Diesen lernte man im zwölften Jahrhundert kennen; welchen wichtigen Einfluß diese Commentare auf die nachherige, ungemessene Bewunderung des Aristoteles gehabt, wird man einsehen, wenn man weiß, daß die Araber eben sich durch einen auf stupidem Aberglauben gegründeten Enthusiasmus für Aristoteles auszeichnen; er war ihnen so viel, als der menschliche Verstand selbst. Bisher hatten die Scholastiker sich nie auf die Autorität eines Philosophen, sondern blos auf den Glauben bezogen, jetzt aber fing man an, den Aristoteles fast noch über diesen zu setzen, und durch denselben einen alles freie Selbstdenken gewaltsam unterdrückenden Despotismus auszuüben.

Um die scholastische Philosophie zu dem zu entwickeln, was sie hätte werden können, und ihr eine lange Dauer zu sichern, hätte man sie mit der Rhetorik und Poesie in Beziehung setzen müssen. Eben weil die scholastische Philosophie keine hervorbringende, sondern eine blos spielende, keine Philosophie der ersten Untersuchung, sondern vielmehr der Darstellung und Verschönerung des Gefundenen, eine blos spielende, witzige Geistesbeschäftigung war, wäre ihr Hauptelement die Poesie gewesen.

Bei einer Philosophie, wo, wie bei dieser, der Inhalt vollständig gefunden ist, bleibt weiter nichts übrig, als die Ausbildung der Form, aber nicht als Methode, sondern als Darstellungsform zu verstehen, die an Rhetorik und Poesie gränzt; — daß die scholastische Philosophie diese Richtung nicht nahm, verhinderte ihre allzu große äußere Trennung von der Poesie, als welche sich in der lebenden Sprache äußerte, während die

---

*) Wer sich hiermit näher bekannt machen will, sehe Tholucks Schrift über die morgenländische Mystik nach. W.

Philosophie durch die todte lateinische Sprache von allem Leben streng für sich abgeschlossen war; es blieb also nichts weiter übrig, als die Spitzfindigkeiten bis ins Unendliche zu übertreiben.

Die Möglichkeit einer poetischen Entwicklung zeigt uns übrigens das Beispiel des Dante, der in der Philosophie gewiß viel eigenthümliches gedacht und erfunden hat, und eben sowohl zu den scholastischen Philosophen als zu den Dichtern des Mittelalters zu rechnen ist. — Selbst auch die Art, wie die Philosophie in seinem Werke vorkommt, ist ganz scholastisch — erst Einwürfe und Gründe pro et contra, dann die Entscheidung durch Autorität oder Vernunft.

Die Mystiker.

Sie werden also genannt wegen der großen Annäherung ihrer, aus innerer Anschauung oder höhern Offenbarung geschöpften, Philosophie zum Geheimnißvollen; sie unterscheiden sich schon dadurch von den Scholastikern; diese waren wohl dunkel, spitzfindig, subtil, aber nicht mystisch.

Die Geschichte der mystischen Periode scheint zwar leichter abzuhandeln zu seyn, als die der scholastischen; allein alles, was von den Schwierigkeiten der Geschichte der alexandrinischen Periode gesagt worden, ist hier fast noch mehr der Fall. Durch die Verfolgungen, welche die Mystiker ausstehen mußten, sind manche ihrer Werke verloren gegangen, oder doch sehr selten geworden; auch läßt hauptsächlich, weil sie keine Schule bildeten und ohne allen Zusammenhang über ganz Europa verbreitet waren, diese Periode sich weder von der vorhergehenden noch von der nachfolgenden hinlänglich unterscheiden.

Eigentlich ist auch für diese vierte Periode überhaupt sehr wenig geschehen. Brucker hat nur Bruchstücke gesammelt und nicht aus den Originalquellen; Tiedemann ist, wiewohl sehr mangelhaft, doch noch der beste und einzige, auch ist Cramers Abhandlung über die scholastische Philosophie als Anhang zu Bossuets Universalgeschichte interessant.

Schon aus dem frühern Mittelalter schreibt sich neben der auf den Schulen allgemein herrschenden Scholastik eine Kette von Mystikern her, welche originelle, auf innere Anschauungen und geheime Offenbarungen und Traditionen gegründete, immer sich auf das Höchste, das Göttliche beziehende, Meinungen vortrugen, und, sobald der bisherige harte Druck und die Herrschaft über den menschlichen Geist nur einiger Maaßen gebrochen und die Freiheit wieder hergestellt war, plötzlich in großer Menge hervortraten, wie es im Occidente vorhin noch nicht geschehen. Sie suchten nicht allein die Mystik allgemein zu verbreiten, sondern auch die Scholastik zu bestreiten und die Philosophie überhaupt zu reformiren; daher könnte man diese Epoche auch sehr gut die reformatorische nennen, es war, wie früher gesagt, eine Epoche der Revolutionen, und hat hierdurch, so wie durch die Mystik und vorzüglich das Wiederaufleben der Kabbalah Aehnlichkeit mit der alexandrinischen.

Mit den Scholastikern sind die Mystiker blos insofern gleich, als ihre Philosophie eine intellectuelle ist, verschieden, insofern sie, wenn gleich mit der Religion, aber nicht mit der Orthodoxie übereinstimmten. Sie ließen sich nicht, wie die Scholastiker durch Autorität binden, sondern setzten an deren Stelle die innere Anschauung und Freiheit des an keinen Buchstaben gebundenen Denkens. Auch in der Form waren sie absolut das Gegentheil der Scholastiker; lebendige, innere Anschauung, die sie als die höchste Erkenntnißquelle den Abstractionen und der Autorität der todten Scholastik entgegensetzten, war mit der größten Bildlichkeit des Ausdrucks und mit einem weit größern, kühnern Schwung und Charakter in der Form überhaupt verbunden, als sich irgend etwas bei den Scholastikern findet.

Die bei der griechischen Philosophie angewandte Unterscheidungsart nach den Gattungen der Philosophie läßt sich bei den Mystikern eben so wenig wie bei den Scholastikern und Alexan-

drinern ausüben. In der mystischen Epoche herrschten zwar
auch nur gerade die drei höhern Arten der Philosophie, aber
gerade wie in der zweiten und dritten, in einem gar zu chaoti-
schen, synkretistischen Zustande. Ja, mit dem Fortschreiten der
Philosophie nahm in diesen drei mittleren Epochen die Mischung
und Unreinheit der Systeme wohl noch zu, so daß man in der
letzten schwerlich noch eine Ansicht und ein System von solcher
Bestimmtheit, wie das Plotinische, auffinden dürfte, man müßte
dann etwa den Giordano Bruno ausnehmen, der allerdings ein
sehr entschiedenes System hatte, aber dennoch jenem nicht zu
vergleichen ist.

Was die Schwierigkeit, die Mystiker nach den Gattungen
der Philosophie zu unterscheiden, noch vermehrt, ist die außerordentliche Mannigfaltigkeit und Verschiedenheit ihrer Ansichten.
Man wird daher eine richtigere Uebersicht erhalten, wenn man
mehr auf den Charakter und die Form, als auf die Principien
dieser Philosophie sieht.

Demnach zerfällt nun diese Periode in Mystiker — Polemiker — und Philologen.

Diejenigen Mystiker, welche vorzüglich die Scholastik bestritten, könnte man auch wohl Skeptiker nennen, indessen geht
dies doch deswegen nicht an, weil sie nicht, wie die Skeptiker
der Alten, die Wahrheit selbst, sondern nur eine bestimmte Philosophie angriffen; sie heißen also schicklicher Polemiker, —
wenn sie allgemein geltende Wahrheiten bestritten, war es höchstens nur eine unvermeidliche Nebensache; die Skepsis war gar
nicht ihr eigentlicher Zweck, sie hatten nur den allgemeinen Zweck,
auch die Schwäche des menschlichen Verstandes zu zeigen und
daraus zu erweisen, daß es keine andere Wahrheit und Gewißheit gebe als Offenbarung. Auf diese Weise waren sie den
eigentlichen Mystikern sehr günstig, indem sie nur auf einem
andern Wege negativ zu demselben Ziel führten, was die Mystiker durch ihre positive Lehre bezweckten.

Bei dem allgemeinen Bekanntwerden der griechischen Litteratur in dieser Zeit fiel man, da nun einmal (wiewohl irrig)
Aristoteles mit den Scholastikern für eins gehalten wurde, (und

wohl noch aus andern erklärlichen Gründen) am begierigsten auf
Plato; aber diese Bekanntschaft mit einem alten System führte
immer weiter auch auf andere. Weil nun der Kreis der philo=
sophirenden Vernunft so beträchtlich erweitert war, und der Ver=
such der Mystik, die platonische oder neuplatonische Philosophie
an die Stelle der scholastischen Philosophie zu setzen, dem Cha=
rakter und der Denkart mancher Philosophen nicht entsprach, so
konnte es nicht fehlen, daß einige auf andere alte Systeme ver=
fielen, die sie erneuerten und aus der Vergessenheit hervorzogen.
So versuchten sie z. B. die alte materialistische und pantheisti=
sche Ansicht wiederherzustellen; diese sind mit Recht Kritiker und
Philologen zu nennen, da sie mit dem Geschäfte der Wiederher=
stellung der alten Philosophie Sprachkunde und Gelehrsamkeit
verbanden.

Der ausgezeichnetste unter diesen war wohl Marsilius
Ficinus, der blos das platonische und plotinische System
wiederherstellte und commentirte: doch im Ganzen kann man ei=
gentlich alle Philosophen dieser Epoche philologische Philosophen
nennen, besonders gilt es in einem hohen Grade von Picus,
von Mirandula und Reuchlin, welche an der Spitze der
eigentlichen Mystiker standen. —

Wir wissen, daß diese alle von der Kabbalah ausgingen,
wenigstens die ersten Principien derselben annahmen und daraus
die Bücher Mosis zu erklären suchten, in welchen sie diese Phi=
losophie sehr irrig zu finden glaubten, — woher sie denn auch
Mosaiker genannt werden. — Die Kabbalah ist im wesentlichen
nichts anders, als das orientalische Emanationssystem; nur durch
die Ausführung und Anwendung auf die Bücher Mosis und das
alte Testament überhaupt verschiedenartig modificirt. —

Für die Geschichte der Speculation bietet daher die mysti=
sche Philosophie eben kein großes Interesse dar, indem sie ja
eigentlich von der alexandrinischen gar nicht verschieden ist.

Indessen muß man doch immer gestehen, daß das Ema=
nationssystem im Gegensatz der dürren, todten, seelenlosen
Scholastik späterer Zeit weit fruchtbarer und lebendiger erscheint;
so wie denn überhaupt das freiere, lebendigere Wesen der pla=

tonisch-plotinisch-kabbalistischen Philosophie der Mystiker vor dem abstracten, formlosen Dogmatismus der Scholastiker den Vorzug verdient; man braucht auch nur beide gegen einander zu vergleichen. Während wir bei den Mystikern die größte Mannigfaltigkeit und jeden seinen eigenen Weg gehen sehen, sind sich die Scholastiker, troß ihrer vielen großen Streitigkeiten, im wesentlichen fast alle gleich, wie natürlich, da bei einem blos abstracten, überhaupt formlosen System alle Mannigfaltigkeit nothwendig wegfällt, alles durchaus einförmig wird.

Was die Kabbalah selbst betrifft, so ist zwar gewiß, daß eine philosophische Lehre bei den Juden durch Tradition existirte, die sehr mystisch war, und die sie unter diesem Namen als eine geheime Philosophie göttlichen Ursprungs und von dem höchsten Alterthum (von Erschaffung der Welt her) zu besißen sich rühmten.

Ueber das eigentliche Entstehen dieser Philosophie ist man aber noch gar nicht aufgeklärt; man weiß nicht, und es läßt sich nicht entscheiden, ob sie, die von dem Geist des alten Testaments weit entfernt, durchaus viel künstlicher und spißfindiger ist, ein eigenthümliches Product der Hebräer sey, oder ob ihr Ursprung bis zu den Zeiten heraufsteige, wo die Juden mit den Persern und Magiern in Verkehr standen, oder ob sie aus der griechisch-alexandrinischen Philosophie geschöpft worden, oder endlich, ob sie vielleicht gar aus allen diesen drei Quellen zusammen entstanden sey [1]? Genug, das System der Emanation ist in dem ganzen Orient unter den verschiedensten Formen so allgemein verbreitet, daß man nicht annehmen kann, ein jeder, bei dem es sich in einer eignen Gestalt zeigt, habe es erfunden, sondern man es viel natürlicher aus einer gemeinschaftlichen Quelle herleiten muß; so viel scheint übrigens ausgemacht, daß die ältesten eigentlichen Kabbalisten nicht älter, als aus dem ersten Jahrhundert nach Christus sind.

Neben dem Mirandola und Reuchlin zeichnen sich noch unter den Kabbalisten und Mystikern Cornelius Agrippa (aber auch als Skeptiker) und der Engländer Flubb aus, dieser hat jedoch in seinem wesentlichen Prinzip nichts merkwürdiges und ist wohl mehr in physikalischer Hinsicht bekannt.

Der bedeutendſte von dieſen allen iſt offenbar der ſpätere Jacob Böhme, dem man unter den Philoſophen dieſer Periode überhaupt wohl die erſte Stelle einräumen könnte. Seine Quelle war die h. Schrift, doch wurde er durch Paracelſus mit einigen Ideen des Emanationsſyſtems bekannt, wie ſie in den kabbaliſtiſchen Syſtemen vorgetragen wurden; es kann ſogar ſeyn, daß er die Schriften des Picus ſelbſt geleſen hat, überhaupt ſcheint er nicht ſo unwiſſend geweſen zu ſeyn, als man gewöhnlich glaubt, das meiſte hat er jedoch ganz aus ſich ſelbſt geſchöpft durch innere Anſchauungen und Eingebung des Genius.

Er iſt ohne Zweifel der umfaſſendſte, reichhaltigſte und mannigfaltigſte von allen Myſtikern; er verbreitet ſich über alle Theile, die von andern nur einzeln bearbeitet oder ganz unberührt gelaſſen worden, er erklärt nicht allein, wie Picus von Mirandula, die Schrift allegoriſch, um den religiöſen Begriffen und Vorſtellungen eine höhere Bedeutung zu geben, ſondern er drang auch ſo tief in das Weſen der Phyſik, als Fludd und Paracelſus nur mochten, und brachte ein Syſtem, oder, wenn man ſo nicht ſagen will, eine vollſtändige Darſtellung der Principien der geſammten ſpeculativen Philoſophie zu Stande *). Sein Syſtem iſt eine weſentliche und zwar harmoniſche Vereinigung und Verſchmelzung der drei intellectuellen philoſophiſchen Anſichten. —

Inſofern er im allgemeinen ein Emanationsſyſtem vorträgt, iſt er freilich Pantheiſt, inſofern er es aber ausführlicher entwickelt, und mit ſeiner Conſtruction der Natur in Verbindung ſetzt, iſt er, obwohl dem Anſchein nach Realiſt, doch zugleich im höchſten Grade ein Idealiſt. Er löſt nicht nur den Begriff der Materie und Körperlichkeit ganz auf und betrachtet den Körper als Wirkung geiſtiger Grundkräfte, als Allegorie und lebendigen Ausdruck der geiſtigen Natur, ſondern wir finden

---

*) So weit dies auf der excentriſchen Bahn des Philoſophirens auſſer der Kirche möglich iſt.　　　　　　　　　W.

bei ihm auch faſt alle idealiſtiſchen Begriffe, Formen und Wendungen, welche aus der innern Anſchauung der Ichheit hervorgehen, kurz alle weſentlichen Grundlagen des ſubjectiven Idealismus, freilich nur zerſtreut, nicht in der Ordnung und in dem
Zuſammenhange, wie in dem eigentlichen Syſteme des ſubjectiven
Idealismus.

Wir finden eben ſo bei ihm die Prinzipien des objectiven
Idealismus: ſeine Anſicht des Urweſens iſt die einer unaufhörlichen Thätigkeit, eines durchaus Beweglichen, nie Ruhenden
und Beharrenden; er erklärte die Gottheit gerade zu als immer
thätig, nie ruhend und beharrend. Ja, eigentlich iſt er mehr
objectiver als ſubjectiver Idealiſt, zu jenen gehört er wenigſtens gar nicht, welche die Philoſophie auf die menſchliche, bedingte Ichheit beſchränken wollen, ſondern ſeine Philoſophie iſt
offenbar Idealismus der unbedingten Ichheit; ſo
könnte man ſie auch am kürzeſten charakteriſiren. Sie beruht
nicht blos auf der eignen innern Kraft und auf einer künſtlichen Methode, ſondern lediglich auf höherer Anſchauung und
Eingebung; deshalb ſteht Böhme auch den Myſtikern näher und
wird zu ihnen gezählt. Dem Inhalt nach iſt ſeine Lehre Philoſophie der unbedingten Ichheit, der Form nach eine Philoſophie
der Offenbarung; — und eben gerade in dem Elemente der Offenbarung beſtände ihr Vorzug vor der neuern Philoſophie, wenn
dieſes Element nur nicht von ſubjectiven Lichtnebeln und Re-
genbogenkreiſen umgeben wäre, ſie zeigt uns aber dennoch, wie dem
Menſchen, dem es mit chriſtlichem Ernſt um die Wahrheit zu
thuen iſt, blos ſich ſelbſt überlaſſen, ohne alle Anſtrengung und
äußere Hülfsmittel, nur Gott und der guten Sache vertrauend,
eine ungewöhnliche Erkenntniß gleichſam von ſelbſt zufällt; während wir bei andern neuern Philoſophen ſehen, welch hoher
Grad von Wiſſen zwar ohne weitere Begeiſterung, blos durch
die künſtliche Anſtrengung des Geiſtes allein aus eigner Kraft
und Freiheit hervorgebracht werden kann, wie aber doch die
Anſtrengung allein nicht immer hinreicht, da es viele Stellen
giebt, wo der Mangel höherer Anſchauung ſich deutlich offenbart. — Doch haben wir an Böhme's Schülern auch wieder

ein Beispiel, daß man so wenig, als man von der Anstrengung allein etwas erwarten kann, eben so wenig sich ohne alle
Methode blos der Eingebung des Genius überlassen dürfe.
Bei dieser so durchaus religiösen Gestalt von Böhme's Lehre,
da er sich so ganz nicht allein in Styl und Sprache, sondern
auch selbst im Inhalt an die h. Schrift anschließt, bedarf es
einer Rechtfertigung, daß wir ihn einen Philosophen nennen,
zumal er selbst auch gar nicht als solcher auftrat; sein erstes
Werk, Aurora, kündigt sich durchaus als eine religiöse Schrift
gleichsam als eine neue Bibel, ein neues Evangelium,
keineswegs als eine philosophische Lehre an; wenn er freilich
später eine wissenschaftlichere Tendenz in seiner Philosophie zeigt,
das Product seiner Offenbarungen und Eingebungen ein Wissen von Gott nennt, so ist es denn doch immer (wie alle
seine Schriften) ein mehr religiöses als philosophisches Werk,
er sieht es auch selbst so an, spricht darin vollkommen als ein
Begeisterter, man möchte sagen, als ein Religionsstifter.

Indessen kann doch dieses alles kein Grund seyn, Jakob
Böhme'n nicht unter die Philosophen zu rechnen, besonders da
sein Bestreben einzig auf Erkenntniß, blos auf das Innere, Geistige, keineswegs aber auf das Aeußere, auf wirkliche Stif-
tung einer Secte und kirchlichen Verfassung gerichtet war, so
sehr er auch hie und da in der Form mit einem Religionsstifter Aehnlichkeit hat; — die höchste Philosophie kann
nichts anders seyn als Wissenschaft von der höchsten
Realität d. h. von der Gottheit, ihrer Natur und ihren Verhältnissen; — diese ist aber eben Theosophie und nicht ohne
Bezug auf die Offenbarung möglich; in der höchsten
Philosophie ist daher, als auf das Wissen dessen gehend, was
das eigentliche Wesen und der Grund aller Religionen ausmacht, nothwendig Religion und Philosophie verbunden. Daß
sich dies nun auch in der Form und in der Sprache zeigt, folgt
ganz natürlich. — Wenn die Erkenntnißquelle einer Philosophie
nicht die eigene, natürliche, künstlich entwickelte Vernunft ist,
sondern eine übernatürliche, höhere Offenbarung, so kann sie
auch nicht in der Form der natürlichen oder künstlichen Ver-

nunft erscheinen, sondern sie muß mehr oder weniger den Charakter der durch Offenbarung entstandenen h. h. Bücher an sich
tragen, und insofern würde denn endlich die ganze biblische
und religiöse Form des Böhme gar noch konsequenter und angemessener seyn, als die Form andrer sich auf Offenbarung be-
rufenden Philosophen.

Deswegen können wir aber doch nicht läugnen, daß diese
religiöse Form eben Böhme's Lehre für den eigentlich philosophischen Gebrauch ungeschickt macht und verhindert, daß sie
keinen Einfluß auf die Philosophie haben kann; sie müßte dafür
in die der Philosophie eigne Form übertragen werden; (wenn
es übrigens nicht noch eine Frage ist, ob die Philosophie eine
eigne Form haben soll und haben kann) dann erst könnte auch
diese Lehre als Philosophie vollständig beurtheilt werden.
Genug aber, so viel läßt sich sagen, wenn auch Böhme's
Form nicht mit der philosophischen Lehrmethode übereinstimmt,
so ist doch der Inhalt seiner Lehre eine erhabene Philosophie und von ganz idealem Charakter, sie ist im hohen Sinne
das, was er selbst davon aussagt: Wissenschaft von
Gott. Bei keinem andern Philosophen der neuern Zeit
finden wir so viel Aufschlüsse über die verschiedenen Kräfte der
Gottheit, über die inneren Verhältnisse derselben so viele Bestrebungen, gleichsam ihr Werden, ihre Geschichte, ihre mannigfaltigen Veränderungen und Verwandlungen darzulegen, als
eben hier.) Es ist freilich darum nur noch ein Ringen um
vollständige Gotteserkenntniß, indessen enthält sie doch von allen
Philosophieen die meisten Bruchstücke und Mittel dazu,
und stimmt, wie gesagt, ganz mit der Ideal-Philosophie überein, denn Theosophie kann nur mit Idealismus verbunden seyn;
als welcher alles Körperliche aufhebt und keine andre Realität
anerkennt als die des Bewußtseins und des Geistes; wo dagegen der Geist nur als ein Product körperlicher Kräfte betrachtet wird, kann alle Wissenschaft von ihm nur Physik seyn; —
und so wie auf diese Art einerseits Theosophie nothwendig Idealismus ist, so führt andrerseits der Idealismus immer zur Theosophie, als dem höchsten Princip des Geistes.

Daher nennen wir auch Böhme's Lehre mit Recht das größte, tiefste, eigenthümlichste, vortrefflichste Werk des Idealismus; das Aelteste und Neueste, was in der wahren Philosophie erdacht worden, das Speculativste von Plato und von Fichte findet sich unter andern Ausdrücken und Beziehungen in Böhme vereinigt; seine Theosophie athmet christlichen Geist; sie entstand aus dem Christenthume, und schließt sich so an die h. Schrift an, daß man sie nicht nur blos als einen Commentar betrachtet, sondern daß sie sogar als eine Fortsetzung derselben angesehen worden ist. Dies Anschließen an das Christenthum ist um so wichtiger, als es wohl das meiste zu der so durchaus idealistischen Ansicht des Böhme beigetragen hat; das Christenthum ist nämlich als auf die Oberherrschaft des Geistes über den Körper und die Nichtigkeit der Sinnenwelt gegründet, eine ganz idealistische Religion und zeichnet sich eben dadurch, daß es dies auf die vollkommenste Weise lehrt und ausführt, von allen andern am meisten aus.

Auch in der Anwendung des Idealismus auf die Natur und in der tiefen Beziehung des menschlichen Gemüths auf dieselbe hat Böhme Dinge geahndet und errathen, worauf man in unsern Zeiten durch den Weg der Erfahrung nur zum Theil gekommen ist. Aber noch viel merkwürdiger und charakteristischer ist die Annäherung seiner Philosophie zur Poesie. Die wahre Philosophie streitet zwar nie mit der wahren Poesie, sie äußert sich nur auf eine verschiedene Art. Indessen finden wir doch bei den größten Philosophen, auch solchen, denen wir den Namen Idealisten nicht absprechen können, wenn es darauf ankommt, ihre Meinung darzustellen, zu bestimmen und anzuwenden, in der Wahl der Ausdrücke und Bilder immer mehr oder weniger eine gerade Entgegensetzung, ja oft sogar entschiedene Feindschaft der Philosophie gegen die Poesie; — Beispiele sind Plato und Fichte; — aber Böhme schloß sich durchgängig ganz an die poetische Ansicht an; keine andre Philosophie kommt ihm darin gleich, keine ist so reich an Allegorie und sinnbildlicher Bedeutung. Plato war nicht einmal im Stande, die griechischen Gottheiten und die Mythologie so edel und tiefsinnig anzusehen, als wir jetzt (es vermögen); noch viel weniger sie so tief zu deuten, wie J. Böhme das Sinnbildliche des Christenthums gedeutet hat, welches denn aber freilich auch wegen seiner idea- listischen Tendenz eine höhere Deutung gestattet; eben durch diese sinnreichen, zum Theil vortrefflichen Erklärungen der christ- lichen Symbole und Allegorien verdient Böhme den Vorzug vor Plato, er ist ein vollkommenerer Idealist, so zu sagen, ein größerer Deuter, der mehr als alle andre Dichter und Autoren die schönsten, bedeutendsten Allegorien enthält; er besaß in hohem Grade die Empfänglichkeit für Anwehungen eines hö- hern Geistes g).

In Kurzem läßt sich die Philosophie des Böhme am besten also charakterisiren: die Form derselben ist religiös, der Inhalt philosophisch, der Geist poetisch. —

Wir gehen jetzt über zu der Betrachtung der beiden andern Klassen von Philosophie in dieser Epoche. — — Marsilius Fi- cinus, von dem wir überhaupt diese Periode rechnen bis zum Descartes, steht an der Spitze der Philologen; er bemühte sich, wie gesagt, blos den Plato und Plotin zu ediren und zu com- mentiren; ihm folgten in Italien aber auch in Deutschland bald eine große Anzahl; und nicht allein die vortrefflichsten An- sichten sondern auch die Verirrungen, ja die verwerflichsten Sy- steme der Alten fanden ihre Wiederhersteller, ein auffallender Beweis der Wiedererhaltung der Freiheit im Denken. — Gas- sendi erneuerte das epikuräische, Lipsius das stoische Sy- stem. Am merkwürdigsten von allen ist aber wohl Giordano Bruno, der das eleatische System wiederherstellte, und auch viel eigenthümliches hatte. Das wenige, was wir von diesem unglücklichen Manne wissen, reicht nur hin, uns zu überzeu- gen, daß er, wie Spinoza, ein durchaus strenger Pantheist war, nicht aber seine eigentliche Ansicht und Construction des Pan- theismus daraus zu beurtheilen; eine große Schwierigkeit hier- bei ist, daß man alle seine Schriften vollständig zusammen ha- ben muß, weil er, wie es scheint, mehrere frühere Behauptungen späterhin zurückgenommen hat, sein Pantheismus sich am Ende erst in der ganzen Strenge entwickelt und vollkommen ausgebil-

bet hat. Trotz dieser absolut-pantheistischen Denkart, wodurch
er mit der Religion in den größten Widerspruch gerieth, hatte
er doch einen starken Hang zum Mysticismus, in Hinsicht der
Astrologie und Magie, und muß insofern auch zu den Mystikern gezählt werden; doch steht er hier ganz allein, da seine
Mystik nicht religiöser, sondern mehr physikalischer Art ist.

Er war, um ihn kurz zu charakterisiren, wahrscheinlich auf eine
eigne Weise ein absoluter Pantheist mit großer Hinneigung
zum physikalischen und materialistischen Mysticismus. — Seine
Ideen über Astrologie und Magie sind meist sehr dunkel.

Die Polemiker sind auch einzeln sehr interessant und merkwürdig: fast alle Nationen haben deren aufzuweisen; so war
bei den Franzosen vorzüglich P. Bayle, bei den Spaniern Sanc-
chez, bei den deutschen Agrikola. Bei allen, selbst bei
den spätesten, ist ein geheimer Hang zum Mysticismus sichtbar;
— so scheint sich Bayle, wenn er es auch nicht geradezu bekannt hat, durchaus zu dem Mysticismus der Manichäer zu neigen. — Während man eines Theils in dieser Epoche die Offenbarung und ihre Erklärung, so wie die philosophische Autorität auf die ältesten, ächten Quellen zurückzuführen suchte, fing
andrerseits die Vernunft an, sich selbst zu bestreiten und zu
prüfen, indem der Mißbrauch, den sie in der Zeit der scholastischen Abstractionen zugelassen, Zweifel gegen sie erregte, und
leicht darauf führen konnte, die Vernunft selbst nicht nur für ein
sehr gebrechliches, sondern auch schädliches Werkzeug zu halten;
darin sind die freisten sowohl, wie die frömmsten, Bayle wie
Huet einig. Die Vernunft bestritt sich selbst, und zeigte aus
der Schwäche des menschlichen Geistes selbst die Nothwendigkeit
der Offenbarung. Dies doppelte Bestreben, alle Autorität, den
Glauben sowohl als die Vernunft zu bestreiten, die Philosophie
sowohl als die Religion durch Zurückführung zu ihren ersten
Erfindern und ältesten Quellen zu reinigen und wiederherzustellen, — kurz sich selbst zu reformiren, war in dieser ganzen
Epoche herrschend.

Dahin zweckte die Polemik gegen die Scholastik und die
Religion, die Bekanntmachung der Kabbalah, als der wahren

Auslegung des A. T., und der platonisch-plotinischen Philosophie als dienlich, die aristotelische zu verdrängen.

Die Philosophen dieser Zeit, welche die Scholastik in Schutz nahmen und zu retten suchten — also noch zu den Scholastikern gehören und die Reihe derselben beschließen, könnte man füglich Dogmatiker nennen. Nicht als Gegensatz einer positiven Philosophie überhaupt gegen den Skepticismus, sondern der abstracten, systematischen, orthodoxen Philosophie gegen das freiere Denken der Mystiker, Polemiker und Philologen.

Suarez, ein Spanier, war ein solcher Dogmatiker, und wird unter ihnen sehr gerühmt; er suchte das Ganze der scholastischen Philosophie zu umfassen, in ein zusammenhängendes System zu bringen und sie so in ihrem ganzen Umfange zu retten. Dies war aber ein durchaus irriges Bestreben, welches nicht gelingen konnte, da die scholastische Philosophie aus so heterogenen und widersprechenden Bestandtheilen zusammengesetzt war. Ueberhaupt ist Suarez, so vortrefflich er in seiner Art seyn mag, doch immer nur ein Abschreiber und Compilator, gehört also eigentlich gar nicht zur Geschichte der Philosophie selbst.

In Rücksicht der Benennung Dogmatiker, wollen wir hier vorläufig noch bemerken, daß man, da dieser Name nun einmal in der philosophischen Sprache aufgenommen, ihn mehreren der spätern Philosophen beilegen könne; — insofern sie vieles aus der scholastischen Philosophie entlehnten, und ein strenges wissenschaftliches System aufstellten, wie Descartes, Spinoza, Wolf rc. rc. — überhaupt ist die Benennung in dem Sinne, wo die abstracte Philosophie dem freiern, bildlichern Philosophiren entgegengesetzt wird, sehr passend, und daher Wolf im höchsten Grad ein Dogmatiker, Leibnitz aber gar nicht; nimmt man Dogmatik blos als dem Skepticismus entgegengesetzt, wo denn jedes positive System dogmatisch genannt werden müßte, so läßt sich gar nichts bestimmtes dabei denken.

Uebersehen wir hier beim Schlusse noch einmal die ganze vierte Epoche, so finden wir, daß die Philosophie derselben durchaus nur ein bloßes Streben geblieben. Die Ursachen davon sind einestheils, weil die Philosophen dieser Zeit vereinzelt und zerstreut lebten und von der andern, alten orthodoxen Systemen anhängenden, Menge verfolgt wurden, andrerseits, weil die bessern unter ihnen herausgingen aus dem Gebiete der Philosophie und sich mehr an die Religion und Theologie anschlossen, daher keinen großen Einfluß mehr auf die Philosophie haben konnten.

Wegen dem gleichen Anfangspunkt, nämlich Begeisterung gegen die noch immer nicht genug unterdrückte Scholastik und überhaupt Auflehnung der Vernunft gegen die Autorität, wird die vierte und fünfte Epoche meist in Eins geworfen, da sich doch die vierte Epoche durch das doppelte Verhältniß des philosophischen Strebens zu der ersten und letzten Erkenntnißquelle — als auf Aufsuchung und Prüfung der Offenbarung und des Glaubens durch die Vernunft, und als Prüfung und Bestreitung der Vernunft durch sich selbst, und Hinweisung auf die Nothwendigkeit der Offenbarung, — kurz durch einen allgemeinen Hang zum Mysticismus und mit diesem zum Skepticismus — von der dritten sowohl als fünften Periode ganz deutlich unterscheidet. Man könnte wohl sagen, der Geist der Prüfung war in der vierten Periode so allgemein als die Neigung zum Mysticismus, die wir auch bei den absolutesten Polemikern und selbst irreligiösen Philosophen dieser Zeit entdeckt haben. Nicht allein die orthodoxe scholastische Philosophie, sondern auch jede andere auftretende Philosophie wurde geprüft, und durchaus zeichnet sich diese Polemik aus durch ihren Zweck, auf den Glauben hinzuführen. — Ganz anders ist der Charakter der fünften Periode, der modernen Philosophie, von Descartes bis auf unsere Zeit.

So wie die vierte die Periode der Prüfung des Glaubens durch die Vernunft, und der Vernunft durch sich selbst, so ist die fünfte Periode einestheils die der künstlichen Ausbildung und Methode suchenden, anderntheils der auf den niedrigsten Grad herabgesunkenen Vernunft. Descartes — Locke — und Kant sind diejenigen, welche diese Periode eigentlich constituirt haben. Die Philosophie dieser Zeit hat freilich wenig

eigenthümliches, ist meistens aus der griechischen und scholastischen entlehnt, und auch das Synkretistische der vorhergehenden
ist immer noch auf sie übergegangen; am meisten zeigt es sich
gerade an den drei Stiftern. Indessen ist doch in den spätern
Zeiten besonders hier manches bedeutende Neue entstanden und
zeichnen sich doch die neuern Philosophen durch eine größere,
entschiedenere Consequenz eigenthümlich aus, als welche aus
der größern Freiheit und dem dieser Zeit eignen Streben nach
Methode entsprang; daher kann man auch hier schon die Systeme
mehr nach den Arten der Philosophie unterscheiden.

Im Grunde genommen ist aber eigentlich diese Periode uns
noch zu nahe, wir sind zum Theil noch zu sehr darin befangen,
als daß sie für uns Gegenstand der Geschichte seyn könnte. Im
Zusammenhang ist die Geschichte derselben eigentlich auch noch
nicht aufgestellt worden, obwohl Quellen und einzelne interessante Materialien, auch mehrere merkwürdige Ansichten von
Kant, Jacobi ꝛc. genug vorhanden sind.

Das dieser Periode eigenthümliche Streben nach einer, die
Philosophie vor Irrthümern sichernden, Vernunftkunst zeigt
sich vorzüglich in den drei Hauptstiftern; — ferner gilt von
ihnen weniger das Verdienst des Tiefsinns und der Consequenz
als das der Fülle und Erfindsamkeit, so wie sie drittens auch
von allen Philosophen dieser Epoche am meisten synkretistisch waren.

Descartes hat ein ganz sonderbares Gemisch von Philosophie, eine ganz heterogene Zusammensetzung von skeptischen,
pantheistischen, materialistischen und empiristischen Ideen, so daß
es zu wundern ist, wie man ihm wirklich ein eignes System
zuschreiben konnte. —

Er fing skeptisch an, suchte alle alte Philosophie zu annihi-
liren, dann nach Ableugnung aller Vorurtheile sich der wahren Methode zu versichern und ein eignes neues System aufzustellen.

Das Speculativste in seinem System ist dennoch blos fort-
gebauet auf die Scholastiker. Es besteht vorzüglich in dem von
Anselm entliehenen Begriffe der Gottheit aus der
Nothwendigkeit eines vollkommensten Wesens. Dieser Begriff ist, wenn auch nicht pantheistisch, doch nur einen Schritt

davon entfernt, und es war unvermeidlich, daß ein consequenter Denker, wie Spinoza, nachher diesen Schritt wirklich that; denn ein negativer Begriff der Gottheit muß, wenn er nur consequent ausgeführt wird, immerhin pantheistisch werden.

Descartes Naturphilosophie ist wohl seine eigne Erfindung, neigt sich aber, weil sie im höchsten Grade mechanisch ist, durchaus zum Materialismus. Mit Hinwegräumung des Organischen werden auch alle geistigen Kräfte aus der Natur verbannt; was kann also mehr materialistisch, mehr Geist = und Leben tödtend seyn, als wenn man, wie die Alten aus Atomen, alles aus Wirbeln und mathematischen Figuren herleitet.

Dann hat endlich auch Descartes durch die gänzliche Verwerfung der Scholastik, hauptsächlich aber durch seine absolute Trennung des Geistes und der Materie, des Körpers und der Seele den Grund zu dem folgenden Empirismus gelegt. Man sieht leicht ein, daß dieser Dualismus der schwierigste Punkt seiner ganzen Philosophie ist, da durch seine Erklärung des Geistes als des Einfachen und der Materie als des Zusammengesetzten der Gegensatz beider so absolut ist, daß sich nicht denken läßt, wie sie aufeinander wirken und miteinander in Verbindung stehen können, und Descartes selbst sowohl als alle seine Schüler, welche dies als Prämissen angenommen, zu den wunderlichsten und complicirtesten Hypothesen haben schreiten müssen, um es einigermaaßen zu erklären.

Eben so einleuchtend ist es, wie der Empirismus aus solch einem Princip entstehen kann. Bei einer totalen Verschiedenheit zwischen Geist und Materie muß das gemeinschaftliche Product beider, die Vorstellung, entweder ganz aus dem einen, oder ganz aus dem andern erklärt werden; die Vorstellung ist entweder eine Wirkung des Körpers, eine Sammlung verschiedener Körper, und blos das Zusammenfassen, die Form ist dabei dem Geiste eigen, oder die Vorstellung ist mit dem Körper selbst durchaus eine Hervorbringung des Geistes. Im ersten Falle ist der Geist blos eine Wirkung körperlicher Modificationen, im andern gibt es keine Materie nach der gewöhnlichen Bedeutung, als etwas ganz außer dem Geiste existiren=

des, sondern durchaus eine eigne Absonderung des Geistes aus
sich selbst; an eine ursprüngliche Einheit und Verwandschaft
ist gar nicht zu denken. —

Descartes schlug nun, ungeachtet er freilich noch die an=
gebornen Begriffe stehen ließ, den erstern, empirischen Weg
ein, und leitete die menschlichen Vorstellungen, so wie er auch
in seiner Naturphilosophie alles aus mechanischen Ursachen zu
erklären suchte, aus materiellen Eindrücken her. Wahr sey
die Vorstellung, behauptete er, die durchaus klar sey, welches
also näher dahin bestimmt werden könnte: der Anschauung ge=
bühre der Vorzug vor dem Denken, hier sey die Quelle der
Erkenntniß zu suchen, nicht im Denken, wenigstens reicht bei ihm
selbst die Bedeutung seines berühmten Ausgangspunktes: „Ich
denke, also bin ich" — nicht über das empirische Bewußtseyn hin=
aus. Es wird als Thatsache von der Anschauung vorgefunden *).

Daß man nach Descartes Erklärung der Vorstellungen,
dessen Trennung des Geistes und der Materie bis auf unsere
Zeit der interessanteste Punkt der Philosophie geblieben, mit
wenigen Ausnahmen überhaupt den ersten angegebenen Weg ver=
suchte, und so ganz in den materialistischen Empirismus ge=
rieth, ist sehr natürlich, da es wirklich die herrschende, gemeine
Denkart ist, daß unsre Vorstellungen nicht eigne Hervorbrin=
gungen, sondern Wirkungen, Eindrücke äußerer von uns unab=
hängigen Körper seyen, mit deren eigentlichem Wesen wir gar
nicht einmal bekannt werden können; dies und die damals schon
große Erschlaffung des Geistes und der Sitten, die immer mehr
zunahm, waren die Ursachen dieser immer weiter um sich grei=
fenden empiristischen Denkart. Wegen dieser Geisteserschlaffung
konnten eben auch die Mystiker nicht allgemein herrschend wer=
den, und nur einzelne Individuen ihrer bessern Denkart anhän=
gen. Doch die empiristische Tendenz läßt sich auch noch aus
der Geschichte der Philosophie selbst erklären. Die Polemiker
hatten die eigne sowohl, als die auf fremde Autorität sich grün=

---

*) Eine ausführlichere Betrachtung des Descartes. S. in des Ver=
faffers Werken, 2ten Theil (der Litteraturgeschichte 2. Bd.) S. 164.

beude Vernunft so sehr bestritten, und dadurch das Gebäude
der Philosophie so gewaltig erschüttert, daß man wohl sagen
kann, die Vernunft hatte sich durch fortgesetzte Selbstprüfung
und Selbstbestreitung — selbst vernichtet, also, daß nichts übrig
blieb, als sich der Erfahrung in die Arme zu werfen.

Doch dies weiter zu verfolgen, dazu wird sich erst später
der Ort finden; wir kehren jetzt zu Descartes und seinen Schülern zurück.

Descartes war, soviel Tadel auch seine meisten Principien
verdienen, doch immer ein sehr scharfsinniger Geist; seinen großen
Einfluß hat er durch die Entschiedenheit, womit er sich geäußert,
und durch die Fülle seiner Ideen erhalten, auch hat das Heterogene seiner Philosophie selbst viel dazu beigetragen. Ein streng
und consequent durchgeführtes System ist, wenn man es einmal verstanden, nicht mehr ein so starkes Incitament zum Denken, als eine Philosophie, die jedoch bei einiger Originalität
und Mannichfaltigkeit von Ideen aus heterogenen Bestandtheilen zusammengesetzt ist. Hier gibt es immer Mängel und
Schwierigkeiten, die den Verstand beschäftigen und stets zum
Nachdenken anregen; daher hatte auch Descartes so mannichfaltige Schüler, als sich nach Spinoza wohl schwerlich würden
gebildet haben, wann dieser an der Spitze gestanden hätte. Es
ist merkwürdig hierbei, daß aus Descartes Schule viel bedeu-
tendere Philosophen hervorgegangen sind, als er selbst, wie da
sind: Malebranche, Spinoza und Leibnitz. Es war dies aber
der Fall bei allen dreien Stiftern der modernen Periode; so wie
sie alle drei am meisten synkretistisch waren, so wurden sie auch
alle drei von ihren Schülern weit übertroffen, wie Descartes
von Malebranche und Spinoza, so Locke von Rousseau, und
Kant von Fichte.

Malebranche schließt sich an Augustin und die Alexandriner, die Plato zunächst sind, insofern also auch an Plato
selbst an; er ist durchaus intellectueller Philosoph. Aber, ungeachtet er die Existenz des Körpers zweifelhaft zu finden
scheint, ist er doch mehr Dualist, als Leibnitz, schließt sich
durch Augustin und Plato mehr an den Dualismus an. Die

Schwierigkeit des Descartes über die Vorstellungen löst er durch die Behauptung, wir sähen alle Dinge in Gott, die Einwirkung der Dinge auf das Gemüth, die an und für sich unmöglich wären, werde durch ein beständiges Wunder Gottes hervorgebracht. Dies ist freilich eine sehr gewaltsame Erklärung — und — wir könnten ja alles in Gott sehen, ohne daß wir dazu Körper vorauszusetzen brauchten. Doch Malebranche scheint seine Hypothese eben aus Furcht vor dem Pantheismus erfunden zu haben, eben um nicht zu sagen, wir werden durchaus nichts gewahr, als Modificationen der Gottheit, und wir müssen alle Dinge als Modificationen der Gottheit ansehen.

Als Selbstdenker steht Malebranche auf keiner niedern Stufe, und in Rücksicht seiner Annäherung zur Philosophie der Offenbarung mit großem Streben nach ideeller Vollkommenheit und speculativer Methode verdient er allerdings Aufmerksamkeit, denn es ist doch immer ein merkwürdiges Beispiel, wie in jener Zeit und aus der cartesischen Philosophie ein Mann hervorging, der zu der alten Philosophie und zur Offenbarung zurückführte.

Neue Erfindungen in der Philosophie nach der speculativen und ideellen Vollkommenheit, welche auf die christliche Lehre angewandt, seit Plato her so sehr ausgebildet worden, würden äußern schwer seyn, und sind daher hier gar nicht zu erwarten. —

Spinoza, der zweite Schüler des Descartes, war ein entschiedener Realist; daß seine Philosophie aus dem cartesischen System ihren Ursprung nahm, läßt sich leicht zeigen; doch gibt es dafür noch eine andere Quelle, die Kabbalah; diese studierte Spinoza sehr fleißig und in seiner Grunddenkart finden sich auch deutliche Spuren davon. Er entkleidete sie freilich vom Mysticismus, verwarf die Emanation der sieben Geister x.; aber das ihr zu Grund liegende Princip des Pantheismus: eines Einen, alleinigen, mithin schlechthin unbedingt nothwendigen, also auch ewigen, unveränderlichen Wesens nahm er an. Er beginnt sein System mit der unmittelbaren Gewißheit der unendlichen, allvollkommenen, und deswegen einzigen Substanz. Wenn dies zwar kein völlig unrichtiger Begriff der Gottheit ist, so ist es doch immer nur ein negativer Begriff und kann nichts Positives, sondern nur eine negative, speculative Theologie daraus abgeleitet werden; es bleibt daher, um die Mannichfaltigkeit und das Leben daraus abzuleiten, kein anderes Mittel übrig, als jenen Begriff durch Wendung, Täuschung, Verstellung und Umdrehung scheinbar positiv zu machen. Spinoza sucht ihn durch die Behauptung positiv zu erklären, daß aus der unendlichen Substanz auf unendlich-mannichfaltige Weise unendlich vieles erfolgen müsse; nach Spinoza haben alle einzelnen Dinge keine Realität an und für sich, sondern sind nur Beschaffenheiten, oder besser Modificationen, Folgerungen der einzigen, höchsten Realität, alle Dinge sind nur in Gott. Sämmtliche Folgerungen aus dem ersten Princip theilt er in bleibende und wechselnde, diese heißt er Modos oder Modificationen, jene Attribute. Demnach müßte nun eigentlich Spinoza der Gottheit unendlich viele Attribute und diesen wieder unendlich viele Modificationen beilegen; er legt ihr aber nur zwei Attribute bei, warum nur zwei, warum eine bestimmte Zahl überhaupt? Dies sieht man nicht ein. In der Erklärung der beiden Attribute als **Ausdehnung** und **Vorstellung** (Gedanken) folgt er Descartes Terminologie; nur trennt er nicht, wie dieser, beides als total verschieden; ihm ist Geist und Körper Eins, nur von verschiedenen Seiten betrachtet. Beide Attribute laufen immer ganz parallel nebeneinander fort, so daß in demselben Unendlichen Modificationen sind, von denen jeder in dem andern Attribute eine entspricht, mit der sie eigentlich einerlei und durchaus gleich ist. — Diese Ansicht, daß Aeußeres und Inneres Seyn und Bewußtseyn sich völlig entsprechen, ist zwar in vielem dem gemeinen Menschensinne angemessen; die Schwierigkeit ist indessen doch dadurch nicht aufgelöst. Warum sind sich denn die beiden Attribute so durchgängig parallel? Spinoza hat diesen Parallelismus gar nicht erklärt und bewiesen, sondern absolut behauptet. Man könnte zwar sagen, daß gemäß seinem Begriff der Unendlichkeit die Attribute harmoniren müssen, weil sie als Attribute der Gottheit durch die Einheit des göttlichen Wesens auch nothwendig Eins seyn müssen; doch

brauchte diese Einheit nicht von so specieller Art zu seyn, es
brauchten nicht so durchgängig alle Modificationen bis zu den
Modificationen der Modificationen mit einander zu correspon-
diren. —

Spinoza hat in seinem System die mathematische Methode
angewandt, die Descartes schon in der Physik versucht hatte,
und durch diese strenge Form erscheint das spinozistische System
sehr imposant. Die mathematische Form hat auch wirklich viel
Vorzügliches und wurde als musterhaft mit Recht der Philosophie zur Beachtung angepriesen, indem die Mathematik gerade die Wissenschaft ist, die die größte Bestimmtheit und Klarheit hat, woran die Philosophie immer noch leidet. Jedoch
zeigt uns eben Spinoza, daß sie in der Philosophie doch nur
von einem beschränkten Gebrauch seyn könne, allenfalls nur
für einen Theil der angewandten Philosophie passe, wenigstens
zur Begründung der ersten Principien gar nicht tauge; denn
während keiner die mathematische Methode so streng und in
solcher Vollkommenheit ausübte wie er, finden wir doch, daß
seine Behauptungen durchaus ganz lose und unbewiesen zusammenhängen. Er construirte seinen Begriff der Gottheit nicht,
sondern setzte ihn ganz willkürlich zusammen, und insofern steht
er gegen Plotin und die alten griechischen Realisten, die Pythagoräer, so wenig wir auch von ihnen wissen, zurück. Plotin versuchte doch noch eine positive Construction des Begriffs
der Gottheit durch die Lehre der Dreieinheit, welches viel philosophischer und doch eine genetische Entwicklung ist; — das
schlechthin Erste und Eine ist freilich unbegreiflich — das Ganze
der Gottheit — die fernere Construction von dem Einen und
Ersten aus ist aber begreiflich. Wenn der Pantheismus zu
einem positiven System ausgebildet werden soll, so muß statt
der leeren Unendlichkeit und negativen Einheit nothwendig eine
Construction des Begriffs des Unendlichen oder der Gottheit gesetzt werden. Dies ist aber, wie gesagt, bei Spinoza nicht der
Fall. Er hat aus seinem ersten Princip nur analytisch gefolgert, gar nicht den Begriff der Gottheit construirt. Hätte er,
wie es aus seinem Begriffe des Unendlichen folgt, den Satz

aufgeſtellt, der Gottheit kommen unendlich viele Attribute und dieſen unendlich viele Modificationen zu, ſo würde er ſich in eine Conſtruction der Unendlichkeit verloren haben; da er ihr aber nur zwei Attribute beilegte, ſo hätte er daraus wohl den Begriff der Gottheit müſſen conſtruiren können, wenn er z. B. ein thätiges und leidendes Attribut, oder die beiden Attribute als thätig, die Gottheit als leidend, oder die beiden Attribute als urſprüngliche Attribute der Materie, als das Leidende, die Gottheit als das, was ſie forme und bilde, angenommen hät= te; ſeine Anſicht würde dann gewiß viel fruchtbarer geweſen ſeyn. — Daß er dies nicht gethan, iſt nicht zu verwundern, da bei ihm der Begriff der Subſtanz das Uebergewicht hat, und er den Begriff der Thätigkeit ſo tief darunter herabgeſetzt; er hätte natürlicher alle Thätigkeit, wie Parmenides, ſchlechthin leugnen, die vollendete Beharrlichkeit annehmen, und der Gott= heit auch nur unveränderliche Beſchaffenheiten, nur Attribute beilegen, nicht aber die ganze Natur aus Modificationen er= flären ſollen, deren Weſen und Geſetze er wieder aus den At= tributen herleitet.

Ueberſehen wir hier noch einmal die verſchiedenen Mängel der Philoſophie des Spinoza; ſo iſt ſchon ſein erſter Begriff ſchwankend, ſo daß man zuerſt nicht weiß, ob er ganz negativ oder poſitiv iſt; dem poſitiven Begriffe widerſprechen die zwei Attribute, da aus Spinoza's Begriff des Unendlichen folgt, daß es unendlich viele Attribute haben müßte; warum eine beſtimmte Zahl, warum nur zwei, iſt nirgend erwieſen. Spinoza könnte freilich antworten, es gäbe zwar unendlich viele Attribute, aber der Menſch könne nur die zwei erkennen, doch dies geht nicht an, da er behauptet, der Menſch auf der höchſten Stufe der Philoſophie könne einen richtigen Begriff von der Gottheit ha= ben, denn ſomit müßte der Philoſoph wenigſtens eine dunkle Ahnbung jener andern Attribute haben, was aber zu einer grän= zenloſen, unendlichen Schwärmerei führen würde. —

Ein anderer Fehler iſt der Parallelismus der zwei Attri= bute, es muß freilich eine harmoniſche Einheit und Ueber= einſtimmung zwiſchen beiden Attributen ſtatt finden, allein nicht in der künstlichen Ausdehnung, daß jeder Modification in dem einen auch wieder eine in dem andern Attribute entsprechen müsse. Dieser Parallelismus widerspricht durchaus dem spinozistischen System.

Als den letzten Fehler haben wir endlich bemerkt, daß er die Thätigkeit zu gering und untergeordnet nahm, nicht lieber sie ganz verwarf und alles als unveränderlich, beharrlich ansah.

Doch troß diesem strengen Tadel in Rücksicht der ersten Principien hat sein System wenigstens negativer Weise eine hohe Wichtigkeit, nicht nur wegen der ethischen Consequenz des Mannes selber, die sich besonders in seiner Moral zeigt, deren Vorzug darin besteht, daß sie, wenn gleich keine objective, gewisse, dennoch eine speculativ ausgedrückte subjective, wie nur ein streng moralisch-gesinnter Mensch sie geben kann, und daß sie in der höchsten Klarheit und Vollendung vorgetragen ist, aber nicht nur deswegen, sondern auch wegen der relativ größten Consequenz dieser Philophie überhaupt, die man sich auch für die positive Seite wohl bemerken soll. — Sie ist, ungeachtet der wissenschaftlichen Mängel, ganz aus Einem Stück; von einem durchaus harmonischen Zusammenhang, wie dies nur bei einem Kunstwerk der Fall ist, und verdient insofern vor dem alexandrinisch-realistischen Systeme den Vorzug. Plotin hat freilich in seiner Lehre von der Dreieinheit eine Construction der Gottheit versucht, und gibt dem Begriff der Thätigkeit, woraus in der Philosophie alles Leben quillt, den Vorzug; aber seine Philosophie enthält doch zu viel heterogenes, was sich mit seinem Grundprincip des Realismus unmöglich vertragen kann. Auch in Rücksicht der Form steht Plotin hinter Spinoza zurück; es fehlt ihm gar zu sehr die eigentliche philosophische Methode, er ist unzusammenhängend, dunkel; bei Spinoza hingegen sehen wir die höchste Klarheit, Kürze und Präcision, und, wenn man den Principien gewachsen ist, einen höchst deutlichen Vortrag. Von Parmenides und den Pythagorädern können wir nicht urtheilen, wir haben gar zu wenig Ueberreste davon; Spinoza ist also relativ immer noch der consequenteste Realist, der existirt, und in speculativer

Rücksicht der interessanteste, da man aus ihm den pantheistischen
Realismus am leichtesten kennen lernen, und er als Repräsentant
der ganzen Gattung gelten kann.

Leibnitz setzte sich in geraden Gegensatz mit Spinoza. Er
hat, wie die alten Idealisten, durchaus die Idee der Thätig=
keit zum Grundprincip gemacht, und räumt den Begriff der
Substanz fast ganz weg; wenn er dies freilich nicht positiv
sagt, so folgt es doch wenigstens aus seinen Meinungen und
es scheint offenbar, wenn er nicht Paradoxie gescheut hätte,
würde er alles Seyn, alle Beharrlichkeit und Substanz gänz=
lich geleugnet haben. —

Das Problem des Descartes, wie die Körper auf den
Geist wirken, welches Spinoza nicht gelöst, sondern blos den
Knoten zerhauen hat, finden wir nicht mehr bei Leibnitz, denn
er nimmt keine äußern Dinge, nichts als Geistiges, gar keine
andern, als Vorstellungskräfte, Monaden an; er erklärt
daher auch die Wirkungen der Körper in der Erscheinung nur
als eine Verwirrung der geistigen Kräfte — die Eindrücke nur
als verworrene Vorstellungen.

Aber durch die Behauptung, daß jede Monade ein unab=
hängiges, für sich abgeschloßnes, in sich vollendetes Ganzes
bilde, und alles aus sich selbst entwickle, hat er ein eben so
schwer zu lösendes Problem herbeigeführt. Es entsteht die ganz
natürliche Frage, wie kann unter solchen Bedingungen eine
Wechselwirkung der Monaden oder Geister statt haben, wie sie
doch statt hat? — dazu müßte nothwendig eine ursprüngliche
Gemeinschaft, ein gemeinschaftlicher Grundquell derselben nach=
gewiesen werden. Leibnitz suchte das Problem durch seine will=
kürlich ersonnene Hypothese von der prästabilirten Harmonie zu
lösen. Es hätte sich wohl auf eine andre Weise aus seinem
System erklären lassen, aber das hätte ihn zu sehr in eine
Folge von Emanationen, in einen intellectuellen Pantheismus
geführt, wovor er sich scheute. — Es leuchtet jedem ein, daß
wenn er den Begriff der Gottheit nicht aus dem Christenthume
genommen und die Gottheit nicht als ein außerweltliches We=
sen, sondern als eine ursprüngliche Centralmonade gedacht hätte,

das Aufeinanderwirken der Monaden aus dieser ursprünglichen Einheit vollkommen erklärlich wäre. —

Der eigentliche Mittelpunkt aller Ideen und der ganzen Philosophie des Leibnitz ist die Idee einer unendlichen Mannich= faltigkeit und Fülle. Nicht gerade als ob er dies bestimmt als Princip aufgestellt hätte, sondern dies charakterisirt, in Eins zusammengefaßt, den Geist und die Tendenz seiner ganzen Phi= losophie; es stimmt auch sehr gut mit dem Grundprincip der Thätigkeit überein; der Begriff der Thätigkeit besteht eben in der Wegräumung des Begriffs des Seyns und der Substanz und in der Voraussetzung der Unendlichkeit; ist alles unendliche Thätigkeit und Beweglichkeit, so muß es auch eine unendliche Fülle und Mannichfaltigkeit geben. — Daß dies eine Allgemeine= und Grund=Idee bei Leibnitz war, leuchtet gleichfalls aus einzelnen Principien seiner Phielosophie hervor, besonders aus den beiden Grundsätzen der Ungleichartigkeit (Principium Indiscernibilium) und der Stätigkeit (non datur hiatus), welche Kant nur als regulative Principien für die Natur bestehen ließ; beide beruhen auf der Voraussetzung einer unendlichen Fülle und Mannichfaltigkeit in der Natur, im er= sten als coexistirend, im zweiten als successiv gedacht.

Die unaufhörliche Thätigkeit des menschlichen Geistes, wie ja der Mensch selbst auch im Schlafe Vorstellungen hat, führte Leibnitz auf seinen merkwürdigen, höchst idealistischen Begriff von den unbewußten Vorstellungen, die er nicht allein auf die Seele, sondern auf alle Kräfte, alle Monaden überhaupt an= wandte. Ist alles Thätigkeit, besteht alles Seyn in Thätig= keit, so kann auch das einzelne specielle, nicht nur die wache Seele, sondern auch die schlummernde, unterste Monade nicht anders, als immer thätig (also gleichsam eine schlummernde, bewußtlos=thätige) seyn.

Die Stifter der zweiten Schule der modernen Philo= sophie waren Locke und Baco. Locke hatte aber den meisten Einfluß; er verhält sich zu seinen Nachfolgern, wie Descartes zu den seinigen. Er wurde von ihnen weit übertroffen, erst diese sprechen den Empirismus entschieden aus; Locke selbst merkte die auffallenden Folgen dieser Denkart noch nicht, in seinem Geiste war der Empirismus mit Moral ꝛc. verbunden, daher blieben die schlimmen Folgen verborgen, und sein System war nicht so beleidigend für Vernunft und Gefühl, wie die daraus abgeleiteten. Eben dadurch, daß sein Empirismus noch nicht ganz entwickelt war, und in einer so gemäßigten Gestalt erschien, hat er so vielen Einfluß gehabt, den er gewiß nicht hätte haben können, wenn er gleich so entschieden wie z. B. die französischen Encyklopädisten aufgetreten wäre. Er ließ sich zum Theil mehr auf Nebensachen, auf Staatsverfassung, Erziehung, ꝛc. als auf die Philosophie selbst ein, und verschaffte so durch allgemeine Anwendung seiner Grundsätze seiner Philosophie die größte Ausbreitung. In einem großen Theile seines Werkes über den menschlichen Verstand beschäftigt er sich blos mit Widerlegung fremder Principien; dies ist aber nicht sehr interessant, da er die bessere Philosophie gar nicht oder nur wenig verstand. Seine Schüler entwickelten eigentlich erst den Empirismus, sie trugen ihn stringirter vor; die Ableugnung alles Intellectuellen und Moralischen, welche bei Locke noch verborgen und beschönigt geblieben, wurde jetzt ganz offenbar, und dazu gesellte sich noch ein ganz crasser Atheismus. —

Da der Empirismus nur eine Erkenntnißquelle, — Empfindung und Erfahrung — hat, so fließt bei ihm alles Wissen eigentlich auch in Eins zusammen und es gibt, so wie nur eine Erfahrung, so auch nur eine Wissenschaft, nämlich die Geschichte, freilich im gemeinen Sinn. Daher ist jede Abtheilung in dieser Philosophie keine theoretische, sondern nur eine praktische, bezieht sich nicht auf das Wissen selbst, sondern lediglich auf praktische Zwecke, oder ist eine willkürliche Absonderung in Fächer zur bequemern Uebersicht der Materie. So nahm Locke und seine Schule wegen der unendlichen Menge der Materialien, welche uns die Erfahrung darbietet, eine Absonderung des Innern und Aeußern an, das Innere theilt er wieder in das Allgemeine und Besondere; die verhältnißmäßig allgemeinsten oder allgemeineren Wahrnehmungen des innern Sinnes waren ihm der eigentliche Gegenstand der Philosophie, die speciellern des äußern Sinnes blieben der Geschichte, der Kunstlehre und überhaupt den praktischen Wissenschaften anheimgestellt. Eine solche Trennung des Innern und Aeußern, des Allgemeinen und Besondern ist aber nicht streng möglich, da das Allgemeine den Empiristen immer nur eine Thatsache, eine Summe von mehreren Wahrnehmungen, ein Aggregat mehrerer speciellen Mannichfaltigkeiten ist. Sie nehmen keine generische, sondern nur eine gradative Verschiedenheit des Allgemeinen und Besondern an; das Allgemeine ist ihnen keine Idee; es gibt bei ihnen nichts absolut-allgemeines, denn das wäre außerhalb der Erfahrung hergenommenes. Das Allgemeine bezieht sich hier immer auf das Besondere und daher geht trotz allen Grenzbestimmungen doch eins ins andre über. Am strengsten und wissenschaftlichsten ist diese Erfahrungs-Philosophie noch in der Ideologie dargestellt, welche die Franzosen ausgebildet haben. Es soll dies eigentlich eine Theorie des Bewußtseyns seyn, das ist aber unmöglich, weil das Ganze auf Wahrnehmungen, Empfindungen und Reflexionen beruht, die ganz von der Philosophie wegführen, und sie zu einer bloßen Erfahrungs-Seelenkunde machen, wie das denn auch der empiristischen Grunddenkart, die alles auf innere Erfahrung gründet, vollkommen angemessen ist und daraus nothwendig folgt. Alle diese sogenannte Ideologie geht immer in Psychologie und diese in Geschichte über.

Anmerk. Die Ideologie von Destutt-Tracy ist freilich eine Art Theorie des Bewußtseyns, aber, so zu sagen, eines französischen Bewußtseyns.

Der Empirismus hat es, ungeachtet er auf einer so niedern Stufe steht und so simpel zu seyn scheint, mit der größten Anstrengung noch nie zu einem System bringen können. Nach seiner Voraussetzung, daß alle Erkenntniß nur aus der Wahrnehmung und Empfindung zu schöpfen sey, müßte man dazu von allen Erfahrungen des innern Sinnes die allgemeinen, allgemeinern und auf das allergemeinste gehenden hervorsuchen; daß sich dies aber nicht ausführen läßt, ist einleuchtend, da ja nach den Grundsätzen des Empirismus, wo alles auf

Erfahrung beruht, jede Erfahrung die Allgemeinheit zerstören
kann, also eigentlich alles Mögliche zu einer solchen Philoso=
phie gehören muß, wie denn auch die meisten Lockianer und
Ideologisten jede seltsame Geschichte und Anecdote von irgend
einem sonderbaren Gemüthszustande und jede Seelenkrankheit,
die ein Resultat zu geben scheint, in die Philosophie aufgenom=
men haben. Es lassen sich überhaupt für den psychologischen
Empirismus keine Gränzen bestimmen; in der theoretischen Dar=
stellung wird er immer ins weite und breite gehen und sich ins
Unendliche verlieren. — Die strengste und trockenste Ideologie
zeigt daher auch die Armuth und Mangelhaftigkeit dieses Sy=
stems am vollkommensten; es ist, trotz allem Streben nach Wis=
senschaftlichkeit keinem einzigen gelungen, ein strenges, conse=
quentes System des Empirismus darzustellen, ohne in die hi=
storische Psychologie zu gerathen; dies gilt hauptsächlich von
Condillac.

Weit objectiver könnte der psychologische Empirismus frei=
lich werden durch Beschränkung auf einen praktischen Zweck.
Eine Beschränkung, aus dem Innern des Systems selbst gege=
ben, läßt sich nicht denken, es ist nur eine solche äußere durch
Beziehung auf einen bestimmten Zweck denkbar. — Auf diese
Weise könnte es eher gelingen, eine objective Ideologie aufzu=
stellen, eine Lehre nämlich von den Vorstellungen, welche auf
einen praktischen Zweck z. B. das Vergnügen gerichtet sind, vor=
ausgesetzt freilich, daß nach dem Grundsatze des Empirismus,
daß alles in der Empfindung bestehe, das Vergnügen das höchste
Gut sey; es müßten Vorschriften gegeben werden, wie nach
dem Zweck des Vergnügens das Bewußtseyn, das Vorstellungs=
vermögen zu behandeln sey; die Gränzbestimmung der Philo=
sophie wäre dann strenger. Ueberhaupt ist eine Darstellung des
Empirismus, von der moralischen Seite aufgefaßt, immer in=
teressanter und wichtiger. Helvetius und die Engländer nei=
gen auf diese Seite; ersterer nimmt eine besondere Art von
Vergnügen, ein einseitiges Vergnügen an, letztere, weil ihnen
dieses zu craß und immoralisch vorkam, veredelten es durch
eine künstliche Spitzfindigkeit; sie suchten es in der Sympathie;

es war ihnen ein geselliges, gemeinsames, mittheilbares, all=
gemeines d. h. ein sympathetisches Gefühl. — Diese Empiri=
ker sind besonders deswegen interessanter als die Ideologen,
weil ihre Beobachtungen durch die bestimmten Beziehungen lehr=
reicher und das Ganze eben dadurch auch dem Wesen des Em=
pirismus angemessener wird. Zu einer eigentlichen, objectiven
Ideologie in moralischer Rücksicht hat es freilich noch keiner
gebracht; es würde dies ungefähr ein Empirismus, wie der
des Xenophon seyn.

Ein zweites Phänomen neben dem psychologischen Empi=
rismus ist der historische. Es ist auffallend, wie dieser
gegen jenen Recht hat. So zweckmäßig auch die Trennung des
Innern und Aeußern scheint, so ist doch sehr einleuchtend, daß
nach den Prämissen des Empirismus Inneres und Aeußeres sich
keineswegs leicht trennen lassen. Ist die Erfahrung die Quelle
der höchsten Wahrheit, so beruht die Vollkommenheit der Phi=
losophie und diese selbst nur auf der Richtigkeit, Vollständigkeit
und Treue der Beobachtungen; alle Selbstbeobachtungen aber,
sie mögen noch so streng und abstract seyn, beruhen immer wieder
auf einzelnen Fällen und Meinungen, sind nur gradweise von
den Autobiographieen verschieden, diese endlich wieder nur
durch einen höhern Grad von Innerlichkeit von der Geschichte;
— auch in der äußern Geschichte kommen Thatsachen von in=
nern Gesinnungen und Gefühlen vor. Es ist vorzüglich das
Bedürfniß, eine Allgemeinheit für die einzelnen Wahrneh=
mungen und Beobachtungen aufzufinden, was den Empiris=
mus zur Geschichte führt; in dieser Ansicht gibt es, wie ge=
sagt, keine strenge Allgemeinheit, keine unmittelbar gewisse
Vorstellung: es bleibt also nichts anders übrig, als die
Wahrheit der Vorstellungen nach der Allgemeinheit des Bei=
falls abzumessen und zu dem Behuf die Meinungen und Ueber=
zeugungen aller Völker und Zeiten zusammenzustellen. — Zu=
gleich ist die Verschiedenheit der Begriffe und Vorstellungen
mehrerer Völker und Zeiten ein großer Anstoß für die Empiri=
sten und nöthigt sie somit auch zu einer Geschichte des mensch=
lichen Verstandes im gemeinen Sinne, als Prüfstein für die

Gewißheit der Vorstellungen überhaupt. Es ist einleuch=
tend, daß dieser historische Empirismus bei weitem den Vor=
zug verdient vor dem psychologischen; dieser ist ungleich är=
mer und dürftiger, und ihm liegt die Idee zu Grunde, die
Philosophie sey eine abstracte Wissenschaft. Der historische
Empirismus umfaßt als Geschichte der Menschheit alle mensch=
lichen Fähigkeiten und ist, insofern er sich nicht auf beson=
dre Zwecke bezieht, den andern Wissenschaften, die auf Anwen=
dung gehen, entgegengesetzt, und mehr Theorie zu nennen, er
ist, wenn auch nur in den Resultaten mehr oder weniger Phi=
losophie; die Philosophie verliert sich ja selbst immer in Ge=
schichte.

Eine eigentliche genetische Entwicklung des menschlichen Gei=
stes wäre wirklich die höchste Aufgabe für die Philosophie. Was
wir jetzt haben, sind blos Materialien von verschiedenen Mei=
nungen und Vorstellungsarten, die bei verschiedenen Nationen
herrschend waren, und allerhand wunderliche Hypothesen darü=
ber, die alle empirisch sind. Indessen riefen die Empiristen
durch ihre Versuche doch zuerst die Idee hervor, daß die Ge=
schichte als Wissenschaft könne behandelt werden, denn die
Griechen betrachteten die Geschichte nur als Kunst.

Noch einen größern Vorzug dürfte ein dritter, der encyklo=
pädische Empirismus verdienen, welcher darauf ausgeht, durch
Auswahl des verhältnißmäßig Objectivsten und Universellsten in
allen Wissenschaften und Künsten eine eigne Philosophie zu con=
stituiren; — dieser, wenn auch nicht eigentlich Philosophie, doch
ein sehr lehrreicher Versuch, kann aber dem Empirismus nicht
gelingen, weil eben der Empirismus alle Wissenschaften ihres
universellen Bestandtheiles, oder ihrer ersten Principien, (wenn
sie solche haben), kurz des intellectuellen, philosophischen Gei=
stes beraubt, und weil gerade dem Concentriren des Objectivsten
in allen Wissenschaften zu einem System eine intellectuelle
Idee, ein Princip der Einheit zu Grunde liegen muß. — Da=
her sind denn auch Baco und die nach ihm verbesserten und
ausgebildeten Encyklopädisten unvollkommen geblieben. Diese
letztern athmen freilich alle einen Geist der Einheit; aber es

ist der des verkehrtesten Empirismus, in allen offenbart sich ein und derselbe immoralische, atheistische Geist.

So wie das Streben nach Methode der allgemeine Charakter der modernen Periode (man möchte sagen als Beweis der Schwäche, das Bedürfniß des Anhaltens an eine Krücke) ist; so zeigt sich auch bei den Empiristen hie und da Methode gleichsam in der Unmethode — in dem gänzlichen Mangel einer künstlichen Methode und Terminologie. Die Methode der Empiristen besteht blos in der Treue und in dem leichtesten, klarsten Ausdruck der Beobachtung. Die Verschiedenheit der Meinungen besonders unter den Intellectuellgesinnten erklärten sie überhaupt also: es seyen dies alles Mißverständnisse, entstanden aus der Dunkelheit des Ausdrucks, welche eine Frucht der künstlichen Methode und Syllogistik wäre; — (wir brauchen uns also nicht zu wundern, daß die Philosophie seit Locke durchaus populär ward;) bloße Erfahrungsbeobachtungen, so ~~licht~~ als möglich gesagt, haben nicht viel Schwierigkeit verstanden zu werden, und entsprechen ganz den ~~gemeinen Gesinnungen~~ des Pöbels. —

Die mathematische Methode, welche Descartes eingeführt hatte, konnte nicht auf den Empirismus angewandt werden; die Physiker haben freilich durch ihr System Neigung dazu gezeigt, es ist aber eine Inconsequenz; denn die Mathematik ist streng genommen zu sehr Form der Vernunft, als daß sie sich mit dem Empirismus sollte vertragen können, er müßte dann die Vernunft wenigstens negativ annehmen, ihr eine negative Gültigkeit zugestehen; die Erfahrung und Empfindung wäre immer die positive Erkenntnißquelle, die Vernunft nur negatives Werkzeug zur Verhütung des Irrthums. Es gibt auch einen — solchen Empirismus, und die Intellectual-Philosophie kann es wohl zugeben, daß die Vernunft eine negative, und die Erfahrung eine positive, freilich sehr untergeordnete positive Erkenntniß sey; der Empirismus muß sie nur nicht als die einzige positive Quelle angeben, und somit die Möglichkeit anderer intellectuellen Erkenntnisse leugnen: doch dies Leugnen kann nie weit her seyn, da der Empirist gestehen muß, daß es immer

noch einen ihm verborgenen Sinn geben könne, welchen er einstweilen nicht kennt; wollte er etwa gar die Unmöglichkeit und
Falschheit der intellectuellen Anschauungen und Erkenntnisse durch
die Vernunft beweisen, so würde er dadurch die Vernunft selbst
als positiv anerkennen; denn zu diesem Beweise wird vorausgesetzt, die Vernunft habe einen objectiven, schlechthin gewissen
Begriff a priori von der Anschauung aus sich selber, eine positive Erkenntniß der Ichheit aus sich selber, oder es müßte
denn zum Beweise, daß die intellectuelle Anschauung sich in sich
selbst widerspreche, eine Theorie des Bewußtseyns a priori
aufgestellt werden, die nach der Ansicht des Empirismus immer nur eine halb rationale, aus der Erfahrung geschöpfte,
durch die Vernunft aber gestaltete Theorie wäre; — ein Empirismus, der mit einigen größern Beimischungen von intellectueller Philosophie der dem kantischen System zu Grunde liegende ist.

Auf solche Weise zwingt also die Mathematik die Empiriker, eine gemäßigtere Ansicht anzunehmen, und den Empirismus halb und halb aufzugeben.

Bei dem eigentlichen Empirismus aber, der alle Vernunft
als abgesondertes und specifisch verschiedenes Erkenntnißvermögen
leugnet, dieselbe nur als eine Zusammensetzung, ein zufälliges
Aggregat von Empfindungen und Reflexionen betrachtet, läßt
sich, wie gesagt, die mathematische Methode durchaus auf keine
Weise anwenden, dieser gibt mit der Vernunft alle Ansprüche
auf Allgemeinheit der Beweiskraft auf, kann deshalb auch gegen keine Philosophie streiten, weil er dazu die Form der Vernunft brauchen müßte.

Wir kehren jetzt wieder zu unsrer historischen Betrachtung
zurück; als Resultat derselben finden wir einen dreifachen Empirismus, den psychologischen, der in der Ideologie seine höchste
Höhe erreicht und Locke zum Stifter hat, den encyclopädischen,
von Baco entworfen und von den Encyclopädisten nicht vollendet, und endlich den historischen, der keinen besondern, bestimmten Stifter hat und nur wegen seines Einflusses auf die Litteratur des Zeitalters merkwürdig ist, überhaupt ist das Ganze

am meisten interessant in Rücksicht der Litteratur und der historischen Folgen und wichtig durch die völlige ungebundene Freiheit, die sich in demselben offenbart. In speculativer Rücksicht
ist es blos merkwürdig als Beispiel, was sich auf der untersten
Stufe der Philosophie zu entwickeln vermag. Streng genommen ist hier die Frucht durchaus Atheismus und Immoralität;
daher äußert sich auch bei vielen Empiristen, deren bessern Charakter und Denkart dies widersprach, ein Streben aus dem Empirismus heraus zu einer andern höhern Philosophie. Vorzüglich bietet uns Rousseau das Schauspiel des Kampfes eines
tiefern Gemüthes mit dieser verkehrten Philosophie und eines
durch diesen Kampf unglücklichen Lebens dar. Er scheint sich,
obwohl er dem ersten Prinzip nach vollkommen zu den Lockia-
nern gehört, doch zur intellectuellen Philosophie zu neigen. Es
kommen sehr oft Ideen von Liebe, Tugend, Recht und Recht-
schaffenheit bei ihm vor, die unmöglich mit dem Empirismus
verträglich sind. Er nähert sich darin nicht nur dem Plato,
von dem er sie zum Theil entlehnt hat, sondern er bestritt auch
alle Materialisten mit der größten Strenge. — Hätte er sein
Vorhaben, das materialistische System des Helvetius ausführlich zu widerlegen, ausgeführt, so würde er seine Prinzipien
dabei vielleicht deutlicher entwickelt, den Empirismus gänzlich
verlassen und eine neue Philosophie gestiftet haben, wodurch
denn statt von Kant, von Rousseau die neue Epoche angefangen hätte; es scheint ihm aber an Muth und Kraft dazu gefehlt
zu haben. —

Rousseau's idealistisches Streben ist durchaus mit empirischen Vorurtheilen verbunden; dieses ist der rechte Gesichtspunkt für seine Paradoxieen, wie z. B. sein idealer Naturzustand
und die darauf gegründete Bestreitung der Civilisation. Nach
der empirischen Ansicht hat er ganz Recht, das Ideal des Lebens in jener idealisirten Wildheit und Natürlichkeit zu suchen.
Ist der Mensch durchaus ein sinnliches, ein ganz auf die Sinne und die Sinnlichkeit beschränktes Wesen, so liegt die Folge
nicht weit, daß der rein sinnliche Naturmensch, wo nicht der
vollkommenste, doch als der unverdorbenste anzusehen sey; eben

so müßte man, wenn die Sinne die ersten Erkenntnißquellen, die Vernunft aber nur die Art wäre, das, was die Erfahrung gibt, zu verbinden, annehmen, die Vernunft habe den Menschen zu sehr verkünstelt, und dem, was die Sinne lehren und begehen, zu sehr entgegengestrebt. — Ueberdem trug auch der schlechte Zustand der Wissenschaften und Künste, die Verderbtheit und Ueberverfeinerung bei seiner Nation und seinem Zeitalter viel zu Rousseau's sonderbarer Ansicht bei. — Am interessantesten ist er eigentlich nur in moralischer Rücksicht; aber auch am gefährlichsten. —

In der großen Freiheit, welche die Philosophie in dieser Periode genoß, entwickelten sich aus dem Empirismus wieder fast alle Arten von Philosophie, nur freilich waren es immer blos Bestrebungen und Uebergänge zu einer bessern Denkart, wie Rousseau, alle noch vom Empirismus tingirt. So war Berkeley ein Idealist, er geht von dem Grundsatz aus, die Wahrheit sey nur in der Empfindung und Vorstellung, und die Existenz der äußern Gegenstände, insofern sie dieses sind, ganz zu leugnen; er hat die Prämisse gemeinschaftlich mit den spätern Idealisten, daß die Anschauung eines äußern Gegenstandes uns dem letzten Grunde desselben nicht nähere, und daß uns dieser unbekannt bleibe; — es ist begreiflich, wie ein mächtigerer Geist — ein unbedingter auf einen bedingten wirken könne; wie aber zwei bedingte Wesen, wenn sie nicht in einem dritten begründet sind, aufeinander wirken können, das ist das Unbegreifliche.

Dies System setzt einen festen, unerschütterlichen Glauben an die Gottheit voraus, welches doch bei mehreren Philosophen nicht der Fall ist. Uebrigens führt es zu den sonderbarsten Folgen, indem der Mensch sehr wohl auf die schreckliche Idee gerathen könnte, sich für absolut allein zu halten und für ein Spielwerk von Dämonen, von deren gutem oder bösem Willen er auch nicht die geringste Kenntniß habe. Bei Berkeley war dergleichen freilich nicht zu befürchten, da er sehr religiös war und den stärksten Glauben an die Gottheit hatte, wodurch er auch die in seinem System schuldig gebliebene Erklärung der Gottheit ersetzt.

Im ganzen ist Berkeley schon blos durch seine Existenz merkwürdig, als ein Beweis, daß selbst aus dem Empirismus ein
fast schwärmerischer Idealist hervorgehen konnte; denn übrigens
ist seine Philosophie selbst gegen die ersten Keime des griechischen Idealismus von gar keiner Bedeutung. —

Materialisten entstanden natürlich mehrere von Locke her;
sie haben sich meist alle nach den Alten, nach Demokrit, Epikur ꝛc. gebildet, und Epikur's Moral angenommen, wenigstens
hat keiner dieser materialistischen Empiriker eine bessere hervorgebracht; die epikuräische Moral ist auch diejenige, die mit dem
Materialismus am verträglichsten ist.

Vor allen ist eigentlich Newton zu diesen materialistischen
Empirikern zu zählen; sein Materialismus besteht aber nicht sowohl
darin, daß aus seiner Naturlehre die Leugnung der Gottheit
folget; dies ist keine nothwendige Bedingung des Materialismus,
da ja selbst Epikur die Götter nicht geleugnet hat; auch ist
Newton's System nicht eigentlich ein atomistisches, und deshalb zum Materialismus zu rechnen, sondern weil es durchaus
mechanisch ist. — Ueberhaupt liegt das Materielle der Naturlehre nicht blos in dem Princip der Construction aus Atomen,
Wirbeln ꝛc., sondern vielmehr in der blos mechanischen, mit
Verkennung des Lebendigen verbundenen Ansicht; diese ist das
eigentliche Kennzeichen des Materialismus. Hier kommt es statt
auf die Qualität auf die Quantität an, kurz, die Naturlehre
ist, statt organisch und dynamisch, blos mechanisch. Die dynamische Naturansicht ist, wie schon gesagt, die einzige mit der
höhern Philosophie vereinbare; sie ist der mechanischen schnurstracks entgegengesetzt, sie löst die ganze Natur in Leben auf,
geht von Geist, Seele, Leben aus, und kehrt dahin zurück, die
mechanische verwandelt die Natur in eine todte Masse, tödtet
in ihr alles Leben, allen Geist und alle Seele.

Newton's System tritt durch seinen großen Einfluß so imposant auf, daß der speculative Beobachter es einer nähern Betrachtung würdigen muß. Newton hat mehr als alle die unendlich vielen kleinen Materialisten, die aus Locke hervorgegangen
sind, auf das Ganze der Philosophie einen durchaus materiali-

stischen Einfluß gehabt; dieser erstreckt sich selbst außer den Gränzen der Lockischen Schule auf die Kantische. In Kant's Theorie des Himmels, einer sehr frühen Schrift, ist dies ganz sichtbar; zum Theil auch noch in seinen spätern naturphilosophischen
Schriften; wir finden hier neben der höhern dynamischen Ansicht
in einzelnen Theilen, im übrigen die todte, mechanische; neben
der lebendigen Gottheit eine todte Masse, kurz die Spaltung,
den Dualismus, der in allen Zeiten so viel Schwierigkeiten gemacht hat; auch hat er mehr als Locke und Baco die empiristische Denkart in alle andere Wissenschaften übertragen und dadurch ihre Gültigkeit auch in der Philosophie verlängert.

Auch Skeptiker sind aus dem Empirismus hervorgegangen.
Hume war offenbar einer, wie er es auch selbst bekennt; er
schließt sich durch Cicero gänzlich an die neuern Akademiker an,
nur ist er ganz und gar empiristischer Skeptiker; für die Speculation aber der allerunbedeutendste, er hat nichts Eigenthümliches, es ist gar nichts Neues bei ihm zu finden, was nicht
schon in den Alten vorhanden wäre; er hat alles nur ganz empirisch genommen, nur eine Stufe tiefer und bis auf die leere
Gewohnheit herabgezogen und popularisirt, daher sein Einfluß
auf ein Zeitalter, zu dem er ganz paßte.

Voltaire könnte auch hierhin gerechnet werden, wenn
man übrigens seine rapsodischen Behauptungen als Philosophie
will gelten lassen; er ist seiner ganzen Denkart nach ein polemischer
Skeptiker, greift die ältern Lehren der Scholastiker und intellec-
tualen Philosophen theilweise mit mehr Kühnheit und Witz an,
als Descartes und andere. — Ob er eigne, bestimmte philosophische Principien gehabt, läßt sich nicht entscheiden; nur das
leuchtet aus seinen fragmentarischen, philosophischen Bemerkungen hervor, daß er ein Polemiker war, freilich aber auf die
umgekehrte Weise wie die ältern Polemiker, die Reformatoren
der Philosophie, welche die Ungewißheit und Unhaltbarkeit des
menschlichen Wissens darthaten und dadurch auf den Glauben
und die Offenbarung zurückführten. Voltaire bestritt eben alle
Offenbarung und den höhern Theil der Philosophie, der Offenbarung ist oder sich darauf bezieht; merkwürdig ist die Kraft

und Kühnheit, womit er den Streit gegen den Glauben für die
Vernunft führte; diese Kühnheit des ersten Versuchs kann seine
Ansicht etwas interessant machen, die sonst für die Geschichte
der Philosophie eben nicht merkwürdig und von seinen Nachfolgern und Zeitgenossen, den Aufklärern, bis zum Ekel wiederholt worden ist.

Die einzige noch übrige Art von Philosophie, von der wir
noch keine Erwähnung gethan haben, ist der Pantheismus; dieser, als dem Empirismus ganz entgegengesetzt, kann sich eigentlich auch nie aus ihm entwickeln; das einzige, was man hiehin
rechnen könnte, wäre das atheistische Systeme de la Nature
von Diderot *), indem es eine innere Nothwendigkeit des Na-
turmechanismus, und angewandt auf die menschlichen Verhältnisse, den Fatalismus lehrt, welches immerhin Einheit voraussetzt. Die Art Schwärmerei, die in diesem System herrscht, ist
allenfalls aus dem Fatalismus zu erklären, der denn doch eine
Art von Begeisterung, so wie die Idee der Nothwendigkeit und
Einheit doch auch die Idee des Unendlichen zuläßt. Die Polemik erscheint in diesem System viel wilder, leidenschaftlicher, rasen-
der als bei Voltaire, und eben deswegen ist sie vorzüglicher als
die kalte, klügelnde Polemik des Voltaire, weil überhaupt von
allem Irrigen und Falschen das Kräftigste und Entscheidendste
das Beste ist, indem es gleich zeigt, wozu eine, in der ersten
Anlage unanstößig scheinende, verkehrte Ansicht, in ihrer ganzen
Vollendung ausgesprochen, führen kann. —

Bei Diderot ist immer noch ein Funke von Enthusiasmus
sichtbar, den wir bei Voltaire vergeblich suchen; freilich hat
sich dieser Enthusiasmus des Diderot in einen Haß gegen das,
was der eigentliche Gegenstand aller Speculation und allein
die wesentliche Quelle aller Begeisterung und aller höhern Philosophie ist, verwandelt; aber dieser Haß ist, wie gesagt, immer noch interessanter, als das kalte, listige, bissige Polemi-
siren des Voltaire.

Die dritte von Kant gestiftete Schule der Phi-

---

*) Wenigstens unter dem entschiedenen Einfluß von Diderot.

losophie hatte und hat noch ausschließlich ihren Sitz in Deutschland. Die cartesische Philosophie war zwar vorzüglich in Frankreich entstanden, erstarb hier aber doch sehr bald und wurde von
dem Lockianismus verdrängt. Die besten Schüler des Descartes waren Deutsche, und so wurde besonders durch Leibnitz das
Vorzüglichste dieser Philosophie nach Deutschland verpflanzt, und
die Keime einer höhern, intellectuellen Philosophie durch die
Zeiten des crassesten Empirismus, wo alles Aeltere, Bessere
vergessen worden, glücklich gerettet. Leibnitz verdient in Rücksicht der Fruchtbarkeit unstreitig den Vorzug vor Spinoza; er
hat einen mächtigen und überaus wohlthätigen Einfluß auf Deutschland gehabt und selbst durch seine Schüler die ernstere, gründ-
lichere Bearbeitung der höhern Philosophie vorbereitet; denn
Wolf, wenn er auch Leibnitzens Idealismus nicht recht verstanden und sein System mehr ein synkretistisches, nach Art der
scholastischen Philosophie aus allen drei Arten von Intellectual-
philosophie zusammengesetzt, nicht so consequent rein idealistisch
war, wie das seines Meisters, hat doch durch seine strenge mathematische Form und Methode und durch das Zurückführen auf
die systematische, scholastische Philosophie zur Aufrechthaltung
der Gründlichkeit und des ernsten Studiums sehr viel beigetragen.

Selbst die lockische Philosophie erschien in Deutschland in
einer strengern, veredelten Gestalt: sie wurde hauptsächlich durch
Lambert, der ein Organon der Logik und eine Architektonik des
menschlichen Geistes schrieb, mathematischer und in Verbindung
mit dem höhern wissenschaftlichen Geiste des Baco systematischer
und methodischer vorgetragen.

Dieser Lambert ist besonders merkwürdig wegen seines
Einflußes auf Kant; er macht den Uebergang von Locke zu Kant;
die Strenge, womit er in seiner Architectonik die ersten Grundbegriffe aufsucht, ragt weit über den Lockianismus hervor.

Zur Charakterisirung des kräftigern, tiefern philosophischen
Geistes in Deutschland ist die durchaus intellectuelle Tendenz
mehrerer ausgezeichneten Männer bedeutend, die keine eigentlichen Philosophen waren und ihrer ersten äußern Bildung nach

zwar nicht sowohl der englischen und französischen Philosophie, als der Litteratur anzugehören scheinen.

Ein solcher ist z. B. Lessing; — Wir haben Beweise genug, daß er das System des Pantheismus für das wahreste und beste gehalten, und sich zum Spinozismus geneigt hat; jedoch stimmte seine Philosophie, die freilich nur Tendenz blieb, nicht ganz mit dem Spinozismus überein; er war dem Princip der Seelenwanderung ergeben, die ja nicht aus dem Spinozismus folgt; dahin gehören ebenfalls seine Aeußerungen von Expansion und Contraction der Gottheit; auch bemerkt man, daß er Gedanken von Leibnitz, die dem Emanationssystem günstig waren, ganz besonders aufgegriffen, — so daß er, dies alles zusammengenommen, mehr noch zu dem Emanationssystem als dem spinozistischen Pantheismus zu neigen scheint. — Er ist aber nicht der Einzige von den Selbstdenkern in Deutschland, der, während alles im Empirismus versunken, diesem kühnsten und paradoresten aller intellectuellen Systeme ergeben war h).

Auch Lichtenberg hing trotz seinem überwiegenden Hange zum Witz und dem Anschein von Kälte, die man in seinen Werken bemerkt, mit sehr vielem Enthusiasmus dem Pantheismus an.

In Lavater finden sich endlich Anfänge einer intellectuellen Philosophie mit entschiedener Hinneigung zum Idealismus i).

Diese Männer divinirten gleichsam, indem sie aus der Mitte der empirischen Bildung heraus zu den höhern Systemen zurückkehrten, die kühnen Ideen ihrer Nachfolger.

So wurde also auf mannichfache Art die Gründung eines neuen philosophischen Gebäudes allmälig vorbereitet. Kant war eben so wie Descartes und Locke zum Stifter einer neuen Philosophie besonders geeignet. Wenn auch Descartes in speculativer Rücksicht — in Hinsicht auf Tiefsinn ꝛc. eben nicht sehr ausgezeichnet ist, so kann man ihm doch eine gewisse Erfindsamkeit, Reichthum und Fülle von Ideen nicht absprechen; dies findet sich aber noch in einem höhern Grade bei Kant.

Von Locke haben wir bemerkt, daß er durch die milde Gestalt seines Systems und die darin verdeckten schädlichen Folgen des Empirismus den großen Einfluß erlangt hat; — bei Kant (von dessen System nun freilich keine so gefährlichen Folgen zu fürchten waren) k) verhielt es sich eben so in Rücksicht des Idealismus. Diese der gemeinen Denkart widersprechende, und immer paradox erscheinende Ansicht, die wir bei Kant's Nachfolgern in ihrer ganzen Strenge ausgesprochen finden, sehen wir bei ihm selbst, wenn er zwar zum Theil auch hie und da paradox ist, doch in der gemildertsten, dem gemeinen Menschenverstande am wenigsten anstößigen Form.

Kant's Philosophie bietet uns wirklich eine überaus große Mannichfaltigkeit dar, sie ist aus verschiedenen Theilen früherer Systeme, Bestreitung oder Annahme derselben zusammengesetzt; die altgriechische Philosophie kannte er jedoch nur wenig, die scholastische auch nicht viel, — die Alexandriner und die Reformatoren oder Mystiker konnte er nicht kennen, da sie überhaupt wenig bekannt waren.

Die Systeme, die ihn fast ausschließlich beschäftigten, waren aus der Descartischen und Lockischen Schule; diese studierte er vorzüglich; den allermeisten Einfluß hatten Baco und Newton auf ihn, und von den Populairen, Hume und Voltaire.

Daß der Skeptiker Hume ihn zuerst aus seinem dogmatischen Schlummer geweckt hat, sagt er selber; der Einfluß des Voltaire'schen Witzes und seiner Polemik ist nicht allein im Einzelnen, sondern überhaupt in seiner Skepsis, freilich in höherer Beziehung, sichtbar, oft auf eine angenehme, oft aber auch auf eine gar nicht erfreuliche Weise. Die Kälte und Bitterkeit der Gemüthsstimmung in Absicht auf die Verhältnisse des Lebens ließ er sich offenbar von Voltaire einreden.

Aber auch die Polemik des Rousseau machte einen großen Eindruck auf ihn, er bestrebte sich Vernunft und Kultur gegen sie zu retten. —

Durch Berkeley wurde er mit einer von der gemeinen Denkart ganz verschiedenen, idealistischen Philosophie vertrauter: den Geist des Idealismus kannte er aber eigentlich nicht; den Idealismus des Leibniz merkte er nicht, wenigstens unterschied er ihn nicht von dem Dualismus; er sah Leibnitzen immer nur durch das Medium der Wolfischen Philosophie.

Zur genetischen Erklärung der Kantischen Philosophie ist es durchaus nöthig, den Einfluß des Baco und Newton zu kennen; diese haben, wie gesagt, wirklich den meisten reellen Einfluß auf ihn gehabt. —

Die Idee der Architektonik, als eines Versuchs den menschlichen Geist von Grund aus ganz neu zu gestalten und wieder aufzubauen, alles bis auf die ersten Principien zu untersuchen, die ganze bisherige Denkart in ihren ersten Gründen zu prüfen, und nach dieser Prüfung noch einmal die ersten, ursprünglichen Gesetze aufzusuchen und in ihrer ersten, wahren Gestalt aufzustellen — diese Idee hat er ganz von Baco entlehnt, sein gleichzeitiger Freund Lambert hat auch einigen Einfluß darauf gehabt. — Die Kantische Kritik der reinen Vernunft ist aber ganz nach Baco's Architektonik entworfen.

Newton hat nicht allein auf Kant's physikalische Ansicht, die fast durchgehends von ihm entlehnt ist, sondern auch auf die Structur seines philosophischen Systems vielen Einfluß gehabt, indem nämlich das schwankende und unsichere der damaligen Moralsysteme Kant auf den Gedanken brachte, ein ähnliches, eben so schlechthin allgemeingeltendes, festes, unerschütterliches Gesetz, als Newton durch die Gravitation für die Natur aufgestellt hatte, in die Moral einzuführen. Diese Anwendung und Uebertragung eines Naturgesetzes auf die Moral ist Kant ganz eigenthümlich. Ob ein Naturgesetz mit Recht auf die Moral angewandt werden könne, läßt sich hier nicht untersuchen, genug aber, es ist eine sehr originelle und scharfsinnige Idee.

Man sieht aus diesen wenigen historischen Angaben, daß Kant's Philosophie ganz synkretistisch war; sie war durchgehends halb aus intellectuellen, halb aus empirischen Bestandtheilen zusammengesetzt. Es verdient dies zwar keinen Tadel, aber auch kein Lob, denn die Vermischung entgegengesetzter Denkarten führt nicht zur Wahrheit; indessen machte, wie gesagt, eben dieser Synkretismus Kant so sehr geeignet zum Stifter einer neuen Schule; es kommt dabei vorzüglich darauf an, daß das Selbst-

denken kräftig erregt werde, und dies wird nicht sowohl durch
die Vollendung eines philosophischen Systems, als vielmehr
durch Synkretismus, Ideenreichthum und selbst eine gewisse Unvollkommenheit bewirkt; wir haben das Beispiel an Spinoza,
dessen Philosophie gewiß in einem hohen Grade vollendet war,
aber keine Schüler zog. — Nirgend ist daher auch der Anreiz
zum Selbstdenken größer als bei Kant, der mit einem geraden
ernsten, unveränderten Streben nach der Wahrheit eine ungeheure Fülle von Ideen und Kenntnissen aus allen Fächern des
menschlichen Wissens, eine große Originalität, eigenthümliche
Ansichten des Lebens, vielen Witz und andere zu der Philosophie eben nicht absolut nöthige Fähigkeiten verband; jedoch hat
er nicht allein durch diesen Ideenreichthum, sondern auch und
vielleicht noch mehr durch das Schwierige seines Systems so
sehr den Geist des Selbstdenkens erregt und so viele bedeu-
deutende Nachfolger geweckt.

Alles bisher über Kant gesagte in Eins zusammengefaßt,
reducirt sich auf diese drei Hauptbemerkungen.

    a) Seine Philosophie war synkretistisch;

    b) Die Grundidee zu seinem Hauptwerke, der Kritik der
        Vernunft, hat er von Baco entlehnt;

    c) In der Moral bestrebte er sich in Rücksicht auf wissen-
        schaftliche Form ein eben so allgemeines, unerschütterliches
        Gesetz zu finden, als Newton in der Physik aufgestellt.

Uns interessirt vorzüglich die Kritik der Vernunft, besonders, weil sie eben mit der in diesen einleitenden Vorlesungen
versuchten Kritik der Philosophie eine große Verwandtschaft hat;
nur ist bei Kant die Kritik der philosophirenden Vernunft immer mit der höhern Psychologie d. h. der Construction oder Theorie des Bewußtseyns vermischt, welche bei uns als erster Theil
der Philosophie selbst erst später folgen wird. —

Es mag diese Vermischung bei einem sich entwickelnden
Philosophen, der mit dem Bewußtseyn überhaupt, wovon die philo-
sophirende Vernunft nur ein Theil ist, noch nicht ganz aufs
Klare gekommen, freilich sehr natürlich seyn, indessen führt diese
Vermischung manche Schwierigkeiten und Verwirrungen herbei,

ist durchaus zum Nachtheil der Deutlichkeit, und läßt überall
große Dunkelheit zurück. Kritik der philosophirenden
Vernunft, und Theorie des Bewußtseyns sind der
Natur der Sache nach ganz getrennt, sie haben einen verschiedenen Gegenstand, müssen durchaus jedes für sich bestehen; —
eine Kritik, die beides vereinigt, wird also ohne Zweifel immer mißlingen.

Die Kritik der Philosophie bedarf keiner andern Prämissen, als deren, welche jeder andern kritischen Arbeit zu Grunde
liegen; die Kritik soll dem System vorausgehen, jede Philosophie aus ihr selbst erklären, nicht aus dem Standpunkt eines
bestimmten Systems; sie soll untersuchen, ob sie das von ihr
selbst aufgestellte Ideal der Philosophie erreiche ꝛc.; also blos
philosophisch verfahren, nicht aber selbst philosophiren. —

Daß eine Kritik der philosophirenden Vernunft ohne Geschichte der Philosophie nicht gelingen kann, beweist uns Kant
selbst, da sein Werk, das als Kritik der philosophirenden Vernunft durchaus nicht historisch genug, doch schon voller historischen Beziehungen ist, und er verschiedene Systeme zu construiren sucht.

Gehen wir nun zu den Hauptresultaten der kantischen Kritik, so finden wir, daß sie in drei große Theile zerfällt; der
erste enthält die Lehre von der Anschauung, der zweite
die von dem Verstande, der dritte die von der Vernunft.

In seiner Lehre von der Anschauung erscheint besonders
klar der Uebergang seines Empirismus zu der höhern intellectuellen Philosophie; hier fängt sein Empirismus an, sich der
intellectuellen Philosophie zu nähern; der gereinigte, streng wissenschaftliche, (mathematische) Empirismus führt, wie schon gesagt wurde, zu einer höhern Gewißheit, zu der der Mathematik, deren Evidenz, wogegen alle Einwendungen der Skeptiker
nichts vermögen, allgemein anerkannt wird und doch nicht aus
der Erfahrung kann hergeleitet seyn.

Diese absolute Gewißheit, welche die Mathematik in Rücksicht auf die Form und den Zusammenhang mit sich führt, muß
nothwendig den streng nachdenkenden Empiristen aus dem Ge-

biete seiner eignen Philosophie ganz herausführen. Durch die
sinnlichen Eindrücke erhält man nur subjective, momentane,
locale — keine objective, allgemeine Gewißheit, wie durch die
Mathematik; nun beruht aber die ganze Mathematik in Rücksicht auf Geometrie auf dem Begriffe des Raumes und in
Rücksicht auf Arithmetik auf dem der Zeit, weil die Auffassung
der Einheit und Mannichfaltigkeit in der Zeit (und dem Raume?) geschieht, und da dem Empiristen außer der Anschauung
keine andere Erkenntnißquelle einleuchtet, so ist also der Uebergang zu der bekannten kantischen Theorie von Raum und Zeit
sehr natürlich; diese sind freilich höhere, und keine gemeine
sinnliche Anschauungen; Kant, der nun einmal keine übersinnliche
Anschauungen zulaßen will, nennt sie Formen der Anschauung,
und gibt dadurch zu vielen Schwierigkeiten Anlaß; denn man
kann sich ja nicht erklären, wie und woher die Anschauung zu
solchen Formen komme, warum gerade zu diesen, warum in
diesem Verhältniß und dieser Zahl, warum sind der Formen
nicht mehr? Auch sind nach Kant's Erklärung diese Formen
immer nur subjectiv-idealistisch, — ob sie wirkliche Realität haben, ob wirklich ein ihnen entsprechender Raum und Zeit
existire, ist nicht auszumachen.

Kant's Lehre von der Vernunft ist durchaus skeptisch; aber
freilich ein höherer, gesteigerter Skepticismus als der des Hume; das Resultat derselben ist, daß die Vernunft das Unendliche, Uebersinnliche nicht erkennen könne. Kant bemüht sich zu
zeigen, wie die Vernunft über das Unendliche, Uebersinnliche,
in welcher Gestalt es sich auch zeige, immer auf directe Widersprüche gerathe, woraus also erhelle, daß sie kein taugliches
Instrument sey, das Uebersinnliche zu erkennen. Hiermit würde
er nun zwar viel gegen die Philosophen ausrichten, welche die
Vernunft für die positive Quelle der Wahrheit halten, nicht aber
gegen die, welche eine übersinnliche Erkenntnißquelle annehmen.
Bei Kant liegt schon, so sehr er dies auch versteckt, stillschweigend eine Voraussetzung übersinnlicher Anschauungen zu Grunde,
insofern er nämlich Raum und Zeit als ursprüngliche Formen
der Anschauung annimmt, die auch noch andere haben kann.

Kant's Lehre von den Antinomieen, die er durch alle Kategorieen durchgeführt hat, diese Bestreitung gleichsam der Vernunft durch sich selbst, ist ein sehr scharfsinniger und für die moderne Zeit ganz neuer Versuch; im allgemeinen und speculativ genommen, ist er das aber nicht, denn was die Idee und Methode betrifft, so stimmt diese Art von Skepticismus, außerdem daß die Scholastiker manches in dieser Art versucht haben, sehr mit dem Bestreben Zeno's, des Eleaten, überein; nur hatte dieser Pantheismus zum Zweck; während Kant, wie alle Empiristen, zur Erfahrung zurückkehrte.

Er verwarf, wie gesagt, die Vernunft als ein unvollkommenes Werkzeug, als nicht tauglich zur positiven Erkenntnißquelle, ohne andere aufzusuchen, die andere Philosophen angenommen hatten, wie z. B. die höhere Offenbarung, die Lehre von der Erinnerung des Plato, von der Anschauung des Plotin, 2c.; man dürfte zwar zugeben, daß die natürliche Vernunft nicht die höchste, sondern eine blos negative Erkenntnißquelle sey, daraus folgt aber nicht nothwendig das Rückkehren zum Empirismus. Doch wir wiederholen es, seiner Lehre von Raum und Zeit liegt stillschweigend eine Voraussetzung übersinnlicher Anschauung zu Grunde.

Uebrigens ist aber diese Bestreitung der Vernunft bei Kant nicht so, wie sie seyn könnte, sie ist rhapsodisch, hin und her raisonnirend über einzelne, herausgerissene Stücke der Philosophie, und so kann sich freilich durch Anwendung des Satzes des Widerspruchs und Grundes alles in Widersprüche auflösen lassen. Ein ganz anderer Versuch, viel systematischer und gründlicher wäre es, die widersprechenden und widersinnigen Begriffe des gemeinen Verstandes auf den einzigen Haupt- und Centralpunkt aller Schwierigkeiten, auf die Quelle alles Uebels, den Begriff des Dings zurückzuführen.

Jene Selbstzerstörung gleichsam der Vernunft beweist nur, daß die Art zu raisonniren, wenn man aus dem Satze des Widerspruchs und des Grundes ohne Ende und bestimmte consequente Richtung auf einen Zweck nach allen Seiten hinfolgert, zu unendlichen Widersprüchen führen müsse.

Der schwierigste Theil der kantischen Philosophie ist der mittlere von dem Verstande. Einen Beweis seiner Dunkelheit und Unvollkommenheit haben wir darin, daß Fichte den Keim seines Idealismus aus diesem Theile der kantischen Philosophie nachwies, Kant selbst es ihm aber absprach, und doch haben beide auf eine gewisse Art Recht. —

Aus der folgenden Untersuchung wird sich dies näher erklären. — Gerade der Theil vom Verstande ist bei Kant am auffallendsten synkretistisch. Wenn auch anderwärts der Synkretismus nicht zu tadeln ist, so ist er doch hier keineswegs zu billigen, wo es auf die speculative Lösung eines Problems ankommt, des Problems von dem Verhältnisse des Geistes zum Körper und umgekehrt, welches man seit Descartes zu lösen versucht. — Kant, so wie er überhaupt in seiner ganzen Philosophie schwankend ist, wählt hier den Mittelweg zwischen den beiden Erklärungsarten, zwischen dem Empirismus und Idealismus, da doch, obschon der Ausspruch, daß die Wahrheit in der Mitte liege, nicht unrichtig ist, die Wahrheit nie durch Vermeidung der Extreme allein gefunden wird.

Die kantische Theorie des Verstandes bezeichnet den Punkt, wo er zwischen der Anschauung und Vernunft in der Mitte stehend, von dem Idealismus wieder zum Empirismus zurückkehrt; in Eine Summe zusammengefaßt besteht sie darin: Alle Erkenntnisse und Vorstellungen sind halb gemacht, halb von äußern, in ihrem Innern uns immer unbekannt bleibenden Dingen gegeben; den Stoff erhalten wir von den Dingen, von denen wir immer nur neue Eindrücke, neue Wahrnehmungen, nie aber sie selbst haben; die Form aber kommt vom Geiste, durch ursprüngliche Formen und Gesetze des Geistes wird der Stoff gestaltet; blos dies ist das Eigne bei unsern Vorstellungen.

Die große Schwierigkeit, wie heterogene Substanzen aufeinander wirken können, ist hiedurch gar nicht gelöst, man kann sich nicht erklären, wie das Vorstellungsvermögen zu den Formen und Begriffen überhaupt und warum gerade zu diesen kommt? Kant schneidet die ganze Untersuchung hierüber kurz ab, indem er sagt, es sey dies nun einmal das Erste und Letzte, darüber hinaus lasse sich nicht untersuchen; — jeder der es allenfalls versucht, die Sache aus dem kantischen System selbst zu erklären, wird unfehlbar von einer Unbegreiflichkeit, von einer Schwierigkeit zur andern und so fort immer tiefer in ein Gewebe von Widersprüchen gerathen. —

Diese Dunkelheit rührt größtentheils von den Keimen bessrer Philosophie her, die gerade hier am kühnsten und häufigsten vorkommen; in dieser Theorie des Verstandes ist der eigentliche Kern der kantischen Philosophie enthalten; er aber kehrt einestheils zur Erfahrung zurück, weil ohne gegebenen Stoff keine sichere Erkenntniß statt habe, indem alsdann der Sinn mit seinen inhaltleeren Formen ja ein leeres Spiel triebe, welches auch die Bestätigung der Behauptung ist, daß die Vernunft, wenn sie blos aus sich selbst die Erkenntniß construiren wolle, sich selbst zerstöre; und anderntheils gibt es doch für die Erfahrung keine andere schlechthin objective, gewisse Erkenntniß, als die objective Anschauung, die Mathematik, und alle absolute Gewißheit, alle Objectivität beruht überhaupt nur auf den höhern Anschauungen von Raum und Zeit und auf den ursprünglichen Begriffen, welche Kant als dem Verstande eigenthümlich aufstellt, indem der Geist seine eignen Formen und die Gesetze derselben beobachtet, und sich dieselben wissenschaftlich vorconstruirt. Es sind dies alles Ideen einer höhern intellectuellen Philosophie; die Keime des Idealismus sind hier am deutlichsten und klarsten ausgesprochen, aber doch so einzeln, so rhapsodisch, in so vielen Widersprüchen, daß man damit gar nicht aufs Reine kommen kann; — man findet einzelne Stellen, wo es ganz bestimmt scheint, als behaupte Kant, der Geist schaffe sich die Gesetze selbst, dann aber auch wieder andere, die diesen widersprechen; er unterordnet die Dinge den Formen und Gesetzen des Geistes so sehr, daß man nicht einsieht, warum er sie nicht eben auch zu Producten des Geistes macht.

Man kann sagen, Kant ist in dem speculativen, theoretischen Theile seiner Philosophie in Rücksicht auf die Vernunft durchaus skeptisch, in Rücksicht auf die Erfahrung empirisch, in Rücksicht auf den Verstand zum Theil idealistisch, zum Theil empirisch.

Für die Moral ist eben hier nicht viel tröstliches; Kant hat es freilich durch die Hypothese von den objectiven Formen und Gesetzen leicht gemacht, ein solches objectives Gesetz, als er gewünscht, für die Moral zu finden. Mit diesen Lehren von den Formen und Gesetzen des Geistes steht und fällt seine ganze Moral; indessen ist sie doch sehr lose und willkürlich und hat erst durch Fichte die rechte Tiefe und Consequenz erhalten. —

Kant's Uebergang von der Vernunft zum Glauben ist im Grunde nichts anderes, als die Behauptung der Akademiker, daß die Speculation keine Grenzen habe, in der Praxis aber der Vernunft gemäß müsse verfahren werden; nur ist seine Lehre von der praktischen Vernunft wissenschaftlicher und strenger, indem er nicht nur die Gültigkeit dieser blos auf das Praktische beschränkten Vernunft behauptet, die in der Speculation skeptisch war verworfen worden; sondern auch die Gesetzgebung der Vernunft für die Praxis aus den Formen und Gesetzen des menschlichen Bewußtseyns abzuleiten versucht, deren Gebäude und architektonischen Zusammenhang er auf seine rhapsodische Weise durch viele Experimente aufzufinden gestrebt, ohne zu einer gemeinschaftlichen Quelle durchzudringen. —

Sein Glaube ist nicht etwa aus einer höhern Quelle, etwa aus der höhern Anschauung geflossen, sondern durchaus ein Product der Vernunft, eine bedingte Rechtfertigung für die Anwendung einer speculativ unerweislichen Idee, und gar nicht verschieden von der auf das Praktische angewandten Vernunft, selbst mit den zu dieser Praxis durchaus nothwendigen Fictionen, die dann nach den Formen und Gesetzen des Geistes bestimmt sind.

Zum Schluß diese allgemeine Uebersicht: Kant's Philosophie reducirt sich darauf:

a) daß er Raum und Zeit blos ideelle Realität gibt, als Formen, denen außer uns nichts entspreche;

b) daß die Vernunft ohne Erfahrung mit den Formen blos ein leeres Spiel treibe, daß nicht sie die Quelle

der wahren Erkenntniß seyn könne, sondern die reeti=
fizirte Erfahrung. —

Obschon er also mehr zu den Empirikern als zu den Ideali=
sten zu rechnen ist, so sind doch der Spuren und Keime des
Idealismus so viele, daß er als Wiedererwecker und Stifter
desselben kann angesehen werden. — Außerdem enthält auch
seine Philosophie noch einen Keim, der, wenn er auch nicht
ganz ausgesprochen und bis jetzt eigentlich von keinem noch
entwickelt worden ist, dennoch schon ganz deutlich in ihr liegt,
die Idee nämlich zu einer kritischen Philosophie. Daß sich eine
solche bei dem Synkretismus auf die verschiedenen Arten von
Philosophie, wie Polemik, Mystik, Empirie ꝛc. beziehen
müsse, ist einleuchtend. Der Kritiker hat viel Verwandtschaft
mit dem Polemiker; nur geht er nicht darauf aus, zu vernich=
ten, sondern blos zu sichten, die vorhandenen Philosophieen von
ihren Schlacken zu reinigen. — Kants Zweck ist nun auch nicht
blos polemisch; er sagt, der Kritiker müsse sich mit der größten
Vielseitigkeit und Universalität in den Standpunkt eines jeden
Systems zu versetzen suchen, einem jeden Recht widerfahren
lassen, was aber bei ihm nicht oft geschieht. — Die Idee jedoch,
daß eine Kritik der Philosophie selbst vorangehen müsse, ist
ganz Kant's Erfindung und gewiß sehr verdienstlich; auch
hat er sich seinem Ideal hie und da genähert; dies wäre in=
dessen noch mehr der Fall gewesen, wenn er mehr Philolog
gewesen wäre und mehr philologische, kritische Rücksicht auf
die Geschichte der Philosophie genommen hätte. — Er
hielt sich am meisten bei dem Gegensatze der Mystiker und
Empiristen auf, zwischen denen er gleichsam in der Mitte steht;
es ist aber eben nicht sehr kritisch, daß er dem einen und dem
andern etwas zugibt; er hätte vielmehr tiefer in die gemeinsa=
me Quelle der Unvollkommenheit zu bringen und so statt des
groben, leicht auffallenden Unterschiedes des Empirismus und
Idealismus lieber den feinern Unterschied der vielen intellec=
tuellen Systeme zu zeigen suchen sollen, woraus dann mit gänz=
licher Verwerfung alles für unrichtig anerkannten eine harmo=
nische Vereinigung der theilweis richtigen Systeme hätte hervor=

gehen können, während jetzt ein blos synkretistischer Vermischungsversuch zu Tage gekommen ist. Lessing hätte auf Kant vielen günstigen Einfluß haben und wahrscheinlich mit ihm Stifter der neuern Philosophie werden können, wenn er eine andere Richtung genommen hätte.

Von Kant's Nachfolgern läßt sich eigentlich nur Fichte als der vorzüglichste unter ihnen anführen; er entwickelte die kantische Philosophie nicht zu dem, was Kant daraus entwickeln wollte, sondern wie sie durch fortgesetzte, strenge Consequenz nothwendig entwickelt werden mußte; er knüpfte die zerstreut liegenden Keime des Idealismus an einen Faden und stellte das vollständigste, merkwürdigste System des Idealismus auf, das je aufgestellt ward. — Diese consequente Ausführung und Vollendung der kantischen Philosophie ist besonders deswegen auch sehr verdienstlich, weil das Zeitalter das Schwankende des kantischen Systems annahm, dies System, wie es war, stehen ließ, und überhaupt ganz oberflächlich auffaßte, so daß also ein großer Beweis von systematischer Strenge sehr nothwendig war.

Was den Inhalt der fichtischen Philosophie betrifft, berufen wir uns auf das schon früher bei der Charakteristik des Idealismus und von ihrer Aehnlichkeit mit der aristotelischen Gesagte; Fichte's Ableitung der Denkgesetze nicht ihrer Möglichkeit, sondern ihrer Wirklichkeit nach aus dem Anstoße des Etwas ist offenbar verwandt mit Aristoteles Privation, als dem Bestimmungsgrunde der mancherlei Beschränkungen, woraus die Verschiedenheit der Formen entsteht.

Auch werden wir in unsrer eignen Theorie des Bewußtseyns den Inhalt der fichtischen Philosophie noch näher betrachten, indem wir zwischen unsrer und der fichtischen Theorie des Bewußtseyns, als derjenigen, welche bisher die allervollkommenste, ausgebildetste war, eine Vergleichung aufstellen werden.

Was aber Fichte's Form und Methode angeht, so wollen wir darüber hier etwas ausführlicher seyn; er ist darin durchaus Erfinder, und zwar wie die Geschichte der Philosophie wenige aufzuweisen hat. —

Fichte's Philosophie unterscheidet sich durch ihre Form von allen andern, aus welcher Epoche sie seyn mögen, sie erscheint gleichsam als eine ganz neue Wissenschaft; Fichte's Form ist ganz originell, selbstständig und unabhängig, seine eigne freie Erfindung; — sie ist ganz Eins mit dem Geiste seiner Philo-sophie und durchaus philosophisch. Was andere in der Philo-sophie als Methode einzuführen gesucht, ist meist aus anderen Wissenschaften entlehnt, oder aus eignen subjectiven Ansichten, nicht so rein aus dem Wesen der Philosophie selbst geschöpft, und daher auch von geringerm Nutzen gewesen.

Kant ahmte in der Philosophie alle Wissenschaften nach, entlieh Formeln, Handgriffe, Wendungen und Ausdrücke von jeder: von der Physik, Jurisprudenz rc.; im Einzelnen kann dies freilich auf schöne Ideen führen, und den Ideenreichthum sehr vermehren, indessen läßt eben diese Mannichfaltigkeit von Formen keine strenge Methode und durchgeführte Consequenz zu.

Der Einwurf (Schellings), daß Form und Inhalt aus der gemeinschaftlichen Quelle hervorgehen, durchaus Eins seyn müs-sen, also die Methode allein an einer Philosophie nicht zu lo-ben wäre, stimmt insoweit mit unsrer Ansicht überein, als wir schon vorher gesagt, daß die rhapsodische Manier Kant's gar nicht geeignet sey, ein zusammenhangendes, consequentes Sy-stem vorzutragen; — daraus folgt aber noch keineswegs, daß Form und Inhalt immer gleich vortrefflich seyn, das Eine den Werth des Andern bestimmen müsse; im Charakter des Philo-sophen kann oft ein Grund liegen, (wie dies besonders bei den Idealisten manchmal der Fall zu seyn pflegt, wir haben es in der Charakteristik gezeigt), der die Vollendung des Systems, nicht aber der Form hindert. So auch bei Fichte; wenn sein System sich nicht völlig entwickelte, weil er sich aus ganz sub-jectiven Gründen auf das Gebiet der bedingten Ichheit be-schränkte, aus Furcht vor Schwärmerei nicht zu dem Idealis-mus der unbedingten Ichheit entschieden fortschritt, so ist des-wegen nicht auch seine Form unvollkommen. — Ja eine vor-treffliche, ausgezeichnete Philosophie kann sehr schlecht und ohne alle Methode vorgetragen werden, wenn sie z. B. von andern entlehnt iſt, die Methode aber die eigne deſſen iſt, der dieſe entlehnte Philoſophie docirt.

Fichte trat in einer Periode auf, als Reinhold (der wohl einiges Talent zum Philoſophiren oder vielmehr zum Raiſonniren hatte, aber ſich nie über den Empirismus erheben konnte) vielen Einfluß hatte, von dieſem Einfluſſe trägt daher die erſte fichtiſche Schrift noch Spuren. Reinhold erhob große Klagen über den ſchlechten Zuſtand der Wiſſenſchaften, weil ihnen die erſten Principien fehlten, obwohl ſie ſich doch immer noch in einem viel beſſern Zuſtande befunden hatten, als die Philoſophie ſelbſt; dies veranlaßte nun die erſte Schrift Fichte's „über den Begriff der Wiſſenſchaftslehre", das wichtigſte dabei iſt aber ſeine neue Erfindung und Methode, die er hier zuerſt an Tag gebracht.

Sein compendiariſcher Grundriß der Wiſſenſchafts-lehre in Rückſicht auf die ſpeculativen Principien, ſein Hauptwerk, hat alles das Große, Kühne, Geniaſiſche, Freie und Kräftige, zugleich aber das Dunkle und Unentwickelte eines erſten Werkes; daher zu beklagen iſt, daß eine ſpätere Bearbeitung nicht bekannt gemacht worden. —

Er fügte dieſem Werke, nicht weil es unvollendet iſt, denn es macht eigentlich ein vollendetes Ganze aus, ſondern weil davon nur noch ein Schritt zum transcendenten Idealismus übrig war, was er gern verhüten wollte, zwei Nachträge an; dieſe bezeichnen den Wendepunkt ſeines Geiſtes, die Rückkehr von dem transcendenten Idealismus zu dem empiriſchen des Kant; daß er ſich übrigens wieder mehr zu Kant wandte, mußte wohl natürlich folgen, ſobald er ſich ſelbſt Schranken ſetzte, von dem transcendenten Idealismus willkürlich zurückhielt; wäre er auf dem erſten Wege fortgeſchritten, ſo würde er in der Moral und Religion gewiß auf ganz andere Reſultate gekommen ſeyn, als Kant.

Er geht in ſeiner Moral von neuem von den erſten Principien aus, aber, als bei einer neuen Aufſtellung ſeiner Grundſätze, auf eine andre Weiſe, mit einer andern Wendung als in der Wiſſenſchaftslehre; die Methode iſt hier klarer und ent-

wickelter, setzt nicht so viel bei dem Leser voraus; in Rücksicht des Inhalts aber findet man durchaus nicht das große
Verdienst der Erfindung, denn in dieser Hinsicht stimmt
seine Moral mit der Kantischen, so wie sein Naturrecht mehr
mit dem Rousseauschen überein; im Naturrecht schließt er sich
überhaupt an das praktische, am meisten geltende, wissenschaftlich aber sehr unvollkommene Naturrecht an, so daß man sagen kann, Fichte's Moral und Naturrecht ist nichts anderes als
seine eigenthümliche Methode, angewandt auf die kantische Moral
und das allgemein existirende Naturrecht; nur mit größerer Strenge.

Schelling's letztere Werke, die die frühern aufheben,
scheinen nichts anderes, als eine Ergänzung des Spinozismus
und der plotinischen Philosophie zu enthalten. — Um zu beurtheilen, ob seine Naturphilosophie wahrhaft organisch, dynamisch und also mit dem Idealismus verträglich sey, oder einen
feinen, verkleideten Materialismus enthalte, müßte man eine
vollständige Ausführung derselben vor Augen haben. Seine
Philosophie ist aber noch ganz in Gährung, noch gar nicht
fixirt, wohingegen Fichte's Wissenschaftslehre, wenn er jetzt
auch eine andere Denkart sollte angenommen haben, immer ein
geschlossenes Ganze ausmacht, was er eigends erfunden und
das sich für sich beurtheilen läßt. k)

Der einzige deutsche Philosoph, der sein System hinlänglich ausgesprochen und vollendet hat, um beurtheilt werden zu
können, ist Jacobi, der auch schon früher bei den Polemikern,
die die Vernunft bekämpft und auf die Mystik, auf Glauben
und Offenbarung zurückführten oder zurückführen wollten, angeführt worden; er hat nicht allein Aehnlichkeit mit ihnen in
seiner Tendenz, sondern er hat auch Vieles von ihnen, nämlich
von Bayle, Huet und Pascal entlehnt. —

Jacobi's Polemik unterscheidet sich aber ganz eigen dadurch,
daß er nicht sowohl Philosophie und Religion in Uebereinstimmung bringen, sondern die Philosophie, wo möglich, vertilgen
will, ja er ist selbst der höhern mystischen Philosophie sehr
abhold und doch stellt er auch über Glauben und Offenbarung
nirgend etwas Positives, Bestimmtes auf; er nimmt keine über-

sinnlichen, übernatürlichen Erkenntnißquellen an, wie andere in der Erinnerung, den angebornen Begriffen ꝛc. sondern er verwirrt die Begriffe von Glauben und Offenbarung so, daß nach ihm die gemeine Erfahrung und Empfindung Offenbarung, sein Glaube, nicht etwa, wie bei Kant, ein bloßer Vernunftglaube, sondern viel weniger als das, nur ein Glauben an die Erfahrung ist. Diese Vermischung des Glaubens und der Offenbarung mit der gemeinen Erfahrung zeigt, daß er im Grunde sehr empirisch denkt; auch die mystischen Formeln, deren er sich bedient, sind von dem Mysticismus der niedern Art, der an den Empirismus gränzt, und bei Menschen von wenig Geist aus einer zu weit getriebenen Selbstbeobachtung entspringt, die sehr nahe zusammenhängt mit abergläubischer Aengstlichkeit und großer Eitelkeit, woraus man sich denn auch diese Philosophie zu erklären hat.

Als eigentlicher Polemiker ist Jacobi nicht ohne Talent und Verdienst, wenn er gleich unter Kant und Lessing steht; er bestritt die Materialisten, Helvetius ꝛc. mit vielem Glück.

Seine Ansicht geht von dem Satz aus, alle Philosophie ist Spinozismus; dieser aber Atheismus, also alle Philosophie als atheistisch zu verwerfen. Dies ließe sich nun wohl von jeder Philosophie behaupten, der der Begriff der Substanz zu Grunde liegt, von der also, welche die deutschen Idealisten Dogmatik nennen; von dieser läßt sich zeigen, daß sie in der Hauptsache Spinoza nachgehen müsse; dies ist aber keineswegs der Fall bei Leibnitz, Fichte, und insofern hat auch das Interesse der jacobischen Philosophie mit dem bessern Verstehen der leibnitzischen Philosophie und dem ersten consequenten Kantianer, dem Fichte, aufgehört.

In der Art die Philosophie anzugreifen, sie als atheistisch anzusehen, offenbart sich das Gemeine der jacobischen Mystik; es hat dies Aufspüren des Atheismus einen gehäßigen Grund, es ist innere Furchtsamkeit und Aengstlichkeit. Ein solcher Haß gegen alles, was nur von der gemeinen Vorstellung der Gottheit abweicht, kann durchaus nicht lobenswerth seyn, er ist das Zeichen einer großen Schwäche. —

Spinoza's System des Pantheismus weicht freilich sehr ab von der Religion, indessen kann eine noch so abweichende Vorstellung doch immer noch mit dem eigentlichen Wesen der Religion und Religiosität verbunden seyn, wobei es vorzugsweise auf Herz und Gefühl ankommt, welche dem Spinoza wohl nicht ganz abzusprechen sind, wenn man auch seine Philosophie nicht annimmt.

Lessing hat durch seine Verehrung des Spinoza vielen Einfluß auf Jacobi gehabt, der sonst wohl nicht dazu gekommen wäre, diesen zum Helden der Philosophen zu machen.

Uebersehen wir hier die ganze abgehandelte Geschichte der Philosophie, so finden wir, daß die fünf Perioden derselben einen vollendeten Kreislauf darstellen.

Die scholastische Periode steht ganz allein da als die Periode der gefundenen Wahrheit.

Die alexandrinische und die reformatorische sind sehr ähnlich und eben so die griechische und die neuere.

Ohne uns darauf einzulassen, ob die poetische, die Form der Kunst oder die des Wissens den Vorzug verdiene, bemerken wir, daß die Griechen und Modernen sich durch ein ganz besonderes Streben nach vollendeter Form gleich sind; dann haben auch beide eine durchaus freie Entwicklung des Geistes gemein, nirgend findet sich etwas Aehnliches in der außerordentlichen Mannichfaltigkeit der verschiedenen und so entschiedenen, selbst der wildesten Systeme bei den Griechen sowohl als bei den Modernen.

Bei diesem Kreislauf darf nun aber nicht stehen geblieben werden; so wie die griechische Philosophie aufzuhören, möchte eben kein großer Vorzug seyn; die große Mannichfaltigkeit ist eigentlich nur ein scheinbarer, kein reeller Vorzug, es muß eben aus derselben heraus ein haltbarer Zustand, eine feste Form herbeizuführen gesucht werden.

Daß durch bloße Zusammenschmelzung verschiedener vorhandenen Philosophieen die Wahrheit nicht zu finden, und keine haltbare Philosophie aufzustellen sey, haben wir aus der Geschichte derselben hinlänglich ersehen, die Philosophie muß gleich-

fam ganz von Neuem, von vorne an wieder angefangen werden, nicht zwar durch Annihilirung der Geschichte der Philosophie, vielmehr soll man eben die Geschichte der Philosophie
so vollständig als möglich kennen; nur anfangs muß sie ganz
bei Seite gesetzt werden; findet sich nachher ein Grund, ein bestimmtes System anzunehmen, oder eine, freilich bestimmtere, Zusammensetzung, als jene allgemeine Zusammenschmelzung zu versuchen, so kann es geschehen.

Vor allen Dingen muß der Anfangspunkt, von welchem
die Philosophie ausgehen soll, bestimmt werden, und dies geschieht am besten durch eine Untersuchung über die Erkenntnißquellen überhaupt. —

Wie verschieden diese von den Philosophen angegeben werden, haben wir gesehen; die Charakteristik der verschiedenen
Arten der Philosophie und der fünf Perioden der Geschichte bietet uns folgende Meinungen über die Erkenntnißquellen dar.

Bei den einen ist die Erfahrung die Quelle aller Erkenntniß, also auch der Philosophie.

Bei den andern die Vernunft, die Erfahrung verwerfen sie als Täuschung, oder lassen sie nur als Erkenntniß
geringerer Art bestehen, und eben so verhalten sie sich gegen
die Offenbarung, einige leugnen sie ganz, andere lassen sie
nur im Gebiete der Religion, keineswegs aber der Philosophie gelten.

Noch andere endlich geben übernatürliche, übersinnliche Erkenntniß für die Quelle der Philosophie an; so Plato's Erinnerung aus einer frühern intellectuellen Welt, so die intellectuelle
Anschauung, die unmittelbare Anschauung des Unendlichen, wozu,
wie man sich jetzt auszudrücken pflegt, ein eigner Sinn gehört, so die Eingebung und Offenbarung, wodurch uns, wie
einige behaupten, die Philosophie eben so wohl, wie die Religion und nicht diese allein überliefert werde.

Es ist sehr sonderbar und auffallend, daß von allen diesen
Erkenntnißquellen keine zu einem ersten Anfangspunkte geeignet
zu seyn scheint.

Die Erfahrung mag wohl manche interessante Beobachtungen liefern, aber nicht das, was jeder ganz allgemein von der Philosophie verlangt; der Inbegriff aller Erfahrungen und Beobachtungen über den innern Menschen (abgesehen davon, ob die Erfahrung einen richtigen Begriff von dem Menschen liefern könne oder nicht) löst immer nicht auf eine befriedigende Weise die mit dem Bedürfniß der Philosophie so innigst verknüpften Fragen von der Bestimmung des Menschen, von der Unsterblichkeit, von der Gottheit, dem Verhältniß des Menschen zu derselben, und umgekehrt von der Freiheit und von den ersten Gründen der Natur ꝛc., oder vielmehr sie gibt über alle diese Punkte, worüber doch hauptsächlich in der Philosophie Belehrung gesucht wird, ganz und gar keine Auskunft, sie gibt immer nur relative Gewißheit durch Induction, nie aber absolute, was doch gesucht wird von einem wissenschaftlichen Geiste; dies hängt genau zusammen mit den Grundmängeln des Empirismus, als welche wir schon früher angegeben haben.

So viel ist also immerhin gewiß, daß die Sinnen-Erfahrung nie zum Anfangspunkte der Philosophie dienen könne; daß der Empirismus die Unmöglichkeit der höhern, übernatürlichen Erkenntnißquellen zu beweisen nicht im Stande sey, haben wir auch schon in der Charakteristik gezeigt. Soll indessen mit Sicherheit und Kritik verfahren werden; so muß man doch, da es nicht hinlänglich ist, ihre bloße Möglichkeit zu erweisen, das Wesen und die Beschaffenheit derselben etwas näher abhandeln und ihre Stelle unter den andern Fähigkeiten im menschlichen Geiste anzugeben suchen, erst dadurch werden z. B. die Erinnerung und die intellectuelle Anschauung begreiflich werden; es ist dies aber erst in einer Theorie des Bewußtseyns möglich, hier würde sich allerdings eine Stelle für sie finden lassen; damit ist jedoch auch noch nicht gesagt, daß sie zum Anfangspunkt geeignet sey, im Gegentheil wird dadurch eben, daß man zeigt, wie die höhere Erinnerung und Anschauung auf einer gewissen Stufe von Bildung bei gewissen Menschen sich finden könne, klar werden, daß sie nicht die ersten Quellen der Erkenntniß seyen.

Noch mehr gilt dies von der dritten Art der höhern Er=
kenntniß, von der Offenbarung, welche (die Existenz Gottes vor=
ausgesetzt) wohl möglich ist; ja es ist viel begreiflicher und na=
türlicher, daß ein höherer Geist sich einem niedern mittheile,
als daß etwas ganz verschiedenes, ein Körper eine Vorstellung
in demselben errege; — deswegen ist aber jene Offenbarung
und Eingebung noch nicht zur ersten und einzigen Erkenntniß=
quelle geeignet, indem sie ja immer einer Erklärung bedarf,
nicht anders mitgetheilt werden kann, als durch Erklärung,
diese ist aber etwas ganz von der Offenbarung verschiedenes und
Sache des menschlichen Verstandes, es müßte sonst eine Kette
von fortgesetzten Offenbarungen geben, wo eine die andere er=
klärte; — auf allen Fall kann also freilich die Nichtunmöglich=
keit der höhern Erkenntnißquellen, aber nicht ihre Wirklichkeit,
Begreiflichkeit, mithin Tauglichkeit für die Philosophie zugege=
ben werden, sie erfordern alle, die Erinnerung und die intel=
lectuelle Anschauung sowohl als die Offenbarung selbst wieder
eine Philosophie zur Erklärung, sie setzen, wie gesagt, eine
Theorie des Bewußtseyns voraus; erst wenn das Verhältniß
dieser Erkenntnißquellen zu den andern, und die Stelle im Be=
wußtseyn, wo, so zu sagen, diese Erscheinungen statt haben,
nachgewiesen sind, wird sich ihre Begreiflichkeit zeigen.

Betrachten wir nun die Vernunft, so ist diese eben auch
keine sichere Führerinn, wir finden sie in unaufhörlichen Strei=
tigkeiten und Widersprüchen verwickelt, Vernunft gegen Ver=
nunft im Kampfe. — In der Geschichte der Philosophie, die
uns so viele Mängel und Unvollkommenheiten zeigt, ist, den
geringen Einfluß der Offenbarung oder Erfahrung abgerechnet,
alles Product der Vernunft und zwar der natürlichen, sich
selbst überlassenen Vernunft, die meisten vorhandenen Philoso=
phieen sind mißlungene Versuche dieser, wenn auch sehr spe=
culativen und reinen, dennoch wilden natürlichen Vernunft
(wie z. B. die Philosophie des Parmenides ꝛc.) —; die Ver=
nunftkunst, die nach Methode strebende künstliche Vernunft,
ist noch nicht genug versucht und hinlänglich entwickelt. Mit
dieser auch zu den übernatürlichen Erkenntnißquellen, zu ihrer

Erklärung ꝛc. unentbehrlichen, künstlich ausgebildeten, nach sichern Denkgesetzen verfahrenden Vernunft möchte sich doch wohl mehr ausrichten lassen, als mit der bisher fast ausschließend geübten, wilden, natürlichen.

Der Begriff einer nach sichern Denkgesetzen fortschreitenden Vernunftkunst führt uns auf die Logik zurück und auf die alten Ansprüche, die sie macht, zugleich aber auch wieder auf eine Theorie des Bewußtseyns; diese muß die Denkgesetze an die Hand geben, und den Unterschied zwischen der natürlichen und künstlichen Vernunft erklären.

Hier zeigt sich nun eher die Möglichkeit, einen sichern Anfangspunkt für die Philosophie zu erhalten; in der Hoffnung nämlich, daß mit einer regelmäßig nach Gesetzen verfahrenden Vernunft mehr auszurichten sey, als mit der natürlichen sich selbst überlassenen, müßte man damit anfangen, diese künstliche Vernunft auf das eigne S e l b s t zu richten und durch Selbstbetrachtung zu versuchen, wie viel sich überhaupt wissen und erkennen lasse. — Wenn dies mißlingen sollte, würde alles andere noch eher mißlingen müssen; ob diese Betrachtung auch auf die äußere Welt überzutragen sey, ist eine andere Frage und ungewiß.

Genug einmal die Untersuchung aller Quellen der Philosophie führt uns auf die S e l b s t a n s c h a u u n g, als den sichersten Anfangspunkt der Philosophie.

Es ist aber ein großer Unterschied zu machen zwischen dieser Selbstbetrachtung als einem Versuch, durch eine künstliche Methode die eignen Denkgesetze wahrzunehmen, zu beobachten, und zu abstrahiren — und der blos passiven Selbstbetrachtung des Empirikers, der sich in Ruhe und Unthätigkeit nur in dem Spiegel seiner Sinne beschaut und wahrnimmt, was da vorgeht. Die Selbstanschauung des Idealismus ist durchaus von der thätigen Art; er handelt und beobachtet sein Handeln; — er schreibt sich selbst Gesetze vor, was er thun will, um es sodann zu beobachten.

Wenn sich in der Folge finden wird, daß das Ich durchaus nur in Thätigkeit bestehe, so wird dadurch nicht allein die

Unzulänglichkeit des Empirismus zur Philosophie, sondern überdies noch erwiesen, daß er selbst in dem besten, was er noch gewährt, in seinen Datis zur Psychologie ganz falsch und irrig sey, und eine verkehrte Ansicht des innern Menschen gebe, in sofern er diesen blos als leidend auffaßt.

Die Art, von der Selbstanschauung anzufangen, steht auf gewisse Weise in der Mitte zwischen den höhern Quellen und der gemeinen Wahrnehmung; die methodische Selbstanschauung vermittelt gleichsam die gemeine Wahrnehmung mit den übernatürlichen Erkenntnissen, und wenn sie auch nicht absolut den Vorzug vor allen verdient, so verdient sie ihn doch relativ, als erster Anfangspunkt vor der natürlichen, regellosen Vernunft allerdings, da dieser ihr Geschäft, wie wir gesehen, von jeher so mißlungen ist, und immer mißlingen wird; vor den höhern, übernatürlichen Erkenntnißquellen aber, weil diese, wie gesagt, zur Erklärung und Entwicklung doch ohnehin immer der Vernunft bedürfen. Mit der gemeinen Wahrnehmung hat sie gemein, daß sie Anschauung ist; verschieden und weit über dieselbe erhaben ist sie indessen nicht nur dadurch, daß sie eine durchaus freie, willkürlich sich selbst entwickelnde Thätigkeit ist, sondern auch weil sie Bedingungen einer Kraft, Gewandheit und Ausbildung des Geistes voraussetzt, die sich eben nicht bei jedem finden; obwohl hier gar kein eigner Sinn dazu gehört, wie man oft irrig gemeint, und daher diese künstliche, methodische Selbstanschauung mit höhern Erkenntnißarten verwechselt hat; es ist gar keine mystische Anschauung, sondern eine ganz klare und natürliche, die unter den angegebenen Bedingungen der gehörigen Geisteskraft und Bildung ganz natürlich erfolgt; sie vereinigt Vernunft und Erfahrung.

Kurz und gut, der Versuch des Wissens muß bei uns selbst anfangen; wenn wir uns nicht selbst erkennten, würde es uns noch viel weniger gelingen, die Dinge außer uns zu erkennen; die Möglichkeit aber, wie eine Selbsterkenntniß gefunden werden kann, die Wissenschaft wäre, ist einleuchtend.

Die Frage, wie es zugehe, daß die bisher vorhandene Philosophie fast nichts als eine Reihe von mißlungenen Versuchen und Mißverständnissen aller Art darbietet, und warum die reine Vernunft nicht allein Erkenntnißquelle der Philosophie seyn könne, und dieselbe immer in Widersprüche verwickele, ist freilich erst durch die Theorie des Bewußtseyns näher zu beantworten; um aber Schritt vor Schritt fortzuschreiten, fügen wir hier noch an, was aus dem Geschichtlichen mit unserer Frage in Verbindung steht.

Aus der bisherigen Darstellung der Geschichte der Philosophie ist so viel klar, daß ein positiver Begriff des Unendlichen bei der Vernunft nicht möglich ist; wir haben den Beweis am Pantheismus, wo der angeblich und scheinbar positive Begriff des Unendlichen bei einer nur einigermaßen genauen Untersuchung immer negativ befunden wird. — In der Erfahrung gibt es gar keinen Begriff des Unendlichen; will man also den positiven Begriff des Unendlichen, der Einheit und Mannichfaltigkeit nicht ganz aufgeben, da man ja doch Bestreben dazu beim Menschen entdeckt, so bleibt nichts anderes übrig, als zu den übernatürlichen Erkenntnißquellen seine Zuflucht zu nehmen, aus denen, wie schon bemerkt worden, der positive Begriff der Gottheit sehr erklärlich ist.

Nimmt man an, daß die Menschen ihn wirklich durch Offenbarung erhalten haben, so erklären sich die Mißverständnisse und Irrthümer in der Philosophie ganz natürlich; — das uralte System der Emanation läßt sich als mißverstandene Offenbarung, als falsche, irrige Auslegung und Anwendung des durch Offenbarung erhaltenen, richtigen Begriffes des Unendlichen leicht erklären; da es hingegen als Product des natürlichen Nachdenkens durchaus unerklärbar ist.

Anmerk. Die historische Frage, ob die älteste Philosophie etwa mit der Offenbarung in Beziehung stehe, und wie? ist noch nie befriedigend gelöst worden 1).

Wird der Begriff der Gottheit blos aus der Vernunft abgeleitet, so ist er, wie wir gesehen, höchst schwankend und nichtig, er verschwindet fast ganz; die positive Fülle aller Kräfte fällt weg, Gott und die Welt fallen in Eins, und es bleibt nichts als der negative Begriff des Unendlichen.

Die meisten, die einen positiven Begriff der Gott=
heit aus der Vernunft aufstellen, setzen ihn aus verschiedenen
Theilen zusammen; aus der Vernunft nehmen sie die Einheit,
aus der Sittlichkeit des Menschen durch höhere Steigerung und
Wegnahme aller Schranken die moralischen Eigenschaften und
aus der sichtbaren Zweckmäßigkeit der Natur die Beweise der
Weisheit und Güte Gottes; damit ist aber das Uebel keines=
wegs gehoben, denn ein solcher synkretistischer Begriff kann un=
möglich die zur Gewißheit nöthige Einheit haben, er erscheint
immer, auch in wissenschaftlicher Rücksicht, als eine willkürliche
Erfindung des Menschen, und entspricht eben als ein gemach=
ter und zusammengesetzter Begriff gar nicht seinem Gegenstande;
der Begriff eines moralischen Gottes verschwindet in dem nega=
tiven eines nothwendigen, unendlichen Wesens; die Verknüpfung
der moralischen Eigenschaften mit dem reinen Vernunftbegriff
ist ganz willkürlich, und mit den Beweisen der Weisheit und
Güte aus der Natur sieht es gar schlimm aus, da ja auch vie=
les in der Natur zweckmäßig auf ein Uebel angelegt scheint,
eine Krankheit eben sowohl eine organische Kraft ist als der
Körper selbst. Der Einwurf, daß man die dem schädlich und
bös scheinenden versteckt zu Grunde liegende gute Absicht nicht
zu erkennen vermag, wird durch den Satz umgestoßen, daß man
auch das Gute nicht erkennen könne, wenn man nicht schon das
Gute als bekannt voraussetzt.

Diejenigen, die den positiven Begriff der Gottheit nicht aus
der Vernunft, Erfahrung und Naturbeobachtung zusammensetzen,
erklären, daß er aus dem sittlichen Bedürfniß in seiner rechten
Gestalt, auf der untersten Stufe bei den ältesten Menschen ent=
standen, oder von den Priestern erfunden worden, um sie durch
Furcht und Schrecken zu beherrschen; späterhin seyen würdigere
Vorstellungen hinzugekommen; — andre fügen noch die Hypo=
these hinzu, daß durch die fürchterliche Katastrophe der allge=
meinen, auf der Welt sichtbar statt gehabten Sündfluth die
übrig gebliebenen Menschen so in Schrecken gesetzt worden, daß
sie dadurch auf den Glauben an ein überirrdisches Wesen ver=
fallen seyen; — dies reicht nun zwar hin den niedrigsten Aber=

glauben — mehrere Religionen der Wilden und Nordamerika-
ner zu erklären; viele Mythologieen aber, und zwar die der
ältesten und ausgezeichnetesten Völker, lassen sich nicht daraus
erklären; es ist darin freilich auch manches willkürlich erfunden, nicht gerade aus eigennützigen Absichten von den Priestern,
sondern von den Dichtern, um ihre Ansichten und Meinungen
darzustellen; indessen finden wir doch immer in diesen alleräl-
sten Mythologieen und Religionen, deren Alter gar nicht zu
bestimmen ist, etwas, das sich nur aus höherer Mittheilung
und Offenbarung erklären läßt, nämlich nicht nur den richtigen
sondern auch durchaus positiven Begriff der Gottheit als eines
einigen, allmächtigen, allverständigen Wesens, aus dessen Fülle
und Kraft alles hervorgegangen sey. Dies System der Emanation, wo alle Dinge eine Reihe von Entwicklungen und Aus-
flüssen aus der allervollkommensten Urkraft sind, ist, insofern sie
doch sämmtlich auf einer niedrigen Stufe stehen, als ihre Quelle
anzusehen, mit dem Gedanken verbunden, daß das Entstehen
der Dinge eigentlich ein Herabsinken der Gottheit, die Existenz
des Menschen und der ganzen Welt ein großes Uebel sey, und
die einzige Vervollkommnung der irdischen Wesen in der Rückkehr zur ersten Urquelle bestehe; — man muß gestehen, daß
diese tragische, höchst furchtbare Ansicht durch ihre niederschla-
gende Härte der Natur des Menschen gar zu sehr widerspricht,
als daß man nur irgend dafür halten könnte, sie sey aus natürlichen Entwicklungen des menschlichen Geistes entstanden. Die
einzige Art, wie sie begreiflich werden kann, ist, wenn man
annimmt, daß die Gottheit den ersten Begriff ihrer selbst als
einer unendlichen Kraftfülle dem Menschen offenbart, ihn aber
nachher wieder seinem eignen Verstande überlassen habe. Der
Begriff der Offenbarung ist hier speculativ genommen, in der
Philosophie ist darunter nichts anders zu verstehen, als daß die
Gottheit den Begriff ihrer selbst im Geiste des Menschen angeregt habe, nicht gerade die Offenbarung und Eingebung, woraus
die h. h. Bücher (die freilich auch von jener ersten Offenbarung
handeln) als von Gott eingegeben, entstanden sind und abgeleitet
werden; diese gehört in das Gebiet der positiven Theologie.

Nach jener Voraussetzung ist das Entstehen der so höchst seltsamen, tragischen Weltansicht sehr erklärlich; es ist das erste Mißverständniß jener ursprünglichen Offenbarung, dies aber sehr natürlich; denn ist der Begriff eines unendlichen Geistes als eine allvollkommene Urkraft gegeben, so kann man sich das Daseyn der einzelnen Dinge nicht wohl anders erklären, als daß alles aus der unendlichen Kraftfülle geflossen sey; dies aber führt, wenn man die Beschränktheit der eignen Natur und die Unvollkommenheit aller Dinge mit der allervollkommensten Urkraft vergleicht, geradeswegs zu der schrecklichen Ansicht der Welt, als einem Zustande der steten Verschlimmerung.

Daß diese Mißdeutung und überhaupt jedes Mißverständniß eines aus einer höhern Sphäre erhaltenen Begriffs, der unter den menschlichen Vorstellungen gleichsam ein Fremdling ist, viel begreiflicher und natürlicher ist, als daß die Vernunft ihr eignes Product so mißverstehen könnte, brauchen wir nicht zu erwähnen.

Uebrigens muß man gestehen, so sehr auch jener älteste Versuch, den Begriff der Gottheit mit dem Gefühl der Wahrnehmung der Welt und des einzelnen Dings in Verbindung zu setzen, mißlungen, und so widersprechend auch die Verschlimmerung des Begriffs des vollkommensten Wesens, so groß überhaupt das ganze Mißverständniß ist, so verdient dies System doch eben durch seine Härte und Kühnheit, ja Erhabenheit vor den durch die Theologen gemilderten Ansichten im allgemeinen vor dem Emanationssystem der spätern Zeiten bei weitem den Vorzug; diese vermeiden die Emanation der Folgen wegen, würden aber, wenn man ihre Principien streng verfolgen wollte, doch dahin zurückführen. Das Emanationssystem ist gewiß durch seine Kühnheit von allen irrigen das ausgezeichneteste.

Wenn wir nun zwar gefunden haben, daß die älteste Philosophie nichts anders seyn könne als Mißdeutung einer wahren Offenbarung, so ist doch die Philosophie in ihrer successiven Entwicklung und Ausbildung zu sehr Werk des Menschen, als daß damit schon alles erklärt wäre; das Phänomen der immer wiederkehrenden, so oft mißlungenen Versuche, das Räthsel der Welt zu lösen, bedarf einer wissenschaftlichen Erklärung.

So wie sich in der Geschichte der Philosophie neben der Größe und Vortrefflichkeit des menschlichen Geistes auch die Unvollkommenheit desselben durch die sonderbarsten Auswüchse, ja oft Ungereimtheiten offenbart, so müssen auch bei der Betrachtung des immerwährenden Mißlingens, der Streitigkeiten und Widersprüche der Philosophie nicht allein die Quellen der Erkenntniß, sondern auch die Quellen des Irrthums aufgesucht werden. — Obwohl man zugeben muß, daß es wohl schwieriger seyn möchte, den Grund und die Kriterien des Irrthums anzugeben als der Wahrheit selbst, und also erst bei Vollendung der Philosophie befriedigend darüber entschieden werden könnte, so läßt sich doch schon vorläufig aus jedem System, wenn man es, wie wir auch früher gethan haben, kritisch nach seinen eignen Ideen prüft, das Irrige herausfinden, insofern es nämlich inconsequent ist, seinen Zweck nicht erreicht. In dieser Rücksicht gehört daher diese Frage von den Quellen des Irrthums zum Theil noch zur Kritik der Philosophie, und wir wollen uns hier bemühen, was früher bei den einzelnen Systemen gezeigt wurde, in Einen Brennpunkt zu vereinigen, und auf diese Weise, so viel als möglich, die allgemeinere Frage nach dem Punkte der Schwierigkeit der Philosophie überhaupt kritisch zu beantworten.

Es ist auch eben nicht schwer, theils durch gemeinen Verstand, theils durch Kritik manche Quellen des Irrthums in der Philosophie zu entdecken, die auf mehrere andere, oft auf alle Systeme anzuwenden sind.

So kann z. B. Täuschung in der Philosophie, wie im Leben, Irrthum veranlassen, wenn nämlich etwas gefolgert wird, was nicht folgt, besonders gibt in der Philosophie die Sprache vielen Anlaß zu solchen Täuschungen.

Ein anderer Quell des Irrthums ist die Unwissenheit, nicht zu verstehen: wenn einer absolut nichts weiß, sondern wenn man etwas nicht recht weiß, eine unvollständige Erkenntniß von einer Sache hat; wir haben ein Beispiel selbst an Aristoteles: seine Physik ist den Umständen der damaligen Zeit gemäß unvollkommen, und da er nun, wie die meisten Griechen, die sich nicht auf den Menschen allein beschränkten, die Physik mit seiner

Philosophie durchaus ineinander verknüpft hat, so bringt dies natürlich viele Mängel hervor.

Auch das Vorurtheil, der Einfluß von Zeit und Verhältnissen, Individualität, Localität, Nationalität, mit einem Worte, der Einfluß der Umgebungen verursacht Irrthümer in der Philosophie; zum Vorurtheil ist auch eine Art des Partheigeistes zu rechnen, wenn sie noch nicht den höchsten Grad erreicht hat.

Ein vierter Grund ist die Geistesunvollkommenheit; wir verstehen darunter nicht blos Unfähigkeit oder Mangel und geringes Maaß an Geisteskraft, sondern eigenthümliche Beschaffenheit und Anlage des Geistes, die eine Vorliebe oder Abneigung für gewisse Ansichten hervorbringt; so sind Aengstlichkeit als Quelle der Neigung zum Skepticismus, große Sinnlichkeit zum Materialismus, Gemeinheit und Niedrigkeit des Geistes zum krassen Empirismus — anzugeben. — Es ist zwar nicht zu loben, wenn die Philosophen zur Bestreitung ihrer Gegner Geistesschwäche vorwerfen, weil dann die Philosophie bald in ein anderes Gebiet überzugehen Gefahr läuft; indessen kommen doch in der Geschichte der Philosophie häufig Fälle vor, wo man auf dies Princip Rücksicht nehmen muß.

Endlich haben wir noch die Verblendung anzuführen, unterschieden von Täuschung und Vorurtheil dadurch, daß sie willkürlich ist, wenn jemand nämlich aus leidenschaftlicher Partheilichkeit sich selbst wissentlich in den Irrthum stürzt, und für die Wahrheit verblendet, blos um eine Behauptung durchzusetzen.

Doch alle diese in der Philosophie sowohl als in dem gemeinen Leben stattfindenden Quellen des Irrthums erklären immer nur einzelne Mängel und Fehler, und zwar nur Mängel der Philosophen, nicht einmal der Arten der Philosophie, noch viel weniger der Philosophie überhaupt.

Um das Problem, wo der eigentliche Punkt aller Schwierigkeiten und Irrthümer der ganzen Philosophie liege, historisch zu beantworten, müßte man nur auf die höhern Arten der Philosophie in ihrer vollkommensten Gestaltung sehen; hier läßt sich erwarten, den gemeinschaftlichen Fehler und Grund ihres Miß=

lingens finden, und ihn nur auf eines oder mehrere Principien reduciren zu können; es könnten wenigstens eben so mehrere Quellen für den Irrthum möglich seyn, wie deren auch mehrere für die Wahrheit angeführt werden, und es versteht sich, innere wesentliche Quellen, nicht blos äußere und zufällige, wie Täuschung ꝛc. — Allein die Geschichte liefert uns nur e i n Princip, es dreht sich hier alles um e i n e n Punkt — es ist dies der ursprüngliche Einfluß der pantheistischen Denkart auf die andern Systeme; — die gemeinschaftliche Quelle alles Irrthums in der Philosophie scheint also blos in dem B e g r i f f e d e s D i n g e s zu liegen.

Daß der Begriff des Dinges, der Substanz, in sehr naher Verbindung mit dem Pantheismus steht, und in seiner ganzen Strenge immer dahin führt, ist mehrmal gezeigt worden.

Einen Beweis, daß wirklich die Philosophie meistens gerade auf dem höchsten Standpunkte ihrer Vollendung durch den überwiegenden Einfluß des Pantheismus aufgehalten worden ist, zeigt uns die griechische Philosophie; Plato und Aristoteles bezeichnen doch offenbar den höchsten Punkt der griechischen Philosophie, und Plato wurde durch nichts anders als das eleatische System verhindert, zu einer höhern Vollendung fortzuschreiten; der Begriff der B e h a r r l i c h k e i t, den er von Parmenides angenommen, und mit dem absolut Guten des Sokrates und dem absolut ewigen Verstande des Anaxagoras in Verbindung setzte, entfernte jeden Gedanken von Entwicklung und alles was ihn hätte dazu führen können, eine werdende Gottheit anzunehmen; daher er denn die Materie neben der Gottheit mußte bestehen lassen, welches der Hauptmangel seines Systems ist.

Bei Aristoteles aber ist der schädliche Einfluß des Pantheismus auf eine andere Weise sichtbar; statt sich streng an den Begriff der Thätigkeit zu halten, welche doch das Princip seiner Philosophie als Idealismus ist, und darin alles aufzulösen, räumt er dem Begriffe des Seyns viel zu viel Herrschaft ein; woher denn auch die sonderbaren Erklärungen des Seyns durch Privation, als mögliche Möglichkeit, nicht als Wirklichkeit, ent-

ſtanden. Hätte er an die Stelle des Seyns Thätigkeit geſetzt,
ſo möchte es ihm eher gelungen ſeyn, das Entſtehen der Dinge
durch allmälige Entwicklung der Fähigkeit begreiflich zu machen;
wie ſehr der Begriff des Seyns Einfluß auf ihn gehabt, beweiſt
ſeine Idee von der Weltewigkeit.

In der ſcholaſtiſchen Philoſophie finden wir mit weniger
Verſchiedenheit denſelben Fehler, wie in der griechiſchen. Hier
iſt es der Begriff des Dinges ſelbſt, worum, wie wir geſehen
haben, ſich die ganze ſcholaſtiſche Philoſophie dreht und darüber
zu den ſonderbarſten Spitzfindigkeiten ausartete.

Sehen wir bei Würdigung der Philoſophie auf die Intellectualität und zugleich auf die Form, ſo ſind die drei erwähnten Philoſophieen, die platoniſche, ariſtoteliſche und ſcholaſtiſche, offenbar die vorzüglichſten und am meiſten durchgearbeiteten
und können alſo am beſten zum Maaßſtab für das Ganze dienen.

In der vor-ſcholaſtiſchen, alexandriniſchen und in der folgenden reformatoriſchen Philoſophie iſt, weil ſie nicht ſo vollkommen ausgebildet, ſo klar und deutlich vorgetragen iſt, der
eigentliche Punkt der Schwierigkeit verſteckter und nicht ſo leicht
in Eins zuſammengefaßt anzugeben.

Bei den Neuern, namentlich bei Kant, iſt es wieder der Begriff des Dings, zwar nicht ſo der Begriff des Dings überhaupt, als vielmehr der Begriff des Dings an ſich; Kant
hält dies identiſch mit dem Ueberſinnlichen, welches nach ſeiner
Behauptung, die er verantworten mag, dem Menſchen unerkennbar bleibt.

Fichte hat ſcheinbar gerade ſo wie wir dem Ding den
Begriff der Thätigkeit entgegengeſetzt, und daſſelbe ganz geleugnet; indeſſen es doch wieder in einer veränderten Geſtalt, nämlich als Etwas (Nicht—Ich, Schranke) in ſeiner Philoſophie
zurückkehrt; dies Etwas könnte man definiren als ein ſchwebendes Ding; es iſt deßwegen aber doch immer ein Ding,
nur mit dem Unterſchied, daß es hier in idealiſtiſcher Geſtalt
erſcheint. Nach dem Idealismus nämlich, der alles in Thätigkeit und Bewegung auflöſt, gibt es nichts beharrlich Reelles,
alles iſt nur ſchwebend; ein ſchwebendes Ding iſt indeſſen ſehr

widerſprechend; denn Ding iſt eben das nicht ſchwebende, iſt
etwas firirtes, die Grundlage, die man dem Etwas unterlegt,
wenn man es firiren will, und inſofern ſteht dann das Etwas
noch einen guten Theil unter dem Ding.

Das Reſultat dieſer unſrer Betrachtung wäre alſo, daß in
dem Begriffe des Dings die Fehler und Mängel aller Philoſophieen zuſammenlaufen, es mithin wirklich ein gemeinſchaftli-
ches Princip des Irrthums für die Philoſophie gebe; wir wollen daher dieſen Begriff, ſo weit es vorläufig möglich iſt, noch
etwas näher in allen ſeinen verſchiedenen Geſtalten unterſuchen;
das eigentlich vollſtändige Licht über die Sache, w a r u m gerade
der Begriff des Dings der M i t t e l p u n k t alles Irrthums, und
wie dies im menſchlichen Geiſte entſtanden ſey — kann freilich
erſt ſpäter ans der Theorie des Bewußtſeyns hervorgehen.

Der Begriff des Dings im gemeinen Leben und im Empirismus iſt die ſelbſt nicht erſcheinende beharrliche Grundlage der
wechſelnden Erſcheinungen. — In dieſem Gebiet iſt der Begriff
des Dings aber nothwendig verbunden mit dem Prädicate der
Beſchränktheit, Endlichkeit und völligen Abgeſchloſſenheit. Das
Ding an ſich iſt die beharrliche, ſelbſt nicht erſcheinende Grundlage der wechſelnden Erſcheinungen an einem durchgängig Beſchränkten und Abgeſonderten.

Der Begriff des Dinges kann nun wohl, (wie ſchon in der
Logik angedeutet iſt) praktiſche, keineswegs aber ſpeculative Gültigkeit haben. Bei uns verhält es ſich umgekehrt wie bei Kant:
— dieſem war das Theoretiſche unerkennbar, und die dem Theoretiſchen zum Grunde liegenden Ideen des Dings, überhaupt
das Ding an ſich, — das Praktiſche aber erkennbar; bei uns
fällt das Ding an ſich für das Theoretiſche weg und findet nur
im Praktiſchen Anwendung.

Der Grund, warum der Begriff des Dings blos praktiſche
Gültigkeit hat, iſt folgender: — So lange es blos auf eine
Aufzählung der einzelnen Merkmale ankommt, reicht der Begriff des Dinges vollkommen hin, indem die ideelle Grundlage,
der ideelle Träger vollkommen hinreicht, alle Merkmale aufzuzählen, die zu einer Sache gehören, die aufgezählten Merk-

male aber reichen hin, ein Ding von dem andern zum praktischen Gebrauch zu unterscheiden. Alle Einsicht in das Wesen eines Dings erhalten wir indessen nur dadurch, daß wir seine Entstehung nach seiner Quelle, seinem Grunde und nach seinen Zwecken und Bildungsgesetzen erkennen; daher sind auch alle Begriffe speculativ genommen genetische Begriffe, und alle Theorie besteht nur in genetischen Bgriffen; — sobald wir nicht blos bei den äußern Merkmalen stehen bleiben, verschwindet der Begriff des Dings, als eines unsichtbaren, todten Trägers der Merkmale, und entsteht uns nur der Begriff, ein Bild des Lebens; wir erhalten dann etwas durchaus Lebendiges — Bewegliches, wo Eins aus dem Andern entsteht und hervorgeht, kurz wir erhalten die Einsicht in die Geschichte des Dings; — so würde uns z. B. der Begriff einer goldenen Münze, wenn wir nicht blos auf die äußern Merkmale sähen, einestheils in Rücksicht der Form zu einer Abhandlung vom Golde überhaupt; d. h. also zu einem wichtigen Theile der Geschichte der Menschheit, anderntheils in Rücksicht auf den Inhalt zu einer Untersuchung der Elemente der Metalle führen.

Der Begriff des Dings, besonders wie er in dem strengern Empirismus vorkommt, scheint sehr mit dem Begriffe des Nichts verwandt zu seyn; das Ding, als etwas unerkennbares, als der Träger der wechselnden Erscheinungen, der aber selbst nie erscheinen, also gar keine wirklichen Bestimmungen haben kann, und dessen Wesen gerade darin besteht, daß er ganz eigenschaftlos und unbestimmt ist, — ein solches blos gemeintes Wesen ist gewiß vom Nichts nicht weit entfernt. — Die Empiriker müssen nothwendig zugeben, daß nach ihrer Erklärung das Daseyn des Dings eine bloße Voraussetzung ist, ohne daß sie sagen können, worauf sie sich gründe; daher man denn auch den Begriff des Dings nach diesem System, worin er hauptsächlich zu Haus ist — die Hypothese des Dinges nennen könnte; das Ding ist hier immer nur eine willkürliche, menschliche Erfindung, es offenbart sich immer nur durch Merkmale und Erscheinungen, die an ihm haften, ohne daß wir von seiner Existenz Gewißheit hätten, oder auch nur je uns verschaf-

fen könnten; wenn übrigens diese Ansicht große Allgemeinheit
hat, so zeigt dies nur, daß der Grund des Irrthums sehr
tief zu suchen sey.

In den andern niedern Arten der Philosophie ist der Begriff des Dings eben nicht so sehr verschieden; der Materialismus hält den Begriff des Dings, wie in dem gemeinen Leben
und dem Empirismus bei; der einzige Unterschied hierin zwischen dem Empirismus und Materialismus ist, daß letzterer das
Ding an sich zu erkennen behauptet. Der Skepticismus hat freilich den Begriff des Dings oft und thätig bestritten, und würde
darin mit unserm Versuche übereinstimmen, wenn er nicht mit
dem Begriffe des Dings zugleich den der Thätigkeit und mit
beiden alle Erkenntniß und ihre Möglichkeit umzustoßen versucht
hätte; übrigens zeigt der Skepticismus zwar, wie der Begriff
des Dings überall auf den größten Irrthum führe, sucht aber
nicht die Grundquelle auf.

Wichtiger ist der Begriff des Dings in den drei höhern
Arten der Philosophie; hier wird sich finden, was auch schon
auf eine andere Art gesagt worden, daß der Begriff des Dings
wesentlich zusammenhängt mit den Grundmängeln jeder Ansicht.
— Im Realismus ist dieser Zusammenhang ganz klar; wir haben es schon zur Genüge gezeigt, wie der gewöhnliche und gemeine Begriff des Dings in seiner Strenge und Consequenz nothwendig zum Pantheismus führt; er wird, da der Realismus
nicht auf das Einzelne geht, sondern gleich auf das Unendliche, in den Begriff des reinen, unendlichen Seyns aufgelöst,
und aller Schranken und Absonderung entledigt, so daß nur
das Prädicat eines schlechthin Unveränderlichen und Beharrlichen übrig bleibt, als worin das Wesen des Realismus besteht, und woraus unmittelbar folgt, daß alle Thätigkeit und
Bewegung entweder ganz geleugnet, oder, wie bei Spinoza, ihr
nur eine untergeordnete scheinbare Realität zugestanden wird;
— das ganze System ist dadurch leblos, leer und negativ,
es kann nicht anders seyn; wenn man die äußern Merkmale
und die wechselnden Erscheinungen von einer Sache wegnimmt,
so bleibt nichts als der leere Träger, der der Sache Daseyn

und Beharrlichkeit gab; — und insofern ist also auch hier wieder die sonderbare Verwandtschaft des Begriffs des Dings mit dem Nichts selber.

Bei dem Idealismus und Dualismus ist der Zusammenhang ihrer Grundfehler mit dem Begriffe des Dings nicht so klar. Der Dualismus kann jedoch dem Begriff des Dinges nicht entgehen, so lange er wirklicher Dualismus ist, d. h. so lange als Geist und Materie als zwei Principien geschieden sind; denn alsdann muß man mit fortgesetzter Consequenz zu dem Schlusse kommen: — beide, Geist und Materie sind doch Dinge zu nennen, sind also doch Arten, die zur gemeinschaftlichen Gattung des Dings gehören, welches in der Mitte liegt, und da sie sich schlechthin einander entgegengesetzt sind, weder das eine noch das andre, sondern überhaupt höher ist als beide; — das höchste Eins, für das seiner Erhabenheit wegen selbst das Prädicat des Geistes und Verstandes zu gering ist, kann nichts anders seyn als die Gottheit; dies Princip ist aber doch blos ein Ding, da ihm alle Eigenschaften abgesprochen werden, die Gottheit wäre also nichts anders als das erhabenste Ding, welches wieder nichts anders als ein durchaus qualitätenloses, unendliches Ding ist, wie die Neuplatoniker annahmen, die hierin ganz consequent nach dem Wesen der Intellectualphilosophie verfuhren. Durch das qualitätenlose Ding kamen sie, um es von dem gemeinen Ding zu unterscheiden, da denn doch der Begriff des Dings ein gar zu bestimmtes Prädicat für die über Prädicate erhabene Gottheit (das Urding) wäre — auf den höchst sonderbaren Begriff des Ueberdings — des Ueber Eins.

Uebrigens haben alle Dualisten, sie mögen nun, wie Plato, Geist und Materie einander entgegengesetzt, oder beide einem höhern Princip untergeordnet haben, doch immer das Beharrliche oben an, das Veränderliche und Bewegliche aber ganz heruntergesetzt. Dem Princip, welchem sie den Vorzug geben, legen sie auch immer das Prädicat der Beharrlichkeit bei, dem andern (meist die Materie, die Welt ꝛc. genannt) das der Veränderlichkeit; ja alle Philosophen bis auf Fichte, der zuerst mit

der Idee einer werdenden Gottheit hervortrat, stimmen
darin überein, daß sie Gott als ein unveränderliches, allgemein herrschendes, beharrliches Wesen, also nicht etwa für eine
Kraft, sondern für ein Ding erklären. Mit diesem Begriff
des Dings hat man zugleich den der höchsten Wahrheit verbunden, oder vielmehr man hat diesen darin aufgelöst, woraus
dann auch folgt, daß in allen dualistischen Systemen nur ein
durchaus negativer Begriff der Vollkommenheit statt findet;
wo die Vollkommenheit nicht in Leben und Thätigkeit gesucht
wird, ist der wirkliche, wahre Begriff derselben unmöglich, ein
negativer, todter aber unvermeidlich; die Vollkommenheit besteht
dann in der bloßen Uebereinstimmung mit sich selbst; dieser negative Begriff der Vollkommenheit führt aber augenscheinlich
wieder zurück zum Empirismus, zu dem Begriffe der Endlichkeit, indem nur das in sich vollendet, und keines andern bedürf-
tig seyn kann, was abgeschlossen, durchgängig beschränkt, d. h.
endlich ist.

Der Idealismus scheint zwar den Begriff des Dings
ganz wegschaffen zu wollen, ihm besteht alles Daseyn, alle Realität nur im Leben und in der Thätigkeit, im Gegensatz gegen
das Todte, Ruhige, Beharrliche — kurz nicht in dem Ding,
sondern in dem Leben; dennoch aber kehrt der Begriff des
Dings, wie auch früher angegeben worden, unter andern Gestalten immer wieder in den Idealismus zurück. Indessen läßt
sich der Grund davon wohl erklären. Bei Fichte, dessen Etwas
eben so sonderbar wie das Ueberding ist, liegt es darin, daß
er seinen Idealismus willkürlich auf die bedingte Ichheit beschränkte, denn mit der Bedingtheit hängt der Begriff des Dings
ganz genau zusammen.

Der Begriff des Beharrlichen dient am besten zum Leitfa-
den, um zu untersuchen, welche Gestalt der Begriff des Dings
im Idealismus angenommen hat. Alle Idealisten, die ältesten
und die neuesten, von Heraklit bis zu Fichte, lassen doch eine
Art des Beharrlichen, nämlich Gesetze, bestehen.

Heraklit hat allgemein gültige Gedanken — Aristoteles
Formen — die Stoiker productive Begriffe — am deutlichsten

aber erscheint das Princip in Fichte's Denkgesetzen; das Gesetz besteht aus zwei Theilen, a) aus dem Gesetz selbst und der Nothwendigkeit, b) aus der Bestimmung, der Beschränkung. —

Gesetz also in speculativer Bedeutung heißt nothwendige Beschränkung. Nun ist eben der Fehler aller Idealisten bisher vorzüglich der gewesen, daß sie der Beschränkung als dem Bestimmenden den Vorzug gaben vor dem Bestimmten, dem Wirklichen, dem Leben. So bei Aristoteles, der die Formen aus der bloßen Möglichkeit durch die Beraubung bestimmen läßt, diese ist bei ihm eigentlich die Mutter aller Dinge. — Bei Fichte hat die Beschränkung auch wieder den Vorzug, da die Denkgesetze ihm das Höchste sind.

Der Idealismus wird sich auf diese Art immer selbst untreu, indem er Leben und Thätigkeit der Beschränkung unterordnet; beides ist sich einander entgegengesetzt, die Schranke ist ja blos eine Verneinung, ist also schlechthin und bleibend, steht so dem Leben und der Freiheit gerade gegenüber.

Derjenige, der den Idealismus am reinsten und kühnsten in der Idee aufgefaßt hat, ist Leibnitz; indessen, wie gesagt, hat er ihn nicht entwickelt, weil er sich wohl nicht ganz von der gemeinen Denkart losmachen konnte und, wie Fichte, aus Furcht vor dem Pantheismus stehen blieb.

Genug, alle bisherigen Idealisten, obwohl sie gleichsam von der Vergötterung des Lebens, der Freiheit und Thätigkeit ausgehen, kehren doch nachher zu dem Beharrlichen, zu nothwendigen Gesetzen zurück.

Uebersehen wir den letzten Theil unsrer Untersuchung, so finden wir, daß der Begriff des Dings, der, in seiner ganzen Blöße betrachtet, viele Verwandtschaft mit dem des Nichts hat, und dessen Einfluß hauptsächlich das Mißlingen der Systeme veranlaßt, in den drei höhern Systemen in einer sehr imposanten Gestalt erscheint, im Realismus als Unendliches, im Dualismus als negative Vollkommenheit, im Idealismus als Gesetz.

Die Frage, wie der menschliche Geist und gerade in seinen höchsten Repräsentanten eine so durchgängige Neigung gleichsam zum baaren Nichts haben könne, wird, wie gesagt, erst in der Folge befriedigend beantwortet werden; hier war uns nur darum zu thun, zu zeigen, daß es ein inneres, nicht blos zufälliges Princip des Irrthums in der Philosophie gäbe.

Die Betrachtung der verschiedenen Erkenntnißquellen der Philosophie mit Rücksicht auf die für den Aufangspunkt der Philosophie passende, womit wir die Geschichte derselben beschlossen, hatte uns auf die Idee einer Vernunftkunst geführt. Nachdem wir nun jetzt die vorläufig aufgeworfenen zwei historischen Fragen: ob die älteste Philosophie nicht vielmehr eine mißverstandene Offenbarung, als eine ganz menschliche Erfindung — und welche die Quelle des Irrthums in der Philosophie sey — beantwortet haben, gehen wir zu der Theorie der Vernunftkunst über; vor der Theorie einer wissenschaftlichen Vernunftkunst folgt aber natürlich erst noch eine Untersuchung derjenigen Wissenschaft, welche seit langen Zeiten den Anspruch gemacht hat, zu seyn, was hier gesucht wird, — also eine

kritische Untersuchung der Logik.

Die Vernunftkunst hat zu ihrer Begründung vor allen Dingen die Denkgesetze aufzusuchen; die Logik aber behauptet eben eine solche Theorie der Denkgesetze zu seyn; — daß sie dies im eigentlichen Sinne nicht ist, leuchtet schon vor einer nähern Untersuchung ein, indem es ihr ja sonst gelungen seyn müßte, alle die Schwierigkeiten und Mißverständnisse, woran die Philosophie leidet, längst zu heben.

Die Logik als abgesonderte Wissenschaft ist ganz zufälligen Ursprungs; sie entstand bei den Griechen aus der Dialektik und Sophistik. Der schändliche Mißbrauch, der mit diesen Künsten getrieben wurde, machte eine Disciplin nöthig, um sich dagegen zu schützen. Bei Plato war die Logik noch mit der Dialektik verbunden, erst bei Aristoteles tritt sie als eigne, gesonderte Wissenschaft auf, und seitdem hat man

immer fortgefahren, sie als solche zu behandeln, ohne gründlich zu untersuchen, ob diese Absonderung wirklich nothwendig
war, oder nicht. — Auf allen Fall kann es bei einer so strengen Absonderung nur eine sehr magere Wissenschaft von sehr geringem Inhalte seyn, obwohl es freilich bei den Alten sowohl
als den Neuern weitläuftige, reichhaltige Logiken gegeben hat:
diese aber waren nicht rein, sondern bei jenen standen sie immer
in naher Beziehung mit der Grammatik und Rhetorik, bei diesen mit der Psychologie. — Kant hat sehr unrecht zu behaupten, daß Aristoteles die Logik in der größten Reinheit aufgestellt
habe; er hat zwar blos die Analytik von ihm genommen, doch
auch hier sind bei Aristoteles viele fremde Bestandtheile einge-
mischt; — am meisten ist dies freilich der Fall in der Topik,
die sich durchaus ganz und gar auf die bei den Griechen stattfindende Verbindung der Logik und Rhetorik bezieht; — viel
größer sind jedoch die fremdartigen Bestandtheile noch bei den
Stoikern, — insofern mag verhältnißmäßig Aristoteles unter den
Alten noch der reinste, systematischste Logiker seyn, an und für
sich aber ist seine Logik nicht rein. — Kant und Fichte haben
die Logik, selbst nachdem sie sie von allen fremden Bestandtheilen der Psychologie ꝛc. gereinigt, dennoch als getrennte Wissenschaft bestehen lassen; dies macht die Untersuchung derselben
noch besonders wichtig.

Die Logik nach ihrer vollständigen Ausführung
kann keineswegs der Theorie des Bewußtseyns, oder der höhern
Psychologie vorangehen, insofern sie eine Doctrin ist von der
Art und Beschaffenheit der Begriffe, Urtheile und Schlüsse, kurz
eine Lehre der verschiedenen Denkformen; mag immer die Theorie der Denkgesetze in der Logik von der negativen Seite aufgestellt werden, es ist doch immer Theorie der Denkgesetze, und
diese lassen sich doch nur aus einer allgemeinen Theorie der
Denkgesetze demonstriren; die eigentliche Lehre, was ein
Begriff, was ein Urtheil, ein Schluß und was das Wesen
und der Grund davon sey, diese kann nur aus der Theorie des
Bewußtseyns abgeleitet, erst hier kann das Grundprincip des
Begreifens, Urtheilens und Schließens aufgefunden werden.

· Man könnte zwar einwerfen, die Logik ist eine Methoden=
lehre, und insofern muß sie doch der Philosophie zur Sicherheit
vorhergehen; aber versteht man unter Methode das sichere
Fortschreiten der Vernunft nach den Denkge=
setzen, so ist einleuchtend, daß man erst die Denkgesetze und
ihre Quelle selbst kennen müsse, ehe man die auf den Denkge=
setzen bestehende Methodik aufstellen könne; die Form und Me=
thode der Philosophie läßt sich nur mit dem Inhalte derselben
finden, beides ist keineswegs so getrennt, als bei der strengen
Absonderung der Logik vorausgesetzt wird. Was Fichte die syn=
thetische Methodenlehre nennt, kann sich nur mit den Denkge=
setzen selbst ergeben, welche die Selbstanschauung, die eben nach
den Denkgesetzen vor sich geht, erst liefert; sie werden nämlich
an der Beobachtung selbst beobachtet, von der Gesetzmäßig=
keit, die sich bei der Selbstanschauung offenbart, abstrahirt. ⌐

Anders verhält es sich, wenn nicht ein so rein philosophi=
scher Begriff der Methode aufgestellt, sondern auch auf andere
Geistesbeschäftigungen bezogen wird, wie z. B. die Kritik.
Kant's Idee einer kritischen Methode war von der Art, das
kritische Verfahren, als Methode betrachtet, könnte vor der ei=
gentlichen Philosophie selbst, vor der Theorie des Bewußtseyns
charakterisirt werden; denn es ist nicht absolut philosophisch, son=
dern immer auch philologisch; zur Kritik wird kein System der
Philosophie vorausgesetzt, sie ist anwendbar auf alle Gegen=
stände.

Kritische Methode ist aber eigentlich gar keine Methode,
oder anders gesagt, zur Kritik bedarf es keiner Methode, das
Geschäft der Kritik kann in jeder Methode abgethan werden;
es kommt dabei nur auf das Genie des Scharfsinnes, auf große
Gelehrsamkeit und Unpartheilichkeit an, auf Eigenschaften, die
nicht in dem Gesetz und der Methode, sondern einzig in den
Individuen liegen; daher ließen sich auch die vorgeschriebenen
Methodengesetze wohl ganz genau und richtig beobachten, ohne
daß man deßwegen zu einem Kritiker tauglich wäre.

Daß die Anwendung der Kritik auf die Philosophie sehr
interessant und fruchtbar seyn könne, ist gar nicht zu leugnen;

eine kritische Methode gibt es aber streng genommen nicht, es kann blos von kritischem Geiste die Rede seyn.

Aus allem diesem folgt nun in Rücksicht auf die Logik, daß so wie alles Rhetorische, Grammatische und Psychologische, so auch die Methodenlehre von ihr weggenommen werden müsse; es bleibt ihr demnach nichts, als die Lehre von den Begriffen, welche man auch die Lehre der logischen Vollkommenheit nennen könnte, und dann die Syllogistik, endlich allenfalls noch die Lehre von den Principien und Kriterien, von den Sätzen des Grundes und des Widerspruchs und den Kriterien der Wahrheit. Blos hiemit haben wir es hier zu thun (und die Darstellung der Logik am Eingang dieser Vorlesungen ist schon dem dort aufgestellten Gesichtspunkte nach auf die gegenwärtige Kritik vorbereitend gewesen).

Die Lehre von der logischen Vollkommenheit ist durchgehends in der Logik sehr dürftig abgehandelt, wie natürlich, indem die tiefere Ergründung, warum ein Begriff klar und deutlich, oder dunkel und undeutlich ist, erst in der Theorie des Bewußtseyns möglich wird. Dies wird auch in der Logik meist stillschweigend vorausgesetzt, oder so oberflächliche Nominal-Erklärungen gegeben, die ihrer Seichtigkeit wegen keine Erwägung verdienen. Bei denjenigen Philosophen, wo diese Lehre bedeutend und etwas tiefer und gründlicher behandelt ist, hängt sie genau mit dem reellen Princip ihres Systems zusammen, sie steht und fällt mit demselben; so ist es bei Descartes und Spinoza, welche von den neueren Philosophen, die sich mehr auf die Methodenlehre gewandt, jenen Theil von der logischen Vollkommenheit und Deutlichkeit vorzüglich bearbeitet haben; bei ihnen ist mit der Deutlichkeit der Begriffe auch die Wahrheit verbunden; wenn sie von der Klarheit des Begriffs reden, die zugleich Wahrheit sey, so meinen sie damit die unmittelbare Evidenz des schlechthin einfachen Begriffs der nothwendigen Substanz, d. h. daß der schlechthin einfache Begriff der nothwendigen Substanz unmittelbare Gewißheit habe und gebe: dies hängt also genau mit ihrem System zusammen. Einmal den Pantheismus zugegeben, so sind freilich alle aus ihm hergelei-

teten Begriffe gleich wahr, die Logik folgt dann ganz von
selbst, oder vielmehr sie ist eigentlich überflüssig gemacht. Spinoza hat auch keine eigentliche Logik; (von Descartes kann nicht
die Rede seyn, da bei diesem das Princip noch unentwickelt
ist) die Methode des Spinoza ist keine eigentliche Logik zu nennen. Seine Logik geht nur bis zum adaequaten Begriff, setzt
also das beharrliche Ding voraus, das im Begriff zur Evidenz
gebracht werden soll.

Was die Deutlichkeit der Begriffe überhaupt betrifft, halte
man sich nur am Wort: deutlich ist ein Begriff, der etwas
bedeutet, einen Sinn hat. Es sollte zwar in der Philosophie nichts vorkommen, was keinen Sinn hat, gleichwohl ist
dies doch der Fall, wie z. B. der Idealist den Schein in einen
nichts bedeutenden, sinnlosen Schein auflöst.

Die Klarheit ist also nicht in der Form, sondern im Inhalte der Begriffe zu suchen, ein klarer, anschaulicher Begriff
würde nun der seyn, der etwas Lebendiges zum Gegenstande
hat; nur Leben kann Gegenstand der Anschauung seyn, das
Todte aber würde auch als Gegenstand des Begriffes in der
Vorstellung dunkel seyn.

Wichtiger ist noch die Lehre von der Bestimmtheit der Begriffe; gewöhnlich nennt man dies blos nach dem Aeußerlichen,
indem man einen Begriff bestimmt nennt, wenn alle Merkmale,
die zu ihm gehören, hinlänglich aufgezählt werden, um ihn von
andern zu unterscheiden. Dies ist aber alles blos äußerliche
Bestimmung, die keineswegs eine gründliche Erkenntniß des
Gegenstandes herbeiführen kann; für die Philosophie ist nur
ein Begriff bestimmt zu nennen, der, wenn man so sagen soll,
im Innern gegliedert ist; er muß im Innern in sich selbst bestimmt seyn, muß ein organisch construirter Begriff seyn,
d. h. ein Begriff, in dem selbst die entgegengesetzten Glieder,
die gemeinschaftliche Quelle des Ursprungs, die Stufen der
Entwicklung und Ausbildung aufgezeigt werden; nur der Begriff ist bestimmt, der Erkenntniß gibt des Gegenstandes, d. h.
seines innern Entstehens und Werdens, seines innern Wesens
und Gliederbaues, also, wie gesagt, nur der genetische,

der organische Begriff ist in philosophischer Rücksicht bestimmt zu nennen.

Zu der Untersuchung über die Begriffe gehört endlich auch noch die Lehre von den verschiedenen Arten der Begriffe, von ihrer Stufenfolge, der Unterordnung, der höhern und niebern. In der Meinung, sich blos auf das Formale und Negative beschränken zu müssen, betrachtete man auch diese Frage von den Verhältnissen der Begriffe, von ihrer Ordnung nach Gattungen und Arten blos äußerlich, und bestimmte das Verhältniß der Gattungen und Individuen blos nach äußerlichen Distinctionen, da es doch aus dem Innern erklärt werden muß, welches aber auch erst in der Theorie des Bewußtseyns möglich ist. Wie wichtig dieser Punkt ist, haben wir schon bei den Scholastikern gesehen, er hängt allerdings mit dem wichtigsten Theile der Philosophie zusammen, und mag wohl, um ihn gründlich zu lösen, eine der schwierigsten Aufgaben der Philosophie seyn.

Die Lehre von der Syllogistik ist der Theil, der in den bisherigen Logiken am weitläufigsten ist abgehandelt worden; diese zu so vielen Spitzfindigkeiten ausgebildete Lehre beruht aber doch überhaupt nur auf der einen Grundformel a = b; b = c, also a = c.

Die Mannichfaltigkeit der Begriffe und der eigne Zustand der Sprache lassen freilich eine Menge Veränderungen dieser Grundformel zu, man hat der Fälle 64 ausgedacht; es ist aber immer nur diese eine Grundformel; auch ist durch diese Aufzählung der verschiedenen Veränderungen für die Speculation gar nichts gewonnen, denn der Irrthum und die Täuschung ist dadurch keineswegs zu verhüten; dies muß blos durch Aufmerksamkeit geschehen, man braucht dazu nicht im geringsten mit der Syllogistik bekannt zu seyn; wer nur der Sprache Meister und, wie gesagt, recht aufmerksam ist, wird nie falsch schließen, wenn es nicht absichtlich geschieht.

Der Grund der Fehlschlüsse muß lediglich in dem Mangel an Aufmerksamkeit gesucht werden, welche durch die Willkürlichkeit, Bildlichkeit, und, wenn man so sagen soll, natürliche

Verworrenheit und Unbestimmtheit der Sprache, zusammen ge=
nommen mit der Mannichfaltigkeit der Begriffe des menschlichen
Geistes, gar leicht getäuscht wird. Aus dieser Ursache gehörte
die Untersuchung der syllogistischen Figuren eigentlich mehr in
eine philosophische Grammatik und Rhetorik; erst hier könnte
sie fruchtbar seyn und Interesse gewähren.

Jene Grundformel der Schlüsse ist freilich von der größten
Wichtigkeit, und muß mit dem Grundprincip der Logik über=
haupt, dem Satze des zureichenden Grundes, womit sie
Eins ist, zugleich untersucht werden.

Uebrigens erinnern wir außer den erwähnten Gründen der
Unstatthaftigkeit der Syllogistik noch an ihren zufälligen Ur=
sprung bei den Griechen, wo die Sophisten immer nur auf
neue Fehlschlüsse speculirten, und dadurch eine Kunst, sich da=
gegen zu sichern, nöthig machten, so daß ihr ganzer Werth
blos local ist.

Für die Speculation bleiben uns jetzt von der ganzen Logik
nur die Principien des Grundes und des Widerspruchs und die Kri=
terien der Wahrheit übrig, als welche auch mit der Philosophie
überhaupt eine größere Verwandtschaft haben als das bisherige.

Das Kriterium der Wahrheit, welches nach den verschie=
denen Systemen auch verschieden bestimmt wird, ist für die kri=
tische und polemische Betrachtung weniger geeignet als erstere;
in den gewöhnlichen Logiken, besonders seit Leibnitz, wird es
als Uebereinstimmung der Vorstellung mit dem Gegenstande de=
finirt; dies setzt die halbempiristische Trennung von Gegenstand
und Vorstellung voraus; es müßte der Gegenstand als solcher
mit der Vorstellung verglichen werden; das ist aber durchaus
nicht möglich, da man immer nur eine Vorstellung vom
Gegenstande hat, also immer nur eine Vorstellung mit der an=
dern vergleichen kann, und so führt dann dies Kriterium der
Wahrheit gerade zum Skepticismus.

Kant hätte eigentlich ein anderes Kriterium aufstellen müs=
sen, in Beziehung nämlich auf die objectiven, nothwendigen
Denkgesetze im Gegensatze gegen die subjectiven; jenes Krite=
rium ist von gar keinem Gebrauch.

Viel befriedigender ist die vorleibnitzische Erklärungsart des Descartes und Spinoza, wo die Wahrheit als mit der Realität identisch genommen wird; hier kann zwar die Erkenntniß der Wahrheit immer nur negativ seyn; zum Anfangspunkte der Philosophie ist aber auch ein negatives Kriterium viel zweckmäßiger, weil, wenn erst die Wahrheit gesucht wird, ja noch keine positive Erkenntniß derselben vorhanden seyn kann; es wäre sonst gewiß das Suchen sehr überflüßig; zu einem positiven Kriterium der Wahrheit müßte diese schon nach ihrer Totalität vorhanden seyn; Totalität der Wahrheit würde aber nie möglich seyn als mit der Realität selbst.

Eigentlich wäre eher das Kriterium des Irrthums als das der Wahrheit zum Anfangspunkt der Philosophie anzunehmen, zumal es sich auch viel leichter und bestimmter aufstellen läßt, wie wir es schon früher versucht haben, wo wir es in dem Begriffe des Dings gefunden — das Kriterium des Irrthums ist eine Vorstellung ohne Inhalt, eine ganz durchaus leere — kurz der Begriff des Dings.

Wichtiger und fruchtbarer für die Kritik ist die Untersuchung der beiden andern Principien: des Grundes und des Widerspruchs. Wir setzen voraus, daß sie im Praktischen als vollkommen gültig anerkannt sind, und betrachten sie nur in speculativer, theoretischer Rücksicht; sie beruhen durchaus auf dem Begriffe des Dings, ihre Gültigkeit steht und fällt mit diesem; es leuchtet also schon vorläufig ein, wie viel wir gegen sie einzuwenden haben.

Die Trennung, die man besonders seit Kant zur Rechtfertigung der Ansprüche dieser Sätze in der Philosophie — zwischen dem Logischen und Philosophischen angenommen, und sie demnach als blos formelle, negative Principien aufgestellt hat, ist durchaus willkürlich und eine leere Sophisterei. Diese Trennung beruht ganz auf der empirischen kantischen Trennung zwischen Vorstellung und Gegenstand und der angenommenen Unerkennbarkeit des letztern. — Die Ansicht der erwähnten Sätze als blos formellen Principien ist also keineswegs objectiv. Zudem haben sie auch in den dogmatischen Systemen, in denen der Begriff des Dings herrschend ist, zu viel eigentlichen philosophischen Einfluß — wir müssen sie daher in der Kritik überhaupt als philosophische Grundsätze annehmen.

Der Satz des zureichenden Grundes hat besonders bei seinem Urheber, bei Leibnitz, sehr nahen Zusammenhang mit seiner Philosophie; er war bei ihm vielmehr eine Maxime und stand in Beziehung auf seine Theorie des Wahrscheinlichen — der Hypothese — das Prädicat z u r e i c h e n d deutet schon hierauf; — die Hypothese wird erst wahrscheinlich, wenn die Gründe endlich zureichen; die Wahrscheinlichkeit ist erst vollkommen, wenn sie den Grad erreicht hat, daß man sagen kann, es ist G r u n d da, etwas für wahr zu halten.

Seit Wolf hat man nun diesen Satz des zureichenden Grundes, der bei Leibnitz nur eine Maxime war, viel speculativer brauchen und zum nothwendigen objectiven Princip erheben wollen; nothwendig und objectiv ist darin aber weiter nichts als die Formel des Bedingens; er ist der Satz der Bedingung und liegt daher allen Syllogismen zum Grunde, nur in dieser Rücksicht, nur als Grundlage des Syllogismus, d. h. als Formel des Bedingens hat er auf s e i n e m Gebiete vollkommne Gewißheit. — Der Satz des Grundes läßt sich, wenn er speculativ genommen wird, immer reduciren auf a=b; b= c, also a=c; dieses ist aber wieder abgeleitet aus dem höhern Satze der Identität a=a und der Satz des Widerspruchs ist weiter nichts, als eine Verkehrung dieses letztern, nämlich a ist nicht gleich n i c h t a, oder + a ist nicht gleich — a.

Beide, der Satz des Widerspruchs sowohl als der des Grundes setzen also den Satz der Identität (den Begriff des Dings — die Beharrlichkeit) voraus; dieser Satz ist freilich in aller Praxis und auch in der Mathematik (der wir, wie sie durchgehends vorgetragen wird, nur praktische Gültigkeit zugestehen) unumstößlich gewiß; in der Philosophie kann er aber nicht so angenommen werden, nicht alle Philosophen sind darüber einstimmig, so z. B. widerspricht die heraklitische Philosophie ihm vollkommen, Heraklit würde in mathematischer Rücksicht die Gültigkeit dieses Satzes allerdings auch zugeben, —

philosophisch aber gar nicht; er würde nach seinem Princip, daß alles in einem steten Fluß sey, einwenden, daß sich a in einem undenkbar kleinen Momente verändere, während man nur sagt a = a, ist a schon nicht mehr a; dies bezieht sich auf das, was der Satz stillschweigend voraussetzt, nämlich das Princip der Beharrlichkeit, sie mag nun in das Ding oder in das Ich gesetzt seyn; — wer diese leugnet, wird dem Satz der Identität in der Natur keine vollständige Richtigkeit zugestehen.

Was den philosophischen Gebrauch des Satzes des Widerspruchs betrifft, ist zu bemerken, daß das Nicht a eigentlich das Nichts ist, von dem Nichts aber sollte doch in der Philosophie nicht die Rede seyn.

Gegen den Satz des Grundes steht einzuwerfen, daß er stillschweigend immer den Satz a = b voraussetzt, welchen die leibnitzische Philosophie durch ihre Behauptung der unendlichen Mannichfaltigkeit und Fülle und dem Principium indiscernibilium, daß es nicht zwei gleiche Gegenstände gebe, ausdrücklich widerspricht; doch, dies bei Seite gesetzt, ist der Fall denkbar, wo etwas durchaus ganz isolirt mit allen andern Dingen unvergleichbar wäre, a also nicht = b seyn könnte; dieser Fall tritt bei der Gottheit ein, diese, in sich vollendet steht über alles andere erhaben, ist unvergleichbar und unbedingt, — hier hilft die ganze Formel nichts, weil nie ein b = a vorkommen kann.

Ueberhaupt führt auch der Begriff des Bedingens endlich nothwendig zu dem Begriff des Unbedingten; endlich muß das Bedingte einmal still stehen; es kann nicht fehlen: bei der Annahme eines Bedingenden und eines Gesetzes des Bedingens muß man endlich auf ein Unbedingtes, weiter nicht mehr zu Begründendes kommen, wo der Satz des Grundes ganz wegfällt. Aber das Unbedingte, welches man so als letzten Grund in der Reihe der Gründe ansieht, ist doch nur wieder das unbekannte Ding an sich, als beharrlicher Träger der Welt oder höchstens als bedingendes Princip derselben; denn weiter reicht jene nothwendige Beziehung des Bedingten auf das Unbedingte nicht.

Das Resultat unsrer Betrachtung ist also, daß alle drei Sätze, der Identität, des Widerspruchs und des Grundes, die so genau zusammenhängen, durchaus nicht allgemein geltende philosophische Principien sind; weit entfernt diese für die Philosophie zu seyn, muß uns vielmehr die Philosophie ein Regulativ zu ihrem Gebrauch geben und uns wenigstens ihren Sinn erklären.

Die einzige Gültigkeit, die man ihnen für die Philosophie zugestehen kann, wäre eine relative in unendlicher Gradation; in jedem System ist ein Unbedingtes nothwendig; freilich könnte es auch Philosophicen geben, wo man eine Mehrheit von Unbedingtem annähme; auf das Abgeleitete wäre nun der Satz des Grundes ꝛc. anwendbar, und zwar progressiv würde die Gültigkeit sich vermehren, je weiter die Gegenstände abgeleitet wären; je abgeleiteter, desto mehr Gründe, aber auch je mehr Gründe, desto weniger zureichende ꝛc.

Das Philosophiren, obwohl im Ganzen etwas Höheres, ist doch im Einzelnen immer auch etwas Technisches; in dieser Rücksicht könnten also jene Principien beibehalten werden für das Detail; dies ist aber nur eine subalterne Stelle; sie sind um nichts wichtiger, anwendbarer und nützlicher, als die Regeln der Grammatik, eben so wie diese müssen auch sie in dem philosophischen Raisonnement beobachtet werden und nichts mehr; reelle Fortschritte in der Philosophie und dem Philosophiren werden gar nicht von ihnen veranlaßt; es ist auf keine Weise von ihnen zu erwarten, daß sie die philosophische Untersuchung befördern.

Speculativ betrachtet sind sie, wie gesagt, gar untergeordnet; sie sind nicht einmal, was Kant behauptet, das blos Formelle, Negative und Regulative in der Philosophie, dies hat einen weit höhern Grund. Ja sie sind in speculativer Rücksicht ganz verwerflich, da sie offenbar alle auf dem Begriffe des Dings beruhen; der Satz der Identität a = a führt auf das Princip der Beharrlichkeit, und der Satz des Grundes a = b auf Leugnung des Unendlichen.

Was die größte Schwierigkeit in der speculativen Kritik dieser Grundsätze macht, ist, daß, obschon sie aus einander abgeleitet find, der Satz der Identität mit dem der Begründung zu streiten scheint. Dieser setzt eine Herleitung, ein Entstehen voraus; Entstehen ist aber nicht ohne Veränderlichkeit denkbar, während a = a immer beharrlich und nur sich selbst gleich ist. a = a absolut genommen schließt alle Abhängigkeit von außen aus, ist ganz in sich abgeschlossen, unabhängig und unveränderlich — also keineswegs mit a = b zu vereinigen; sobald a = b ist, hört es auf = a zu seyn.

Diesen Widerspruch haben auch fast alle Philosophen gefunden, aber auch immer an dieser oder jener Stelle ihres Systems wieder vergessen; die Gottheit erkennen sie alle für schlechthin unabhängig, in sich vollendet und dennoch nehmen sie das diesem widersprechende Princip an.

Noch auf eine andere Art läßt sich die Unbrauchbarkeit der drei Principien zeigen. Der Satz der Identität und also auch der blos durch seine Umkehrung entstandene Satz des Widerspruchs spricht sich selbst als ein schlechthin analytischer Satz aus, woraus nichts zu lernen, der zu nichts führen kann. Der Satz des Grundes scheint zwar inhaltreicher, dieser Inhalt ist aber wohl nur eine Vermehrung der Unwissenheit: denn soll etwas begründet und bedingt werden, so haben wir a) eine unbekannte Größe, da das, was bedingt werden soll, doch nothwendig der Theil eines größern Ganzen ist, b) das Verhältniß des Einzelnen zum Ganzen, hiezu muß c) etwas von außen hinzu kommen, was den Theil als eignes Object bestimmt und für sich abschließt, so daß es noch etwas mehr als blos Theil des größern Ganzen ist. Es gehen also immer aus der Anwendung des Satzes vom Grunde drei unbekannte Größen hervor; jedes unbekannte Object oder Phänomen, das man sich nach demselben erklären will, wird zu drei unbekannten Objecten vermehrt, und so wächst durch fortgesetzte Folgerung der Irrthum immer mehr an; es entsteht eine endlose Reihe von empirischen Sätzen und Folgerungen, — denn auch angenommen, daß das erhaltene Object kein zusammengesetztes, sondern ein reines wäre, so führt doch a + b immer zu c d ꝛc. ins Endlose; daher hat denn auch dieser Grundsatz

mit dem des Widerſpruchs faſt immer dem Skepticismus zum
Grunde gelegen.

Was uns endlich auch noch die Unbrauchbarkeit dieſer drei
Grundſätze beweiſt, iſt das im gemeinen Leben gebräuchliche
und durch die Erfahrung gelehrte Princip, daß das Leben
und überhaupt Alles auf Widerſprüchen beruht — dann
der ähnliche Satz der Phyſik, daß auch in der Natur alles auf
Gegenſätzen beruhe, und durch Gegenſätze beſtehe, — noch
mehr aber die Widerſprüche über ein und daſſelbe
Object in mehrern Wiſſenſchaften und in verſchiedenen Syſtemen, von welchem letztern wir an der kantiſchen Philoſophie
ein auffallendes Beiſpiel haben, welche grade diejenige iſt,
die theoretiſch am wenigſten Gebrauch gemacht hat von den lo-
giſchen Principien — alles, was ſie im Theoretiſchen verworfen,
im Praktiſchen wieder angenommen hat; alles dies: die Widerſprüche des Lebens, die Gegenſätze der Natur und die Widerſprüche der Wiſſenſchaft reimen ſich gar nicht mit den erwähnten Grundſätzen; es iſt nach denſelben unmöglich zu erklären.

Indeſſen wenn man annimmt, daß die Grundſätze nur relative Gültigkeit haben, ſo zeigt ſich doch ein Weg, beides zu
vereinigen, in dem Satz nämlich, daß jede Einheit ſich durch
Gegenſätze zu einer unendlichen Fülle entwickeln könne, aber
den Grund, die Bedingung zur Einheit immer in ſich trage,
durch innere Bedingtheit doch immer Einheit bleibe; daß alſo
a wohl von einer gewiſſen Seite für eine gewiſſe Zeit einmal
nicht a ſeyn könne, aber endlich wieder zur Einheit zurückkehren
müſſe; die Widerſprüche, wie das Bedingen gelten dann blos
relativ für die Glieder, nicht für das Ganze; — das Ganze
iſt dann unbedingt, nur die Glieder ſind gegenſeitig bedingt;
das Ganze iſt mit ſich ſelbſt Eins, nur in den Theilen gibt es
Widerſprüche; beides, die Bedingung und die Widerſprüche,
löſt ſich endlich wieder in das Eine, einige Unbedingte auf.

Wir hätten dann hiemit zugleich auch das eigentliche Kriterium der Wahrheit für die Philoſophie gefunden, es wäre
alſo: organiſche Einheit in der unendlichen Fülle;
doch dies iſt hier, wie früher, nur vorläufig als ein hypothe-

tischer Gedanke aufgestellt; ausführlich kann sich dies erst in
unsrer Philosophie selbst entwickeln.>m)

Das Verhältniß dieser, der genetischen oder synthetischen
Art zu philosophiren zu der gewöhnlichen, der analytischen und
überhaupt das ganze Bewandniß dieser Art ließe sich allenfalls
durch eine mathematische Formel erklären: man kann allerdings,
ohne aus a herauszugehen, und ohne vorauszusetzen, was die
andern vorausgesetzt haben, nämlich a = b, oder mehr als
a = a — z, — a blos in sich selbst betrachtet, (in Beziehung
auf speculative Methode) zu vielen fruchtbarern Formeln kommen; man braucht 1) nur anzunehmen a = a. a — a, b. h. a
besteht aus zwei Gegensätzen; dieser für die Mathematik unbedeutende Gegensatz ist für die Philosophie schon sehr wichtig,
oder 2) a = ½ : ÷ ½ a ⦂ das heißt so viel, als a in der
Mitte stehend zwischen seinem eignen Maximum und Minimum,
zwischen einem unendlich großen und unendlich kleinen a; es
zeigt diese Formel a in seiner stufenweisen Entwicklung und
deutet an, wo der höchste und niedrigste Punkt von a zu suchen sey. Die erstere zeigt uns die Entstehung oder innere Zusammensetzung des a aus zwei entgegengesetzten Elementen; eine
dritte Formel a = √ a ⁽ˣ ist mehr auf das innere Wesen und
Verhältniß des a zu sich selbst gerichtet; man sieht leicht, daß
diese Formeln, wenn auch bloße Schemata, doch auf jeden Fall
viel fruchtbarer seyn müssen, als die tautologischen, inhaltsleeren, logischen Principien; diese können uns nie a erkennen
und begreifen lehren, denn erkennen kann man nur etwas,
wenn man sein inneres Wesen und seine Entstehung zu erklären versteht. Der Satz des Grundes ist, wie gesagt, abgeleitet
aus dem der Identität, und hierin liegt der Grundfehler für die
Philosophie; geht man vom Unbedingten a aus, so kommt man
nie zum b; geht man vom Bedingten a aus (a=b) so kommt man
nie zum Unbedingten; — ja ist a das bedingte a = b, so bekommt man immer nur ein anderes a, denn b ist ja gleich a.

Nur aus der Natur des Objects läßt sich bestimmen, ob
man aus a zu einem b kommen könne; man muß also die Natur und das Wesen des a erst kennen lernen. Die Untersuchung

hierüber wird aber nie richtig seyn, wenn sie nicht nach den angegebenen drei Formeln geschieht. b kann demnach entweder a in einer bestimmten Potenz a $=\overset{x}{V}$ a $(x$ oder a auf einer gewissen Stufe seiner Progression, a $=$ ½ $\frac{a}{0}$ $+$ ½ $\frac{0}{a}$, oder a in einem gewissen positiven oder negativen Verhältniß zu sich selbst a $=$ a. a $-$ a seyn; je nachdem eine oder die andere Seite aufgefaßt wird, wird auch die F o r m der Untersuchung bestimmt; — alle drei Ansichten zugleich zu vereinigen, ist blos im D i a l o g möglich. n)

Diese Methode, die Gegenstände nach ihrer innern Zusammensetzung und ihren Elementen, ihrer stufenweisen Entwicklung und ihren innern Verhältnissen zu sich selbst zu betrachten und zu begreifen, kann man als entgegengesetzt der syllogistischen, blos für den subalternen, technischen Gebrauch gültigen die g e n e t i s c h e oder wegen der Aehnlichkeit mit der Mathematik die M e t h o d e d e r C o n s t r u c t i o n nennen.

Doch, wie gesagt, dies ist alles blos vorläufig und hypothetisch aufgestellt, eigentlich wird sich alle Form und Methode erst in der Philosophie selbst mit dem Inhalte zugleich finden.

Anmerkungen zur historischen Charakteristik der Philosophie.

(Vom Herausgeber.)

S. 317. **a)** Diese Ansicht von der Originalität der griechischen Philosophie hat, was die eigenthümliche Entwicklung gewisser Grund-ideen des menschlichen Geistes betrifft, auch jetzt noch ihre Gültigkeit. In wiefern aber orientalische und, wie man mitunter behauptet, ins-besondere persische Lehren in der jonischen Schule mit eingewirkt ha-ben, ist noch nicht zur Klarheit gebracht; auch was von den sogenann-ten orphischen und den eleusinischen 2c. Mysterien etwa hergenommen seyn mögte, ist nicht leicht zu entscheiden; wenigstens haben etwaige Einflüsse der Art wohl nicht in der Weise wirklicher Doctrinen statt gefunden; die Symbolik der Mysterien konnte nur anregend und als Reiz zum Nachdenken wirksam seyn. Was aber den Einfluß ägyptischer Symbolik und auch selbst der Doctrinen von daher auf die pythagoräische Philosophie oder die platonische betrifft, so bleibt auch hier alles noch in ungewisser Dämmerung. Ob die indische Philoso-phie etwa von ferne her und mittelbar auf die griechische eingewirkt, läßt sich nicht bestimmen, wenigstens ist nirgends sichtbar, wo und wie-sogar schon in frühern Zeiten, indische Lehren in griechische überge-gangen und sich in dieselben umgestaltet; vielmehr ist die Ausführung der indischen Systeme so eigenthümlich in ihrer Art, wie jene der griechischen und in Betreff der Grundideen weit **tiefer**, als irgend ein Lehrgebäude der Griechen; nur bei Plato und Aristoteles finden sich Analogieen, jedoch keinesweges so, daß man Parallelen ziehen könn-te, wie dies früher, jedoch blos nach dem ersten Anschein, geschehen ist. (S. die **vierte Abtheilung des ersten Bandes der Philosophie im Fortgange der Weltgeschichte.**)

S. 320. **b)** Man bedenke bei diesen kurzen und annoch unbe-stimmten Angaben, daß diese Vorlesungen in das Jahr 1805 fallen, wo Fr. Schlegel, nachdem er vorher in Paris den Grund zu sei-ner Bekanntschaft mit der Sanskritsprache gelegt, noch im ersten Fortgang seiner Forschungen begriffen war. Daß er drei Jahre später in Deutschland durch seine Schrift über die Sprache und Weisheit der Indier die Bahn für diese Studien gebrochen, ist allgemein anerkannt. Was von da an weiter und vorzüglich durch A. W. v. Schlegel, Bopp,

Laffen u. a. zur Ausbildung und Förderung dieser Studien geschehen
ist, hat denselben erst rechten Bestand und Betrieb unter uns gegeben.
Von der indischen Philosophie insbesondre wußte man vor W. Jones
sehr wenig und was dieser geleistet, war, so schätzbar es ist, doch nur
ein Anfang und durch die Parallelen mit den griechischen Schulen
leicht irre führend. Den P. Pons mit seiner auf das Studium der
indischen Sprache und Litteratur gegründeten Abhandlung über die philosophischen Schulen der Brahmanen (in den Lettres édifiantes 1738.)
hatte man übersehen oder vergessen und doch ist diese Arbeit für jene
frühe Zeit bewundernswürdig genau und von höherem Werth, als
alles, was die Engländer vor Colebrooke geleistet. Dubois
hat dieselbe in seinen Mémoires sur l'Inde nur wieder copirt. Was
aber vor der Erscheinung von Colebrooke's Untersuchungen Fr. Schlegel in dieser Hinsicht zu Stande gebracht, ist besonders insofern
schätzbar, als er das Fundament, worauf in der indischen Philosophie
Alles beruhet, die Lehre nämlich von der sogenannten Emanation oder
vielmehr von der Entfernung der Geister von Gott und von dem Unglück der ganzen Welteristenz, so wie von der Befreiung und Rückkehr derselben zu Gott zuerst recht hervorgehoben und als das wichtigste betrachtet hat. Die Charakteristik der einzelnen Schulen konnte
ihm aus Mangel an Quellen und Vorarbeiten nicht ganz gelingen.
Erst Colebrooke hat aus den Quellen eine sehr genaue Darstellung gegeben, jedoch auch den Parallelismus mit den Griechen zu weit getrieben. Wiefern Fr. Schlegel in seinen spätern Vorlesungen über die
Geschichte der Litteratur und die Philosophie der Geschichte hierauf
Rücksicht genommen, wird man bei Vergleichung mit seinen frühern
Ansichten leicht finden. Die Sankhjaphilosophie hat seitdem Lassen
mit großer Genauigkeit bearbeitet, den Vedanta hat Fried. Win-
dischmann dargestellt. Eine Kritik der indischen Lehrsysteme nach
Quellen und mit Rücksicht auf Colebrooke's Untersuchungen hat der
Herausgeber dieses in der schon angeführten Schrift zu geben versucht.

S. 367. c) Diesem Urtheil über den platonischen Parmenides
können wir nicht beistimmen. Schwierig und verwickelt ist allerdings
die Durchführung dieses Dialogs, aber keineswegs verworren; auch
die Nichtvollendung ist wohl nicht ohne Absicht; das Gespräch endet
eben an dem Punkte, wo die Aufmerksamkeit des Geistes für die
höchsten Probleme der Speculation, die er nun denkend zu verfolgen
hat, recht lebendig angeregt ist.

S. 370. Nach Angabe der Reihenfolge der Dialogen.
Diese Folge stimmt mit der von Schleiermacher angegebenen
im wesentlichen überein. Schleiermacher hatte sich mit Fr. Schlegel

zur Uebersetzung des Plato verbunden. Später zog sich letzterer zurück und überließ ersterem seine Vorarbeiten. Eine Ankündigung dieses Unternehmens mit inhaltvollen Bemerkungen über die platonische Philosophie und die rechte Art, sie zu studieren, findet sich im Entwurf unter Schlegels hinterlassenen Papieren und soll unter den Fragmenten an der hier einschlagenden Stelle vorkommen. Auch eine vollständige Uebersetzung des Phädon und Eutyphron ist vorhanden und dürfte vielleicht noch erscheinen, zum Zeugniß, wie unser verewigter Freund die Aufgabe einer Uebersetzung des Plato behandelt haben würde.

S. 371. d) Was die Mysterien zur Erhaltung des alterthümlichen Ernstes und zur Erweckung tiefern Nachdenkens gethan, wie aber auch ihre Symbolik, die nur von dem annoch reinern Sinne der Vorzeit richtig gefaßt werden konnte, in einer gesunkenen und frivolern Zeit verunstaltet wurde und zu Ausschweifungen und Obscönitäten vielfache Veranlassung gab, haben neuere Untersuchungen wohl gezeigt und beides genauer unterschieden. Man findet hierüber viele Belehrung in der gründlichen Recension des Lobeck'schen Aglaophamus (vom Herrn Professor Klausen in Bonn). S. A. L. Z. 1833. No. 153 — 156.

S. 416. e) Allerdings ist dieses Urtheil über die scholastischen Abstractionen nicht ganz ungegründet; ihre sogenannte natürliche Theologie läuft, wenn man von demjenigen, was sie aus der Offenbarung hatten, gänzlich absieht, auf eine abstracte Vorstellung vom Ens necessarium, realissimum, perfectissimum etc. hinaus, woran auch viele von den Lehrbüchern, welche bis auf die neuere Zeit die scholastische Weise beibehalten haben, noch immer kränkeln. Man glaubt dadurch recht gründliche und bis auf die erhabenste Höhe getriebene Begriffe von Gott der Jugend beizubringen, und doch ist man, genau betrachtet, in der Gefahr, den Begriff des lebendigen Gottes auf diesem Wege eher zu verlieren, als zu gewinnen, wenn man nicht an dem festhält, was das ewige Wort verkündigt hat. — Unter den Fragmenten werden an der einschlagenden Stelle noch manche wichtige Bemerkungen über die Scholastiker vorkommen und insbesondere auch jene Gefahr noch näher ins Licht gesetzt werden.

S. 423. f) Ueber die Kabbalah vergleiche man Kleuker's Schrift über das Emanationssystem; ferner Fr. v. Meyer's Abhandlung über diesen Gegenstand in den Blättern für höhere Wahrheit, 4te Sammlung, und Molitor's Philosophie der Geschichte oder über die Tradition.

S. 429. g) Diese Darstellung des Jakob Boehme scheint uns von hohem Interesse zu seyn. So wenig uns auch die Form dieses merkwürdigen Mannes selbst zusagen mag, da er vieles Disparate zu-

fammenmifcht, viele Irrwege einfchlägt und fich von feinen Gefichten oft
viel zu weit führen und ganz gefangen nehmen läßt, fo müffen wir
doch nicht felten die Tiefe und Innigfeit feiner Gedanfen bewundern.
Der menfchliche Geift geht hier in der ganzen Tiefe feines Bedürf-
niffes nach Gott fich felbft auf; jedes Vermögen der Seele ringt nach
Gott, um fich in ihm zu ergänzen, fich in ihm zu verftehen. Es ift
der lebendigfte Geiftes = und Herzensfampf um die Wahrheit in einem
Maaß und in einer Art, wie vor und nach ihm bei feinem mehr, der
außer der fatholifchen Kirche fteht. Die zartften Geheimniffe des
fatholifchen Glaubens wurden von ihm gefaßt, aufgenommen und mit
Innigfeit des Gemüthes betrachtet, wie z B. das Geheimniß der
Menfchwerdung, der reinen Empfängniß in der heiligften Jungfrau
u f. w. Daher hat auch J. Boehme fo vielfach angeregt, fowohl früher, als im Verlauf des gegenwärtigen Zeitalters, und Alle, die eines höhern Elementes begehren und empfänglich find, fönnen feine
Schriften nicht wohl unbeachtet laffen. Aber es ift auch manches gefährliche Element eingemifcht, mancher Stein des Anftoßes liegt im
Weg; insbefondere ift die Lehre von dem Urgrund (Ungrund) oder vielmehr Abgrund in Gott, und vom Verhältniß diefes Abgrundes zum
Böfen nicht blos fchwer verftändlich, fondern auch, genau befehen, ein
grundlofer Irrthum, der in der neueren Zeit manche ähnliche nach-
gezogen hat und nur durch ächt fatholifche Erfenntniß vermieden
werden fann.

S. 457. h) Ueber Leffing's Spinozismus fehe man das Ge-
fpräch zwifchen ihm und Jacobi in des letzteren Schrift von der Lehre
des Spinoza. Daß er und die bedeutendften Denfer der neueren Zeit
nicht blos günftig von Spinoza dachten, fondern ihm auch huldigten,
liegt vorzüglich darin, daß ihnen der wahre chriftliche Glaube mehr
oder weniger abhänden gefommen war. Diejenigen, welche fich ihm
wieder zuwandten, haben fich eben damit auch von Spinoza abgewandt,
und es ift der chriftlichen Kritif ein Leichtes, troß der fo fehr gerühm-
ten Confequenz und endlichen letzten Befriedigung, die man bei ihm
gefunden zu haben meinte, doch feine ganze Blöße aufzudecken. Man
vergleiche hierüber, was in der Beilage zu Maiftre's Abendftunden
von St. Petersburg: fritifche Beleuchtung der Schicffale
der Philofophie in der neueren Zeit S. 590 ffg., vom Herausgeber gefagt worden ift.

Ebend. i). Man vergleiche die inhaltreiche Abhandlung über
Lavater und Hamann von Fr. Schlegel in deffen deutfchem Mu-
feum 1813 Februarheft.

S. 458. k) Diefe Folgen waren damals noch lange nicht genug

entwickelt, um ihre Gefahren beurtheilen zu können; jetzt läßt sich Alles schon von einem höhern Standpunkte leichter übersehen und die Sache ist bis auf die äußerste Spitze hinaus getrieben.

S. 471. k 2) Wer von Fichte's letzter Epoche eine vollständige Kunde zu haben verlangt, den verweisen wir auf dessen hinterlassene Vorlesungen und auf die Briefe an seine philosophischen Freunde; Beides von seinem Sohn, dem Herrn Professor Fichte in Düsseldorf, verdienstlich herausgegeben. Auch die Staatslehre, die früher in Berlin erschienen, ist in dieser Hinsicht sehr wichtig. Ganz zum Ziel ist er freilich nicht gelangt, wie wir dies anderwärts zu zeigen gedenken.

S. 479. l) Die Lösung dieser Frage wird auch jeder Zeit schwierig, ja unmöglich bleiben, wenn man, wie bisher, den Blick nur auf Entstellung und Verunstaltung der göttlichen Offenbarung richtet, wenn man jene eigenthümlichen Zustände der menschlichen Seele, worin ihr Geist für ihn selbst annoch überwältigende Anschauungen seines eigenen Lebens und seiner Weltverhältnisse hat, nicht mit in Erwägung bringt. Solche Selbst- und Weltbeschauungen machen die Grundlage der indischen Veda's aus und gelten für göttliche Offenbarung, wie dies in der Schrift: die Philosophie im Fortgang der Weltgeschichte urkundlich erwiesen ist.

S. 506. m) Der Verfasser ist, wie sich schon in den Vorlesungen über die Logik gezeigt hat, und fernerhin noch bestimmter erweisen wird, weit entfernt, die Fülle und Mannichfaltigkeit nur so überhaupt als zählbare oder als zahllose Vielheit zu nehmen, er nimmt sie vielmehr als in jeder bestimmten Einheit eigenthümlich unterscheidbar und gegliedert. Einheit oder vielmehr Einigkeit im Unterschiedenen und Unterschiedenes in Einigkeit macht ihm das Wesentliche des Begriffs aus, und dieser geistige Organismus des Begriffs gilt ihm als das Wichtigste in der Philosophie.

S. 507. n) Was der Verfasser in diesen Formeln anzudeuten gedachte, ist von der höchsten Wichtigkeit für die Philosophie: er wollte dadurch, wie dies der Fingerzeig auf den Dialog beweist, die lebendige Bewegung des Gedankens durch alle seine Unterschiede und Gegensätze, in allen seinen Verwicklungen bis zur Ausgleichung derselben und bis zur Ausmittelung seiner Vollständigkeit und vollen Lebendigkeit im Begriff bezeichnen. Für diese Ermittelung und volle Verständigung aller Elemente des Gedankens untereinander im denkenden Geist ist allerdings der wahre philosophische Dialog die vollständigste, lebendig persönliche Darstellungsweise.

Bonn, gedruckt bei Carl Georgi.

451, 429, 399, 372, 289, 235, 163, 156,

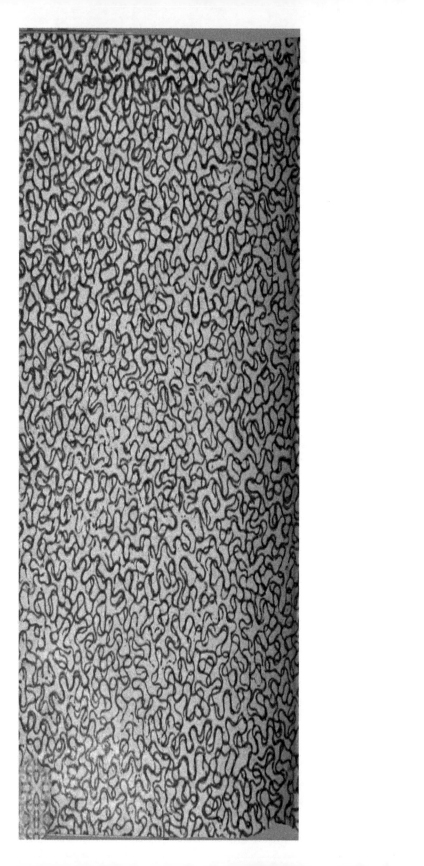

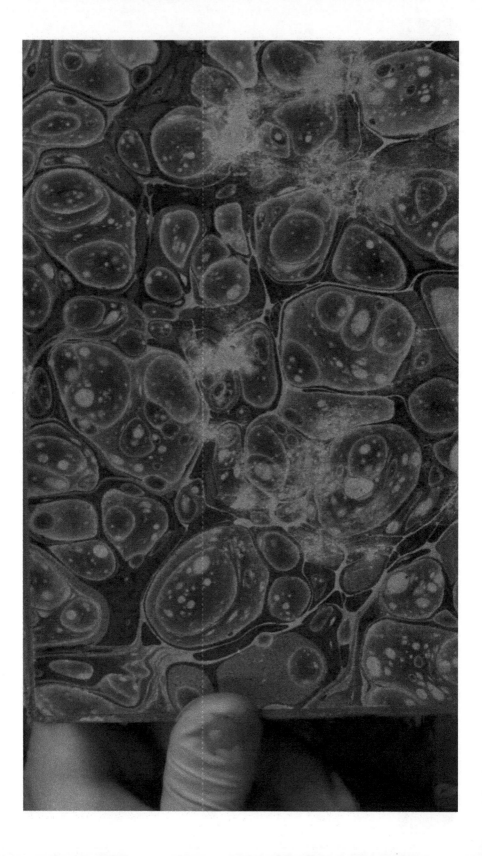

Lightning Source UK Ltd.
Milton Keynes UK
UKHW020631080520
362982UK00009B/466

9 780371 836408